A L'APPROCHE D'UN SOIR DU MONDE

Henri Coulonges est né en 1936. Son premier roman, Les Rives de l'Irrawaddy, *a été publié en 1975. Traduite en plus de dix langues, sa deuxième œuvre,* L'Adieu à la femme sauvage, *a obtenu en 1979 le prix R.T.L. et le Grand Prix du Roman de l'Académie française.*

Au début de 1914, une jeune Irlandaise se retrouve seule au Cachemire pendant que son mari ingénieur s'efforce de lancer un pont suspendu dans un site hostile. Elle se sent isolée et incomprise au milieu d'une communauté anglaise insensible aux déchirements de son île natale qu'elle suit avec angoisse malgré la distance. Il faudra des circonstances dramatiques et des rencontres mémorables, en particulier celle d'un jeune cartographe allemand, pour qu'elle puisse s'échapper afin de jouer un rôle actif dans l'insurrection qui couve à Dublin. Mais une fois sur place rien ne va se passer comme elle l'avait prévu...

A l'approche d'un soir du monde est un grand roman dominé par un inoubliable personnage de femme; un roman où des êtres emportés par le tourbillon de l'histoire tentent de réaliser, en dépit de tous les obstacles, leur destin individuel.

ŒUVRES DE HENRI COULONGES

Dans Le Livre de Poche :

L'ADIEU À LA FEMME SAUVAGE.
LES RIVES DE L'IRRAWADDY.

HENRI COULONGES

A l'approche d'un soir du monde

ROMAN

STOCK

I

La passe de l'Ouest

« Je me suis construit de si beaux
châteaux que les ruines m'en suffi-
sent. »

Jules RENARD.

1

Tout jeune il détestait déjà les changements de temps. Quand, au cours de ses promenades parmi les collines, il voyait se dissoudre soudain dans la brume la flèche de la cathédrale de Salisbury qui régnait encore l'instant d'avant sur la campagne avec tant d'autorité sereine, il savait que toute la quiétude de la journée venait de se dissiper subitement. Les douces ondulations du Wiltshire devenaient tout à coup, sous le vent froid et salé venu de la mer, aussi hostiles qu'une lande désolée, et il n'avait alors de cesse qu'il n'eût regagné le paisible refuge des maisons de Britford. Britford. Un sourire fugitif effleura ses lèvres à cette évocation imprévue du village de son enfance.

D'une légère action sur les rênes, il immobilisa sur le terre-plein la petite *tonga*. Arrêté dans son élan et aussitôt tourmenté par quelques abeilles venues de la prairie, le poney se mit à encenser violemment, et sa fébrilité soudaine fit grincer les ressorts du frêle véhicule. Christopher sauta à terre, tapota distraitement l'encolure de l'animal et fit quelques pas dans l'allée ; la pelouse était inondée d'une lumière blonde qui paraissait diaphane d'avoir rebondi sans fin sur les versants glacés d'Apharwat. Au-dessus de l'imposante demeure le ciel restait encore bleu et profond, mais vers l'ouest un pesant rideau grisâtre agité horizontalement de taches oblongues semblables à des corniches de neige sale barrait désormais la vallée. Une brusque rafale de vent agita en une vague furieuse la vigne vierge de la façade. Celle-ci s'était considérablement étoffée et ramifiée au cours du mandat de Mr. Greenshaw, noyant peu à peu dans sa verdure effervescente les balustrades, les frises et les bow-windows qui donnaient jadis à la Résidence une solennité austère de manoir ancestral. La pluie l'atteignit au moment où il parvenait à la porte d'entrée. Il revint sur ses pas pour aller mettre à l'abri son petit attelage, mais on l'avait déjà devancé, et il vit la porte de l'écurie se refermer sur son véhicule. Il monta précipitamment les marches et pénétra dans le vestibule. Une silhouette se leva et lui prit son chapeau des mains avant qu'il eût prononcé un seul mot.

« Bonsoir, Bates », dit Christopher, surpris par tant de diligence. Désignant d'un geste les parterres déjà ruisselants, il ajouta avec une grimace : « J'arrive à temps, n'est-ce pas ? »

Tassé sur lui-même et paraissant quelque peu chancelant, le vieux valet de pied opina du bonnet.

« On le sentait venir depuis ce matin, Mr. Howard. Il faisait si lourd que je n'ai pas mis mes flanelles pour la première fois depuis onze ans. »

Onze ans. Cela aurait pu être le double. Bates semblait de toute éternité ne faire qu'un avec la maison. Telles étaient la sédentarité et la modicité de son rôle que Christopher ne voyait jamais sans un attendrissement mêlé d'agacement sa silhouette chenue apparaître sur le seuil à chaque arrivée et disparaître aussitôt, le couvre-chef de l'invité à la main. Il se souvint de la première fois où il l'avait vu se dresser dans la pénombre tout illuminée des reflets du vitrail de l'escalier, tel un apaisant et rubicond symbole des bonheurs à venir. Depuis cette époque (c'était du temps de Reginald) il avait l'impression qu'une vague connivence les unissait.

« J'ai rendez-vous, dit-il sans davantage d'explication.

— Son Excellence se tient dans le grand salon, Mr. Howard. Il emballe lui-même les bibelots. Je ne vous fais pas l'injure de vous conduire. »

Christopher allait ouvrir la porte, quand tout à coup il se ravisa.

« Oh, et puis, à vrai dire..., hésita-t-il. Si, pour une fois, je préférerais que vous m'annonciez, Bates. » Il ajouta à mi-voix : « C'est peut-être la dernière fois, vous comprenez. »

Le vieil homme eut l'expression surprise et presque peinée du planton à qui l'on demande de quitter sa faction sans raison valable.

« Vous restez trop sur ce pliant, argumenta Christopher. Il faut bien vous faire bouger de temps à autre, sans quoi l'arthrite vous empêchera de gagner l'embarcadère à pied le jour de votre départ.

— Oh, Mr. Howard, ça ne risque pas. »

Il s'éloigna lentement en bougonnant dans le dédale des pièces de réception, et Christopher le suivit du regard. Comment lui faire comprendre qu'en ces ultimes journées il convenait d'éviter tout impair et qu'il ne pouvait courir le risque de surprendre Mr. Greenshaw un papier d'emballage à la main ou avec un morceau de ficelle sortant de sa poche de gousset. Les mains derrière le dos, il s'absorba pensivement dans la vision des vagues de pluie qui gagnaient à présent toute la vallée et, fouettant les vitres, semblaient faire du vestibule la vigie d'un bâtiment affrontant un grain d'équinoxe. En bas de la pelouse, les massifs de sauges semblaient se recroqueviller sous la chape de brume qui avait rendu invisible en quelques instants l'ensemble des chalets de la station. Il se haussa sur la pointe des pieds pour tenter d'apercevoir le tennis, sans y parvenir, car lui aussi s'était fondu dans la grisaille générale.

« Cher ami, pardonnez-moi de vous faire attendre. J'avais compris que vous veniez un peu plus tard. »

Christopher tressaillit et se retourna brusquement. « Jusqu'au bout il aura réussi à me surprendre », se dit-il, sans rien laisser paraître de son irritation. La silhouette du Résident paraissait plus frêle encore de s'encadrer dans la vaste et sombre embrasure du grand salon. Il sentit une vague appréhension le gagner.

« Excellence », murmura-t-il en s'inclinant avec raideur.

Du geste, celui-ci l'invita à le suivre. Dans la vaste pièce une odeur de départ proche de l'abandon le disputait à la senteur chaleureuse et raffinée des lambris de cèdre. Beaucoup de sièges se trouvaient déjà sous les housses, et les lourds meubles d'ébène, débarrassés des multiples lampes et colifichets qu'affectionnait d'ordinaire Mrs. Greenshaw, luisaient dans la pénombre avec la nudité de pierres tombales. Parvenu à l'extrémité du salon, le Résident parut refuser le confort d'un ample canapé de cuir qui s'offrait à lui et se jucha sur une haute chaise Chippendale à la ligne sévère. Christopher s'assit à quelques pas de lui sur une courte banquette sans dossier, se disant avec satisfaction qu'ainsi piqués l'un en face de l'autre, ils ne sauraient faire durer longtemps l'entrevue.

« Une *chota peg* de sherry ? proposa Mr. Greenshaw.

— Volontiers, Excellence, répondit Christopher avec un entrain affecté.

— Moi, je n'ai droit qu'à la chlorodyne, hélas ! soupira le Résident avec un geste contraint. Toujours ma dysenterie. »

Christopher se méprit.

« Voulez-vous que je demande à Bates de faire le nécessaire ?

— Bates est mon valet de pied, mon cher, pas mon infirmier. D'autant qu'il a une tête d'empoisonneur, ces jours-ci.

— Je pensais que vous désiriez un doigt d'alcool avec votre médecine...

— Vous êtes trop bon. Choisissez donc ce qui vous convient, mon cher Howard. »

Christopher eut la mimique d'un écolier pris en faute.

« Dans ces conditions je m'en passe fort bien aussi », dit-il.

Il passa nerveusement ses doigts le long de la tapisserie de la banquette.

« Je suis venu vous faire mes adieux, Excellence », commença-t-il.

Avec les basques de sa redingote qui penchaient de chaque côté de son siège haut perché, le vieux diplomate ressemblait à quelque échassier crépusculaire.

« Comment cela, vos adieux ? demanda-t-il comme s'il découvrait le motif de sa visite.

— Oui, car à mon grand regret je ne pourrai être des vôtres lors de la réunion du 23.

— Quoi ? Vous repartez à peine arrivé ?

— Je ne peux en effet rester que quelques jours à Gulmarg, répondit-il brièvement.

— Mais toutes mes informations concordent pour

me dire que l'ouvrage est quasi terminé !» s'exclama Greenshaw.

Christopher hocha la tête.

«Je souhaiterais certes que ce fût le cas... En fait, nous en avons pour trois semaines environ. Il nous faut encore construire les garde-fous, terminer les pistes d'accès, accélérer les concentrations des chariots pour les essais de poids, décoffrer la culée... »

Il fut interrompu d'un geste.

«Epargnez-moi les termes techniques, voulez-vous, mon cher ami. Vous savez bien que je n'entends rien au génie civil.

— Disons pour simplifier que nous avons beaucoup de préoccupations, et que je ne suis pas certain de tenir mes délais.

— Je ne pense pas que vous attendiez de moi que je m'en afflige !» s'exclama le Résident avec un emportement soudain.

Christopher sentit qu'il n'échapperait pas à une ultime passe d'armes.

«Une telle réaction me surprendrait en effet de la part de Votre Excellence », répondit-il avec froideur.

Greenshaw sursauta.

«Ah, c'est trop facile ! dit-il d'un ton sarcastique. Qu'espérez-vous donc de moi, mon cher ami ? Que je vous dise au revoir avec un fair-play tout britannique, tout en souhaitant longue vie à votre grand œuvre ?

— J'aurais souhaité simplement que nous évitions de reprendre notre vieux débat...

— Eh bien non, Howard, s'écria-t-il, jamais il ne sera clos ! L'histoire se chargera de vous en apporter la réplique, et plus vite que vous ne le croyez, après que j'aurai quitté — j'allais dire vidé — les lieux. »

Il s'était mis brusquement debout et s'approchait de la fenêtre donnant sur la forêt. D'un geste inattendu, il appuya son front contre la vitre embuée, puis se retourna.

«Sachez que je pars avec le détestable goût de la défaite dans la bouche, reprit-il avec amertume. Mes trois dernières années dans cette vallée pourtant bénie des dieux ont été, disons le mot, empoisonnées par toute cette affaire.

— Jamais, et vous le savez, je n'ai voulu la traiter en termes de conflit, répondit vivement Christopher.

Entre deux sujets britanniques amenés par les circonstances à collaborer, cela me semblait ridicule. C'est vous qui l'avez constamment placée sur ce terrain, malgré ma..., vous acceptez que j'évoque ma patience. »

Greenshaw ne dit mot. Christopher voyait se détacher en contre-jour sa frêle silhouette sur la lumière livide. Un grand silence était retombé entre eux, rendu plus pesant encore par l'obsédant martèlement de la pluie sur la terrasse. De l'eau de ruissellement coulait quelque part d'une gouttière. Il se sentait mal à l'aise et cherchait désespérément une phrase qui lui permît de prendre congé.

« Jamais la pluie n'était venue aussi tôt en saison, constata-t-il d'un ton morne en se levant à demi. Je vais vous demander l'autorisation de... »

Greenshaw lui jeta un regard vif.

« Ne craignez rien, mon cher ami, dit-il avec une ironie appuyée. Ce n'est qu'un orage passager. Vous pouvez être certain que nos réceptions d'adieu respectives se passeront sous un ciel redevenu clair.

— *Nos* réceptions ? J'avoue ne pas comprendre, Excellence.

— Vous ne voyez pas ? Vraiment ? insista le Résident.

— Je vois pour celle qui concerne votre propre départ..., dit Christopher. Je suis le premier à savoir combien les pelouses et les massifs de la Résidence se prêtent à une garden-party, surtout lorsqu'elle est organisée — et je regrette que ce soit pour la dernière fois — par Mrs. Greenshaw. Je crois vous avoir expliqué pour quelles raisons je suis navré de ne pouvoir m'y rendre. Quant à moi, ne connaissant rien de mes projets après la fin des travaux, je n'ai pas l'intention, sauf si Winifred me le demande, ce qui m'étonnerait beaucoup, d'organiser une quelconque sauterie pour mon départ.

— Parce que vous ne l'inaugurerez pas, votre ouvrage de malheur ? »

Sa voix était empreinte d'une telle âpreté que Christopher se sentit soudain sans défense et sans réplique.

« J'ai appris, reprit Greenshaw d'un ton saccadé, que Branjee, à qui on a dû enseigner le tact à King's College à défaut d'autre chose, avait fixé la date de l'inauguration quelques jours après celle de mon départ. Ceci a du moins l'avantage que je n'aurai pas à réprimer mon fou rire devant le spectacle burlesque de Sa Majesté s'avançant juchée sur un pachyderme loué à son cousin du Gwalior sur votre trompe-vertige. » Il ajouta d'un ton plus bas : « C'est vous qui avez suggéré cette date, n'est-ce pas ? »

Christopher secoua la tête.

« Prenez cela pour une marque de superstition : je ne m'occupe jamais de l'inauguration d'un ouvrage avant que celui-ci ne soit achevé.

— Je vous en prie ! Vous avez gagné. Ne montrez pas en plus de la fatuité.

— Je ne montre rien du tout, s'impatienta Christopher. Ou plutôt, si, dit-il en se levant soudain : le désir de prendre congé. »

Le vieux diplomate se rapprocha de lui en écartant dérisoirement les bras, comme s'il voulait lui barrer sa voie de retraite vers le vestibule.

« Branjee voulait sa passe de l'ouest, reprit-il, d'une voix sourde en pointant son index vers lui, eh bien il l'a. Mais attendez, mon cher... Attendez seulement qu'elle soit ouverte ! Vous verrez alors ce qu'il adviendra de la " grande pensée du règne " ! Attendez qu'il vous faille construire un fortin tous les cent yards pour protéger votre ouvrage contre les exactions des *bomb-parasts* de tous poils qui ne vont pas manquer de déferler sur votre bel ouvrage ! Ils ne vont pas être longs à vouloir profiter du royal cadeau, sans jeu de mots, que vous leur offrez : un grand, je dirais même gigantesque symbole de la prétendue oppression anglaise sur ces territoires troublés. Que pouvaient-ils rêver de mieux ? N'avons-nous pas déjà assez d'agitation ? Vous savez pourtant que nous sommes au croisement de quatre régions fort différentes d'administration, de population, de mœurs, de religion et qui, pour cette raison, voisinent fort mal : notre cher Cachemire, le Chitral et, au-delà de votre satané ravin, la corne du Pendjab et la frontière nord-ouest. Ne pensez-vous pas qu'un tel carrefour méritait quelque précaution ?

— Cela fait trois ans que vous me prédisez les mêmes désastres !

— Peut-être, mais cela faisait deux mille ans que nul ne passait d'un bord à l'autre, si ce n'est sur des ponts de corde entraînés chaque hiver par les crues. Lorsque l'histoire et la géographie se conjuguent ainsi pendant des millénaires, mieux vaut ne pas intervenir !

— La gorge était infranchissable, commença Christopher, et...

— Cela lui donnait un statut de frontière naturelle, l'interrompit le Résident ; cela permettait d'éviter les provocations entre communautés, les rezzous, les embuscades, les exactions, et par là même maintenait autour du royaume un calme relatif, malgré tant de troubles sur les marches de l'Ouest. Ce calme n'était possible, vous le savez bien, que parce que le Cachemire restait un sanctuaire, ce qui veut dire, ne nous payons pas de mots, un cul-de-sac. En tant que Résident britannique et conseiller de Sa Majesté le Maharadjah, toute ma politique depuis six ans visait à ce but : faire de la Vallée heureuse une nasse. Et voilà que vous ouvrez dans mon dispositif cette trouée béante.

— Un cul-de-sac ! s'exclama Christopher. Mais un cul-de-sac, Excellence, c'était la mort lente, la solitude, l'enclavement ! Ce que le Diwân désirait, c'était créer au contraire un nouveau courant d'échanges annonciateur de prospérité ! Pourquoi ne voyez-vous que possibilités de troubles et d'exactions dans le mouvement des caravanes que va drainer la nouvelle piste ? Ne pensez-vous pas au contraire que le moment est venu pour ces régions isolées depuis tant de générations de sortir de leur claustration et de tenter de résoudre leurs vieux conflits sans objet ? Ne sentez-vous pas que mahométans et hindous vont enfin pouvoir se rencontrer autrement que pour des rixes et des provocations mutuelles, se connaître, peut-être s'estimer..., et en tout cas faire ensemble du commerce, ce qui est le commencement de la sagesse ? Edifier un pareil trait d'union, le rendre le plus visible, le plus évident et le plus symbolique possible, telle était justement la volonté du Diwân. Shoogam et moi n'en avons été que les humbles artisans. »

Greenshaw haussa les épaules.

« Cet idéalisme proche de la naïveté n'a rien à voir avec la situation telle que nous la vivons chaque jour, mon cher Howard. La vérité, c'est que ce pont est une provocation. Pis que cela ! Une maladresse. Vous êtes dans la position de celui qui creuse une brèche dans les murailles de son propre château fort au moment précis

14

où il est assiégé. Pour être plus net encore, vous avez planté avec cet ouvrage un bâton dans un nid de frelons. Essayez de vous en servir, maintenant, de ce bâton. »

Christopher se contint pour ne pas montrer de façon trop visible son exaspération.

« Vous m'accorderez que pendant les vingt mois qu'a duré le chantier, il ne s'est produit aucun des incidents qu'avec quelque complaisance, vous en conviendrez, vous nous aviez prédit ! » s'exclama-t-il.

Greenshaw pinça les lèvres et ne répondit pas. Christopher réprima un soupir et laissa son regard se perdre jusqu'au malaise parmi les trophées suspendus le long des hauts murs sombres. Gurals, mârkhors mangeurs de serpents, ibexs et buffles, ils étaient tous là, côte à côte dans la pénombre avec leurs yeux vitreux, noyés dans la houle acérée des bois de cerf et témoignant de l'activité frénétique dont avait fait preuve Reginald pendant les cinq ans de son mandat pour dépeupler les pentes du Pir Panjal ; tutélaires et fabuleux comme les dieux grimaçants du bestiaire hindou, ils paraissaient néanmoins exsuder il ne savait trop quel méphitique relent de putréfaction qui lui donnait la nausée. Il chercha à échapper au malaise qui le gagnait. Il lui fallait quitter cette pièce au plus vite avant que ses jambes ne se dérobent et lui interdisent toute retraite. On distinguait vaguement de l'autre côté de la fenêtre des branches de sapin lourdes d'humidité frôler les vitres embuées comme de grandes algues spongieuses et noirâtres dérivant entre deux eaux. Sa silhouette se détachant sur la lumière livide, Greenshaw s'était remis à discourir de sa voix nasillarde d'où semblait toujours sourdre une vague menace.

« Vous ne les sentez pas, Howard ? demanda-t-il en regardant vers les vitres. Vous ne les entendez donc pas, toutes ces bandes éparses, tous ces irréguliers progressant à la file le long des pistes écartées, silencieux, furtifs, prêts à frapper à tout moment ? Ils m'empêchent de dormir, moi, figurez-vous ! Je les vois s'approcher à plat ventre de votre travée, vertigineuse, les Pathans et leurs rezzous, les montagnards du Chitral et du Gilgit fuyant les tutelles de l'empire ou du royaume, oui, je les vois, les autonomistes du Pendjab, les mahométans du Hazara en lutte contre les jogirdars dogras, se glisser tous le long de votre grand ouvrage, silencieusement... »

Christopher eut un geste fébrile pour tenter d'arrêter, au moins verbalement, le déferlement des hordes. Il se sentait soudain en sueur.

« Nous nous sommes déjà dit... tout cela..., murmura-t-il.

— Il ne fallait rien édifier, Howard, dans un tissu aussi fragile. Rien. »

La voix de Greenshaw avait soudain pris un timbre métallique et hostile. Christopher le regarda d'un air incrédule. Le visage du Résident se transformait sous ses yeux et devenait d'une difformité visqueuse et blafarde. Des ruissellements séreux paraissaient jaillir de ses paupières. Tout autour de lui les bois de cerf ressemblaient à une moisissure corrosive qui attaquait les murs. Presque aussitôt il se sentit lui-même le jouet d'un long glissement continu. Il essaya de se redresser, mais il avait le sentiment que ses bras battaient l'air de façon grotesque sans parvenir à se raccrocher à quelque chose de stable et que ses jambes flageolaient, puis ce fut soudain le contact soyeux des mèches du tapis contre sa joue. A quelques pouces de lui, emplissant tout son champ visuel, brillaient dans la pénombre les chaussures vernies de Greenshaw. Loin au-dessus de lui une voix assourdie criait : « Mais, *my goodness*, qu'avez-vous donc ? Bates ! » Il sentit qu'on cherchait péniblement à le soulever en le prenant sous les bras ; enfin il parvint à reprendre appui sur la banquette, haletant comme s'il venait d'échapper à la noyade et tentant désespérément, bouche grande ouverte, d'aspirer un air qui lui faisait défaut.

« Bates ! » appela de nouveau le Résident.

La porte du salon s'ouvrit et le vieux valet de pied apparut en portant une bouteille sur un plateau. Il claudiquait et Christopher eut l'impression qu'il naviguait au jugé entre les housses blanches des meubles, comme un sloop perdu dans les glaces.

« Voulez-vous verser un peu de sherry à Mr. Howard, je vous prie », demanda Greenshaw.

Pendant qu'il le servait, Christopher essaya d'attirer son regard afin qu'il prononce une phrase, n'importe laquelle, qui lui permettrait, en tentant de lui répondre, de retrouver la simple possibilité d'articuler un son et donc de se rattacher à la réalité. Mais Bates se retira sans avoir desserré les lèvres.

« Buvez, mon cher ami, dit le Résident d'une voix radoucie. Et pourquoi ne vous installez-vous pas de façon plus confortable. Le canapé vous tendait les bras et vous choisissez cette banquette ! Je suis obligé, moi, à cause de mon fichu corset, de poser mon séant sur des surfaces dures. Mais vous ne semblez rien porter de ce genre, que je sache ! »

Christopher n'osait toucher à son verre de peur d'en rejeter aussitôt le contenu. En face de lui, le visage de Greenshaw se recomposait pourtant peu à peu, brouillé encore et livide, mais désormais reconnaissable, et l'espace du salon tout autour lui paraissait soudain moins hostile.

« Comment vous sentez-vous ? s'enquit le Résident.

— Mieux, Excellence, beaucoup mieux, bredouilla-t-il. Mais je... je ne comprends pas ce qui s'est passé. Je n'avais jamais eu de malaise auparavant... je vous prie de...

— Ce n'est pas surprenant. Il faisait lourd avant l'orage. Et puis, la fatigue que vous avez accumulée... Vous voulez mon avis ? Ce pont nous achèvera tous, si ce n'est déjà fait. »

Christopher eut un faible geste du bras, comme pour prévenir un retour sur le sujet.

« Mais nous n'allons pas nous quitter sur des visions et des prédictions aussi dramatiques », ajouta hâtivement Greenshaw.

Son ton devenu amène était pourtant démenti par un regard scrutateur.

« Dites-moi plutôt où vous retournerez quand vous en aurez fini avec... — il parut hésiter — tout ceci.

— Ma mère habite un cottage dans le Wiltshire, près de Salisbury. J'espère que nous pourrons y passer quelque temps à notre retour. Après, on me propose un contrat pour le Canada. Nous n'avons encore rien décidé.

— Nous... vous voulez dire, je pense : "mon épouse et moi" ? »

Christopher le regarda avec surprise. Etait-ce dû à sa défaillance ? C'était bien la première fois en deux ans qu'il lui posait une question d'ordre personnel.

« Mais... oui, répondit-il.

— Voilà au moins un point sur lequel je serai d'accord avec vous, dit Greenshaw. Il faudrait toujours décider les choses à deux, ici. C'est le drame de la *memsahib* aux Indes : trop souvent tenue à l'écart des activités d'un mari dont elle pourrait pourtant partager l'intérêt, voire l'ambition, elle devient mûre pour la dépression dans son univers de volets clos et de mondanités en circuit fermé, alors même que son époux se rend compte avec exaltation qu'il participe à une grande aventure. Cela crée une continuelle rupture. »

Ce genre de tirade ne lui ressemblait pas. Christopher chercha où il voulait en venir.

« Mais qu'importe désormais..., reprit le Résident d'un ton désenchanté. L'Himalaya, c'est désormais autant fini pour vous que pour moi, si je comprends bien ?

— Cela fait maintenant huit ans que je me suis retrouvé un beau matin sur les quais de Bombay, débarquant du *Worcestershire*, répondit Christopher après une hésitation ; et six ans que je m'y suis marié. Quoi qu'on puisse penser de la diversité de la péninsule, il est plus que temps que nous découvrions désormais d'autres horizons. »

Chaque mot, à le prononcer, ancrait davantage en lui une résolution qu'il n'imaginait pas si forte l'instant d'avant.

« Je suis persuadé que cela fera en particulier le plus grand bien à Mrs. Howard », dit Greenshaw tout à trac.

Christopher leva les yeux sur lui.

« Le plus grand bien..., répéta-t-il. Vous voulez dire... ?

— Oui. De changer d'air. »

Il n'était pas sûr d'avoir bien entendu, ni compris.

« Le plus grand bien... à Winifred ?

— Evidemment, pas à vous ! s'exclama le Résident avec une acrimonie à peine dissimulée. Vous, vous repartez comblé ! »

Christopher ne put dissimuler sa surprise.

« Je vous remercie de vous intéresser à ce point à son sort !

— Je l'ai rencontrée récemment sur la route de Ningle Nallah. Dois-je vous avouer que je l'ai trouvée d'apparence pâle et triste. A ce propos... »

Il s'était mis à fouiller dans un maroquin qui était devant lui.

« En triant des archives en vue de mon propre départ, je suis tombé sur une photo de votre épouse qui, je pense, a été prise à l'époque par Sir Reginald, puis égarée par lui. Mrs. Howard semble, sur ce document... »

Il paraissait hésiter soudain à le lui montrer, et continuait à le regarder avec une attention qui fut sur le moment désagréable à Christopher.

« ... Attendre tout de la vie. Il y a de plus un détail qui vous retiendra peut-être : cette photo a été prise à l'endroit précis où nous nous trouvons à présent. Qu'elle vous rappelle au moins, conclut-il avec un peu d'emphase, en la lui tendant, que cette pièce n'a pas été uniquement le lieu de nos querelles. »

C'était un agrandissement dont le format semblait destiné à un encadrement. Le tirage en était sous-exposé, et Winifred semblait y émerger de la même pénombre qui les entourait à présent. Les lèvres entrouvertes, elle avait une expression quelque peu hagarde et farouche, comme si elle avait été surprise lors d'une crise de somnambulisme. Peut-être à cause de l'imperfection technique du document, elle y semblait figée et comme désincarnée. On voyait paraître à l'arrière-plan, un peu troubles à cause de la mauvaise qualité de la trame, mais l'encerclant de tous côtés comme des lucioles, des filaments clairs dans lesquels il reconnut les bois de cerf qui l'avaient tant oppressé lors de son malaise. Il eut l'impression qu'elle était entourée des mêmes dangers diffus dont il s'était lui-même senti menacé tout à l'heure. Qu'elle fût assise à l'endroit précis où il se trouvait, qu'elle eût senti, alors qu'elle fixait l'objectif, l'odeur des lambris de cèdre qu'il humait en ce moment même, ajoutait encore à son émotion.

« Tout attendre de la vie, dites-vous ?... » demanda-t-il avec une sourde anxiété.

Le Résident le dévisageait avec cette expression renfrognée qui ne le quittait plus guère.

« N'était-ce pas l'année de votre mariage ?

— Oui, répondit Christopher d'un air rêveur. Et aussi la dernière année du mandat de Reginald.

— Je ne vois pas le rapport... »

Il eut un geste évasif.

« Juste pour situer. »

A retrouver le visage de Winifred six ans auparavant, il se sentait soudain relié à cet été-là par un lien si fort qu'il n'avait pas envie de l'évoquer davantage devant Greenshaw. Et puis les mots qui lui venaient étaient trop simples. « Assise là, pensait-il. Elle était assise là. » Le silence revint planer sur eux, à chaque instant plus pénible, et il dut faire un effort pour s'arracher à sa contemplation.

« Reginald avait voulu que Winifred profite de la saison d'été à Gulmarg, avec ses manifestations et ses fêtes, en pensant que ce serait plus amusant pour elle que de rester à Dublin. Quant à moi, je venais de terminer le pont de Baramula sur le Jhelum... Mon premier ouvrage dans la région. A quoi tiennent les choses...

— Sir Reginald Nettlecombe était le propre oncle de votre épouse, n'est-ce pas ?

— Le frère de son père, répondit brièvement Christopher. Et qui plus est, son tuteur, après la mort de ses parents.

— Vous dites : "qui plus est". Vous ne l'appréciez pas beaucoup, à ce que j'ai cru comprendre... »

Christopher haussa les épaules.

« Un grand chasseur », dit-il avec circonspection.

Greenshaw eut un rire sarcastique en regardant la théorie des trophées.

« Ça, le bougre, il aura bien dépeuplé les pentes du Pir Panjal ! S'il était demeuré ici six mois de plus, il ne serait plus resté un seul animal vivant dans tout le royaume !... On dit », continua-t-il de ce ton fureteur qui paraissait toujours avide de révélations et que Christopher supportait si mal, « qu'en bon Irlandais, fût-ce de demi-souche, il n'était pas très satisfait que sa nièce ait épousé un Anglais...

— Il n'avait qu'à ne pas la faire venir ! s'exclama Christopher avec humeur. Qui ne connaît les dangers que court une jeune fille pendant les *seasons* de Simla, de Gulmarg ou de Ranikhet ! »

Greenshaw eut un petit rire.

« Quoi qu'il en soit, il semblerait qu'il ne soit plus en faveur à Berlin », fit-il remarquer.

Christopher fronça les sourcils.

« Peut-être la chasse y est-elle devenue trop réglementée à son goût ! plaisanta-t-il. Mais comment diable savez-vous cela ? »

Greenshaw parut hésiter.

« Je crois que c'est par votre épouse.

— Elle ne m'avait pas dit qu'elle avait eu récemment de ses nouvelles !

— Comment voulez-vous qu'elle ait eu le temps de vous en parler... Vous êtes seulement revenu depuis hier ! A ce propos, vous ne vous étiez pas revus depuis combien de temps ?

— Vous le savez parfaitement », répliqua Christopher avec irritation.

Il regardait la photo posée devant lui. Elle n'avait peut-être pour seul intérêt, pensa-t-il soudain, que d'avoir attendu six ans avant qu'il ne la découvre, symbolisant ainsi avec la symétrie d'une parenthèse la totalité de cette période qui allait se refermer.

« Puis-je l'emporter ? demanda-t-il avec une soudaine timidité.

— Mais voyons... Elle vous revient de droit ! » s'exclama le Résident.

Christopher marmonna un vague remerciement et la glissa dans son sac, s'efforçant de dissimuler l'espèce de soulagement qu'il ressentait — il ne fallait pas que Greenshaw s'imagine lui avoir consenti une faveur par trop éclatante. Une idée l'effleura soudain : peut-être y avait-il d'autres photos de Winifred cachées là, et qu'on ne voulait pas, qu'on ne désirait pas lui montrer ? Devait-il poser la question au maître des lieux, au risque de le quitter sur ce dernier éclat ? Son intuition lui conseilla de n'en rien faire. Greenshaw semblait pourtant avoir quelque chose à ajouter.

« Tout de même, vous l'avez laissée dans une belle solitude », lui lança-t-il tout à trac.

Christopher ne chercha pas cette fois à dissimuler son agacement.

« Il était difficile de nous organiser autrement, Excellence, et là encore vous le savez parfaitement, dit-il. Je vous accorde toutefois que cela ressemblait un peu trop à la situation de la memsahib telle que vous l'évoquiez tout à l'heure. »

Le Résident hocha la tête.

« A ce propos, il y a une chose qu'elle ne vous aura

pas dite non plus... Vous allez juger, et vous aurez sans doute raison, que je me mêle de ce qui ne me regarde pas..., dit-il d'un ton embarrassé. D'autant que le... conflit que nous avons évoqué tout à l'heure peut vous faire croire que je-veux m'immiscer dans vos affaires... avec... comment dire... des intentions malignes. Dieu m'en garde pourtant !...

— Je ne crois rien du tout, Excellence », l'interrompit Christopher excédé par ses circonlocutions.

Le diplomate avait soudain pris l'air sibyllin d'un vieux *saddhu*.

« Il y a eu un ou deux petits incidents, mon cher ami. C'est Mary qui m'a prévenu, en fait. Elle m'a dit qu'il lui semblait que Winifred avait... oui, changé, ces derniers temps. Peut-être, après avoir reçu des nouvelles de son oncle, s'est-elle trouvée plus sensible encore à la solitude, et, dans les conditions de vie quasi communautaires qui existent dans une station comme celle-ci, le moindre malentendu a-t-il pu provoquer... Enfin je ne vous ai rien dit. »

Il s'était levé et le reconduisait à la porte du vestibule.

« J'aurais aimé présenter mes hommages à Mrs. Greenshaw », dit Christopher.

Le Résident se retourna.

« Oh, je crains que ce ne soit guère possible. Comment, vous ne saviez pas ? Mais au fond, comment le pouviez-vous... Cette solitude dont je vous parlais à l'instant, Mary tente d'en faire en quelque sorte son alliée en se prenant pour George Eliot. Elle travaille huit heures par jour à un ouvrage qui aura au moins — cela je peux déjà vous l'assurer — un point commun avec *Middlemarch :* sa longueur. »

Il ouvrit la porte du vestibule.

« Je crains bien que ça ne reste le seul », dit-il d'un ton désabusé.

Christopher se tint coi. La retraite était à ce prix. Il chercha une phrase aimable pour présenter ses adieux.

« Excellence... Je sais que vous allez cultiver vos roses de Cheltenham... »

Le Résident le regarda avec une expression de réprobation.

« Seigneur ! Comment connaissez-vous ces... détails horticoles ?

— C'était à Noël, lorsque vous nous avez annoncé votre prochain départ. Je me souviens de la première phrase de votre toast : "Lorsque je retrouverai mes roses de Cheltenham..." C'était beau comme du Wordsworth !

— Pourquoi pas Byron ! grogna Greenshaw. Vous vous serez moqué de moi jusqu'au bout, mon jeune ami. »

Christopher le regarda, interdit.

« Quant à ces roses, voulez-vous que je vous dise ? Je ne suis pas absolument certain de penser à vous lorsque je les taillerai. »

Christopher se força à rire.

« Je n'en demandais pas tant », répliqua-t-il.

Le vieil homme le regarda à la dérobée.

« Enfin..., dit-il. Qui sait. »

Il le raccompagnait. Parvenu sur le seuil, le jeune ingénieur se retourna et vit pour la dernière fois la silhouette grêle du diplomate sur le fond moutonnant des housses. Il se figea gauchement dans une sorte de garde-à-vous. Puis le lourd panneau de cèdre se referma.

Bates surgit à ses côtés dans la pénombre du vestibule et lui tendit son chapeau de fine paille blanche.

« Je crains que vous ne l'abîmiez, monsieur, il pleut des hallebardes. Pall-Mall un soir de novembre...

— Pall-Mall ! s'écria Christopher. A Pall-Mall j'aurais trouvé du gin, vieux brigand. Vous m'avez si bien laissé le gosier à sec que j'ai failli en défaillir !

— Je suis navré, Mr. Howard. Je sentais bien que vous auriez accepté un petit gobelet, mais Son Excellence tient à ce que je garde tout ce qui nous reste pour la réception d'adieu.

— Ah c'était cela ! Eh bien, j'espère que la plus franche gaieté régnera sur vos agapes, mon cher ami.

— Ce n'est pas certain, dit Bates d'un ton morose. En attendant, vous ne pouvez pas rentrer en *tonga* avec ce temps. Je vous ai fait avancer le coupé. Au moins serez-vous à l'abri. »

Déjà le fanal de l'attelage émergeait de la brume et s'immobilisait. Il accompagna Christopher sous un énorme parapluie et ouvrit la portière.

« Merci, dit ce dernier en s'installant sur les coussins. Je vous le fais ramener demain par Ramesh. »

Sous le parapluie, la silhouette du vieux valet de pied semblait pensive et affaissée. Christopher se pencha vers lui.

« Allez savoir quand nous nous reverrons », murmura-t-il.

Bates eut un geste ample et désabusé qui englobait la vaste demeure à demi désertée, la pluie, et au-dehors l'immense vallée enténébrée.

« De toute façon, maintenant... la pièce est finie, Mr. Howard. On a déjà baissé le rideau. J'en suis encore à me demander si c'était une comédie, ou autre chose, mais alors je ne sais pas bien quoi. »

2

Le chalet s'enfonçait déjà dans la pénombre et pourtant aucune fenêtre ne paraissait éclairée. Il pénétra de plain-pied dans l'écurie avec le coupé, puis, le laissant à l'abri tout attelé, franchit en courant, courbé sous les trombes d'eau, le petit terre-plein qui le séparait de la porte d'entrée. Les chaises longues avaient été oubliées sur la pelouse, et leurs silhouettes ruisselantes lui parurent dessinées au pinceau par quelque calligraphe sur le fond livide de la vallée.

Le salon était obscur et désert. Ramassant distraitement un exemplaire du *Backwoodsman* tombé sur le tapis, il appela : « Winnie ! » Pour toute réponse, il entendit la voix juvénile de Ramesh résonner dans l'office. « *Chota borsat, Chota borsat* », chantait avec allégresse le jeune homme. Christopher haussa les épaules et poussa la porte. Une peau de chamois à la main, Ramesh astiquait des étriers et des mors de bride alignés sur un chiffon. Il s'interrompit lorsqu'il le vit apparaître et resta la bouche ouverte, sa mélopée brusquement interrompue.

« Ah ça, tu peux chanter les premières pluies ! s'écria Christopher avec agacement. Va plutôt dételer et panser le cheval qui est à tordre. Il faudra ramener demain le coupé à la Résidence et revenir avec la *tonga*. »

Ramesh restait figé sur place. D'une tape sur l'épaule, Christopher s'efforça de redonner au jeune Kashmiri son habituelle expression insouciante et gaie.

« Où est Madame ? lui demanda-t-il d'un ton radouci.

— Mais... dans sa chambre, *sahib* », balbutia Ramesh.

Il quitta l'office et s'engagea dans l'escalier.

« Winnie ! » appela-t-il de nouveau lorsqu'il fut parvenu sur le palier.

La pluie tambourinait avec violence sur le toit de bardeaux à quelques pouces au-dessus de sa tête. Un pâle rai de lumière filtrait sous la porte. Il frappa et, n'obtenant pas de réponse, l'ouvrit lentement. Près de l'entrée la mèche de la lampe achevait de se consommer en charbonnant, et du globe de verre s'élevait jusqu'au plafond une fumée noirâtre mince comme un fuseau. Tout le reste de la pièce baignait dans la pénombre. Un peu fébrilement, il desserra la vis jusqu'à ce que la flamme redevienne claire et drue. Puis il se retourna et s'immobilisa, étreint par une brusque appréhension.

À l'extrémité la plus sombre de la pièce, Winifred se tenait immobile devant sa coiffeuse, le haut de son corsage dégrafé. On eût dit que l'orage l'avait frappée d'une stupeur paralysante face à son reflet au moment précis où elle allait se changer pour le dîner.

« Il y a longtemps que tu... te tenais là ? » s'inquiéta-t-il.

Elle exhala un soupir qui souleva ses épaules avec lenteur, comme si celles-ci portaient un lourd fardeau. A la découvrir ainsi modelée d'ombres fugaces, sa peau patinée de lumière indécise, il eut un instant l'impression qu'un autre corps que celui de sa femme était présenté là comme un objet de dévotion au grain plus ambré, au rayonnement plus glorieux, tel celui de quelque déesse sereine et hiératique surgie des ténèbres d'une grotte. Il s'approcha lentement d'elle, se pencha sur sa nuque et posa ses lèvres au creux de son cou sur le petit archipel de grains de beauté qui surgissait de l'échancrure du corsage, et s'y attarda comme s'il retrouvait là le goût d'une source cachée ou le relief d'une secrète serrure. Son visage immobile rejeté en arrière, Winifred eut un imperceptible frémissement.

« Tu ne m'entendais donc pas ? » demanda-t-il.

Elle s'écarta de la coiffeuse et se tourna vers lui. Ses yeux un peu rapprochés l'un de l'autre donnaient parfois à son regard une fixité dont il ne savait s'il recouvrait une capacité d'absence inégalée ou un tranquille détachement.

« J'ai dû m'assoupir », murmura-t-elle.

Il fronça les sourcils.

« Toi, t'assoupir ! A cette heure-ci !

— J'imaginais qu'avec ces trombes d'eau ils te garderaient à dîner..., dit-elle sans conviction.

— Tu devrais savoir que Mary ne voit plus personne. Mary écrit, et il paraît que c'est sérieux. Je n'arrive pourtant pas à imaginer qu'une seule idée puisse éclore sous de tels chapeaux. »

Winifred désigna sur une table basse une pile de livres qu'il n'avait pas remarqués.

« Ce ne peut être plus plat que ce Trollope. Il a pourtant du succès, paraît-il...

— Mon Dieu, s'écria-t-il. Tu as lu tout ça !

— Oui », fit-elle avec mélancolie.

Il y eut un silence.

« Mary ne t'avait jamais parlé de ses talents ? » demanda-t-il.

Elle secoua la tête.

« Je ne la voyais plus, tu sais. »

Il resta songeur. Face à la coiffeuse, elle achevait de boutonner son corsage.

« Enfin, tout cela se termine ! s'efforça-t-elle de dire avec un peu plus d'entrain. A ce propos, raconte-moi ta visite pour prendre mutuellement congé l'un de l'autre. Tout ce qui a trait à notre retour me fait un bien !

— Moi pas. Après trois ans de discussions et de disputes, il a failli m'achever. »

Winifred le regarda sans comprendre.

« J'ai eu un malaise, précisa-t-il avec une sorte de réticence.

— Il a essayé de t'empoisonner ?

Il ne put s'empêcher de rire.

« Je sais que tu le crois capable de tous les forfaits, mais tout de même ! D'ailleurs, eût-il été César Borgia lui-même, je ne vois pas où il aurait pu verser sa fiole ou sa poudre, tant je me trouvais au régime sec ! Non, c'est plus incroyable encore... Peut-être l'incrédulité à la pensée que je le voyais pour la dernière fois... Toujours est-il que les bois de cerf fixés aux murs se sont mis à tournoyer autour de moi comme des sagaies dans une ronde de Bantous. Jamais je n'ai tant regretté les prouesses cynégétiques de ton cher oncle. » Il la regarda à la dérobée. L'allusion à Reginald l'avait laissée de marbre. « Si je comprends bien, dit-elle avec une soudaine véhémence, toi, l'ex-avant de l'équipe de rugby de Dartmouth, tu t'es écroulé comme une loque aux pieds de ce gringalet ! »

Il parut choqué de sa sortie.

« Moque-toi de moi ! C'est vraiment gentil ! » s'écria-t-il.

Elle se radoucit aussitôt.

« Dis-moi plutôt ce qui t'est arrivé...

— Denis venait pour la *énième* fois de me détailler avec complaisance la liste de tous ceux qui n'attendent que l'ouverture de l'ouvrage pour chercher à le saboter...

— J'espère qu'il s'était compté dedans, le cher homme ? l'interrompit-elle d'un ton ironique.

— Ecoute ! Il n'a jamais caché qu'il s'opposait au projet, répliqua Christopher avec impatience. Tu peux lui reprocher tout ce que tu veux, mais pas d'être hypocrite. »

Elle se leva tout d'une pièce.

« Entendre ça ! Comprendras-tu enfin un jour à quel point on t'a tiré dans le dos depuis *là-haut* ! » s'exclama-t-elle avec un geste de colère vers la Résidence.

Il glissa un coup d'œil vers la fenêtre. Sous les rafales de pluie, la grande bâtisse paraissait lointaine et vaporeuse comme une demeure de songe. « Tu me sembles bien nerveuse, lui dit-il. Calme-toi, je t'en prie ! Tout s'arrange enfin... D'abord l'ouvrage est presque terminé. Ensuite le Résident s'en va, très certainement empli de rancœur, mais il s'en va. Et nous aussi, Winnie, le travail réalisé, le contrat rempli, nous allons quitter le petit royaume du bout du monde. Dans un mois la Bibby Line nous attend. Dois-je te rappeler que nous ne reverrons jamais Greenshaw ? Peut-être un jour le croiserai-je dans un parc londonien ou ailleurs mais je l'aurai tellement vu sous son *topee* que je ne sais même pas si je le reconnaîtrai avec un melon ! L'important est que Shoogam et moi ayons pu mener à son terme cette entreprise périlleuse. Cela ne valait-il pas une séparation de quelques mois ?

— Pour toi, peut-être, répliqua-t-elle avec un sursaut douloureux. Sûrement, même. Mais tu oublies ma

situation, Chris. Quelques mois ! Tu en as du culot !...
Dix-neuf. »

Elle se leva et arpenta la pièce à grandes enjambées.

« Oui, dix-neuf mois, reprit-elle d'une voix véhémente. J'aurais pu mettre au monde deux bébés de suite que tu t'en serais à peine aperçu. Jamais je n'aurais dû accepter de rester aussi longtemps loin de toi. Jusqu'ici nous avions toujours trouvé le moyen de ne pas rester séparés... Sur les chantiers du Jhelum, de la Panjkora, de l'Alaklanda, je ne t'avais jamais quitté. Pourquoi a-t-il fallu que l'on me propose ce marché — car c'en était un —, et de façon telle que je ne pouvais pas le refuser. J'en ai terriblement souffert. J'ai découvert la solitude. Je suis restée l'otage d'un petit milieu médiocre, et hostile, qui plus est. »

Christopher leva les bras au ciel.

« Hostile ! N'exagérons rien, Winnie ! Mary, Flora, Ethel, Mrs. Bellamy ont tout fait pour te faciliter les choses au début. Elles nous ont procuré la *doonga* de Srinagar, puis ce chalet pour l'été, dans un cadre enchanteur. Crois-tu que cela aurait été la place d'une jeune femme que de rester seule au milieu de quinze cents hommes dans un chantier établi au fond d'une vallée déserte et encaissée, à trois jours de cheval de Gulmarg ? Près de tous nos autres chantiers, il y avait une ville ou un village où nous pouvions résider. Rappelle-toi Baramula, Warai Post, Dehra Dun ou Ramikhet... Mais tout cela, tu le sais parfaitement. Au fond, tu es comme Greenshaw, il te faut à chaque fois revenir sur ce qui était convenu et...

— Ne me compare pas à lui, cela, je te l'interdis ! hurla-t-elle.

— Pardonne-moi, dit-il vivement. Mais crie moins fort, je t'en prie. L'*ayiah* ne va pas en perdre une miette !

— Tu es là depuis hier et tu prétends connaître Romola mieux que moi ? »

Il poussa un soupir et ne répondit pas.

« Tu ne m'avais *jamais* dit que tu espacerais à ce point tes visites..., reprit-elle.

— Trois jours pour venir, trois jours pour rester ici, trois jours pour retourner... Crois-tu que, malgré l'autorité et les capacités de Vijay, je pouvais m'offrir souvent neuf jours d'absence ? Et pourtant je l'ai fait le plus que j'ai pu, six ou sept fois au moins... »

Elle lui brandit sa paume largement ouverte.

« Tu es venu exactement *cinq* fois ! Cinq fois en dix-neuf mois ! Non, même pas, car la dernière fois, en avril, c'est moi-même qui suis descendue sur le chantier, et contre ton gré, encore ! Sans quoi, ce satané pont, je ne l'aurais même pas vu avant son inauguration.

— Eh bien, tu l'as vu ! s'exclama-t-il avec une exaspération soudaine. Le résultat, c'est que tu tournais en rond au bout de quarante-huit heures sans trop savoir que faire. Et comment veux-tu que ce ne soit pas le cas, dans un site pareil ! »

Elle ne put réprimer un geste d'indignation.

« Tu aurais pu abandonner quelques instants tes fichus plans et t'occuper de moi ! Tu sais combien de fois j'ai fait l'amour, en dix-neuf mois ? Onze fois ! C'est vraiment de la débauche ! Et si je n'étais pas venue... à Danyarbani..., cela aurait été... combien... »

— Plains-toi ! s'exclama-t-il. Un mari qui vous rend visite trois fois l'an redevient un amant. »

Elle s'était mise à pleurer. Il lui prit la main.

« Et crois-tu peut-être que tu ne me manquais pas ? reprit-il d'une voix sourde. Tu crois peut-être que cela m'amusait de passer toutes mes nuits seul sur un lit de camp à écouter les aboiements lointains des *khâkars,* lorsque ce n'était pas, toujours les mêmes, les histoires grivoises de Shoogam lorsqu'il avait bu son coup de trop ? »

Elle demeurait secouée de sanglots haletants, inextinguibles comme ceux d'un enfant.

« Oh, quel gâchis..., balbutia-t-elle. Car pendant ce temps-là, moi... Tu as vu comment j'étais tout à l'heure ?... Eh bien, je restais comme cela des heures entières, à la tombée de la nuit. »

Il resta un instant sans voix.

« Quoi ? Devant ta coiffeuse ? On ne t'invitait donc jamais après le dîner ? »

Elle secoua la tête d'un air désenchanté.

« Mais tu ne m'avais jamais dit que tu te sentais à ce point d'humeur chagrine ! s'exclama-t-il consterné. Tes messages n'avaient rien d'alarmant... Je te croyais intégrée, et même... oui, c'est le mot, choyée dans cette petite communauté... »

Elle eut un geste de lassitude.

« Je ne voulais pas... t'ennuyer... avec mes... avec mes... »

Elle essaya de réprimer ses larmes puis, honteuse, évitant de regarder son miroir, enfouit son visage dans ses mains.

« J'avais pourtant sacrifié aux rites de la tribu, murmura-t-elle. Je m'étais rendue dans un premier temps à toutes leurs simagrées. Gymkhanas, pique-niques, bals du club, tournoi de polo, thés, dîners déguisés, où ne suis-je pas allée !... Mais tout ce qui m'avait tant amusée en 1908 m'était peu à peu devenu intolérable. Je me souviens, j'avais fait un effort particulier le jour du bal de la Résidence, parce que tu m'avais promis que tu viendrais. Ma robe était déjà préparée, étalée sur la chaise où tu es assis en ce moment, quand ton message est arrivé me faisant faux bond. Tu vas dire que je suis devenue une vraie fontaine, mais je suis restée là, en combinaison, à pleurer intarissablement. Au bout d'une heure, Romola affolée a prévenu la Résidence et Mary a fini par me faire chercher par le vieux colonel Compton-Mackenzie, et cela après que Romola m'eut habillée presque de force ! Tu vois qui est cette vieille culotte de peau ? Voilà qui on m'avait trouvé comme chaperon...

— Ça, tu ne risquais pas grand-chose », s'efforça-t-il de plaisanter.

Elle eut une crispation des lèvres.

« Je ne risquais pas grand-chose, en effet. »

Il se tut. Il ne se souvenait pas avoir jamais eu l'impression d'un tel désastre.

« Oh, Chris, reprit-elle avec tristesse, si vraiment ce que tu ressentais était si proche de ce que je ressentais moi-même, alors cette situation était plus absurde encore que je ne le pensais. »

Elle laissa retomber ses bras, comme si tout en parlant elle s'était rendu brusquement compte d'une évidence.

« Mais non, remarqua-t-elle d'un ton las. On n'est pas solitaire lorsqu'on travaille jour et nuit comme tu le faisais. Tu ne peux pas me comprendre. Tu ne peux pas comprendre combien j'ai pu être seule.

— Cesse enfin de t'attendrir sur toi et de croire que cela n'a été qu'une partie de plaisir pour moi ! répliqua-t-il d'un air excédé. Oh que si, j'étais seul ! J'aime bien Vijay, mais c'est lassant, je t'assure, de n'avoir que lui à regarder de l'autre côté de la table, et cela pendant des semaines. En plus, j'y ai peut-être laissé ma santé, dans cette aventure.

— N'en rajoute pas, je te prie », dit-elle sèchement.

Il pâlit et se leva.

« Tu es blessante. Tu trouves peut-être que c'est normal, cette défaillance que j'ai eue ? »

Elle se leva à son tour pour lui prendre les mains et les serra dans les siennes.

« Pardonne-moi. Tout cela m'a durcie, tu sais. Pour te dire vrai, je me suis sentie mal à l'aise durant tout le temps de ta visite d'adieu à la Résidence, comme si tu étais soudain vulnérable et que *lui* le savait.

— Ce n'est pas tout à fait cela, rectifia-t-il. C'est même le contraire. Je pars en vainqueur et lui, en effet, le sait. »

Il s'approcha de la fenêtre et resta pensivement à regarder au-dehors. La nuit semblait tomber deux heures plus tôt qu'à l'ordinaire. Les multiples bruits de ruissellement aux alentours se mêlaient aux allées et venues de Romola préparant en bas le *curry and rice* du soir.

« Pourvu que Vijay ait eu le temps d'abriter les palans et les treuils », dit-il en se retournant.

Elle lui jeta un regard vif.

« Sans quoi ?

— Eh bien... Il faudrait tout regraisser et retendre les câbles ; cela pourrait prendre une semaine.

— Une semaine ! s'écria-t-elle. Tu veux dire, une semaine de *retard* ?

— Je le crains. »

Elle le fixa avec une intensité qui le laissa interdit.

« Ne me dis pas que tu en es à compter les *jours* ! » s'exclama-t-il.

Elle se détourna brusquement vers la glace et, appuyée contre le bois de la coiffeuse, enfouit de nouveau la tête dans ses mains en bredouillant quelque chose. « Tu n'as décidément rien compris », crut-il l'entendre dire. Par opposition à la ligne bien découplée de ses épaules, sa nuque paraissait si frêle et si fragile qu'il y vit le symbole même du désarroi de celle qui était encore il y a quelques semaines sa Winifred solide et aguerrie.

« Il m'avait fait quelques allusions dans ce sens », dit-il après une hésitation.

Elle se retourna brusquement.

« Qui ?

— Eh bien... Mr. Denis Greenshaw, C.B.E., K.C.M.G., Résident de Sa Majesté Britannique auprès du Maharadjah de l'Etat du Jammu et Cachemire !

— Parce qu'il s'occupe de nos vies privées, maintenant ?

— Ça le gênerait ! En fait, il m'avait... laissé entendre que tu t'accordais mal avec ces dames de la station. Mais nous venions de nous heurter une fois de plus, et j'avais mis cela sur le compte de son esprit atrabilaire. C'était donc vrai », ajouta-t-il après un silence.

« M'accorder mal », murmura-t-elle, comme si elle cherchait la signification psychologique exacte de ce terme.

« Oh, tu sais, dit-elle en haussant les épaules, c'est comme pour tout, ça dépend du sens que l'on donne aux mots. Aux mimiques. Aux regards. »

Elle resta quelques instants rêveuse, les yeux perdus, au-delà de la pile des Trollope, sur les montagnes invisibles. Puis une moue fugace vint l'effleurer.

« En fait, je suis quasiment en quarantaine », murmura-t-elle.

Dans son agitation, Christopher fit tomber de l'étagère la pile de *Our Station in India* qui les suivait depuis Baramula.

« Mais de quand date cette situation ? demanda-t-il d'une voix blanche. Encore une fois, en avril, tu ne m'avais parlé de rien !...

— Ne crois pas que cela me touche, au moins ! s'exclama-t-elle avec une désinvolture affectée. Ne plus avoir à discuter des derniers potins de la vallée autour d'interminables tasses de thé ! Ne plus toucher une carte à jouer ! Ne plus faire de commandes groupées auprès des *Army and Navy Stores* ! Parfois je me dis que c'est plutôt un privilège !... »

Elle s'arrêta net. Christopher l'écoutait sans mot dire.

33

« Cela date du jour où j'ai reçu la lettre d'oncle Reginald », dit-elle.

Il resta quelques instants méditatif.

« Le vieux roublard, marmonna-t-il.

— Qui ? Reginald ?

— Denis. A cela aussi il a trouvé le moyen de me faire une allusion. »

Elle se rassit avec fébrilité.

« Ça, c'est le bouquet ! J'étais peut-être isolée, mais néanmoins surveillée à temps complet ! Et toi, si je comprends bien, convoqué au rapport !

— Ne me raconte pas d'histoire, répliqua-t-il avec calme. Tu l'avais toi-même prévenu que tu avais reçu des nouvelles de ton oncle. »

Elle le dévisagea fixement.

« Il a bien fallu, dit-elle après un silence. T'a-t-il parlé de l'incident qui s'est passé après que j'ai reçu la lettre ?

— Question potins, je te rappelle que ce n'est pas Mary. Il reste d'une circonspection très Foreign Office.

— Je vois ! On jette une pierre dans l'eau sans avoir l'air d'y toucher, mais on observe ensuite les ronds pendant des heures... Eh bien, lis la lettre, après tout. Je ne voulais pas t'en parler dès le premier jour pour ne pas gâter nos retrouvailles...

— Tu es trop bonne ! dit-il.

— Va la prendre », souffla-t-elle.

Elle semblait désormais désemparée et esquissa un geste vague vers le tiroir du haut du chiffonnier. Il eut un mouvement de recul. Il savait que c'était l'endroit où elle serrait ses papiers, les quelques lettres qu'elle recevait de ses neveux, ses carnets d'adolescente emplis de croquis et de réflexions, ses catalogues de chez *Simpson's* où elle marquait d'une croix les meubles et les objets nécessaires pour la maison qu'elle aurait un jour. Jamais il ne serait venu à Christopher l'idée de l'ouvrir, fût-il resté seul dans la chambre une journée entière.

« Je préfère que tu me la donnes toi-même », fit-il.

Elle se leva et il la regarda farfouiller dans ses papiers avec un sentiment de gêne — l'impression qu'il se rendait néanmoins coupable, indirectement, de cette indiscrétion qu'il ne voulait pas commettre. Elle lui tendit une mince liasse de feuillets gravés d'un luxueux en-tête et recouverts d'une fine écriture cursive qu'il reconnut aussitôt.

« Quand l'as-tu reçue ? demanda-t-il en consultant la date inscrite sur le premier feuillet.

— Un mois environ », murmura-t-elle.

REID'S HOTEL
    FUNCHAL
    MADEIRA
    –
                                      Le 4 avril 1914.

« Ma petite Winnie », commença-t-il à lire.

Il s'écarta brusquement de la lampe et releva la tête.

« Cette familiarité ! Je ne m'y ferai jamais ! s'excla-ma-t-il.

— Chris. Je ne veux pas jouer les orphelines de Dickens, mais c'est tout de même le frère de papa ! Il m'a élevée après sa mort et celle de maman ! Il m'a fait venir au Cachemire ! Sans lui, c'est tout simple, tu ne m'aurais jamais rencontrée !

— Je sais, grogna-t-il. Ce qui m'agace, c'est que cela lui donne l'illusion d'avoir des droits sur toi. Bon. »

« Ma petite Winnie,

« Midi. Je t'écris sur la célèbre terrasse, un verre du nectar local à portée de la main, entouré à profusion des glycines et des lilas dont le prestige de l'établisse-ment (et les prix qu'il commande) exige qu'ils fleuris-sent trois semaines avant le reste du monde. Mais une telle entité abstraite existe-t-elle ici ? Et un séjour dans ce paradis peut-il être envisagé autrement que comme une fuite — d'autant plus impardonnable que le fugitif se trouve en spencer blanc et souliers vernis — devant la triste réalité de ce temps ? Malheureusement, au moment où je trace ces mots et bats ainsi ma coulpe avec, je le reconnais, quelque complaisance, ma pre-mière question se résout par l'affirmative : le reste du monde surgit devant moi en la personne de Lady Amonsfield dont la silhouette anguleuse parvient à s'entremettre entre ma chaise longue et la baie de Fun-chal, me gâchant par sa seule présence l'un des plus beaux panoramas que je connaisse (avec celui de Gul-marg). Je crains que cette Lady A. ne fasse sur moi d'étranges fixations, datant d'une lointaine année où ton oncle était svelte et où il s'était laissé aller un soir de faiblesse à découvrir sous les taffetas aimables de cette dame (jeune alors, pourtant) une chair flasque et un poil grêle fort impropres à l'exaltation d'un ruffian comme lui. »

Christopher posa le feuillet avec humeur.

« Quel sabir ! Et l'évocation de ses fiascos me donne la même nausée que la vision de ses trophées sur les murs !

— Si tu fais des réflexions toutes les trois lignes, on n'en finira pas », dit Winifred.

« ...Sans doute, poursuivit-il, a-t-elle oublié ma déception d'alors, car elle a trouvé hier le moyen de me coincer à la salle à manger et de me susurrer à l'oreille (ce qui paraît autoriser mes pires craintes) : "*Why, us, women, have we so many fantasies.*" (Je te l'écris entre guillemets, car à son accent j'ai d'abord cru qu'elle me parlait une langue étrangère. Non, c'était de l'anglais de Belgravia tel qu'on ne l'entend plus que dans les pièces de Sheridan.) Ciel ! Elle pique sur moi comme une buse sur une dépouille de pachyderme. Le salut est dans la fuite. »

« Cette plaisanterie dure encore longtemps ? demanda Christopher en comptant les feuillets qui lui restaient à lire.

— Si je t'avais dit de commencer page 2, tu aurais prétendu que je te cachais quelque chose ! »

« 12 h 30. Repli stratégique avant le lunch : je suis retourné dans ma chambre. Au mur, une reproduction de *L'adoration des bergers* de Giorgione, celle-là même que Berenson, inexplicablement, donne au Titien ou à Catena, je ne sais plus. A une centaine de pieds en contrebas, les vagues font assaut d'urbanité, et j'aspire par la fenêtre ouverte les effluves allègres d'un petit alizé printanier avec parfums *ad libitum*. Il fallait bien ces souffles marins pour que les âcres relents de genièvre et de tabac à priser cessent de s'attacher à mes souvenirs et, ce qui est plus grave, à la cheviotte de mes vestes. En effet (tu n'es pas sans l'avoir remarqué à la suite de ce long prologue hédoniste), j'ai quitté Berlin, et il se sait maintenant à Whitehall que la place de premier conseiller à l'ambassade d'Angleterre est vacante. Oui, Winnie, et c'est là que je voulais en venir, j'ai donné ma démission. Ici, je voudrais mettre dans mon propos un peu de l'emphase dont tu as toujours prétendu avec quelque malice qu'elle m'était aussi naturelle que la simplicité l'était à d'autres. Je pourrais certes te dire que je ne pouvais plus supporter un pays où tout ce qui n'est pas *strengstens verboten* (sévère-ment interdit) est *nicht gestattet* (non autorisé). Ce serait une boutade trop facile. La réalité est qu'un dés-accord très profond est intervenu entre mon ambassa-deur Lord Herringrow et moi-même. Il s'agit bien entendu de la question irlandaise, mais pas exactement de ce que tu pourrais imaginer. Après tout, je savais en venant ici que mon chef de mission était un conserva-teur de l'espèce bornée, et, selon un accord tacite, nous évitions d'aborder ce sujet brûlant. Jusqu'au jour où je me suis aperçu (je te raconterai un jour comment) qu'en bon saxophile il souhaitait voir les Allemands jouer un rôle dans le conflit qui se prépare en Irlande. Ce rôle, bien entendu, ne pouvait être qu'un soutien accordé en sous-main aux unionistes du Nord. Pire, je suis arrivé à la conviction qu'à travers sa complaisante entremise, leur chef Edward Carson, le plus fanatique de tous, avait pu demander au Kaiser dont il se pré-tend l'ami des fusils pour se réarmer — en toute illéga-lité bien entendu. J'ai eu beau essayer de faire com-prendre à l'ambassadeur que les Allemands ne son-geaient qu'à jouer de l'exaltation malsaine qui se déve-loppe sur l'île entre les deux camps pour y encourager une situation de guerre civile visant à déstabiliser les arrières du Royaume dit Uni ; j'ai eu beau lui rappeler que Guillaume II avait agi de la même façon au moment de la guerre des Boers en aidant Krüger (argu-ment qui aurait pu porter, car mon ambassadeur détes-tait ce dernier), rien n'y a fait. J'ignore encore à l'heure qu'il est le sort qui sera fait à la Wilhelmstrasse à la demande d'armement de Carson, mais en ce qui me concerne l'écœurement a fini par prendre le pas sur tout autre sentiment. Je me suis mis à repenser aux années heureuses de ma Résidence dans notre petit royaume exotique et enchanté, aux rives bleutées du Wular le long desquelles je me promenais avec toi, aux grandes chasses du Pir Panjal... »

A cette évocation, il leva les yeux au-dessus des feuil-lets en faisant une grimace, mais Winifred, le visage tendu, ne semblait pas d'humeur à tolérer une nouvelle interruption.

« ... et aux rhododendrons sur la route de Ningle Nallah. Et puis, et surtout, dois-je te le dire ? à ma petite nièce chérie dont six longues années me séparent désormais de la dernière fois où je la vis, éclatante dans sa robe de tussor, et dont la photographie qui ne me quitte pas a désormais pâli. Ce ne sont pas quelques missives qui peuvent... »

Christopher se tourna vers Winifred.

« Je ne peux pas lire. C'est à se demander s'il n'avait pas déjà bu toute la bouteille de madère en écrivant. »

Winifred se pencha.

« ...se substituer à l'absence », lut-elle.

Il la regarda.

« Je ne savais pas que vous vous étiez écrit. »

Elle eut un geste d'agacement.

« " *quelques missives* ", répéta-t-elle. C'est encore trop ? Dois-je te rappeler que... ?

— Mais non », fit-il hâtivement.

« ... Il était bien entendu hors de question de demander à reprendre ma propre succession, même en profitant du départ — que tu m'annonces dans ta lettre de février avec des transports insolites sous ta plume — de cet excellent Denis (transmets-lui néanmoins mes amitiés). En tout cas pouvais-je songer à me rapprocher. Et le songe s'est fait réalité plus vite que je ne pensais : de retour à Dublin où j'avais essayé discrètement de prévenir qui de droit (et sans grande réussite) de ce qui se tramait, je tombe au *Boodle's* sur un vieux camarade du Foreign Office, Sir Peter Maxwell-Beaufort. Je te passe les détails : ma prétendue connaissance de l'Orient aidant, je me retrouve à Delhi qui, tu ne l'ignores pas, vient d'être promue au rang de capitale en lieu et place de Calcutta, ce qui nécessite une réorganisation complète de l'administration municipale. On m'a confié cette tâche, et je dois être à pied d'œuvre début juillet. C'est pourquoi j'égrène maintenant sur la voie du retour les vieux palaces de l'empire comme les perles d'un inaltérable collier, chacune, *my precious*, me rapprochant davantage de toi. »

« Bon Dieu de bon Dieu ! s'écria Christopher. Il rapplique. »

Elle eut un fugitif sourire.

« Ça m'en a tout l'air. »

Les feuillets à la main, il fit quelques pas dans la pièce, cherchant à maîtriser son agitation. Ce paquebot qui s'approchait de Bombay, et devait à l'heure actuelle creuser lentement son sillage dans la mer violette des Maldives, il aurait voulu le détourner de son trajet d'un simple geste de la main. Il regarda la date au calendrier mural.

« Ça y est, il est dans nos eaux, s'écria-t-il. On avait bien besoin de lui ! Oh ! ça, il nous manquait ! On pouvait penser que Berlin était juste assez loin et que les Teutons avaient quelques raisons de se le garder. Il semble que non. Tu ne lui avais donc pas écrit que nous avions l'intention de partir ?

— En février, nous ne connaissions rien de nos projets et nous pensions même rester encore une année ou deux au Cachemire ou au Pendjab ! Je lui en avais pourtant touché quelques mots dans ma lettre d'avril, après que je fus revenue du chantier si déprimée, mais il ne l'avait sûrement pas reçue à Madère. Bien, si tu terminais ? »

« ...Car la seule lueur dans tout cela, loin devant la proue du paquebot qui m'emmènera demain, la seule éclaircie au terme de ma route, c'est l'idée de te retrouver dans l'irradiante clarté de l'été himalayen. Dès mon arrivée à Delhi, je repartirai pour Gulmarg afin de te voir. C'est la seule raison pour laquelle je me laisse emporter par un mouvement que je voudrais, comme dans *L'Or du Rhin,* calme et gai — *Ruhig heitere Bewegung.* O gaieté que je sens diffuse en moi et qui me fuit néanmoins ! Tu me l'apporteras, n'est-ce pas, *meine liebe Kleine* ? Je me sens si *impatient.* Au point que je ne ferai durer mon escale africaine que le temps de t'écrire depuis le bar du *Shepherd's.* J'espère que je n'aurai pas, telle la corneille à la fin de la bataille de Moytura, à vaticiner sur ce qui nous attend.

« Ton vieil oncle à jamais,

« Reggie. »

Christopher reposa nerveusement les feuillets.

« Qu'est-ce que c'est encore que ce volatile ?

— On voit bien que tu n'es pas irlandais ! s'écria-t-elle.

— Merci de me le rappeler.

— Tous les enfants irlandais connaissent cette légende. »

Il resta immobile devant la fenêtre.

« Ça, déçu, il le sera, admit-il.

— Oh oui », fit-elle d'une voix sans timbre.

Il la regarda.

« Et cela ne change rien à ton désir de partir ?

— J'avais pensé à lui envoyer une dépêche en Egypte pour lui faire part de mes intentions. J'y ai renoncé. Pourquoi lui gâter son voyage... Je le verrai ici. Nous passerons quelques jours ensemble. Il comprendra. »

Il hocha distraitement la tête.

« Tu as lu, pas une *seule* allusion à ma modeste personne !

— Je n'ai pas encore reçu sa lettre du Caire, Chris. Peut-être rattrapera-t-il cette... impardonnable lacune », répondit-elle avec ironie.

Il haussa les épaules avec agacement. Elle se rapprocha de lui et lui prit le bras d'un air mutin.

« Allons ! Tu sais bien qu'il t'a toujours un peu jalousé... Il sait qu'il est à l'origine de notre mariage. Compte tenu de l'attachement qu'il me portait, conçois que cela ait pu lui créer quelque trouble ! »

Il feuilleta la longue missive.

« Ne me raconte pas d'histoire. Attachement ! C'est une vraie lettre d'amour. »

Elle resta songeuse.

« Lors de ce fameux été, reprit-il, j'étais tout à ma fascination pour toi et j'étais à cent lieues d'imaginer qu'il pouvait éprouver quelque chose comme de la jalousie, reprit-il brusquement. Tu crois que c'était le cas ?

— Il a toujours caché son jeu, tu sais bien. Tu te souviens de son comportement légèrement excentrique, de ses envolées que tu trouvais théâtrales ?

— C'est vrai, avec ses pantalons aussi flottants que les culottes bouffantes de Henri VIII, on se demandait toujours quel rôle il était en train de jouer ! Enfin, ajouta-t-il avec un demi-sourire, j'ai tout de même un indice de ce qu'il pouvait ressentir à l'époque. »

Elle leva son sourcil avec un air interrogateur. Il ouvrit son sac et lui tendit la photo qu'elle prit et parut examiner sans émotion particulière. Il se sentit déçu de son manque de réaction.

« Tu ne me demandes pas comment je l'ai obtenue ? Greenshaw m'assure l'avoir retrouvée en faisant un tri d'archives.

— Je suis en robe de tennis », remarqua-t-elle.

Le visage de Christopher s'éclaira.

« C'est cela qui m'a ému, figure-toi ! Tout à l'heure encore j'ai essayé de l'apercevoir depuis les fenêtres du grand salon. Je me disais que ce serait sans doute la dernière occasion pour cela. »

Elle le fixa sans comprendre.

« D'apercevoir quoi ?

— Mais... le tennis ! Malheureusement, il était noyé dans la brume.

— Oh, s'exclama-t-elle. J'espère que ce n'est pas... je ne sais pas, moi... un mauvais présage.

— Je me souviens de cette robe de tussor que tu portais, reprit-il avec un brusque élan. Je me souviens de cet instant précis entre le moment où tu as lancé la balle pour engager et celui où tu l'as mise dans le filet.

— Je n'ai jamais su servir », dit-elle avec un geste fataliste.

Elle se tenait à quelques pas de lui, légèrement déhanchée, les pieds en équerre telle une danseuse au repos, les épaules un peu voûtées, les bras croisés sur sa poitrine. Puis elle s'étira comme si elle sortait de l'immobilité d'un long affût et se rassit devant sa coiffeuse.

« Parle-moi encore de cet instant », dit-elle brusquement en le regardant dans la glace.

Il était toujours frappé de la grâce déroutante qui naissait de ses attitudes à la fois brusques et indolentes, de ses retraits farouches qui se muaient quasi subitement en gestes d'approche et presque d'offrande.

« Je n'entends même plus dans mon souvenir le bruit des balles, dit-il. Je me souviens simplement des rhododendrons sur lesquels ta silhouette se détachait. »

Il s'approcha d'elle, et elle sentit qu'il dégrafait les boutons du haut de son corsage et que ses lèvres progressaient en un frôlement lent et doux le long de l'échancrure ; elle voyait dans le miroir la masse lustrée et la raie impeccable de sa coiffure. Une onde frisante et insidieuse se coula entre ses omoplates ; elle se retourna et l'embrassa avec une sorte d'avidité, avant de se remettre debout et de se presser contre lui. Elle eut un petit frémissement de surprise.

« Oh, mon chéri, murmura-t-elle. Je te fais plus d'effet que n'en faisait à mon cher oncle cette Lady je-ne-sais-qui... »

Il fit mine de s'écarter.

« Ne me reparle pas de lui juste maintenant ! » supplia-t-il.

Elle se mit à rire.

« Viens », dit-il doucement en l'attirant à lui.

Elle détourna brusquement ses lèvres.

« Après le dîner, je préfère, murmura-t-elle. Ce sera bon, cette grande nuit pluvieuse toute à nous. »

Il avait du mal à dissimuler sa déception. Pour se donner une contenance, il reprit la photo puis la replaça d'un geste nerveux sur la table basse, à côté de la lettre de Reginald.

« Six années les séparent, murmura-t-elle.

— T'imagines-tu tout ce qui s'est passé entre les deux ? Nos noces orientales ! »

Elle eut un sourire indéchiffrable.

« Ce n'était pas à cela que je pensais, mais à ce délai de six ans. C'est étrange ! Six ans auparavant déjà, il était intervenu dans ma vie.

— S'il se contente de cet intervalle, je le laisse faire, dit Christopher d'un ton enjoué.

— Je ne suis pas sûre d'être de ton avis. A treize ans, dans un couloir sombre, cela m'avait fait un drôle d'effet. »

Christopher la regarda bouche bée.

« Quoi !

— Oh, ne va pas imaginer le pire ! Mais tout de même... Il a fallu que je me dégage.

— Ce vieux... porc ! bégaya-t-il de fureur. Profiter de sa tutelle pour... Et il a le culot de réapparaître ! Oh, ça, je vais lui dire son fait ! »

Elle l'interrompit d'un geste.

« Tu ne diras rien du tout. Cela me concerne, que je sache ! De toute façon, c'était avant la mort de maman. Il n'était pas mon tuteur. J'ajoute que — peut-être ne me comprendras-tu pas — je ne lui en ai jamais voulu par la suite.

— Parce qu'il y a eu d'autres incidents de ce genre ?

— Au contraire, lorsqu'il a obtenu ma tutelle, il est

devenu à mon égard d'une rigueur presque caricaturale ! Mais il y avait cela qui restait entre nous et qui, bien qu'enfoui, donnait à nos relations une... oui, une connivence un peu particulière.

— Comment ne m'avais-tu jamais parlé de cela au moment de notre mariage ! Et puis tu aurais dû refuser la tutelle ! Il suffisait d'un mot...

— Ce mot, justement je ne l'ai pas dit. Comment t'expliquer ?... D'abord je n'avais pas le choix. Comme tu le sais, je détestais le frère de ma mère. Et pour revenir à oncle Reginald... une sorte de grâce le sauvait à mes yeux, malgré cet... épisode. Je sentais qu'il m'aimait, et cela a éclairé mon adolescence. Je parle d'amour, mais je n'ai jamais rencontré nulle part quelque chose ressemblant de près ou de loin à cela. Je crois qu'il n'y a pas de mot. C'était en quelque sorte... une de ces citrouilles de *Halloween* illuminées de l'intérieur.

— Obsédé sexuel, mais tout pétri de sollicitude et de bonté ! ricana Christopher. Ce n'est pas lui qui t'aurait laissée seule comme je l'ai fait, n'est-ce pas ? »

Elle eut un geste d'agacement.

« Ne plaisante pas là-dessus, je t'en prie. Et d'ailleurs, si tu veux savoir, il m'a laissée seule, en fait. En 1908, lorsqu'il a senti que j'étais si heureuse après notre rencontre, que je tenais à toi et que j'allais prendre ce que je croyais alors être mon essor, il a préféré quitter Gulmarg.

— Comment cela ? Il avait demandé son rapatriement ?

— Oui. Et jamais il ne l'aurait fait sans cela, il aimait trop le Cachemire. Cela se sent, non, dans sa lettre ?

— Tu veux dire qu'il en aimait trop le gibier ! »

Elle parut ne pas l'avoir entendu.

« Je crois qu'il s'est senti brisé ; et, en même temps, par l'une de ces contradictions qu'il assumait toujours avec une sorte de lucidité désespérée, heureux d'avoir créé lui-même par sa décision les conditions de sa rupture avec moi. Tu comprends mieux maintenant pourquoi il ne parle pas de toi dans sa lettre ?

— C'est moi qui vais finir par être jaloux ! s'exclama Christopher. Car il revient, après tout, ton vieux noceur ! J'en viens même à me demander si le prétexte qu'il te donne est le véritable motif de sa démission ! »

Elle eut un imperceptible mouvement d'épaules.

« Sa tirade ne manque pas de panache, tu m'avoueras. C'est vrai que si on laisse les gens d'Ulster continuer à s'armer, nous aurons la guerre civile en Irlande avant six mois ! Et quand il m'apprend cette collusion entre les unionistes et les Allemands, il me donne plus envie encore de partir pour crier mon dégoût... Ce faisant, il joue contre lui, à supposer, comme tu le penses, qu'il revienne pour me voir !

— Cette collusion, encore faudrait-il qu'elle soit bien établie, et il me semble que ce n'est pas dans les bars de ses palaces ensoleillés que lui en parviendront les preuves. »

Elle ne put réprimer un geste d'impatience.

« Mais, Winnie ! Il le dit lui-même : "A Dublin, on ne m'a pas cru." »

Un bref sourire éclaira un instant le visage de la jeune femme.

« A Gulmarg non plus, moi on ne m'a pas cru, dit-elle.

— C'est vrai, tu ne me racontes pas ce qui s'est passé après que tu eus reçu la lettre...

— Eh bien, j'ai essayé un soir de faire comprendre à Ethel et à Flora que Reginald, qui a gardé ici beaucoup de prestige, voyait juste en cette affaire et qu'il était clair comme de l'eau de roche que les Allemands cherchaient à affaiblir l'armée anglaise en créant une situation de crise sur ses arrières...

— Toi, t'intéresser au sort de l'armée anglaise ! En effet, elles n'ont pas dû en croire leurs oreilles !

— Ça, c'est extraordinaire ! répliqua-t-elle avec vivacité. Tu ne crois pas Reginald lorsqu'il s'inquiète des manigances allemandes, alors que tu ne cesses de taxer de double jeu l'unique citoyen allemand de notre petite communauté !

— Qui, fit-il, surpris. Le cartographe ?

— Tu en vois d'autres ? »

Il fronça les sourcils.

« Qu'est-ce que cela a à voir ? Pourquoi, tu l'as rencontré ? »

Elle secoua la tête.

« Les chères Mary, Mora, Bellamy, etc., t'auraient déjà fait de fielleuses allusions ! Et je me demande comment j'aurais pu, même au cours de mes plus grands moments de solitude, rencontrer quelqu'un dont tu me dis toi-même qu'il ne cesse de courir les montagnes pour faire ses relevés. Je voulais simplement te faire remarquer que tu n'étais pas toujours logique avec toi-même.

— Winnie ! s'exclama-t-il avec impatience. Au cas où tu l'oublierais, j'ouvre un itinéraire nouveau dont l'importance stratégique est déjà considérable. Il pourrait devenir par là même une voie d'invasion. N'oublie pas que nous sommes sur l'une des marches de l'empire...

— On voit bien que tu sors de la Résidence ! Tu es pourtant payé pour savoir que Greenshaw voit des espions et des fauteurs de troubles partout ! »

Il s'efforça de se maîtriser.

« Ce jeune Allemand n'a pas à rôder par là, Winnie, et je crains que ses exercices de cartographie ne soient qu'une couverture. Mais qu'importe après tout, continue à raconter... Si je comprends bien, ces dames trouvaient peu convaincantes tes explications sur l'attitude de ton oncle ? »

Elle regarda d'un air songeur les fenêtres noyées de pluie.

« Elles trouvaient toutes que Reginald avait eu tort de démissionner. Même Mrs. Bellamy qui le connaissait bien. A vrai dire, elles ne craignaient, dans le cas d'une insurrection en Irlande, que la possibilité pour les unionistes de se trouver en danger et de succomber au nombre. Si tel devait être le cas, c'est-à-dire s'il y avait un risque pour qu'ils ne gardent pas leurs privilèges, il faudrait, selon elles, voler à leur secours, quelles que soient leurs provocations et l'illégalité de leur armement. Tu sais ce qu'est le raisonnement d'une fille comme Ethel Bryant ? Les unionistes de l'Ulster sont anglais, donc leur sol est anglais, et tout Irlandais qui prétend le contraire est un terroriste, un *bomb-parast*, doublé bien entendu d'un sale papiste. Et il n'y a pour elle qu'un seul type d'homme qui peut venir à bout d'une telle engeance : les soldats formés dans le cadre de l'armée des Indes ! Parce que, m'a-t-elle dit sans rire, "avec tous ces troubles qui ont lieu depuis la révolte des Cipayes, ils sont les plus habitués à faire ce travail" ! C'est joli, non ?

— Et ça s'est terminé comment, cette profession de foi ?

— Par une gifle.

— Oh ! » s'exclama-t-il sur un ton consterné.

Les mains derrière le dos, il arpenta la pièce, puis se retourna.

« Tu as giflé Ethel ?

— Avec la satisfaction du devoir accompli. »

Il soupira.

« Il y avait une seule Irlandaise dans cette incroyable foire au mariage qu'était la *season* à Gulmarg, marmonna-t-il, et il a fallu que je tombe sur elle.

— C'est ton regret de tous les jours, hein ? »

Il se mit à rire.

« Tu sais ce que m'avait écrit mon frère Robert lorsque je lui avais annoncé mon mariage ?

— J'imagine, fit-elle.

— "Méfie-toi, elles sont si... (il fit mine de rechercher l'épithète) *impétueuses*." C'était souligné.

— Il devait avoir eu une expérience fâcheuse dans ce domaine ! Toujours est-il que j'ai regretté cette gifle, si tu veux savoir. C'était sûrement la première donnée dans la station depuis pas mal d'années ! J'ai même pris sur moi de venir m'excuser. Mais le mal était fait. Ethel encore ne m'en aurait pas trop voulu. Mais cette chère Mary, qui n'avait même pas assisté à l'incident, en a rajouté et a monté toutes les autres... »

Il secoua la tête d'une mine anéantie.

« Je m'en veux terriblement, dit-il. Je n'avais rien pressenti de tout cela. Bien sûr, je te savais seule... mais à ce point... »

Elle l'embrassa de nouveau, à petits coups.

« Depuis deux jours, je ne suis plus seule. Il est certain que si j'avais pu te parler de tout cela, je me serais contenue...

— Plus jamais, je t'en fais la promesse, je ne te laisserai ainsi livrée à toi-même, dit-il avec conviction. Dans moins d'un mois tout cela sera terminé. Tâche de tenir le coup. Mieux vaut dans un sens que cela se soit passé vers la fin de notre séjour plutôt qu'il y a dix-huit mois. La situation aurait été intenable.

— Il n'y aurait peut-être pas eu de passe de l'Ouest...

— Si, mais ce n'est pas moi qui l'aurais ouverte », dit-il pensivement.

Elle tendit soudain l'oreille. Une rumeur de discussion provenait du rez-de-chaussée. On entendait la voix de Ramesh et une autre qu'elle ne reconnaissait pas. Puis il y eut des pas dans l'escalier qui s'immobilisèrent devant la porte.

« Entre ! » cria Winifred.

Le jeune Kashmiri poussa la porte et se dirigea vers Christopher.

« Une dépêche, sahib. Transmise par la Résidence. »

Christopher saisit le papier qu'il lui tendait. Les caractères majuscules transcrits par la bonne Miss Nedwin lui sautèrent au visage.

« MR. CHRISTOPHER HOWARD. APHARWAT LANE. GULMARG. KJ 46-01. ORIG. MUZAFFARABAD. 3.6.14. - 17.10.
« SUITE PLUIES DILUVIENNES BRUSQUE GLISSEMENT DE TERRAIN NORD-EST SHARDI SEMBLE OBSTRUER COURS KISHENGANDA. D'APRÈS TÉMOIGNAGES PREMIERS RÉFUGIÉS, RETENUE GAGNE EN AMONT VERS PULAWALA. AI L'INTENTION DE ME RENDRE SUR PLACE CE JOUR POUR JUGER RÉSISTANCE BARRAGE IMPRÉVU. A VOUS. SHOOGAM. »

Il replia lentement le feuillet.

« Il y a une réponse, sahib ? » s'enquit Ramesh.

Christopher consulta sa montre. Il était 18 h 30. Il secoua la tête avec une brusque lassitude. .

« Qui l'a apportée ? demanda-t-il. Ganguli ?

— Shankar, sahib.

— N'oublie pas de lui proposer du thé. »

Dès que Ramesh eut quitté la pièce, Winifred s'approcha et lui prit doucement la dépêche des mains. Elle s'efforça de la lire sans précipitation.

« C'est grave ? » demanda-t-elle, en levant les yeux sur lui.

Christopher fixait la vague lueur qui traversait encore la buée des vitres.

« Quand je t'ai proposé... tout à l'heure..., murmura-t-il. On aurait dû. Désormais... »

Elle insista anxieusement, en essayant pourtant que sa voix ne tremble pas.

« Chris. Il ne peut rien arriver, n'est-ce pas ? De toute façon, *maintenant*, il ne peut plus rien arriver ? »

Il secoua la tête d'un air morne. L'obsédant crépitement des gouttes sur le toit semblait emplir à nouveau la pièce.

« Cette pluie », soupira-t-il.

3

AIDÉ par Ramesh qui avait déjà sauté à terre, il descendit de cheval en grimaçant de fatigue puis, lui abandonnant la bride, gravit avec raideur les trois marches de bois qui conduisaient au seuil du bungalow. Lorsqu'il entra dans la petite pièce où il avait l'habitude de travailler et de dormir, l'odeur de pin dont étaient imprégnés les murs le rasséréna quelque peu, comme un élément familier, bien qu'il sût que l'angoisse qui l'avait jeté la veille à l'aube sur la piste et l'avait tenaillé pendant ces deux jours de folle chevauchée ne pouvait s'effacer en quelques instants. Il se laissa tomber dans son fauteuil d'osier, retira son *topee* et s'épongea le front en regardant sans le voir le calendrier de *Whiteaway and Laidlaws* qui était l'unique ornement du mur. « Une semaine d'absence, se dit-il avec une résignation désabusée. C'était forcé qu'il se passe quelque chose. » Pesamment il se remit debout et, contournant sa table à dessin, s'approcha de la fenêtre qui dominait l'esplanade. Les mains en visière comme s'il la découvrait pour la première fois, il resta quelques instants à contempler entre ses deux groupes de pylônes l'immense travée qui paraissait piéger le soleil couchant dans son vaste appareil de câbles et de suspentes. Puis, maîtrisant mal sa fébrilité, il franchit la porte et gagna l'étroite terrasse du bungalow. Le long des tentes adossées à la forêt où régnait d'ordinaire tant d'animation, il n'y avait d'âme qui vive que la silhouette de Ramesh parti chercher du fourrage au magasin. L'esplanade désertée était parsemée de multiples flaques qui rappelaient la violence des orages de l'avant-veille, et les chevaux avaient déjà commencé de s'y abreuver. C'était comme si cette étendue boueuse et ravinée rendait palpable par son seul vide la menace qui pesait sur l'ouvrage. « Vijay ! On ne laisse pas un bâtiment à quai sans personne à bord », grommela-t-il tout haut dans un coléreux réflexe d'ancien *midship*. Il descendit les trois marches de la terrasse et fit quelques pas. Le matériel de chantier — treuils, palans, bobines et câbles — semblait avoir été hâtivement regroupé près du camp en un amoncellement disparate et confus qui ressemblait dans la lumière du soir, au milieu du réseau d'ornières emplies d'eau qui l'entourait, à quelque agglomérat d'insectes griffus tapis à la lisière de l'ombre. Il s'en approcha, secrètement contrarié de s'être ainsi emporté contre son chef de travaux. Il était normal après tout que Shoogam eût décidé de s'informer sans plus attendre du danger qui pouvait fondre sur eux et qu'il se fût donné les moyens d'intervenir avec le maximum d'efficacité si le besoin s'en faisait sentir ; et cent quarante-six hommes ne seraient certes pas de trop s'il s'avérait nécessaire de creuser d'urgence une tranchée de dérivation.

Un piaillement rauque et bref éclata soudain au-dessus de lui et interrompit ses supputations. Il leva les yeux et suivit distraitement les lentes circonvolutions d'un groupe de buses tournoyant dans le ciel clair. Puis il s'arrêta net, figé de stupeur. Depuis près de deux ans qu'il habitait sur le chantier, il n'avait jamais entendu crier ni chanter un oiseau ou un rapace. Le fracas des eaux qui provenait de la gorge — et dont le sourd grondement, amplifié par les falaises, modulé au gré des saisons et des étiages, montait jusqu'aux bungalows — l'en aurait empêché. Comment ne s'était-il pas aperçu dès la sortie de la forêt que le bruit de la rivière avait laissé la place à ce grand silence qui tombait maintenant sur lui comme une chape ? Fallait-il que son esprit fût obnubilé par le désir d'arriver au plus vite... Oubliant sa fatigue et ses courbatures, zigzaguant entre les flaques le long de la falaise, il se mit à courir vers le pont.

Il s'engagea sur la chaussée en laissant traîner sa main le long de la paroi humide et râpeuse des massifs d'ancrage avec l'impression d'accomplir un geste d'exorcisme. Le vent se levait avec la nuit en tourbillons tièdes, et, parvenu au-dessus du gouffre, il eut soudain la crainte d'être entraîné vers le vide par une brusque bourrasque, sans pouvoir se rattraper aux garde-fous encore absents. S'agrippant à une suspente, il se pencha avec circonspection. A deux cents pieds sous lui, le grand torrent glaciaire avait disparu. Quelques larges flaques d'eau étaient demeurées prisonnières des roches sombres et luisantes qui jalonnaient le lit de la rivière, reflétant le ciel lointain qu'encadraient les dentelures des falaises. La travée semblait un trait de pinceau rectiligne et ténu, et sa propre silhouette un point minuscule et tremblotant au fond du gouffre. S'arrachant à la contemplation du vide, il tourna avec anxiété son regard vers l'amont. Si le cours de la rivière était aussi complètement obstrué, le volume de la retenue devait s'accroître là-haut de minute en minute. A vingt miles dans le Nord-Est, dans un silence ouaté traversé de brefs clapotis et sous le couvert des brumes accrochées aux sapins, la menace suspendue au-dessus des chantiers devenait à chaque instant plus pesante. Il s'expliqua mieux la hâte de Shoogam. Bien des fois, dans ses cauchemars, il avait rêvé que l'un de ses ouvrages était emporté par une crue soudaine ; mais il ressentit cette fois comme une déviance perfide de la nature le fait que le danger de déferlement et de raz de marée ne se manifestât que par un silence et un vide plus oppressants et plus sournois que tous les tumultes. Gagnant prudemment le milieu de la chaussée, ses pas résonnant avec netteté sur les traverses de bois, il atteignit et dépassa la base des pylônes et se rapprocha de l'autre extrémité de la travée. Le soleil se couchait derrière la pyramide régulière du pic sans Nom. Il l'avait appelé ainsi parce que la carte de la vallée ignorait manifestement ce sommet qui dominait la rive ouest. « Un sommet de plus de treize mille pieds ne saurait rester anonyme, avait décrété Branjee de façon péremptoire lorsqu'il lui en avait fait la remarque ; il faut que j'en parle à notre ami Carl. » Christopher avait pensé qu'il aurait mieux fait de se taire. « Il va nous le baptiser Kronprinz Wilhelm Peak ! » avait-il répliqué. En repensant à sa boutade d'alors — que le Diwân n'avait d'ailleurs pas relevée —, il se surprit à éclater d'un petit rire dont le son lui apparut si incongru dans ce silence qu'il s'étrangla tout aussitôt.

Il s'aperçut que des feux piquetaient çà et là bien au-dessus des habitations de la vallée les grandes pentes herbeuses de la Nagdarra déjà gagnées par la pénombre, et il crut déceler tout autour les masses confuses de cheptels rassemblés. Manifestement les montagnards abandonnaient l'espoir que la rivière puisse se glisser discrètement au cours de la nuit dans son lit déserté, et ces lueurs fragiles et scintillantes étaient la preuve de l'angoisse qui les gagnait peu à peu. Il se reprocha soudain d'avoir succombé au désir irrésistible de gagner en premier lieu le site de son ouvrage et de ne pas avoir au contraire été retrouver Shoogam sur le front d'attaque, où ses compétences auraient été certainement plus utiles. Il se décida à partir dès l'aube pour le rejoindre.

Il sentit un bruit discret derrière lui et se retourna vivement. C'était Ramesh. Heureux de cette diversion, Christopher s'inquiéta néanmoins de le voir longer le précipice de si près.

« Ne va pas passer par-dessus bord, il ne manquerait plus que cela ! » s'écria-t-il.

Toute fatigue envolée de son visage ouvert, gracieux et inconscient comme un funambule, le jeune Kashmiri ressemblait, pensa-t-il, à l'adolescent-dieu dont la petite colonie marathe, de l'autre côté de la vallée, attendait la venue depuis tant de lustres. « T'es-tu jamais senti aussi seul ? » faillit-il lui demander.

« Les *nagas* nous protégeront », répondit Ramesh oomme s'il avait lu dans ses pensées. Après une hésitation, il ajouta :

« Et puis j'ai fait ce qu'il fallait.

— Comment cela ? »

Il risqua un regard vers le gouffre.

« Les offrandes... », chuchota-t-il.

Son ton était inexpressif, mais Christopher ne put s'empêcher de sourire. Il connaissait la dévotion particulière du chantier pour ces petits génies bénéfiques dont son chef de travaux avait tenté de lui dessiner un jour (sur son inventaire de poutrelles de chez Harland and Wolf) l'étrange apparence : un buste humain accolé

51

à une queue de serpent. Nichés dans les anfractuosités des rochers, ils semblaient avoir pour Shoogam une vocation de bienfaisance si affirmée qu'il avait décidé — devant sa certitude que les grottes qui s'ouvraient dans les gorges de la Ganga les abritaient en plus grand nombre qu'ailleurs — de mettre l'ouvrage tout entier sous leur particulière protection. Il avait ainsi fait construire à l'orée de leur domaine un temple qui leur était dédié. Il s'agissait en fait d'un modeste édicule placé en contrebas des piliers est et plus proche de la cabane de planches que du Pavillon d'Or.

« J'espère que tu as été généreux », murmura Christopher.

Attentif au grincement des câbles, réceptif à toute vibration anormale, il gagna le milieu de la travée, à l'endroit où le faisceau de câbles porteurs rejoignait tangentiellement le tablier. Il s'accroupit dans une sorte de niche d'acier et y resta immobile, avec l'impression de se tenir au chevet de son propre enfant au seuil d'il ne savait trop quelle *nuit dangereuse.* La certitude que même dans l'obscurité lui serait sensible la subtile et délicate balance entre forces contraires qu'il lui avait fallu tant d'épures et de calculs pour maîtriser le rasséréna pourtant. Pas plus que Ramesh il ne risquait de tomber dans le vide et de disparaître à la suite des eaux enfuies. Après un long moment, il se remit debout et fit demi-tour. Les tourbillons de vent apportaient de l'autre rive des bouffées d'une odeur âcre et délétère, comme si le pont s'entourait, la nuit venue, d'une jungle effervescente et moite dans laquelle venaient rôder, surgis des cavernes inaccessibles même aux *nagas,* de grands fauves immémoriaux.

Ramesh consultait le ciel lorsqu'il le retrouva sur l'esplanade. Des cirrus traçaient de longues traînées livides d'un versant de la vallée à l'autre.

« La Ganga là-haut doit être grosse de neuf mois ! » dit le jeune homme.

Christopher acquiesça.

« Je le crains, et c'est pourquoi, offrandes ou pas, je ne veux pas que tu dormes en bas. Prends une toile de tente au magasin, emmène les chevaux et va dans la pente. Ramesh ! Tu m'entends ?

« — Oui, répondit le jeune homme de sa petite voix chantante. Et vous, sahib ? »

Christopher parut un instant déconcerté par sa question.

« Je reste ici, finit-il par dire. J'ai à faire. Je ne verrai pas la nuit passer.

— Et le dîner ? » protesta Ramesh.

Il eut un geste évasif.

« Je n'ai pas faim. Trop fatigué. »

Le jeune Kashmiri parut si désemparé que Christopher se sentit obscurément touché.

« Ce que je veux, reprit-il, c'est observer ton feu bien haut dans le versant.

— Je ne peux pas vous laisser seul, sahib. D'ailleurs Sidik Jagoo a laissé tout ce qu'il fallait.

— A cuisinier boiteux, petit bagage, marmonna Christopher.

— Comment, sahib ?

— Laisse-moi simplement une corbeille d'abricots secs. »

Ramesh le regarda, consterné.

« Mais je les ai donnés aux *nagas* ! s'écria-t-il.

— Quoi ? Tous ? »

Christopher réprima une brusque envie de rire devant sa mine dépitée.

« Tous, je crois bien », avoua Ramesh.

Christopher prit un air affligé.

« Mais ils ne penseront plus à nous, s'ils sont repus ! » s'exclama-t-il.

Plongeant sa main dans des casiers profonds comme des alvéoles, il en retira les plans de coupe, les sortit de leurs cylindres et se mit à les dérouler un à un, essayant d'imaginer l'irruption de l'irrationnel dans cet univers de chiffres et de plans qui le refusait si obstinément. Puis il s'absorba dans ses calculs et ses dessins. Par moments il luttait pour ne pas s'assoupir, piochant dans le sac rempli d'abricots séchés que Ramesh avait finalement retrouvé dans le magasin de Jagoo et lui avait apporté triomphalement. Le vieil or des fruits apportait à son austère plan de travail une réconfortante touche de chaleur domestique qui le revigorait. Bientôt tenaillé néanmoins par les courbatures, il s'étendit sur son lit de camp pour tenter de dénouer son dos douloureux. Les yeux au plafond, mâchant l'un de ses derniers fruits, il suivit le contour des taches de moisissures qui le parsemaient et qui lui étaient devenues si familières avec le temps qu'il leur avait donné peu à peu des noms d'étoiles et de constellations — ultimes reliquats de ses cours de sextant et d'orientation sur le *Saint Vincent* ou lors de son service à la mer à bord du vieil *Undaunted*. Pendant combien de nuits, pensa-t-il, s'était-il ainsi endormi face à cette cosmologie improbable, à la lumière déclinante de cette vieille lampe de cuivre et de bois tourné qui le suivait depuis Dartmouth. Combien de soirs était-il resté seul après que Shoogam fut venu faire sa rituelle plaisanterie d'après-dîner, impatient de rejoindre celle que ses rabatteurs lui avaient trouvée pour la nuit. (Il n'avait la plupart du temps comme furtif indice du départ de l'élue que la clochette grêle de la mule qui ramenait celle-ci dans son village peu avant l'aube.) Il soupira. Winifred avait raison. Tout cela avait été long, beaucoup trop long. Il la revit la veille, silhouette frissonnante dans le décor grandiose de Gulmarg, esquissant au moment où il montait à cheval un geste dont il ne savait plus s'il était d'espoir ou d'anxiété — de fatalisme peut-être. « On a eu trois belles journées à nous, avait-elle murmuré. Il faut croire que c'était trop, n'est-ce pas. »

Il sortit brusquement de son assoupissement. Sa lampe fumait, et il crut un instant voir dans la colonne noirâtre qui s'élevait vers le plafond le foyer de l'un des campements épars qu'il avait remarqués quelques heures plus tôt sur les pentes. Le bruit qui l'avait réveillé recommença peu après. Là-bas, quelqu'un marchait en remuant des pierres. Il se leva pesamment et s'approcha de la fenêtre. Le long de la piste d'accès on balançait un fanal. Précédées par l'étroit faisceau de lumière, quelques silhouettes traversèrent l'esplanade d'un pas pesant. Christopher vit que l'une d'elles s'immobilisait et, à la clarté de la lanterne, il aperçut Shoogam qui essuyait ses bottes maculées contre les marches de la terrasse. Il crut un instant ne pas le reconnaître, tant ses traits paraissaient creusés de fatigue sous la tache claire du turban.

« C'est bien de vous, Vijay, s'efforça-t-il de plaisanter lorsqu'il l'eut rejoint. Les cieux s'entrouvrent, le sol s'effondre, et vous vous préparez pour la revue de détail ! »

Shoogam se redressa et le regarda comme s'il était une apparition.

« C'est vous, sahib ! s'exclama-t-il avec stupeur.

— Ça m'en a tout l'air.

— Ce n'est pas possible ! Ou alors vous chevauchiez la monture volante de Rama !

— Je l'imaginais plus confortable, grimaça Christopher en se tenant le dos. Quoi qu'il en soit, je suis bougrement content de vous voir, major. Venez prendre un brandy chez moi, j'ai l'impression que ça ne vous fera pas de mal. »

Christopher l'entraîna vers le minuscule living-room, avec toute l'urbanité qui était de mise entre eux lorsqu'ils se rendaient mutuellement visite. Massif et sombre, Shoogam se laissa tomber sur la chaise longue puis hocha la tête comme s'il pensait à quelque chose qui le concernait seul.

« Je vous le verse, votre brandy, fit Christopher. Mais cessez de me regarder ainsi.

— Faire le trajet en deux jours ! s'exclama Shoogam sur un ton de reproche. Autant conduire une charge de cavalerie... Je ne pensais pas vous voir avant demain au plus tôt !

— Vous m'envoyez suffisamment rarement des dépêches, mon cher ami, pour que, si tel est le cas, je prenne la peine de bousculer un peu mes horaires !

— Et vous me direz après que vous n'avez plus de monture...

— Il s'agit bien de cela », s'exclama Christopher avec un léger agacement.

Il lui versa un grand verre que Shoogam but lentement. On entendait les interjections lointaines des hommes revenus avec lui.

« Ça fait drôle, fit-il.

— Vous voulez dire...

— Ce silence. »

Christopher s'efforça de déplier sans fébrilité la carte de la vallée sur la table à dessin.

« Bien, dit-il. Situez-moi cela un peu mieux, Vijay, que l'on sache à peu près ce qui se passe et surtout ce qui risque de se passer. »

Shoogam posa son verre et d'un geste familier

redressa son turban qui tombait sur son front. L'alcool semblait lui avoir redonné vie et entrain.

« Tout le grand versant déboisé à l'ouest de Pariwali semble avoir glissé sur plus de deux miles de long en une énorme coulée de boue qui s'est répandue dans le défilé comme dans le fond d'un entonnoir.

— Et qui l'obstrue complètement ? demanda Christopher avec anxiété.

— Je crois bien que oui, répondit le major d'une voix grave et posée. Cela forme au fond de la vallée une sorte de butte qui domine de près de deux cents pieds le niveau de l'ancienne piste et qui fait barrage, bien sûr. J'ai essayé de m'en approcher en sondant à chaque pas avec une perche, mais la boue est encore fluide comme de la pâte de *paratha*, et on ne peut pas s'y aventurer tellement on s'enfonce. Quant à l'eau en amont, avec la pluie des orages, elle monte de minute en minute, et je ne donne pas deux nuits avant qu'elle n'arrive au niveau de la butte... Quand je suis parti, la surface de la retenue avait gagné Pulawala et les réfugiés commençaient à rappliquer de partout. »

Christopher consulta la carte et marqua la nouvelle limite d'un trait de crayon.

« Douze miles, murmura-t-il d'un ton soucieux. Il faudrait pourtant que la butte tienne jusqu'à ce qu'on puisse creuser un canal. »

Shoogam acquiesça.

« Dès mon arrivée hier, j'en ai fait commencer un. Enfin, parler d'un canal... Disons une tranchée.

— Combien de large ?

— Quinze pieds sur dix. »

Christopher fit la moue.

« Et encore, ça n'a pas été facile, dit Shoogam. A certains endroits, on était obligés d'être arrimés par des cordes à la falaise et on a travaillé comme cela trente heures de suite à patauger dans la gadoue... Au fur et à mesure, je faisais abattre des arbres pour étayer le batardeau. Heureusement, les Baltis de Maddanjeet nous ont rejoints à l'aube avec d'autres outils, car je n'avais à ma disposition que les pelles prises ici au magasin. Maintenant, il y a près de deux cents hommes là-haut, y compris les nôtres, et bien outillés.

— Et... vous la voyez ouverte quand ? » interrogea Christopher.

Shoogam regarda dans la direction de la gorge.

« La dérivation ? A l'aube, on devrait déjà recevoir un peu d'eau... Cela diminuera d'autant la pression sur la butte mais cela restera bien insuffisant ! Il faudra en creuser une autre beaucoup plus large dès que la boue aura séché. »

Christopher se leva pour observer le ciel.

« Il va faire beau et on peut espérer qu'elle durcira assez vite... C'est curieux, reprit-il pensivement après un silence, avec le calme revenu, on ne peut pas s'imaginer être sous la menace d'un danger quelconque.

— C'est vrai que tout semble irréel, vu d'ici, fit Shoogam ; ça doit être le brandy. »

Il avait sorti un cigare de l'une de ses poches et, retirant le verre de la lampe, l'alluma directement à la mèche. Christopher le regarda.

« En attendant, vous ne me dites pas pourquoi vous êtes revenu, vieux cachottier. »

Shoogam eut un demi-sourire.

« Il y a suffisamment de monde là-haut tant qu'on ne peut pas commencer le second canal, répondit-il. Maddanjeet tient à garder l'œil sur son matériel, et c'est normal. Il m'envoie demain matin un émissaire pour me faire savoir ce qui s'est passé cette nuit. Dans ces conditions, je n'avais plus grand-chose à faire. Alors qu'ici... »

Il parut hésiter un instant.

« J'étais parti sans retirer les coffrages de culée, et je craignais qu'en cas de coup dur les madriers ne viennent cogner sur la maçonnerie. Comme on avait nos poneys, j'ai préféré revenir. On démontera dès l'aube. Après, je repartirai l'esprit tranquille.

— Je viendrai avec vous », dit Christopher.

Shoogam aspira en silence sur son cigare, puis fit quelques pas dans la pièce, les mains derrière le dos.

« Vous n'imaginez pas ce que nous avons entendu, reprit-il brusquement. On n'aurait jamais pu croire que cela se passait à plus de vingt miles d'ici. J'ai cru que le Chura tout entier nous tombait dessus. L'atmosphère avait une couleur verdâtre, un peu comme dans la grotte d'Amarnath. Sahib ? »

Il l'avait interpellé sans reprendre souffle, avec une inflexion de brusque anxiété qui lui était si inhabituelle que Christopher se sentit interloqué.

« Que va-t-il se passer ? Que *peut*-il se passer si... ?

— Si le barrage cède ? » demanda Christopher avec calme.

Shoogam fit le geste de malaxer une pâte imaginaire, comme pour se souvenir de sa densité.

« Je l'ai prise à pleines mains, cette saleté de boue de rizière, dit-il avec une expression soudaine de dégoût. Je l'ai triturée, je l'ai reniflée. On ne peut pas compter sur elle pour contenir cette immense poche de flotte.

— Vraiment pas, major ?

— Non », répondit-il.

Christopher ne put réprimer une grimace.

« Eh bien, nous recevrons une vague de raz de marée dont la force sera décuplée par la pente et l'étroitesse de la vallée. Le tout est de savoir quelle hauteur atteindra cette vague lorsqu'elle sera parvenue ici. Cela dépendra uniquement de la façon dont le barrage sera rompu — brutalement, ou par écrêtement progressif. Mais dans le pire des cas, je ne pense pas qu'elle puisse dépasser la hauteur des falaises. Sans quoi je ne serais pas là en train de vous répondre. »

Shoogam expira longuement la fumée. Il paraissait rasséréné.

« Le pont ne serait donc pas en danger, sahib ?

— J'ai tout de même envoyé Ramesh dans la pente, ajouta Christopher. Ne provoquons pas Shiva. »

La voix du jeune Kashmiri se fit entendre depuis la cuisine.

« Je suis là, sahib. Je fais du thé pour le major. »

Shoogam se mit à rire.

« Votre autorité sur les hommes ! J'ai dit aux Baltis de prendre le même chemin, et je vous promets qu'il n'y aura pas à y revenir ! »

Christopher eut un sourire fugitif et se pencha sur la table. Devant lui, les étuis cylindriques des plans ressemblaient à d'étranges amoncellements de colonnes.

« Après tout, Vijay, si nous avons suspendu cette travée à deux cent cinquante pieds au-dessus du niveau normal de la rivière, c'est bien pour la mettre à l'abri de ses crues et autres caprices...

— Des caprices qui ne sont d'ailleurs pas de la faute de la Kishenganga, qui est comme une jeune femme qu'on tente d'étrangler et qui se débat », dit Shoogam.

On eût dit qu'il prenait la défense d'une personne vivante.

« Mais imaginons le pire, reprit-il après une hésitation. Si cette femme se débattait... avec beaucoup d'énergie. Si cette vague était vraiment... très haute. »

Il s'interrompit, puis reprit comme pour lui-même : « Cela s'est vu.

— Cela s'est vu, en effet, répondit Christopher. Une fois. »

Shoogam hocha la tête.

« Je vois bien à quoi vous pensez, Mr. Howard. Eh bien, eux aussi, là-haut, à Pulawala, les gens ne pensaient qu'à cela. Ils se sont transmis le récit de cette catastrophe de génération en génération, de village en village... Les milliers de morts... L'eau en furie charriant des hameaux entiers, des troupeaux, des roches gigantesques... »

Christopher eut une réaction d'agacement.

« En 1841 ? Le lac de retenue avait alors cinquante miles de long ! s'écria-t-il. La vallée était surpeuplée. Et puis c'était l'Indus, Vijay, le Père Indus. »

Il se maîtrisa et reprit d'une voix plus calme.

« La vérité est que... ce n'est pas tant un raz de marée comme cette année-là que je redoute, que les tourbillons d'air qui l'accompagneraient certainement ; ils pourraient mettre en danger la stabilité du tablier. »

Au travers de la fenêtre, il vit au ballet des lanternes sur l'esplanade que les hommes de Shoogam gagnaient en effet les hauteurs.

« Ramesh ! appela-t-il. Je t'ai demandé de les suivre ! »

Il n'y eut pas de réponse. Christopher se leva et gagna la cuisine. Sous le capuchon fleuri choisi par Winifred et dont elle avait omis de retirer l'étiquette — *Simpson* de Madras, 2 roupies —, le thé infusait doucement. Il revint dans le living-room.

« Et vous direz encore que je n'ai pas d'autorité ! s'exclama-t-il. Ramesh est parti et — je ne plaisante pas, Vijay — vous devriez prendre le même chemin.

— Vous m'avez dit à l'instant que l'on ne craignait rien ! » s'exclama Shoogam.

Christopher eut un geste fataliste.

« Peut-être que je refuse de penser à ce qui peut arriver, mon cher ! Et croyez bien que si je ne vais pas dormir sous la tente, c'est par simple attachement à mon confort pourtant bien modeste. Allons, Vijay, je vous verse votre thé dans le thermos, et vous filez à votre tour dans la pente. A demain.

— Vous savez bien que ce n'est pas de thé que j'ai besoin. Mais vous seriez capable de garder tout le brandy pour vous ! »

Christopher eut un petit rire qui s'éteignit aussitôt. Il y eut un silence.

« A propos de thé, vous vous souvenez de celui que nous préparions pour Mrs. Howard, en avril ? reprit soudain Shoogam.

— Mais oui, major.

— Et... Au sujet de Mrs. Howard, demanda-t-il avec un embarras soudain. Enfin... Elle ne m'en a pas trop voulu ? »

Christopher parut tomber des nues.

« Voulu de quoi, Seigneur ?

— Mais... de ma dépêche. Pour une fois que vous pouviez prendre ensemble un peu de repos... »

Christopher eut un hochement de tête désabusé.

« Mrs. Howard n'est plus ici, Vijay.

— Quoi, fit-il, stupéfait. Elle a quitté Gulmarg ?

— En pensée, depuis quelque temps déjà. »

Il se leva et fit quelques pas de long en large.

« Est-ce bien nécessaire d'en parler, dit-il d'un ton las. N'avons-nous pas suffisamment d'ennuis. »

Il regarda par la fenêtre. La lune s'était levée, faisant miroiter les plaques de l'esplanade. Au-delà, se détachant sur le ciel clair, les deux groupes de pylônes ressemblaient, de chaque côté de la gorge, à des obélisques antiques jalonnant l'accès à quelque tombe royale.

« En fait, cela a empiré depuis quelques semaines à un point incroyable, soupira-t-il avant d'ajouter : j'ai bien peur que ce ne soit notre dernier ouvrage ensemble, Vijay.

— Peut-être aurait-il fallu qu'elle vive au campement... »

Christopher le regarda.

« Mais ç'aurait été impossible, voyons ! s'écria-t-il.

— Vous l'avez bien fait, au Garhwal.

— Nous ne construisions pas alors un ouvrage de

douze cents pieds de long avec près de mille hommes, à trois jours de cheval d'une ville !...

— Deux jours, si l'on est pressé. »

Christopher hocha pensivement la tête.

« Rappelez-vous, major. En avril, au bout de quarante-huit heures, elle était déjà désœuvrée. Et comment ne l'eût-elle pas été ! Enfin..., soupira-t-il, la question ne se pose plus désormais.

— On ne devrait jamais se mettre à ce point sous la dépendance d'une femme, dit Shoogam d'un air songeur.

— Ça au moins, mon vieux, cela ne risque pas de vous arriver. »

Un sourire fugitif vint éclairer le visage du chef de chantier.

« Je disais cela, Mr. Howard... J'aimerais bien que ce ne soit pas le dernier. »

Christopher le regarda.

« Cela fait combien d'années que nous travaillons ensemble, Vijay ?

— Vous le savez bien. C'est pendant que nous construisions notre premier pont sur le Jhelum, en 1908, que vous avez fait la connaissance de... »

Christopher l'arrêta d'un geste.

« Je sais.

— J'ai donc précédé Mrs. Howard de trois mois dans votre vie. »

Christopher se mit à rire franchement.

« Vous profitez assez de votre droit d'antériorité !

— Après, cela a été le pont sur l'Alaklanda, au Garhwal...

— Non, d'abord sur la Panjkora, avec notre petit bungalow à Warai Post.

— Ensuite, la Ramganga, avec nos arrières à Ranikhet. Et enfin, ici.

— C'est vrai que nous n'avons pas perdu notre temps, soupira-t-il. Je crois qu'elle aurait bien aimé pouvoir dire la même chose. »

Il y eut un silence. Shoogam paraissait grave et lointain. Il posa lentement son brandy. Christopher ne savait plus à combien il en était.

« Tous ces noms, tous ces souvenirs... Ces traces laissées derrière nous... Je ne peux pas. Je ne peux pas imaginer que celui-ci soit le dernier de la liste. »

Christopher lui mit la main sur l'épaule.

« J'ai de bons amis chez Harland and Wolff, notre fournisseur d'acier, dit-il d'une voix apaisante. Ils m'ont écrit, il y a quelques mois déjà, qu'un important projet se préparait sur le fleuve Saskatchewan, dans le Canada central, et que cela pourrait peut-être m'intéresser. A l'époque, j'avais décliné leur offre. Maintenant... »

Shoogam regarda dans la direction du camp.

« Eh bien nous le ferons ensemble, Mr. Howard, votre ouvrage canadien ! dit-il avec élan. Vous voyez bien que celui-ci n'était pas le dernier ! Nous sommes tous des nomades, après tout. »

Christopher se leva et fit quelques pas.

« Vous savez combien je le souhaiterais, Vijay, mais soyons sérieux. Je vous parlais de ce projet pour être en paix avec moi-même... Vous savez bien qu'il n'y a personne de plus enraciné que vous. Je ne donnerais pas une semaine sur un chantier si lointain avant que les *nagas* ne vous tirent par les pieds. »

Le chef de travaux hocha lentement la tête.

« Vishnou seul sait à quel point cette saleté de boue nous fait dire de bêtises tout au long de la nuit, dit-il d'un ton altéré. Mais la pire de toutes est ce désir subit de quitter l'Inde... Vous ne m'en aviez jamais parlé.

— Cela s'est décidé il y a peu, Vijay.

— Ce n'est pas possible..., murmura le major. Nous avions notre double réputation bien établie jusqu'au cap Comorin... Indissociable... Nous étions les plus grands ouvreurs de pistes et lanceurs de ponts depuis qu'à l'origine des temps les tribus du Nord-Ouest s'étaient engouffrées dans les défilés de l'Hindu-Kouch... Pourquoi vouloir dissocier ce qu'avaient uni nos protecteurs... Suis-je vraiment si soûl, Chris, pour avoir eu ce mauvais rêve ? »

Christopher fronça les sourcils. Shoogam ne l'avait jamais, au grand jamais, appelé ainsi. Par son prénom, une fois ou deux. Mais par son diminutif !

« Major. Il ne s'agit encore que de vagues projets.

— Je suis sûr que ce sont plus que des projets, sahib. Je suis sûr que vous en avez parlé tous les deux. »

Le visage de Shoogam paraissait perdu dans une méditation douloureuse.

62

« Si elle souffre d'isolement, ici, ce sera encore pire là-bas », remarqua-t-il.

Voyant que Christopher ne répondait pas, il insista.

« Vraiment, elle veut partir ? Mais supposez, dit-il en baissant la voix comme par superstition. Supposez que ça tourne mal ici. »

Christopher le regarda.

« Je ne vous suis plus, major.

— Eh bien... qu'il y ait des réparations à faire au pont et que vous deviez rester des semaines... et même des mois...

— C'est simple, répondit-il. Elle n'acceptera pas de rester un jour de plus. Elle me quittera. C'est de cela dont je ne m'étais pas rendu compte.

— Mais vous ne laisseriez pas un tas de ferraille derrière vous ! s'écria Shoogam.

— Vous sauriez réparer, Vijay. Vous êtes un homme à poigne, ce n'est pas pour rien qu'on vous a surnommé le Major ! Et puis à quoi bon envisager cela. Cela ne se produira pas. Pensez : une gorge de près de trois cents pieds. »

Il s'approcha de la fenêtre. Au loin, les palans remisés retrouvaient les silhouettes véhémentes de dieux brahmanes aux bras multiples.

« Vous vous souvenez de Sir Reginald ? reprit brusquement Christopher.

— Le Résident d'avant Mr. Greenshaw ? Bien sûr.

— Vous savez que c'est son oncle, et qu'il est irlandais comme elle... Eh bien, il ne lui parle dans ses lettres que de la guerre civile qui menace leur île. Du coup, elle qui n'aimait déjà pas tellement les Anglais ne les supporte plus du tout. La solitude n'a fait qu'exacerber cet état de choses... »

Shoogam resta songeur.

« Vous savez ce que m'avait dit un soir la memsahib lorsqu'elle était venue sur le chantier ? demanda-t-il. Je venais de lui avouer que je ne comprenais pas pourquoi les Anglais prenaient dans ce pays les mahométans comme amis et confidents, au détriment des hindous, allant jusqu'à partager le Bengale pour leur faire plaisir...

— Je vous rappelle que le décret a été révoqué, Vijay, l'interrompit brièvement Christopher.

— Je disais donc à Mrs. Howard qu'à mon avis tout

cela se terminerait très mal..., poursuivit Shoogam. Eh bien, savez-vous ce qu'elle m'avait répondu ? " De toute façon, nous aurons notre guerre civile avant la vôtre, major. " Je n'avais pas compris sur le coup. Et puis m'est revenue la vieille histoire du colonel Spencer à Ranikhet. Vous vous souvenez, sahib ?

— Si je me souviens ! On avait dû quitter la ville à cause de cela.

— Elle lui avait sacrément volé dans les plumes à cette vieille baderne ! Je l'entends encore claironner qu'il quittait Ranikhet avec ses Mavericks pour rallier l'Irlande et qu'il serait ravi d'utiliser contre les papistes ce qu'il avait appris à faire contre les *bomb-parasts*. Il n'avait pas plutôt fini : paf ! le bruit d'une claque. »

Shoogam s'étrangla de rire à cette évocation.

« Bon Dieu, Vijay, ne riez pas ! Elle a remis ça.

— Encore un colonel ? s'enquit Shoogam d'une mine gourmande.

— Non... Une certaine Enid... ou Ethel... Je n'ai jamais pu me reconnaître parmi ces momies de Gulmarg. Ce que je sais, c'est que là aussi il va falloir s'en aller. »

Christopher revint lentement s'asseoir près de lui.

« S'en aller, Vijay », répéta-t-il comme pour s'en persuader lui-même.

Ils restèrent silencieux. Quelque part, du côté des palans, un filin grinçait.

« Vous croyez à la guerre civile en Irlande ? demanda brusquement Shoogam. Après tout, nous serions directement concernés en ce cas, avec toutes ces troupes anglaises qui rejoindraient la métropole...

— Je crois plutôt à un soulèvement des catholiques qui serait fatalement suivi d'une répression. Mais, quoi qu'il arrive, s'écria Christopher avec une sorte de véhémente résolution, je ferai en sorte qu'on ne profite pas d'elle et de son caractère généreux et impulsif. Elle s'enflamme comme de l'amadou, vous comprenez. Si troubles il doit y avoir, ils se passeront sans elle. Nous partirons loin d'ici, puisque tel est son désir. Mais pas là-bas, en tout cas. D'où cette idée du Canada. »

Shoogam versa lentement les dernières gouttes de la bouteille dans son verre. Sa méditation semblait emplie de songes houleux.

« Si, je partirai avec vous, Mr. Howard. Je sens que le moment est venu pour moi aussi de quitter ce pays.

— Je vous ai dit que vous aviez trop bu, Vijay.

— Pas besoin de boire pour voir l'époque où les mahométans prendront toutes les places à notre détriment, s'écria-t-il avec une violence soudaine. Déjà ils nous ont envahis jadis en profitant de notre faiblesse ! Ils recommenceront si nous ne réagissons pas. Regardez cette petite communauté marathe sur la rive ouest, un peu plus haut. Eh bien, le chef du village me racontait que leur guerrier légendaire, Shivagi, obsédé par l'idée de libérer son pays du joug musulman, avait réussi à apprivoiser des lézards géants et leur avait appris à accrocher des cordes aux murs des forteresses pour prendre à revers les troupes mogholes empêtrées dans leurs harnachements. Voilà comment il faudrait agir, sahib ! Un pied dans l'action et un dans la légende ! Il nous faudrait à nouveau ces lézards monstrueux et des hommes comme les Marathes pour pouvoir les suivre ! Il faudrait aussi que l'armée anglaise ne soutienne pas les mahométans comme elle le fait, sans se rendre compte qu'ils se servent d'elle !

— Vous vous répétez, Vijay.

— Mais non, c'est vous qui êtes obstinés, car vous continuerez à les soutenir contre nous, comme vous soutenez là-bas... Comment s'appellent-ils déjà les amis du colonel giflé par la memsahib ?

— Les unionistes.

— Ah oui ! Je me souviens ! Ce colonel disait que les meilleurs soutiens de la Couronne dans ce monde troublé étaient les mahométans et les unionistes, et qu'il ne rêvait que de voir se lever le jour où ils combattraient ensemble sous les plis de l'Union Jack ! Quand je pense qu'avec les hindous les Anglais auraient pu faire tant de choses !

— Vous ne devriez pas me dire ça à *moi*, Vijay. Et puis il y a un problème que vous refuserez toujours de voir en face : si les progrès de l'islam ont été foudroyants dans la péninsule...

— Ça, c'est de la politique, sahib, l'interrompit Shoogam. Il ne faut pas que le mensahib en fasse.

— Ce n'est pas de la politique, Vijay, de vous rappeler que les nouveaux convertis à l'islam échappent au système des castes ! »

L'œil brumeux, Shoogam écarta l'objection.

« Vous êtes le seul Anglais que j'estime, sahib. Je viendrai avec vous, dans le... comment vous dites... Saskanada...

— Bon, Vijay, maintenant allez vous coucher. Votre bouteille a été vidée en effet de façon fort peu mahométane.

— J'aime la memsahib, elle est si gracieuse... Je comprends qu'elle n'aime pas Greenshaw. Il a toujours voulu notre peau, celui-là, il ne l'a pas eue, eh bien, qu'il aille se faire châtrer par les Thugs ! »

Christopher s'efforça de le prendre par le bras.

« Allez vous reposer, mon vieux. Vous finissez par dire des sottises que ne proférerait jamais le *major* Shoogam.

— C'est plus la peine de me mettre au lit, je vois l'aube au-dessus du Malang.

— Vous avez déjà vu le jour se lever à deux heures quarante-cinq du matin ? s'écria Christopher avec irritation. Vous êtes complètement parti, mon pauvre ami ! Imaginez que quelque chose arrive maintenant : ce serait du propre ! Vous ne pouvez même plus marcher et moi je ne vois même plus clair de fatigue ! »

Shoogam s'était étendu dans la pénombre sur le canapé.

« Il n'arrivera rien, sahib, marmonna-t-il d'une voix pâteuse. Je le sais. Vishnou descend en moi et m'envahit de sa sérénité et sa clairvoyance. »

Christopher ne put s'empêcher de rire.

« Je ne suis tout de même pas mécontent d'avoir planché suffisamment sur les massifs d'ancrage, répliqua-t-il. Cela m'aide à apprécier votre sérénité, major. Surtout dans ce genre de terrain où l'ancrage est particulièrement solidaire de la culée.

— Notre pont sortira de là neuf et brillant comme un jeune *bara sinha* au sortir de son premier gué ! Faut pas séparer l'équipe qui a créé ça, faut pas... », répéta plaintivement Shoogam.

Christopher se tourna brusquement vers lui. Il le voyait à peine.

« Mais enfin, Vijay, qu'est-ce qu'il se passe ? »

Surpris dans sa rêverie, Shoogam chercha malaisément à se redresser.

« Comment cela, sahib ?

« — Je ne savais pas que vous teniez tant à moi. J'en suis tout retourné. »

Après avoir poussé un petit soupir, le chef de travaux se leva pesamment et s'approcha de la porte comme s'il cherchait un peu de fraîcheur et de lucidité.

« Nous nous parlions si peu », murmura-t-il.

La confidence les mit tous deux mal à l'aise et ils se turent. Shoogam se dirigea vers la cuisine et Christopher l'entendit se passer de l'eau sur le visage.

« Ce que ce brandy ne me dira jamais..., maugréa-t-il en revenant dans la pièce, c'est comment un beau granit comme celui de Pulawala... a pu laisser échapper... une telle saloperie de boue. »

Satisfait qu'il change de sujet, Christopher s'efforça de se souvenir avec précision de la topographie du versant incriminé.

« Je connais aussi bien que vous l'endroit où s'est produite la coulée, Vijay, assura-t-il. La pente est forte et régulière et il n'y a pas d'arbres pour asseoir le terrain. Avec ce sous-sol imperméable, il a suffi de quelques grosses pluies pour que tout se déstabilise et se mette à glisser. Il ne faut pas chercher ailleurs la raison. »

Shoogam eut une sorte de moue devant la fenêtre obscure.

« L'Allemand dit que ce n'est pas si simple », dit-il.

Christopher releva vivement la tête.

« *Qui* a dit *quoi* ? »

Sa voix était montée d'un ton.

« Mais..., le professeur Burgsmüller...

— Il se trouvait déjà là-haut ?

— Il était à Folowai lorsqu'il a entendu le grondement, et il a rappliqué dare-dare. » Après un silence, Shoogam ajouta : « Il dit qu'il s'agit peut-être d'une secousse sismique, comme en 1841 sur l'Indus. »

Christopher s'était remis à marcher nerveusement de long en large. Devant sa véhémence inattendue, Shoogam se sentit soudain dégrisé.

« Vous savez bien qu'il était géologue avant d'être cartographe, précisa-t-il.

— Si je le sais ! s'exclama Christopher avec acrimonie. En 1911, avec ses prétendues connaissances sur le sujet, il a failli faire capoter tout le projet ! J'ai même cru un moment qu'il était de mèche avec Greenshaw qui faisait pourtant mine de le détester à cause de l'influence qu'il avait prise sur le Diwân. Toujours est-il qu'à peine entrepris, le chantier dut être interrompu pendant plusieurs semaines à la suite de la découverte de je ne sais quelle faille qui s'est finalement révélée inerte.

— Il n'y a donc pas de risque, sahib ? » demanda Shoogam.

Christopher eut un geste évasif qui n'excluait pas l'inquiétude.

« Je pense que non... Encore que rien ne laissait supposer quelques heures avant la catastrophe de l'Indus... Mais alors on ne trouverait plus comme habitations, de l'Afghanistan au Tibet, que les *doongas* flottantes du lac Dal ! »

Il se tourna vers le major.

« C'est l'Allemand qui a décidé de creuser le canal ? demanda-t-il.

— Non, sahib, protesta Shoogam, c'est Maddanjeet et moi. Le sahib allemand est d'abord resté sur la coulée à faire des sondages avec une perche, et puis hier Dhakki Singh est arrivé venant de Sopur, et ils se sont tous les deux occupés du camp volant pour les réfugiés. Le Diwân doit d'ailleurs se rendre là-haut. Je crois que Son Excellence est très inquiète pour le pont.

— C'est sa grande affaire depuis si longtemps, et l'autre ne va pas chercher à calmer son angoisse... », murmura Christopher.

Le chef de travaux le regarda à la dérobée.

« Sahib... », commença-t-il avec une sorte de réticence.

Il s'interrompit. Christopher le fixa à son tour d'un air interrogateur.

« Pourquoi vous mettez-vous en colère dès qu'on parle du sahib allemand ?

— Au moins, parler de lui vous aura dessoulé ! s'efforça de plaisanter Christopher.

— Vous n'auriez pas dû le faire expulser du chantier le mois dernier, Mr. Howard. J'aurais été présent, je vous aurais conseillé de ne pas le faire. Il a fallu que je sois avec Maddanjeet juste ce jour-là... », ajouta-t-il avec regret.

Christopher se retourna avec vivacité.

« Vous me direz tout ce que vous voudrez, Vijay, mais ce n'était pas sa place ici ! C'est un peu facile, sous prétexte de cartographie, de se promener ainsi à sa guise dans ce qui est, à cause du tracé des frontières, l'une des régions les plus vulnérables et les plus troublées de l'empire ! Ce Burgsmüller apparaît et disparaît quand bon lui semble, il a ses petites et grandes entrées au Pavillon du Diwân, prétend tout savoir sur tout et en informer qui de droit — et cela, c'est le comble, alors qu'il a un employeur anglais ! Cela ne vous semble pas anormal ?

— Il y a souvent eu des cartographes allemands au *Survey*, Mr. Howard. Rappelez-vous les frères Shillingheit au Garwhal, et bien d'autres. »

L'allégation ne fut pas du goût de Christopher.

« Justement ! Les frères Shillingheit ont été accusés d'espionnage, si je ne m'abuse, et l'un deux a payé cela de sa vie ! répondit-il avec vivacité. Mais cela ne risque pas d'arriver à notre Allemand, n'ayez crainte, Vijay ! Il continuera impunément à prévenir Berlin des troubles qui se produisent à la frontière nord-ouest...

— C'est vous qui le dites, sahib.

— N'oubliez pas qu'il a participé au tracé du chemin de fer de Bagdad — c'est-à-dire au projet le plus ambitieux qu'aient jamais échafaudé les Allemands pour contrôler la route des Indes ! C'est d'ailleurs le seul point où, à mon avis, l'oncle de mon épouse voit juste, si j'en juge du moins par sa dernière lettre : que ce soit en Irlande ou en Orient, les Allemands cherchent et chercheront encore à miner nos arrières. C'est tout de même extraordinaire qu'à Delhi on ne veuille pas l'admettre !

— Si vous voulez mon avis, Mr. Howard, le *Survey* ne se mettra pas en conflit avec le Diwân, pas plus qu'avec la Résidence, au sujet du sahib allemand. Ils ont tous trop besoin de son travail. Les pandits avaient été bel et bien incapables de la dresser, cette carte, avec leurs bouliers ! Et lui entretient de plus d'excellents contacts avec la population locale. Il parle le kashmiri et l'urdu. C'est pour cela qu'il a réussi. Mr. Branjee s'en est bien aperçu.

— Plutôt ! s'exclama Christopher avec amertume. Mais de là à en faire son favori, jusqu'à exciter la jalousie de Dhakki Singh... Peut-être n'était-ce pas particulièrement adroit !

— Vous voyez tout en noir, Mr. Howard, dit Shoogam avec bienveillance. Ce doit être la fatigue. »

Christopher soupira.

« Peut-être avez-vous raison, Vijay. A mesure que la nuit s'avance, mon anxiété augmente.

— Si quelque chose devait arriver, je le sentirais, sahib. Dans mes jambes. Dans mes jointures. Ça ne s'explique pas. Je suis ici depuis tant d'années... Je vais vous faire du thé, dit-il brusquement.

— C'est pas de refus, mon vieux. »

Il s'éclipsa, puis revint avec la théière et une tasse et le regarda boire. Sensible au bien-être que lui apportait la boisson chaude, Christopher se rencogna en arrière, les yeux fermés.

« Je n'irai pas avec vous demain, dit-il. D'abord je n'ai pas envie de le voir. Et puis il vaut mieux que je reste ici, à tout surveiller depuis mon poste d'observation.

— Vous déciderez demain matin, dit Shoogam d'un ton accommodant. J'espère que nous aurons à ce moment-là un peu d'eau dans le ravin pour nous remonter le moral. Cela prouvera que Maddanjeet a ouvert sa tranchée. »

Christopher s'était à son tour étendu sur le canapé et semblait perdu dans une méditation profonde.

« Une secousse sismique ! grogna-t-il soudain. Je n'en crois rien, mais je n'ai pas envie de polémiquer, vous comprenez, major. D'ailleurs, le jeune Allemand a accepté que le chantier reprenne, il y a deux ans. Il risque de se mettre dans un mauvais cas vis-à-vis de Branjee, s'il prétend maintenant qu'il a eu tort.

— Calmez-vous, Mr. Howard. Reposez-vous. Moi je reste à veiller. »

Il semblait à Christopher que Shoogam avait parlé d'une voix claire et persuasive, mais il l'avait néanmoins mal entendu. Il avait aussi l'impression de ne plus le voir qu'à travers un rideau mouvant comme un voile de brume. Peut-être était-ce dû au fait que la lampe s'était remise à fumer et qu'une pénombre fuligineuse emplissait de nouveau la petite pièce. Dieu, cette nuit ne finirait donc jamais ?

« Je n'irai pas, Vijay, non, ça sûrement pas », murmura-t-il à nouveau. Il lui avait fallu un réel effort pour prononcer ces quelques mots. Il ne savait plus si cela provenait de la difficulté à prendre cette décision ou plus simplement de l'impossibilité d'articuler qui lui venait soudain. Il lui sembla que Shoogam l'aidait à quitter le canapé pour s'étendre sur le lit de camp.

« Major...

— Oui, Mr. Howard.

— Tout à l'heure... Vous étiez soûl... vraiment soûl, Vijay, plus soûl que vous ne l'aviez jamais été, et croyez-moi, je vous ai vu dans pas mal d'états... Et maintenant... maintenant... c'est le contraire... C'est moi qui... m'enfonce... Comment faites-vous, major... c'est quand même pas... les *nagas*... qui vous tiennent... éveillé... quand... »

C'était exaspérant, ces mots qui le fuyaient. Il y avait pourtant derrière chacun d'eux des décisions à prendre, des événements embusqués dont allait peut-être dépendre le sort de son grand œuvre. Mais à quoi bon, personne ne l'écoutait, la silhouette de Shoogam devenait... ténue... légère... comme une pousse de déodar... dissoute... sur les pentes... du...

Il prit en sortant une ample inspiration et embrassa du regard l'ensemble de l'esplanade. L'équipe revenue dans la nuit venait d'achever le démontage des bois de coffrage. Affranchi de son ultime charpente, émergeant désormais seul de l'espace dégagé tout autour, le pont étincelait avec superbe dans la lumière du matin, tel un navire le jour de son appareillage. Derrière lui des nuages translucides et bleutés s'infiltraient entre les sapins comme des langues de neige et s'accrochaient aux flancs arrondis du Chura, avant de rejoindre les austères contreforts du pic sans Nom en une trajectoire d'une impalpable et sereine perfection. L'esplanade elle-même avait perdu sous la lumière radieuse l'aspect sinistre qu'elle avait encore la veille, et ses flaques s'étaient résorbées, laissant derrière elles un chapelet de petits cratères d'un brun chaud. Toute menace eût semblé abolie ou directement issue des illusions trompeuses de l'obscurité si la brume n'avait pas dévoilé en se dissolvant les centaines de campements de fortune qui piquetaient les pentes. Il prêta l'oreille : un léger bruit de ruissellement provenait du bas des falaises. La démarche raidie par les courbatures, il traversa le terre-plein et s'avança avec précaution sur un éperon d'où il savait pouvoir jeter un coup d'œil sur le ravin. Entraînant comme du vif-argent quelques étincelles de lumière arrachées au ciel lointain, un filet d'eau furtif se glissait entre les roches tout au fond du gouffre. Il remonta pensif vers les bungalows et rencontra Shoogam au moment précis où celui-ci, rasé de frais, paraissant reposé comme s'il avait passé une nuit sans rêve, sortait sur la terrasse.

« Bien dormi, sahib ? »

Il ne put se dire sur le moment si le propos relevait de l'affabilité naturelle du major ou de la curiosité. Passant sa main sur sa barbe de deux jours, il poussa une manière de grognement.

« Si j'en juge par le débit, ajouta-t-il d'un ton soucieux, c'est bien une rigole que l'on a creusée.

— Je ne vous ai jamais parlé d'autre chose ! » s'exclama Shoogam.

Il regarda le ciel.

« Enfin j'ai confiance. Je suis sûr qu'aujourd'hui on pourra travailler avec davantage de bras. »

Christopher eut une moue fugitive.

« J'aimerais tout de même bien savoir où en est la retenue, dit-il.

— J'attends l'émissaire de Maddanjeet qui ne devrait pas tarder. »

Près de la piste d'accès, les hommes se préparaient déjà à partir et avaient rassemblé les chevaux. Christopher les regarda d'un air songeur et se tourna vers Shoogam.

« A propos, major..., votre décoction de cette nuit. »

Le chef de travaux parut surpris.

« Vous voulez parler du thé ? » demanda-t-il.

Christopher eut un petit rire.

« Les gens qui ont récolté ce thé, major, ils ont dû se tromper de champ. »

Shoogam avait une mine impénétrable.

« Vous étiez épuisé, sahib. On finit toujours par s'assoupir, qu'on le veuille ou non.

— Je ne dors jamais quand je ressens de l'inquiétude, Vijay. Et vous savez combien c'était le cas. De plus, ce matin j'ai la migraine. Et je ne peux tout de même pas accuser Ramesh », reprit-il après un silence.

Shoogam eut un geste d'ignorance.

« Le grand air va balayer tout cela, sahib. »

Christopher le regarda. Il n'en tirerait rien.

« Quoi qu'il en soit, je vous laisse partir, major. Je resterai ici en base arrière. Là-haut je risquerais de ne pas servir à grand-chose, car mes connaissances en géologie ne me permettent pas, moi, de juger de la résistance du barrage. En revanche, s'il se passe quelque chose ici, je veux pouvoir être sur place, ou au pire dans la pente pour observer. Laissez-moi simplement deux ou trois hommes avec des carabines, en cas de rôdeurs...

— Tiens, l'interrompit Shoogam d'un ton surpris. De la visite. »

La tête d'un convoi de chars à bœufs venait d'apparaître à la sortie de l'étroit défilé par lequel, à un demi-mile de là, débouchait la piste d'accès. Sans se concerter ils s'élancèrent à sa rencontre afin de se trouver avant lui à l'entrée du pont. Christopher se sentit vaguement ému de penser qu'une caravane allait pour la première fois en emprunter la chaussée. Il en admira la perspective encore vierge, aussi finement poncée et parquetée qu'un pont de paquebot, et dont l'éclat doux et satiné luisait au soleil. Debout à son côté, les mains sur les hanches, Shoogam regardait les premiers chars s'y engager avec lenteur.

« Ils n'ont pas l'air de céder à la panique, en tout cas, constata-t-il.

— Avec l'absence de garde-fous, j'aime autant ! » remarqua Christopher.

Sa voix fut recouverte par le grondement des lourds véhicules s'avançant sur les traverses de bois. Leur roulement propageait à travers celles-ci des vibrations qui lui montaient dans les jambes, et il eut la fugace impression que se créait ainsi une relation presque organique avec son ouvrage, comme lorsque la veille il l'avait arpenté tout seul. Il pouvait maintenant détailler les premiers chars avec précision. A demi ensevelis sous des ballots et de multiples sacs de toile grossière qui paraissaient avoir été empilés en toute hâte, les conducteurs aiguillonnaient et guidaient à la fois leurs attelages avec un long sifflement modulé interrompu de brèves interjections. Derrière eux il entrevit d'autres visages qui semblaient sous la pénombre des bâches être englués dans un enduit poudreux et terne. Ce convoi ne ressemblait en rien à ceux qu'il croisait parfois sur les pistes menant à Sopur ou à Baramula, égayés par le son des clochettes et les pimpants corsages de jeunes femmes aux traits fins et aux lourds bijoux... Harassé et râpeux, imprégné d'une âcre odeur de suint qu'il n'imaginait qu'aux chameliers de Grande-Tartarie, il semblait au contraire surgi du fond des âges, au rythme lent d'un cortège de proscrits.

A mesure que les premiers attelages passaient devant eux, obligeant les deux hommes à se presser contre la maçonnerie des piliers afin de ne pas être coincés entre celle-ci et les lourds essieux, l'attitude de Shoogam devenait de plus en plus circonspecte. Soudain, il s'avança en travers de la chaussée ; le char qui allait passer dut s'arrêter brusquement dans un grincement strident. Il s'adressa au conducteur dans ce qui parut à Christopher être de l'urdu, et l'autre lui répondit avec une volubilité geignarde. Puis, sur son injonction, le conducteur s'extirpa avec peine de son chargement de sacs de jute avant de sauter maladroitement à terre, engoncé dans les lourds plis de son imposant pantalon. Déjà Shoogam, avec une agilité surprenante, avait bondi sur le marchepied et pris sa place. Sous le regard de l'homme qui maugréait quelques mots inaudibles, il dénoua prestement le lien qui fermait l'un des sacs.

« C'est bien ce que je pensais, lança-t-il à Christopher d'un air préoccupé. Du borax. »

Il redescendit du char en lui montrant quelques cristaux sans éclat.

« Eh bien ? demanda Christopher sans comprendre. Où est le problème ?

— Ce sont des Kohistanis, précisa Shoogam. Ils quittent la mine de Katsil, et s'ils la quittent, c'est qu'elle a été inondée cette nuit. »

Christopher avait pâli.

« Les galeries sont à moins de un mile en aval de la coulée, n'est-ce pas ?

— Oui, dit Shoogam. Ils ont chargé à la hâte ce qui était à ciel ouvert. C'est toute leur richesse... Ils vont maintenant essayer de la monnayer au Pendjab... »

Christopher n'écoutait plus. Cette nuit, durant son attente, il avait en effet sérieusement envisagé, tel était le dérèglement qu'il sentait autour de lui et en lui, et malgré les raisons qu'il se donnait de ne pas céder à son anxiété, qu'une catastrophe puisse se produire. Mais là, à cet instant, dans ce paysage lumineux et apaisé, tout en lui refusait désormais la prolongation de cette angoisse. Il dévisagea avec hostilité l'homme qui, devant lui, changé en statue grisâtre et malodorante, devenait ainsi le pitoyable instrument du destin, et il fut tenté de lui crier quelque chose pour arrêter net sa mélopée plaintive. Les deux tronçons du convoi restaient immobiles.

« C'est fichu », murmura-t-il.

Shoogam le regarda avec surprise.

« A chaque crue la mine est inondée, sahib, lui dit-il d'un ton rassurant. Et à chaque fois ils la quittent en catastrophe. Vous ne le saviez pas parce qu'ils ne se repliaient pas sur cette piste. Mais maintenant que le pont est construit, on risque de les voir passer dans la vallée plus souvent qu'à leur tour ! »

D'un geste impératif, il fit signe au convoi de reprendre sa marche.

« Ce sont des mahométans, dit-il avec mépris. Après tout, ils ne font que rentrer chez eux. »

Christopher ne l'écoutait pas. Il avait à cet instant l'impression que leur sort à tous était le jouet de quelque subtile altération souterraine sur laquelle même les petits génies de Ramesh ne pourraient plus avoir de prise désormais.

« Vous ne comprenez donc pas, major ! s'exclama-t-il. L'eau travaille en profondeur, sans quoi il n'y aurait pas d'infiltration du sous-sol en aval ! Elle a dû attaquer la digue à la base, la saturer comme une éponge et la traverser de part en part. Le mal est fait. »

Alors que le convoi s'ébranlait à nouveau, un nouvel élément de diversion lui fit lever les yeux. Réclamant le passage à grands cris gutturaux, un cavalier solitaire venait de faire irruption sur la piste et remontait la queue du convoi au grand trot. Côtoyant dangereusement le vide, il dépassa les attelages, chercha le major des yeux, le salua et, sans descendre de sa monture en sueur, lui tendit un message. Shoogam le déplia et eut quelque mal à lire le feuillet qui, hâtivement griffonné au crayon, était peu lisible.

« 3.15. Kahkian inondé. Retenue remonte jusqu'à Chiharmanru. Fedowal évacué. Maddanjeet. »

Le cavalier avait déjà rebroussé chemin. Figé sur place, Christopher resta quelques instants à le suivre des yeux, puis le perdit de vue sitôt qu'il fut sorti de la travée. Mû par un subit sentiment d'urgence, il se retourna vers Shoogam.

« Rassemblez les hommes, major, cria-t-il pour se faire entendre dans le fracas des roues. Nous n'avons que trop tardé. »

Shoogam demeura un instant interdit.

« Est-ce qu'on a le temps d'emmener la roulante ? demanda-t-il.

— Non, Vijay. Vite. Où est Ramesh ? »

Il lui semblait l'avoir vu tout à l'heure derrière lui. Il se retourna.

« Ramesh ! » appela-t-il.

La caravane s'éloignait sans accroître son allure. Elle était suivie d'un cheptel étique de bœufs, de yacks et de moutons qui trottaient placidement en désordre, agitant des pompons rouges qui étaient la seule note de gaieté de tout le cortège et souillant de leurs déjections les traverses neuves. « Il faut que je garde mon calme, après tout peut-être que rien ne presse », essaya de se raisonner Christopher. Presque aussitôt, il s'immobilisa. Une onde d'inquiétude remontait soudain les rangs serrés des animaux. A l'arrière deux ou trois bœufs rétifs s'étaient mis à ruer et à galoper, cherchant à dépasser en les bousculant ceux qui les précédaient. Tenant à pleines mains la suspente à laquelle il se cramponnait, Shoogam s'efforça de crier pour les apaiser, mais la plainte confuse qui s'éleva soudain du troupeau disparate ne lui permit pas de se faire entendre. La bousculade devint si frénétique et la pression si forte que l'un des bœufs, en dépit d'une crispation de tous ses membres pour tenter d'échapper au ravin qui lui fit riper les sabots sur le bois glissant, fut proprement expulsé hors de la travée. Son corps tournoya dans le vide en une interminable chute ponctuée d'un meuglement déchirant qui décrut très vite et s'interrompit lorsqu'il se fut écrasé avec un bruit mat et lointain. Dans l'affolement qui saisit alors le troupeau, deux ou trois bœufs furent éjectés à leur tour, les yeux stupides et exorbités, malgré leur ultime et maladroit effort pour demeurer au milieu de ceux qui les poussaient convulsivement. Shoogam se pencha. Agités de spasmes, les cadavres des animaux avaient étoilé de sang trois cents pieds plus bas les pierres plates découvertes par les eaux disparues. Le reste des animaux se mit au galop dans une hâte sourde et fébrile qui fit trembler le tablier. Il saisit Christopher par le bras.

« Vous avez raison, ils ont senti quelque chose ! hurla-t-il. Vite, vite. »

S'accrochant de suspente en suspente tout en essayant d'éviter les charges des derniers animaux affolés, ils parvinrent à revenir près du massif d'ancrage. Christopher voulut reprendre son souffle à l'abri de la masse de ciment, mais Shoogam l'entraîna, tout en faisant signe aux hommes de gagner le versant. Il se rendit compte qu'il n'entendait plus ce que criait le major. Un grondement venait de surgir du néant et prenait possession avec une puissance impavide de tout l'univers qui les entourait, jusqu'à lui retirer toute substance et toute couleur. La queue du troupeau paraissait désormais se mouvoir dans un espace sans pesanteur où il ne lui appartenait plus de créer un quelconque désordre. Abasourdi, Christopher regarda vers l'amont. Un rideau de brume plombée, aux reflets mordorés, comme si la forêt brûlait, était tombé sur la vallée, cependant qu'un bruit de canonnade dont les déflagrations paraissaient dédoublées par l'écho scandait l'approche du grondement avec une régularité qui lui glaça le sang. Et alors s'inscrivit sans violence dans son paysage familier, avec majesté et presque avec grâce, l'image tranquille d'un dérèglement fondamental. Sur le fond presque opaque du ciel, une muraille d'eau d'un jaune limoneux progressait vers eux sans hâte, comme la molle ondulation de quelque tapis géant. Son sommet agité d'un friselis de guirlandes argentées sur lesquelles scintillait gaiement le soleil dominait d'au moins quatre-vingts pieds — son regard incrédule continuait à mesurer, détailler, calculer — le niveau de l'esplanade. A mesure qu'elle avançait, la sourde rumeur laissait la place à une tessiture aiguë qui vibrait dans l'atmosphère avec la précision et la douceur inexorables d'une haute plainte désolée. Il eut l'impression à ce moment que Shoogam (il se trouvait à l'extrême limite de son champ visuel), cloué sur place par le spectacle de ce qui fondait sur eux, criait sur un ton de supplique ou de colère une phrase qu'il ne comprenait pas — n'était-ce pas le nom de Kâli suivi de quelques mots en gujarati, comme si était redonnée au major, en ultime mirage, la langue de sa lointaine enfance ?... Christopher chercha à avancer de quelques pas, mais un tourbillon asphyxiant le plaqua au sol ; il voulut crier à son tour, et sa gorge fut soudain emplie d'un fluide glacé suffocant comme de l'éther. Il eut alors l'impression que ses poumons éclataient et que son corps désarticulé, roulé avec violence d'un bord à l'autre du tablier, était entraîné dans l'obscurité glauque d'une caverne et roulé au pied d'une paroi liquide démesurée. Il sentit à ce moment un violent choc à la jambe et gémit sous la douleur mais Ramesh ces... *offrandes* dont tu me parlais était-ce la voix du jeune Kashmiri venue de très loin détimbrée désaccordée qui lui répondait ne voyez-vous pas que ces lèvres qui vous parlent ne sont plus les miennes elles sourient au-dessus d'un collier qui flotte dans l'écume et nous écartelés submergés dans le flux des eaux retrouvées et plus loin plus profond sinueuses ensorceleuses incandescentes comme un faisceau de licteur les langues de la déesse

4

La masse de boue ressemblait à quelque monstre marin hors d'échelle venu s'échouer au cours de la nuit dans un marigot trop exigu pour lui. Sa crête paraissait pourtant s'être affaissée depuis la veille au soir, mais Carl se rendit compte que c'était en fait le niveau de l'eau qui avait considérablement monté.

« A ce rythme-là, avant trois jours elle déferle en aval, dit-il avec inquiétude à Maddanjeet.

— Trois jours ? Ça prouverait au moins que le barrage a tenu tout ce temps », répondit le sirdar avec une mine préoccupée.

Arc-boutés en longue file à la rive rocheuse, certains se retenant à des cordes, les Baltis pelletaient la vase hors de la tranchée fraîchement creusée où bouillonnait déjà un flot épais. Un peu plus haut dans la pente, un autre groupe épointait de jeunes troncs d'arbres dans le fracas des cognées afin d'établir à mesure un batardeau pour stabiliser la rive sur laquelle ils se trouvaient. Le soleil se profila soudain derrière le petit glacier suspendu au flanc du Laribal Peak, l'incendiant comme du cristal incandescent sur le fond encore sombre du ciel. A côté de lui, l'un des hommes se retourna et fixa la ligne de lumière avec une expression d'extase sur son visage creusé par la fatigue, comme s'il reprenait subitement espoir.

« Ils n'en peuvent plus, grogna Maddanjeet. Trente-six heures les pieds dans l'eau et la boue et toujours pas de relève !

— Vous aurez des renforts avec la nuit, promit Carl. Dhakki Singh m'a prévenu que le Diwân arrivait de Mirawali avec les Hounzas. »

Maddanjeet marmonna quelques mots inintelligibles, puis désigna l'ensemble du chantier d'un geste théâtral.

« Et si nous voulons creuser un vrai canal, c'est trois fois plus de bras qu'il nous faut !

— Ce qu'il faudrait surtout, c'est que cette boue durcisse, répondit Carl. A quoi servirait-il d'avoir des centaines d'hommes sur le terrain s'ils n'ont pas de place pour travailler ? »

Les accents gutturaux d'une altercation se firent brusquement entendre. L'accent chantant du langage kashmiri des hautes vallées semblait mal se prêter à cette montée des invectives. Maddanjeet partit s'enquérir de quoi il retournait. Lorsqu'il revint peu après, son irritation s'était encore accrue.

« Shoogam n'aurait pas dû me laisser seul, grommela-t-il. Ses hommes ne m'obéissent pas. Il y a du thé salé qui vient d'arriver du camp et ils veulent le boire avant les autres. En plus ils n'acceptent de travailler qu'au tressage du batardeau, et pas au canal. Du coup les miens trouvent qu'on leur laisse le sale boulot et se mettent en colère...

— Ce sont des querelles de village, dit Carl d'un ton apaisant. Vous savez bien que le major revient dans la journée. A propos, vous lui avez envoyé l'estafette ?

— Mottilal ? Oui, il est parti, acquiesça Maddanjeet. Ça n'a pas été sans mal. »

A la surprise de Carl, son visage s'était soudain déridé à cette évocation.

« Maintenant que la brume se lève, regardez donc derrière vous, sahib », dit-il.

Carl se retourna. Sans doute miné par le creusement hâtif de la tranchée, le tronc d'un immense pin s'était doucement affaissé, son faîte rejoignant le flanc de la butte de boue en une longue oblique rectiligne qui enjambait la dépression. Il regarda Maddanjeet sans comprendre.

« Dans cette purée de pois, je n'avais pas remarqué ce tronc tout à l'heure.

— Eh bien, Mottilal, si ! s'exclama Maddanjeet. Figu-rez-vous qu'il y avait même attaché son cheval ! Et au moment où il devait partir en pleine nuit, plus de tronc, et plus de cheval ! Il entend alors un hennisse-ment. Le cheval se débattait dans l'eau, toujours atta-ché à l'arbre suspendu au-dessus de lui ! Il est parvenu à le libérer et il est revenu en me disant qu'il avait la monture la plus puissante de la vallée puisqu'elle avait déraciné un pin de cent pieds. " Je la vendrai pas moins de dix annas d'argent ", m'a-t-il dit. Alors je lui ai répondu : " Propose vingt annas de ta carne au major, mais surtout ne l'attache pas à l'un des piliers de son pont, on ne sait jamais ! " »

À cette idée, il partit d'un tonitruant éclat de rire qui découvrit ses dents noircies de bétel. Carl s'efforça de se mettre à l'unisson, mais son regard ne pouvait se détacher du grand pin incliné surgissant du brouillard.

« Jamais on ne m'avait tendu une perche de cette taille », se dit-il en s'en approchant et en examinant sa position. Le rire de Maddanjeet s'était figé.

« Que veut faire le sahib ? » demanda-t-il avec inquié-tude.

Carl se retourna.

« Trouver le moyen d'aller tâter cette fichue mélasse d'un peu plus près », répondit-il.

Le vieux sirdar eut un accent presque angoissé pour le mettre en garde.

« Je sais..., le major m'a dit... que vous grimpez comme l'un des singes du dieu Hanuman !... Mais rap-pelez-vous justement, sahib, les petits gibbons que l'on retrouve au matin, enlisés dans les bancs de l'Indus, la gorge pleine de sable. »

Il regardait la butte avec une visible répulsion.

« Kâli la maudite a vomi sa haine sur nos terres, nos vallées, nos troupeaux ! s'écria-t-il. Elle ne permettra pas que vous alliez la narguer ! Elle vous engloutira...

— Ce n'est pas elle qui me dira si le barrage va tenir », murmura Carl.

Il s'enroula autour de la taille les spires d'une corde-lette de chanvre qui ne le quittait guère et se hissa avec légèreté sur l'énorme tronc incliné à quarante-cinq degrés. En quelques enjambées aériennes, il atteignait les premières branches et la suite fut pour lui un jeu d'enfant, comme s'il s'élevait le long d'un sentier forestier pentu, dans une réconfortante odeur de pinède. Vu de vingt pieds de haut, le canal ne paraissait rien d'autre que ce qu'en avait dit Maddanjeet — une dérisoire tranchée au bord de laquelle des dizaines d'hommes peinaient avec les mêmes gestes saccadés, harassés, que devaient avoir leurs ancêtres lorsqu'ils construisaient leurs éphémères cités lacustres sur les rives du lac Wular. Sitôt parvenu à l'endroit où le sommet de l'arbre reposait sur le flanc de la butte, il s'immobilisa à califourchon, ses pieds portant sur le sol, et se retourna pour mesurer du regard la longue oblique qu'il venait de gravir. Autour de lui les branches inscrivaient leur empreinte en surface comme des fougères sur un sol fossile. Aucune d'elles n'était brisée, ce qui confirmait que le grand tronc avait dû s'affaisser avec une relative lenteur. Il se promit d'aller examiner ses racines dès qu'il serait redescendu. Au-dessous de lui le sol était strié de ridules comme une dune de sable et jonché de morceaux de bois et de débris végétaux. Il eut le sentiment de se trouver au cœur d'un tourbillon figé depuis peu où, sous le réseau des ruisselets scintillants qui se déversaient sur sa droite dans l'immense étendue d'eau noire, se produisait encore un sournois travail de la matière.

Effrangée de nappes de brume, la retenue d'eau s'inscrivait dans l'ample tournant de la vallée comme si elle était là de toute éternité. L'eau venait clapoter paisiblement au pied du barrage, et il eut la sensation qu'un équilibre précaire s'était instauré entre les deux masses en présence comme si elles voulaient s'apprivoiser mutuellement. Une vaguelette venait parfois mordre le bord de la butte, arrachant dans son reflux quelques débris informes qu'il voyait aussitôt disparaître dans un lent remous concentrique.

Ressemblant à une longue écharpe sombre négligemment jetée à travers la pente déboisée par un géant débonnaire, la coulée apparaissait ici sur toute sa longueur et sa dénivelée. Des pans entiers de prairie avaient été entraînés sur son passage et émergeaient de ses plis profonds et gras, encore piquetés de fleurs comme des lambeaux de soie souillée. Il chercha à déceler dans son axe la faille d'où aurait pu jaillir un tel épanchement de matière, mais n'en découvrit aucune. Le glissement de terrain n'apparaissait d'ici que comme un phénomène superficiel, épidermique, une simple griffure dans l'immense versant désert dont l'étroitesse semblait inversement proportionnelle à la masse de boue déversée à sa base.

Tout autour de lui le sol lui apparut plus compact et plus solide qu'il ne l'avait prévu. Avec l'aide d'une branche il y creusa un trou étroit, y introduisit son bras jusqu'à l'épaule en se penchant avec précaution et s'efforça de remonter du plus profond qu'il put une poignée de la pâte froide et visqueuse qu'il sentait coller à ses doigts. Attentif à sa densité et à son humidité, il la pétrit longuement, puis, les yeux fermés, la huma pour tenter de lui arracher son secret. Elle exhalait une odeur acide et légèrement putride. Il fit une grimace et la rejeta au loin. « Que croyais-tu que c'était ? se demanda-t-il à voix haute. Une truffe du Wochsenwald ? »

Il se mit à rire tout seul de sa boutade puis se prépara à redescendre. Il se sentait soudain plus confiant. Bien qu'il lui apparût difficile de déceler l'origine géologique du glissement de terrain, il revenait de son incursion sur la butte informe avec la quasi-certitude que celle-ci résisterait à la pression de la retenue dans les jours à venir et que cela leur donnerait le temps d'élargir la tranchée aux dimensions d'un véritable canal de dérivation. Il supputa le nombre d'hommes nécessaires à Shoogam et à Maddanjeet pour mener à bien une telle entreprise. Plusieurs centaines, pour le moins, et il fallait qu'ils soient à l'œuvre dès les jours prochains. Les Hounzas ne suffiraient donc pas. Il était nécessaire d'en parler à Dhakki Singh dès que possible.

L'un des débris attira soudain son attention. Situé légèrement en contrebas, il ne semblait pas avoir l'aspect de ceux qui parsemaient la surface tout autour et ondulait à même le sol sur deux ou trois pieds de long avant de se dresser vers le ciel tel un cobra en colère. « Un arbuste ? se demanda-t-il. Une liane ? Une mue de serpent ? »

Il fronça soudain les sourcils.

« Quoi, ce serait... », murmura-t-il.

Du regard, il mesura la distance qui l'en séparait. Quarante pieds tout au plus le long desquels la surface du sol paraissait avoir la consistance poreuse de la pierre ponce. Pourtant, il hésitait. Prêt à se raccrocher au tronc d'arbre, il s'étendit à plat ventre et constata que son corps ne laissait pas d'empreinte sur le sol. Il attacha alors l'extrémité de sa cordelette autour du tronc puis, avec la sensation de se lancer dans une traversée incertaine, se mit à ramper avec précaution et lenteur. Après quelques mouvements de reptation, il se retourna : il ne laissait aucune trace derrière lui si ce n'était l'écheveau rassurant de la cordelette qui se déroulait à mesure qu'il avançait. Le soleil faisait briller sous ses yeux de petits éclats de mica perdus dans le lourd limon solidifié qu'il voyait avec la netteté de constellations dans un ciel d'été. « Traces de gneiss, se dit-il avec satisfaction. La couche de boue serait donc profonde et dense. » Il était désormais parvenu à l'extrémité de la cordelette, mais cela le décida à continuer sa progression. L'objet était encore à une dizaine de pieds et l'instant d'après, dans une ultime impulsion, il put s'en saisir. Les écailles de boue s'effritèrent sous sa paume et il ressentit un contact lisse et froid alors qu'apparaissait, partiellement dégagé de sa gangue, le reflet vert sombre d'une gaine de caoutchouc.

« C'était bien ce que je pensais, s'exclama-t-il. Un fragment de câble. »

Son diamètre était d'un demi-pouce environ, et, à l'exception de l'extrémité dressée verticalement qui avait attiré son regard, sa trajectoire décrivait une gracieuse volute hors de la boue avant de s'y enfoncer pour ne plus reparaître. Sans quitter sa position à plat ventre, il s'efforça de tirer dessus de toutes ses forces.

Cela résistait et il regretta amèrement d'être parti sans couteau. Il tenta alors de s'agenouiller pour faire céder le câble puis, en s'arc-boutant, finit par se dresser sur ses pieds. Immédiate fut la rançon de cette imprudence. Le sol se déroba sous lui d'un seul coup et après une brève impression de chute libre, il se retrouva enserré dans la boue jusqu'à la poitrine.

Instinctivement, il avait écarté les bras. A quelques pouces de son visage, les bords de la cavité qui s'étaient formés autour de lui se délitaient en grumeaux instables comme de la neige de printemps, et il sentait à même la peau un emplâtre humide et collant l'enserrer comme s'il n'avait pas porté de vêtement.

Assourdi, lointain, dérisoire au regard de cette masse informe à la surface de laquelle il avait l'impression de n'être plus désormais qu'un débris parmi tant d'autres, lui parvenait l'écho des coups de cognée du chantier.

Il fut malgré tout tenté de crier, mais la certitude que l'on ne pouvait l'entendre l'en dissuada. Il se demanda combien de temps allait passer avant que Maddanjeet se préoccupât de ne pas le voir revenir. A l'idée que, connaissant son indépendance, le sirdar ne s'inquiète aucunement, il sentit la sueur couler entre ses omoplates avec la régularité de la Kishen dans son canal. Après un long moment pendant lequel il se figea dans une immobilité complète, il eut l'impression que la sueur rejoignait maintenant à mi-corps un autre liquide qui lui montait dans les jambes. L'eau. L'eau noire de la retenue qu'il pensait dominer de près de cent pieds. Elle s'était infiltrée sous la croûte apparente, saturant la butte qu'il croyait en voie d'assèchement. Il importait de réagir, et vite. Une violente onde d'énergie vint le secouer comme une décharge électrique. « Les prévenir, se dit-il. Mais d'abord sortir de ce cloaque. » Il serrait convulsivement la gaine de caoutchouc qu'il n'avait pas lâchée et tira sur elle avec une sorte de rage. « Tu ne vas pas casser maintenant ! » murmura-t-il, les dents serrées. A coups de tractions nerveuses et répétées il parvint à gagner pouce après pouce et à empoigner le fragment de câble de plus en plus loin, parvenant peu à peu à s'arracher à la cavité humide et gluante dans un bruit ignoble de déglutition. Le cœur battant il resta un instant immobile, allongé au milieu du terrain bouleversé par ses efforts, puis, tel un lézard apeuré, s'échappa en une reptation rapide et saccadée. Sur sa trajectoire de retour le sol était redevenu sec et râpeux. Il s'aperçut alors qu'il traînait après lui, mêlées à la trace sinueuse de la cordelette qu'il avait retrouvée, les spires boueuses du câble. Sans doute celui-ci s'était-il rompu sans qu'il s'en aperçût au moment de son effort éperdu pour échapper à l'enlisement. Il rampa ainsi jusqu'au tronc, s'y hissa et en étreignit convulsivement la surface rugueuse en un long spasme dont il ne sut s'il éprouvait du plaisir ou du dégoût. Autour de lui tout semblait se dissoudre sous un soleil hostile. Le goût du sang encore au fond de sa gorge, il s'efforça de reprendre son calme.

Drapé dans sa large cape de bure, Maddanjeet observait le barrage d'un air incrédule. Cristalline et déjà intense, la lumière de l'aube donnait à celui-ci une permanence et une solidité quasi minérales qui faisait presque douter Carl de ce qu'il venait d'éprouver puis de raconter au sirdar.

« Si la retenue poussait autant que vous le dites, sahib, je le sentirais et je n'attendrais pas plus pour m'enfuir avec les hommes !

— Mais regardez-moi ! » s'exclama Carl.

Maddanjeet haussa les épaules.

« Vous êtes tombé dans une poche d'eau ! Bien sûr qu'il en reste, après tant de pluie ! Il ne fallait pas quitter le tronc de l'arbre, je vous l'avais dit.

— Croyez-vous que je l'aie fait pour mon plaisir ? » demanda le jeune Allemand avec une irritation soudaine.

Le sirdar désigna avec un semblant d'ironie le fragment verdâtre qu'il avait enroulé autour de son épaule.

« Ce n'était pas nécessaire de risquer votre vie pour récupérer le bout d'un vieux câble d'arpentage », dit-il.

Carl le regarda bouche bée.

« Je reconnais celui que nous avons utilisé pour la construction de la piste de Samgani, au Chatthewala, précisa Maddanjeet. Il n'y a pas longtemps il en restait encore des traces. »

Le jeune cartographe parut se souvenir d'un détail.

« Quelques centaines de yards avant Surgon, c'est cela ? Mais oui ! Je les avais d'ailleurs portées sur le relevé...

— C'était il y a une quinzaine d'années, avec le sirdar Ahdoo, reprit Maddanjeet. La chaussée s'effondrait à mesure qu'on avançait. On n'est jamais arrivé à Samgani. »

Carl hocha lentement la tête.

« Oh, je préfère ça, murmura-t-il.

— Le sahib préfère quoi ? demanda Maddanjeet sans comprendre.

— Je ne savais pas que vous aviez participé à ce chantier, Hari. En fait, c'était la première tentative de passe de l'Ouest...

— Eh bien, je souhaite à la nouvelle plus de chance ! Car depuis, Ahdoo a disparu dans la montagne au-dessus de Taobat. Et la piste aussi... Il ne reste qu'un mur de soutien où viennent se gratter les yacks. »

Carl déroula les quelques spires encore maculées de boue et les laissa tomber à terre.

« J'arrive pas à croire qu'avec tout ce qui a dévalé sur la pente le câble ait pu résister, dit Maddanjeet d'un air songeur.

— Justement, il n'a *pas* résisté. Un unique et malheureux fragment parmi des monceaux de débris divers ! »

Le sirdar s'était accroupi et examinait la gaine avec une soudaine attention.

« Chaque câble mesurait cent yards. C'était la distance entre les jalons qu'on plantait à mesure. Ahdoo trouvait que c'était plus facile à utiliser que les chaînes. C'était moi qui étais chargé de l'enrouler et de le dérouler. Je me souviens, il y avait une marque à chaque yard. Pas étonnant qu'elle se soit effacée, avec toutes ces années et toute cette boue.

— Vous le reconnaissez tout de même ? insista Carl.

— Oui, à sa couleur verdâtre. Il fallait qu'on puisse le voir sur le roc. »

Carl resta pensif, puis il se redressa.

« Hari, dit-il, laissons cette histoire de câble. Je suis persuadé que la butte est saturée d'eau comme une éponge. Il n'est pas en mon pouvoir de vous donner des ordres, mais... » Il le regarda. « Il faut partir, Hari, et vite, ça ne sent pas bon, dans tous les sens du terme. »

Maddanjeet repoussa le câble du pied et se redressa.

« Si nous quittons le chantier, sahib, avant une heure tout le travail est à recommencer. La tranchée se désagrège déjà en aval, là où il n'y a pas de bâti. En aval ! C'est un comble ! »

Carl restait silencieux. Le sirdar tiraillait sa barbe avec nervosité.

« Et puis je n'ai pas reçu d'ordre de Dhakki Singh, ajouta-t-il d'un air sombre. Il ne me pardonnerait pas, vous le savez.

— Dhakki n'a pas été où j'ai été, ni vu ce que j'ai vu !

— Il ne me pardonnerait pas, répéta Maddanjeet en secouant la tête. Moi, je n'ai pas de protecteur comme vous.

— Puisque j'ai un tel protecteur, Hari, insista Carl, peut-être m'est-il possible de vous donner en son nom l'ordre de vous replier ? »

Le sirdar regarda au-dessus de lui vers la direction du camp volant. Des files de réfugiés l'investissaient en longues chenilles processionnaires, poussant devant elles des troupeaux en colonnes indociles.

« Le Diwân n'est pas arrivé, sahib », répondit-il d'une voix sourde.

Carl réfléchit. Branjee n'arriverait certainement pas avant la nuit.

« Hari ! Je crains qu'il n'y ait guère de temps à perdre. Je vais monter demander à Dhakki de vous transmettre cet ordre. Nous pouvons convenir d'un signal.

— Je ne veux pas de signal ! s'écria Maddanjeet avec une véhémence inhabituelle chez lui. Vous ne connaissez pas le jogirdar ! Il serait capable de se retourner contre moi.

— Malgré mon témoignage ?

— Je veux un messager, avec un ordre écrit !

— Vous l'aurez, soupira Carl. En attendant, surveillez les fissures au-dessus du grand pin. Le terrain est sec et friable à cet endroit. Si quelque chose doit se produire, ce sera là.

— Oui, sahib.

— Et dans ce cas...

— Je sais comment prévenir les hommes, sahib. »

Carl eut un geste évasif, puis tourna les talons. Il s'agissait désormais de prendre le rythme des grands jours.

« Vous ne l'emmenez pas ? » demanda Maddanjeet dans son dos.

Il se retourna. Tel un chasseur de cobras venant toucher sa prime, le sirdar tenait le câble par une extrémité, l'autre pendant à terre. Carl hésita, puis le prit du bout des doigts, sans trop savoir pourquoi il sentait soudain cette répugnance.

« En souvenir d'une belle frayeur », se dit-il en l'enroulant à nouveau autour de lui.

Il s'attendait à quelque chose rappelant la colère des dieux dans leurs hautes demeures — ce terrifiant tumulte dont l'écho lointain, colporté de génération en génération par d'innombrables récits, résonnait encore dans la vallée de l'Indus soixante ans après que le versant du Saskawar se fut effondré dans le fleuve — et ce fut au contraire un bruit d'aspiration presque cocasse évoquant l'ouverture d'une bonde au fond d'un évier. Il était alors à mi-pente. Il se retourna et ne vit pas tout d'abord où s'était produite la poussée des eaux. Le barrage n'avait apparemment pas bougé, et il pensa au bref instant d'éternité qui succède à l'explosion d'un bâtiment miné lorsque les murs semblent défier la mise à feu avant de se fissurer d'un seul coup en larges pans béants sur le vide. Puis le canal lui parut soudain s'élargir aux dimensions d'une brèche aussi profonde qu'un défilé. Jaillissant de la chape noire de la retenue comme d'une lourde chrysalide, l'eau s'y engouffra en bouillonnant et déferla sur l'étroite plate-forme rocheuse où quelques minutes auparavant il tentait de persuader Maddanjeet de s'enfuir. Le grand pin incliné fut emporté et, paralysé sur place, il le vit s'éloigner, dansant à la crête des rapides tel un dard frénétique, escorté par les dérisoires débris de la digue. Quelques silhouettes, lui sembla-t-il, parvinrent à gagner les premiers rangs de la forêt au moment même où, sapée à sa base, la butte s'effondrait d'un seul coup. En un instant elle fut recouverte par une nappe jaunâtre, écumante et saturée comme celle d'une émulsion, qui se rua, l'obstacle franchi, vers la gorge de Khamrah en suivant la ligne de plus grande pente et non pas le cours ancien de la rivière. Carl vit naître alors sous ses yeux une vague énorme qui parut d'abord onduler sur place en un épais tourbillon ocre avant de s'élancer avec un grondement sourd et implacable qui le glaça. Puis un rideau opaque s'interposa soudainement entre lui-même et le site du défilé.

Palpable comme du grésil, lui frôlant les joues d'une douce caresse et paraissant amortir les déflagrations qu'il entendait dans le lointain, une brume de terre et d'eau tomba sur lui comme un cocon, réduisant la visibilité à quelques pieds et recouvrant la prairie d'une couche de boue glissante qui englua en quelques instants toutes les fleurs. Abasourdi, il ne sut tout d'abord s'il devait continuer ou rebrousser chemin ; il venait après quelques pas hésitants de se décider à redescendre, lorsque le rideau de brume se déchira aussi brusquement qu'il était tombé.

L'irruption d'un soleil éclatant vint rendre plus incongrus et plus tragiques encore les reliefs du désastre dans le cadre enchanteur de la vallée. Du barrage ne subsistait plus qu'un banc de boue émergeant à peine de l'eau, et la coulée était interrompue net par ce qui lui semblait être un gigantesque coup de sabre. En amont, la surface de la retenue se rétractait à mesure que l'eau se vidait comme l'eût fait un mollusque dans sa coquille, laissant apparaître sur ses rives une bande livide qui s'élargissait à chaque minute et découvrait çà et là des formes indistinctes uniformément recouvertes d'une gangue grisâtre. Au milieu surgissait une ancienne muraille arasée par les pluies et les siècles : c'était en fait — il le reconnut à sa position — le hameau de Nakka dont ne subsistaient plus que quelques pans de murs démantelés.

C'était à Nakka qu'il avait rencontré Shoogam pour la première fois — le major le lui avait rappelé la veille au moment où ils se penchaient ensemble sur la carte pour délimiter le périmètre exact de la zone inondée. Il se souvenait fort bien de cette rencontre : distraitement occupé à ses relevés de triangulation, il avait été intrigué par les manœuvres d'approche du massif Kashmiri, auquel toute sa réputation semblait de peu de secours pour amadouer une petite sauvageonne de treize ans, dont il avait lui-même remarqué à la fontaine les yeux en amande et les seins précoces dignes des fresques d'Adjantâ... Shoogam. Reverrait-il jamais le fragile objet de sa dévotion ? Il devait déjà avoir pris la piste lorsque le raz de marée avait déferlé. Ou peut-être, anxieux de ce qui risquait de se produire, était-il resté près de son ouvrage comme pour le prévenir des dangers qu'il encourait. Et puis, c'*était* arrivé. Il y avait combien de temps, maintenant ? Dix secondes ? Dix minutes ? Peu à peu il sortait de son hébétude, et une certitude se faisait jour en lui. Dès son arrivée, inévitablement, le Diwân allait l'interroger, non pas sur le sort des populations de la vallée de la Kishenganga à propos desquelles Dhakki Singh avait déjà dû lui fournir des témoignages et des renseignements hâtifs, mais sur celui du pont, afin de savoir si la « grande pensée du règne » était menacée. Il chercha sur l'immense versant sud une improbable silhouette qui pourrait être détentrice d'un message ou d'un renseignement, puis haussa les épaules. Une telle messagère n'aurait pu être que Kâli elle-même volant au gré des vents et entonnant un chant de triomphe de sa voix désaccordée. On ne pourrait avoir de nouvelles avant plusieurs heures — et sans doute pas avant le lendemain. En attendant, il ne semblait pas y avoir de survivant et un calme hébété régnait sur la vallée.

« Peut-être Maddanjeet s'est-il replié à la rencontre de Shoogam en descendant la rivière... », suggéra Branjee.

Il s'exprimait en kashmiri, d'une voix sourde. Dhakki Singh se pencha sur la carte dépliée devant lui.

« Cela semble impossible, Seigneur, dit-il. J'avais envoyé Changaraswamy avec une escouade pour tenter de retrouver des réfugiés au-delà du barrage. Il est revenu à la tombée de la nuit en nous confirmant que tout le fond de la vallée était dévasté en aval de l'éperon de Khamran et que la piste était ensevelie sous deux pieds de boue. J'enverrai de nouveau Changaraswamy demain afin qu'il tente de progresser vers Shardi, mais je ne m'attends pas dans l'immédiat à recevoir des nouvelles du major. Quant à Maddanjeet... »

Le Diwân hocha la tête d'un air las. Tirant nerveusement sur son *hookah*, le buste un peu affaissé, il se tenait accroupi devant une table basse, à l'extrémité d'un long tapis de laine carminée qui recouvrait entièrement le sol et moutonnait au bas des parois de toile. La lumière blafarde de la lanterne à paraffine jaunissait le bonnet de soie blanche dont il était coiffé et donnait à son visage anguleux la couleur de miel d'un vieil ivoire patiné par le temps.

« Combien y avait-il d'hommes autour du sirdar ? lui demanda-t-il.

— Environ deux cents, Seigneur, en comptant les équipes de Shoogam. Il y a cinquante survivants, surtout parmi ceux qui abattaient des arbres un peu plus haut. Nous avons retrouvé dix cadavres. Le reste a disparu. »

Ses mains désormais jointes, les yeux clos, Branjee semblait ne pas entendre.

« En revanche, nous n'avons pas à déplorer en amont du barrage la mort d'un seul homme, reprit Dhakki Singh de sa voix sans inflexion et, semblait-il, sans émotion. Suman et Nakka ont certes été inondés, mais l'exode s'est fait en bon ordre et le camp a parfaitement rempli son rôle de refuge.

— Et les troupeaux ?

— En amont toujours, on ne semble pas avoir perdu de bétail. En aval... »

Branjee secoua la tête d'un air accablé. Il avait déplié la carte et suivait du doigt le contour de la retenue que Carl avait tracé avec précision, la cernant à l'endroit où son niveau avait été le plus haut.

« Nous reconstruirons en premier le petit temple de Nakka, dit-il comme pour lui-même. Mon plus ancien souvenir d'enfant remonte à une expédition que j'y fis avec mon père. Il m'avait expliqué alors la signification de la fresque des guerriers. »

Son doigt descendait maintenant avec lenteur le cours de la rivière comme s'il voulait l'apaiser par quelque exorcisme. Une lente mélopée se fit entendre, dont la lamentation fut soudain interrompue par des meuglements de yacks errants, tout près. Carl voyait par un interstice de la toile les flammes des torches s'effilocher au-dehors, alors qu'une odeur poisseuse de résine parfumée venait alourdir l'atmopshère confinée de la tente et rendre plus insupportable encore la lourde chaleur qui y régnait. Accroupis près de l'entrée, le buste droit pris dans leur cape aux lisérés verts, hiératiques, pensa Carl, comme devaient l'être les guerriers de Nakka, les Bakarouals de la garde paraissaient insensibles à la lointaine rumeur provenant du camp. Il se hasarda à interrompre ce long silence.

« Vous êtes fatigué, Excellence, dit-il. Huit heures de *doolee* depuis Mirawali. Vous devriez prendre un peu de repos. Il est plus de minuit. »

Le vieillard hocha la tête d'un air las.

« Il n'est jamais plaisant de se trouver sur le chemin du désastre, soupira-t-il. Dans le *doolee* j'ai passé mon temps à frissonner malgré la chaleur. À côté de l'angoisse qui me nouait le dos, celle qui étreignait Arjuna n'était qu'indisposition passagère et trouble sans raison.

— Puisque Votre Excellence évoque la mémoire d'Arjuna, répliqua Dhakki Singh, je vous rappelle que Krishna le met en garde en ces termes dans le *Gîtâ* : " Ne te laisse pas aller au découragement, ô Parthâ. Cela ne te sied pas, secoue cette honteuse faiblesse de ton cœur. "

— Facile à dire », grogna Branjee.

Il s'agita puis se retourna brusquement vers Carl.

« Pourquoi Shoogam ne remonterait-il pas par l'autre rive, après tout ? Peut-être ses hommes ont-ils été surpris alors qu'ils retiraient les coffrages des piliers ouest... »

Le jeune Allemand eut une moue sceptique.

« Ils ne pourraient pas remonter par la rive opposée, Excellence. La coulée de boue et les restes du barrage sont infranchissables.

— Quelqu'un est-il néanmoins prêt à les recueillir ou les guider si... par extraordinaire...

— J'ai fait bivouaquer Changaraswamy au pied de l'éperon, intervint Dhakki Singh. Il nous enverrait aussitôt une estafette s'il apprenait quelque chose. Mais il ne faut rien espérer avant cette nuit. »

Branjee s'agita.

« Il ne viendra personne, dit-il d'une voix plaintive en jouant nerveusement avec son sceau de stéatite. Oh, pourquoi les dieux m'ont-ils fait vivre si vieux, si c'était pour me faire assister à l'anéantissement de mes chimères ?...

— Ce n'en était pas une que d'ouvrir la passe de l'Ouest, Seigneur, vous le savez bien, s'écria Carl avec conviction. Le pont est tout, dans l'Himalaya. Et vous verrez qu'un jour il y aura même une route dans les gorges de l'Indus ! On parlera alors de vous comme d'un précurseur ! »

Branjee opina pensivement.

« J'aurais voulu que même nos ennemis se rendent compte de la grandeur de l'entreprise, au lieu de parler de notre folie. Shiva est-il donc si perfide qu'il ait soutenu ceux qui voulaient ma perte ?

— N'insultez pas les dieux, Seigneur, implora Dhakki Singh.

— Tais-toi, répliqua durement le Diwân.

— Le pont n'est pas fragile, Excellence, enchaîna hâtivement Carl. Seule son apparence peut le sembler. »

Branjee eut une crispation furtive.

« Je me souviens de ma crainte lorsque Howard m'en avait montré la maquette, dit-il. C'était si... plein de câbles, de suspentes, de mâts... On aurait dit l'un de ces schooners que je voyais jadis à Londres partir pour l'Australie.

— Celui-ci a le mérite d'enjamber la gorge à plus de deux cents pieds au-dessus du niveau normal de la rivière, remarqua Carl. Quand je pense à l'amplitude de la vague que j'ai vue naître sous mes yeux, je me dis qu'il n'en fallait pas moins pour le maintenir hors d'eau ! Mais je pense que cela suffira. »

Branjee eut un geste d'affection vers lui.

« Tu m'apaises, mon ami. Tu me fais du bien... C'est pourquoi ta présence m'est si légère. »

Carl sentit sur lui le regard hostile de Dhakki Singh, ce qui le rendit mal à l'aise. Il chercha désespérément une phrase pour détourner la conversation.

« Tout de même..., poursuivit le Diwân. Comme je voudrais que quelqu'un pénètre dans la tente, et me dise sans même prendre le temps de retirer la poussière de ses bottes : " Voici ce qui s'est passé, et voici en quel état se trouve l'ouvrage. "

— Cela sera sans doute le cas à la fin de la matinée, dit Carl. Le temps qu'il faut pour venir de Danyarbani en passant par la montagne... »

Branjee reposa avec lenteur le sceau qu'il manipulait machinalement.

« Tu m'avais mis en garde à l'époque, mon ami. Nous avions même songé à tout arrêter, souviens-toi. Que ne vous ai-je écoutés !... »

Carl secoua la tête.

« Je n'ai pas constaté de faille ou d'effondrement dans l'axe de la coulée, Excellence. Je crois pouvoir vous dire qu'il s'agit d'un glissement de terrain d'une ampleur exceptionnelle, certes... »

Il s'interrompit, puis reprit plus bas, comme si certaines divinités souterraines ne devaient pas être réveillées.

« ... mais qu'il n'est pas d'origine sismique.

— Tu en es certain ? demanda Branjee.

— Quasiment. Toutefois, je reviendrai sur le site avec mes instruments dès que j'en aurai la possibilité. »

Le Diwân parut rasséréné.

« O Parthâ, dit-il. Ce ne serait donc pas de la colère de la part de Shiva. De la perfidie, simplement.

— De l'adresse et de la précision également, Seigneur, dit Dhakki Singh. Quel coup d'œil il aura fallu pour obturer complètement le cours de la rivière dans la grisaille du petit jour ! »

Branjee lui adressa un regard sans aménité.

« A croire que les dieux ont utilisé l'un des câbles d'arpentage dont j'ai trouvé un fragment sur la butte, dit Carl.

— Je croyais qu'il était impossible d'y mettre le pied ? » s'étonna Dhakki.

Carl eut un geste évasif.

« En prenant quelques risques..., commença-t-il.

— Qu'est-ce que cette histoire de câble ? l'interrompit Branjee.

— Il s'agit d'un fragment que j'ai retrouvé sur le versant de la butte. Maddanjeet m'a expliqué que ces câbles avaient été utilisés il y a une vingtaine d'années, au cours de travaux menés par le sirdar Ahdoo au Chatthewala. »

Le Diwân parut réfléchir.

« Je me souviens surtout à ce propos de l'ingénieur Agnur Khan, dit-il. Il voulait nous faire rejoindre l'Indus par la vallée de la Kalejanda. Or, nous n'avions pas encore les moyens que nous avons maintenant, et il avait dans cette aventure préjugé de ses forces et des nôtres. Selon les jours, selon mon humeur, je me dis que ce fut le brouillon grossier de notre grande entreprise ou bien l'embryon d'où elle est sortie.

— Il y a eu une vraie raison à l'échec d'Agnur Khan », intervint Dhakki Singh.

Le Diwân le regarda avec une exaspération mal réprimée.

« Ah oui, laquelle ?

— Ne vous souvenez-vous pas, Seigneur ? Le rezzou des gens du Gilgit. Cela vous avait donné l'occasion rêvée de les attaquer.

— Ils m'avaient tué des hommes ! s'écria Branjee. Ils avaient fait sauter un pont sur la rivière Astor ! »

Dhakki regarda furtivement vers l'entrée. Carl se dit qu'il donnait toujours l'impression d'être épié ou menacé.

« Mr. Greenshaw estime d'ailleurs qu'il y a de bonnes chances pour que cela continue », ajouta-t-il à mi-voix.

Branjee fronça les sourcils.

« Que veux-tu dire ? Le Résident penserait-il que cette catastrophe serait due à la malveillance ? Disons le mot, au sabotage ?

— Je n'ai jamais voulu dire cela, Seigneur, protesta Dhakki. J'ai simplement voulu rappeler que le pont est en danger de par sa situation même et que...

— Ne me répète pas ce que cet âne bâté de Greenshaw me serine depuis des années ! l'interrompit le vieillard avec impatience.

— ... et que ce qui est arrivé ne doit pas désoler tout le monde, poursuivit Dhakki.

— Nous ne savons justement *pas* ce qui est arrivé à l'heure qu'il est ! soupira Branjee. C'est bien ce qui m'accable. Quant à ton cher Résident, Dhakki, tu sais comment il s'est manifesté ? »

Carl fit un signe de dénégation pendant que Dhakki Singh se tenait coi. Le Diwân eut un ricanement plein d'amertume.

« Par une dépêche venant de Gulmarg et reçue à seize heures à Mirawali. Cette vieille canaille met à notre disposition l'escadron de guides qui venait d'arriver à Baramula pour... je vous le donne en mille... la prise d'armes donnée à l'occasion de son départ ! Il précise : " Afin de prévenir risques de pillage et d'épidémie ". Cette façon de vous faire toujours sentir qu'on n'est que des loqueteux ! Jamais Sir Reginald n'aurait commis pareille indélicatesse !...

— Ces troupes ne seront peut-être pas inutiles, Seigneur, risqua Dhakki Singh. Si l'on excepte pour des raisons bien particulières la petite communauté marathe qui appelait le pont de tous ses vœux, je vous rappellerai au risque de me répéter que les habitants de la Nagdarra et des villages avoisinants n'ont jamais passé pour de grands partisans du nouvel itinéraire. »

Branjee fronça les sourcils.

« Tu n'as décidément que cela en tête ! Et pourquoi la Nagdarra serait-elle à ce point hostile au projet ? »

Carl pensa qu'il était de bonne politique de ne pas laisser enfoncer Dakkhi de façon trop évidente.

« Ils craignent de perdre ce que leur apportait en péages le vieux pont de corde de Keran, Excellence, expliqua-t-il. Il était refait après chaque crue et cela leur permettait de garder des droits de passage élevés.

— Ils voient s'envoler leur recette, c'est cela ? s'exclama Branjee. Eh bien, tant pis pour eux.

— S'il n'y avait qu'eux, soupira Dhakki.

— Qu'est-ce qu'il y a, encore ?

— Nous n'aurions pas construit un fortin tous les miles pour la seule population de cette vallée...

— Tais-toi, imbécile ! s'écria Branjee soudain hors de lui. Dire que je fais de toi l'un de mes ministres ! Il y a vingt-trois siècles, bien qu'il ne pût construire ce genre d'ouvrage, le grand Alexandre avait compris qu'il était nécessaire de créer de nouvelles voies de pénétration pour que nos vallées s'éveillent, que les courants d'échanges se créent, que des communautés qui se haïssent de part et d'autre de gorges infranchissables en viennent à se côtoyer et s'estimer... Oui, le grand Alexandre avait compris cela. Le petit Denis, non. Le minuscule Dhakki Singh, encore moins. »

Le jogirdar avait baissé la tête. Carl fit une autre tentative de diversion pour que le Diwân abandonnât enfin sa cible favorite.

« Ce que Mr. Greenshaw craint surtout, c'est la contagion du Chitral...

— Le Chitral ! Quand ce n'était pas le Chitral, c'était les Waziris ! Quand ce n'était pas les Waziris, c'était les autonomistes du Pendjab, les terroristes thugs, les agitateurs mahométans ou les insoumis du Gilgit qu'il m'a pourtant, au cours d'une brève période de lucidité, aidé à réduire ! Ah ! le beau Résident que ce fut ! Au fond, ce dont il rêvait, c'était un Cachemire muré sur lui-même, comme une forteresse autour de son trésor !

— Il est certain que Mr. Greenshaw a tendance à voir un lanceur de bombes derrière chaque rocher ! admit Carl.

— Londres n'a jamais pu comprendre, poursuivit Branjee, que si le Cachemire a été de longue date un lieu d'asile, une patrie spirituelle fécondée par des médecins, des savants, des lettrés, c'est justement parce qu'il ne s'est pas replié sur lui-même au cours des siècles ! Et que, si depuis la haute Antiquité il s'est créé dans nos vallées des courants d'échanges avec les steppes de Russie et de Chine, avec la Perse, l'Afghanistan ou le Tibet, c'est que des hommes ont voulu franchir ces obstacles, et cela par des sentiers où il fallait parfois dix chevriers pour faire passer neuf chèvres ! Ah, ils allaient de l'avant, ceux-là ! Ce n'est pas comme maintenant ! »

A mesure qu'il parlait, le vieillard s'animait et ses gestes faisaient sur la toile de tente de grandes ombres véhémentes. Soudain inquiet de sa fébrilité, Carl tenta de le calmer.

« Mr. Greenshaw voit le Cachemire comme une sorte de glacis de l'empire des Indes... Par définition un glacis ne peut être une zone de passage... », souffla-t-il sans trop de conviction.

Il s'interrompit. Branjee s'était soudain immobilisé, le visage tendu.

« A propos de passage, n'entends-tu pas quelque chose ? » questionna-t-il avec une anxiété subite.

Carl prêta l'oreille.

« Ce sont des retardataires qui viennent à la roulante », dit-il.

A vrai dire, il n'entendait rien. Branjee s'agita.

« Va voir, mon petit, on ne sait jamais », lui demanda-t-il.

Heureux d'échapper à l'atmosphère tendue et confinée qui régnait sous la tente, Carl ne se le fit pas dire deux fois. Leur mousqueton en bandoulière, les deux Bakarouals de la garde extérieure somnolaient, et c'était les silhouettes indécises de leurs montures qui semblaient être de veille. Il s'avança lentement entre les tentes. Le camp tissait autour de lui sa sourde rumeur nocturne hachée de gémissements furtifs et de cris d'enfants qui se voyaient peut-être en rêve, pensat-il, entraînés par le flot furieux. Il dépassa la limite de l'enclos des tentes. Quelques feux rougeoyaient encore dans les pentes. Vers l'ouest, la cime du Kharigam Peak lui paraissait proche à tendre la main. A mesure qu'il descendait en s'éloignant du camp, ce qui s'était passé lui paraissait de plus en plus inconcevable. Devant lui, tapissant tout le fond de la vallée, une épaisse couche de brume recouvrait la boue humide et il en émanait une luminosité diffuse et laiteuse qui délimitait le périmètre exact de la retenue enfuie. Une odeur de fermentation presque sucrée s'en exhalait et montait jusqu'à lui, lourde et capiteuse malgré l'air froid. La nuit était si claire que la coulée de boue demeurait parfaitement visible, semblant inscrite en creux dans le versant comme une longue faille sinueuse. Unique étoile dans le ciel vide à braver la clarté lunaire, et paraissant au-dessus du défilé de Khamran garder le seuil de quelque contrée boréale dont personne ne reviendrait, scintillait le point rose et glacé d'Arcturus. En contrebas, les hommes de Changaraswamy se détachaient pourtant devant la lueur de leur foyer comme des sentinelles prêtes à secourir d'improbables revenants.

Il revint sur ses pas et pénétra à nouveau sous la tente du Diwân, croisant sur le seuil l'un des gardes qui en sortait. Regardant dans le coin où se trouvait Dhakki Singh, il vit que celui-ci n'était plus là. Le vieillard, qui paraissait en méditation, accroupi derrière la table basse, dut surprendre son coup d'œil, car il se mit tout aussitôt à vitupérer contre son ministre.

« Il m'exaspère tellement, s'écria-t-il, qu'il mériterait que je l'attache pieds nus à mon palanquin et que je lui fasse franchir ainsi le col de Bahibal. »

Carl hocha pensivement la tête.

« J'aurais pourtant préféré, Seigneur, que vous ne le critiquiez pas devant moi. Si vous voyiez les regards qu'il m'adresse ! Vous en faites mon pire ennemi. Je n'existe que par vous, vous le savez bien, et vous n'ignorez pas qu'il a l'oreille de Sa Majesté...

— Je durerai toujours assez pour te permettre d'aller jusqu'au bout de tes entreprises ! s'exclama le vieillard. Alors ?

— Tout est calme. On y voit comme en plein jour.

— Kâli revêt ses plus belles draperies d'été pour séduire ceux-là mêmes qu'elle veut frapper », murmura le vieillard.

Carl restait songeur, les mains derrière le dos et regardant à terre.

« Il faut bien admettre, finit-il par dire, qu'une progression nocturne aurait été parfaitement possible par ce temps et cette visibilité, même dans l'éperon.

— Tu veux dire qu'un émissaire aurait déjà eu le temps de nous prévenir de ce qui s'est passé ?

— Normalement, oui. »

Le visage de Branjee se ferma et il ne dit mot. Carl le regarda à la dérobée, puis parut s'enhardir et s'approcha brusquement de la table.

« Seigneur, insista-t-il, nous ne pouvons plus rester dans l'ignorance de ce qui se passe plus bas. Tout à l'heure, je pensais véritablement qu'il nous faudrait attendre l'aube, et peut-être même la matinée, pour avoir des nouvelles ; avec le temps qu'il fait, nous devrions déjà savoir ce qu'il en est. »

Branjee passa sa main sur son front.

« L'incertitude est le pire des maux jusqu'au moment où la réalité vient nous la faire regretter, murmura-t-il.

— Je connais bien les flancs de l'éperon et mieux encore les abords du Malang, insista Carl. C'est par là qu'il faudrait passer. Permettez-moi d'y aller faire une reconnaissance. Si le temps se maintient, en partant dès l'aube, je peux être sur place en fin d'après-midi et après un minimum de repos être revenu le lendemain dans la nuit.

— C'est une marche forcée, mon petit.

— Je me sens capable de la faire. »

Branjee parut réfléchir, puis releva la tête et le fixa quelques instants de son visage indéchiffrable.

« A vrai dire, j'y pensais depuis quelque temps, dit-il soudain. Il faudrait dans ce cas que tu prennes avec toi ma propre escorte de Bakarouals. Il serait aussi préférable que tu emmènes un cheval de charge pour les toiles de tente, les vivres et les armes.

— Les armes ? s'étonna Carl.

— Il peut y avoir des *dacoits* et des pillards qui rôdent. Après tout, le chantier a dû rester désert. »

Il parlait sans hésitation, comme s'il s'agissait d'un plan mûrement préparé à l'avance. Carl essaya de dissimuler sa surprise.

« J'essaierai de me montrer digne de votre confiance », dit-il sobrement.

Branjee opina du chef. Sa fatigue paraissait s'être évanouie.

« Inutile de te préoccuper des morts et des dégâts, dit-il : la tâche n'est hélas pas à la mesure d'un seul homme. Changaraswamy partira après toi avec son équipe. Ce que je veux savoir de toi, et le plus vite possible, c'est ce qui est arrivé au pont et à ceux qui y travaillaient. L'entreprise n'est pas achevée et j'ai encore besoin d'eux. »

Il sembla à Carl qu'il se mêlait dans son appel du désenchantement et de l'espoir.

« Pour conduire l'escorte, reprit Branjee, je te donne Angdawa Gupta. Il est robuste, intelligent et en plus il parle anglais.

— Je connais bien Angdawa, Seigneur. Il a été mon guide dans la haute Kishenganga la première année de mon séjour. Mais pour ce qui est de son anglais, ajouta-t-il sur un ton de reproche voilé, je n'en ai nul besoin, Seigneur : je parle kashmiri avec les hommes.

— Je ne suis pas certain que ce soit le cas de Mrs. Howard », répliqua Branjee.

Il y eut un silence. Carl crut avoir mal entendu.

« Que vient faire là Mrs. Howard, Excellence ? demanda-t-il.

— C'est l'épouse de l'ingénieur Howard, répondit le Diwân avec affabilité. L'Anglais qui a construit l'ouvrage. »

Carl fixa Branjee, se demandant s'il se moquait de lui.

« Inquiète du sort de son mari, poursuivit le Diwân sur le même ton, elle a obtenu de Sa Majesté la permission de se rendre sur place pour tenter de le rejoindre.

— Mais Howard était à Gulmarg ! s'exclama Carl. Du moins, c'est ce que m'avait dit le major...

— Ce que ne t'avait peut-être pas précisé Shoogam, c'est qu'il lui avait adressé une dépêche pour le prévenir du glissement de terrain — en quoi il a d'ailleurs fort bien agi. C'est ainsi que lorsque nous avons cherché à notre tour à joindre l'ingénieur, il avait déjà quitté Gulmarg avec l'intention, nous a dit son épouse, de faire le trajet en quarante-huit heures au lieu de trois jours. Elle-même voulait descendre aussitôt à Srinagar pour être proche du palais au cas où il se passerait quelque chose. Bien que nous ayons cherché à l'en dissuader, elle l'a d'ailleurs fait dès le lendemain. »

Il hocha pensivement la tête.

« A ce qu'il semble, reprit-il, c'est une femme de tempérament. »

Carl consulta sa montre. Il était près de minuit.

« Howard serait donc arrivé hier soir sur le chantier, murmura-t-il. Mais alors...

— Pour en revenir à son épouse, l'interrompit Branjee, dès qu'elle a appris la rupture du barrage par la dépêche de Dhakki Singh au palais, c'est-à-dire vers onze heures ce matin, elle a demandé audience à Sa Majesté et obtenu d'elle le prêt de son automobile et de son chauffeur. Il semble pour une fois que l'unique limousine du royaume ait fait honneur à la réputation de sa marque... Toujours est-il que Mrs. Howard a débarqué à Mirawali à quinze heures alors que je m'apprêtais à gagner le camp volant dans mon *doolee*. »

Carl le regarda avec stupeur.

« Elle est ici ? s'exclama-t-il.

— Oui, dit Branjee. Et décidée, semble-t-il — Angdawa, qui tente de garder les yeux sur elle, vient de me le confirmer — à ne pas y demeurer plus longtemps que nécessaire.

— Elle n'a en effet pas grand-chose à faire au camp ! s'exclama Carl avec soulagement. Elle aurait pu s'éviter une longue course...

— Je crains de m'être mal fait comprendre, mon ami, l'interrompit le Diwân. Dois-je t'avouer en premier lieu qu'il me paraît impossible de demeurer six heures dans un *doolee* avec Mrs. Howard sans succomber à son étonnant pouvoir de persuasion ? Une jeune personne qui réussit à emprunter ne serait-ce qu'une journée la limousine royale a droit à toute ma considération. Je n'ai donc pas résisté mieux que d'autres et j'ai fini par lui signer le laissez-passer qu'elle désirait.

— Le laissez-passer ? répéta Carl.

— Oui. Pour aller chercher son mari.

— Elle part avec Changaraswamy ?

— Non. Avec toi. »

Il resta un instant abasourdi.

« Changaraswamy ne parviendra pas à Danyarbani avant plusieurs jours, tant sa mission sera lente et pénible, précisa le Diwân. Et je pense que tu comprendras la hâte de Mrs. Howard.

— Puis-je me permettre ? balbutia le jeune Allemand d'une voix sourde. Avec tout le respect que je dois à Votre Excellence. C'est... mais c'est impossible... Vous venez de me dire que le temps pressait. Il nous faudra passer par la montagne. Et de surcroît, pousser les

102

feux, car je veux pouvoir vous rendre compte rapidement de ce qui s'est passé... Ce n'est en rien la place d'une jeune femme !

— Je sais, dit Branjee pensivement. Je sais. »

Il resta silencieux, puis regarda Carl à la dérobée.

« En fait, tu me reproches d'accorder à une jeune Anglaise pour une raison dramatique ce que tu voudrais que je donne à une vieille Américaine pour un motif futile.

— Excellence, je ne me permettrais pas... de vous reprocher... »

Branjee eut un petit rire.

« Je sais bien ! Mais il y a tout de même cette Mrs. Ashley-Lawrence dont tu me rebats les oreilles pour que je lui délivre un laissez-passer ! Oui, celle qui est attifée comme on ne l'était même plus à Cambridge de mon temps et qui prétend hisser ses chapeaux à trois ponts et ses voilettes au sommet du Nun-Kun !

— Mrs. Ashley-Lawrence est une exploratrice célèbre et une montagnarde avertie, Excellence, protesta Carl. Des voyageurs que vous estimez, comme le duc des Abruzzes ou le docteur Koskas, vous l'ont confirmé. »

Branjee se mit à rire.

« Et tu voudrais que je refuse à une épouse morte d'angoisse ce que j'accorde à une fofolle avide d'extravagances ! Je sais bien que quiconque se sent à l'aise au-dessus de dix mille pieds est paré par toi de toutes les vertus ! Mais j'ai pu remarquer au cours de notre longue équipée que Mrs. Howard dispose d'énergie à revendre — au moins autant, apparemment, que ton Gwanesh en jupon !

— Mrs. Lawrence dispose de trente porteurs et de cinq mules de bât pour combler les éventuelles lacunes de son énergie, Seigneur. Mrs. Howard, au contraire, ne semble avoir quitté les platanes du lac Dal que pour sa pelouse de Gulmarg...

— Qu'en sais-tu ? l'interrompit Branjee. Je croyais que tu ne fréquentais pas les Européens de la station. »

Carl eut un sourire.

« On ne peut pas se boucher les oreilles tout le temps sur tout ce qui se dit !

— Et qu'as-tu entendu au sujet d'elle ? » s'enquit Branjee avec curiosité.

Il hésita.

« Cela dépendait si c'était un Anglais ou non qui en parlait.

— On dit en effet qu'elle ne les aime pas. Elle en a pourtant épousé un !

— C'est bien là où le bât blesse, Excellence... Peut-être pas pour elle, mais en tout cas pour moi. »

Branjee le regarda sans comprendre.

« Il me déteste, expliqua Carl.

— L'ingénieur Howard ?

— A vrai dire, je ne croyais pas les bruits qui parvenaient jusqu'à ma *doonga* de Srinagar. Je faisais mes triangulations, dessinais mes cartes et ne cherchais à entamer de polémique avec qui que ce soit. Jusqu'au jour où, alors que je venais faire le relevé de la nouvelle piste, il m'a fait éconduire assez brutalement du chantier par un contremaître pendjabi dont je ne connaissais pas la langue. Shoogam se serait certainement entremis, mais il était malheureusement en visite chez Maddanjeet ce jour-là. J'ai alors appris que... Enfin ce n'est pas à vous, Seigneur, que je vais apprendre comment je suis entré au Cachemire... Vous pouvez deviner la suite ! Pour tout résumer, ajouta-t-il avec ironie, je crois comprendre que je ne suis pour Howard qu'un espion à la solde du Kaiser, à moins que ce ne soit un agent du pangermanisme, qui n'a de toute façon rien à faire dans la région. Il doit penser que je menace la route des Indes à moi tout seul. »

Branjee fronça les sourcils.

« Quand cet incident s'est-il passé ?

— En mai. Cela ne m'a d'ailleurs pas empêché, une fois hors d'atteinte, de regarder et d'admirer tout à loisir son travail depuis les hauteurs de Danna Baihk.

— Et pourquoi ne m'en as-tu pas parlé ?

— Cela ne me semblait pas d'une importance suffisante, Excellence. »

Carl resta silencieux, puis reprit :

« Pour être tout à fait franc avec vous, lorsque je vous ai proposé de partir, je voyais dans le fait de partir à la recherche de Howard, et peut-être même de le secourir, une sorte de revanche. Il est toujours agréable qu'une circonstance imprévue oblige quelqu'un qui vous est hostile à reconnaître votre mérite... Mais si Mrs. Howard m'accompagne, cela change tout ! Imaginez que cela tourne mal et que, seul au milieu des

Bakarouals, je me retrouve avec une femme en proie à une crise de nerfs devant le corps de son époux ! Imaginez aussi, Excellence, que tout aille bien, que nous parvenions à le secourir et qu'il soit obligé de montrer à mon égard je ne sais quelle... hypocrite reconnaissance... Cela me serait insupportable. »

Branjee écarta ce dernier argument d'un revers de la main.

« J'avais en effet jugé dans un premier temps plus sage que Mrs. Howard demeurât ici, admit-il. Mais je pensais alors que nous disposerions de renseignements que j'aurais pu lui transmettre pour tenter d'apaiser son anxiété. Ce n'est, hélas, pas le cas. Dans ces conditions, plutôt que de la sentir ici rongeant son frein, et puisqu'elle a obtenu l'autorisation de Sa Majesté... De plus, comme je te l'ai dit, elle est persuasive. Et de toute façon, ajouta-t-il, la crise de nerfs, cela ne semble pas être son genre.

— Je crains surtout de comprendre, Excellence, que je n'ai pu, *moi*, vous persuader de me laisser aller seul. »

Le Diwân eut un fugitif sourire.

« Je te donne rarement des ordres, mon petit. Sa Majesté dirait même : jamais, en accord en cela avec Dhakki Singh et certains de tes bons amis de la vallée qui me le reprochent assez. Tranchons, et disons que tu obéis à mes ordres avant que je n'aie à les formuler. »

Carl hocha pensivement la tête. Le regard de Branjee semblait s'être fixé au loin, bien au-delà des parois de toile.

« Et puis, qu'importe ceux qui restent et ceux qui partent, reprit-il. Sache que, bien que je doive rester ici, c'est moi qui chevaucherai à tes côtés, et qu'ainsi tu progresseras vers les gorges avec la confiance que je ressens maintenant. Car Vishnou ne permettra pas, j'en suis certain, qu'il soit porté atteinte à notre grand œuvre. Contrairement à ce que vous prétendez tous en Occident, je ressens comme une certitude de mon âge que c'est l'avenir qui est fixe et nous qui sommes en mouvement dans le monde infini. Cet ouvrage est notre avenir, et, pendant que je te parle, je le vois ancré là-bas, indestructible, inexpugnable. »

Carl se leva.

« Je vais me reposer quelques heures pour être d'attaque, si vous le permettez. »

Branjeë le regarda puis parut se recroqueviller dans sa grande cape.

« Krishna dit : " Il n'y a rien que je n'aie obtenu et ne doive obtenir dans chacun des trois mondes, et pourtant je passe ma vie à agir ", murmura-t-il. Je voudrais que tu saches, mon ami, qu'en t'envoyant là-bas... »

Il s'interrompit brusquement. Carl se sentit obscurément troublé, comme si un oiseau de nuit s'était soudain juché sur son épaule.

« Il y a une chose certaine dans tout cela, c'est que je n'ai pas parlé à une memsahib depuis quatre ans et qu'il va falloir m'y remettre », s'efforça-t-il de plaisanter.

Le Diwân eut de nouveau le sourire qui donnait à son visage creusé d'ombre l'expression d'un vieux mandarin narquois.

« Tu oublies Mrs. Ashley-Lawrence », dit-il.

5

Lorsqu'il souleva le pan de toile qui fermait l'accès de la tente, le soleil émergeant de la cime du Kharigam Peak le fit cligner des yeux. Son impression d'avoir peu dormi se doublait en effet d'une anxiété diffuse qui lui nouait la gorge de façon inhabituelle. La veille à la même heure, avec cette même lumière cristalline au levant, il s'élançait sur les flancs de la butte de boue. « On devrait être partis depuis longtemps », maugréa-t-il. Comme s'il n'attendait que cette phrase, Angdawa s'introduisit sous la tente, une bouilloire à la main, et procéda à même le sol au rituel du thé du matin. Carl le préférait à la manière tibétaine, largement additionné d'eau et très sucré. A mesure qu'il avalait le contenu brûlant de son quart en mâchant sa *paratha* et sa bouillie d'orge, il sentait que s'évanouissait sa fatigue, mais non son appréhension devant la journée qui l'attendait et le rôle qui lui était dévolu.

« La memsahib est prête », risqua timidement Angdawa.

Carl reposa son quart.

« Quoi ? Déjà !

— Tikkoo m'a dit qu'elle avait dormi tout habillée », précisa Angdawa.

Carl leva la tête.

« Intéressant », marmonna-t-il.

Il risqua par un interstice de la toile un regard vers l'autre extrémité du camp. Un petit groupe indistinct se détachait sur la brume de la vallée, non loin d'un piquet de chevaux déjà sellés. L'œil rivé à la minuscule ouverture, il tenta sans succès pendant quelques instants de discerner la silhouette de la jeune femme au milieu des autres, puis se retourna vers Angdawa.

« Eh bien, nous aussi nous sommes prêts ! » s'écriat-il en affectant un ton enjoué.

Le jeune Kashmiri sur ses talons, il sortit de la tente. L'atmosphère fraîche et bleutée de l'aube était parcourue de rafales qui entraînaient vers le nord les miasmes de la vallée, et leur souffle glacé lui fit du bien. Longeant l'enceinte endormie, il s'approcha silencieusement du groupe et presque aussitôt la remarqua.

Ce n'était pas étonnant qu'il ne l'ait pas vue tout à l'heure. Elle se tenait debout à l'écart de l'escouade, un peu déhanchée, le visage tourné vers la vallée, paraissant étrangère à ce qui l'entourait. Il s'arrêta quelques instants pour l'observer à la dérobée. Elle était habillée à la façon des jeunes filles sikhs, d'une vareuse serrée à la taille et d'un grand pantalon bouffant dont les plis s'affaissaient en corolle sur de courtes bottes. Puis il se souvint de la présence d'Angdawa et à contrecœur reprit sa marche en silence. Lorsqu'il fut parvenu à quelques pas, elle se retourna brusquement. Il découvrit alors sans plaisir qu'elle était plus grande que lui. Son vieux feutre à la main, il s'inclina gauchement.

« Carl Burgsmüller, du *National Survey of India* », se présenta-t-il.

Elle resta les lèvres entrouvertes, silencieuse, apparemment sur ses gardes. Déconcerté, il se tut à son tour, cherchant à saisir son regard. Ses yeux étaient cernés, son teint de cendre. Peut-être était-ce dû à la fragile lumière de l'aube tamisée sans nécessité pourtant par l'avancée de son casque autour duquel elle avait noué, seule touche féminine de son austère équipement, une faveur de couleur parme.

« Je suis chargé par Son Excellence le Diwân de vous convoyer... je veux dire vous accompagner à Danyarbani, Mrs. Howard, bredouilla-t-il. Je suis certain que... malgré les circonstances... tout se passera bien. Avez-vous pu vous reposer de votre longue route ?

— Merci de votre sollicitude, Mr. Burgsmüller, répondit-elle d'une voix indifférente. Oui, j'ai pu me reposer. »

Le silence était retombé, et il lui sembla que toute l'escouade s'était immobilisée pour les observer. Il eut l'envie soudaine et irrépressible de la planter là malgré les ordres et de gagner seul à marche forcée le but à atteindre.

« Et... cela ne vous ennuie pas de monter à califourchon ? » lui demanda-t-il.

Son regard, enfin. Il se sentit rougir. Il n'avait jamais dû poser à qui que ce fût, de toute sa vie, une question plus inepte. Il devait penser aux amazones de son enfance sur la Lichtentaler Allee de Baden. Elle jeta un coup d'œil vers les montures rassemblées.

« Je vois mal ce que je pourrais faire d'autre », dit-elle.

Elle avait une voix qui devait être en d'autres circonstances mélodieuse et gaie mais qui semblait à présent éteinte et lasse. « Elle ne tiendra jamais le coup et nous allons perdre un temps précieux », pensa-t-il.

« Je voulais dire que nous n'avons que ces selles-là, et elles sont un peu dures, s'efforça-t-il d'expliquer d'un ton embarrassé. Je voulais être certain que cela ne vous posait pas de problème.

— J'ai été élevée dans le Connaught, vous savez. »

Il haussa les sourcils.

« Je ne connais pas. Et puis je ne vois pas le rapport...

— Je veux dire, ce n'est pas le genre de région où l'on se préoccupe de la souplesse des selles », répliqua-t-elle avec un léger mouvement d'impatience.

Il hocha la tête, puis examina d'un œil critique son équipement.

« Vous me permettrez en tout cas de vous dire... » Il hésita, puis reprit : « Vous n'êtes pas assez couverte, Mrs. Howard. »

Elle parut étonnée de sa remarque, comme s'il se mêlait de ce qui ne le regardait pas.

« Je me sens suffisamment vêtue, répondit-elle avec réticence.

— Nous ne pouvons descendre la vallée en suivant la rivière, comme vous le savez. Nous devons donc prendre au plus court et rejoindre le versant est du Malang en progressant souvent au-delà de la ligne de dix mille pieds. Je crains que vous ne preniez froid, c'est tout...

« — J'ai ce qu'il faut dans mon rouleau de selle », le rassura-t-elle.

Les hommes semblaient montrer quelque impatience devant le prolongement de la pause avant le départ. Pour se donner une contenance, Carl s'avança pour vérifier la tension de la sangle du cheval de charge, sous l'œil d'Angdawa qui lui parut vaguement narquois. Lorsqu'il revint vers elle, il vit qu'elle s'était retournée et paraissait examiner son harnachement avec une attention affectée, comme si elle voulait dissimuler un subit désarroi.

« Je crois qu'on peut y aller », dit-il.

Il s'approcha et lui tint l'étrier. Elle s'élança avec une légèreté qui le surprit pour sa taille et se retrouva aussitôt en selle. Il sauta à cheval à son tour et sans paraître lui prêter attention, la dépassa et prit droit devant lui.

Il avait gagné au-dessus du camp le couvert de l'étroite langue de forêt qui traversait à mi-pente le vaste et austère versant du Katsil. « Enfin ne plus voir cette fichue vallée », pensa-t-il avec soulagement en se glissant dans la futaie de pins et de mélèzes. Les paturons de sa monture enfonçant dans une mousse épaisse, il poursuivit un cheminement silencieux dans une pénombre jalonnée de digitales et de coquelicots épanouis comme des pavots. Il faisait doux. D'énormes fougères sinueuses et charnues s'élançaient à l'assaut des troncs et les frôlaient au passage. Les reflets du glacier de Kharigam incendié par le soleil levant le débusquaient parfois à la faveur d'une trouée, comme s'il avait été un anachorète méditant sur le seuil de quelque grotte écartée, dans la lumière irréelle de l'aube. Soudain inquiet de ne rien entendre derrière lui, il se retourna. Gardant les rênes longues, paraissant songeuse et préoccupée, elle suivait silencieusement, se laissant conduire par sa monture avec une sorte de détachement.

« On comprend mieux ici ces *livres de la forêt* dont tout est issu », lui dit-il.

Elle redressa ses épaules un peu voûtées et le regarda sans comprendre.

« Pardon ? » demanda-t-elle.

Il maîtrisa une réaction d'agacement. Parler des *ara-*

nyakas à quelqu'un qui n'avait jamais dû quitter sa pelouse de Gulmarg ! « Et puis nous n'allons pas assez vite, se reprocha-t-il. Nous perdons du temps. Le comble, c'est que c'est moi qui imprime un faux rythme, alors qu'elle semble bonne cavalière. » Angdawa et Tikkoo chantaient un peu plus bas une mélopée qui remontait jusqu'à lui en résonnant de roche en roche. Il souffrit de ne pouvoir se joindre à eux, mais elle aurait certainement pris cela pour une incongruité. Il soupira et activa mollement sa monture. Une odeur âcre et violente de punaise sauvage vint subitement désaccorder l'harmonie qu'il sentait se tisser dans ce sous-bois matinal. Sous prétexte de surveiller la progression des quatre cavaliers et des cinq chevaux qui la suivaient, il se retourna à nouveau : elle traversait la zone fétide sans un frémissement. « En plus elle a le nez bouché », se dit-il. Une sorte d'exaspération le gagnait à l'idée de la traîner après lui durant toute la journée. Il se prit à regretter qu'elle ait vu son visage au départ, et qu'il ne puisse plus prétendre à ce qu'il aurait voulu être pour elle désormais : un cavalier de dos dont elle aurait suivi la silhouette anonyme et qui, le but atteint, se serait évanoui à jamais sans se faire connaître.

Bientôt la forêt se fit plus claire, et ils débouchèrent au pied d'une vaste combe herbeuse striée d'étroites terrasses parallèles. Il avait dû y avoir là, jadis, un village, mais les maisons avaient disparu et ne s'exhalait plus des terres en friche qu'une entêtante et capiteuse senteur d'armoise. Ils se perdirent dans les lacis des murets de pierre recouverts de maigres lichens mordorés, cherchant à gagner de l'altitude comme s'ils remontaient les degrés d'un escalier géant. Ainsi vue d'en bas, la paroi du Katsil ressemblait à la muraille de quelque krak de chevaliers à demi démantelé précédée d'un immense glacis de pierrailles et d'herbe rase auquel les chevaux s'accrochaient avec l'opiniâtreté et l'agilité des petits *markhors* lestes et vifs du Pir Panjal. Inquiet de l'escarpement croissant de la pente, il se tourna à nouveau pour suivre des yeux la jeune femme. Le buste parallèle à l'encolure de sa monture, elle se tenait très en avant sur sa selle afin de lui faciliter l'effort de l'ascension. Ils abordèrent ainsi un système complexe de petites falaises qui se chevauchaient les unes sur les autres et paraissaient défendre la grande paroi comme des fortins avancés disposés en épi. Les Bakarouals s'étaient à nouveau regroupés en file derrière lui, et il ne put s'empêcher de sourire lorsqu'il s'aperçut qu'Angdawa, d'ordinaire si indocile dans le choix de ses itinéraires, lui laissait avec naturel le soin de les guider. Il comprit bientôt pourquoi. Plus ils montaient, plus le labyrinthe minéral paraissait se refermer sur eux comme un cul-de-sac. Bientôt ils se retrouvèrent dans une sorte d'enclos au sol incliné, entouré d'une barrière de rochers qui paraissait sans faille et sans issue apparente.

Il prit le parti de s'arrêter et de descendre de cheval pour examiner tout à loisir sa propre carte. Le sommet de l'éperon ne semblait pourtant pas être très loin car aucun ressaut ne les surplombait plus. Le ciel au-dessus d'eux était d'un bleu si saturé qu'il en paraissait opaque et semblait être le couvercle de quelque réduit ultime qui les garderait à jamais prisonniers dans cette haute acropole d'été.

Il entendit derrière lui un bref hennissement et se retourna vivement. La jeune femme avait laissé sa monture venir se poster juste derrière le cheval de bât.

« Attention ! s'écria-t-il. Je ne sais pas comment ça se passe chez vous, mais par ici, quand on vient leur mordre le cul, les chevaux bottent ! Et si cela arrive à celui-là, on n'a pas fini de tout ramasser, croyez-moi. »

Sous l'algarade, elle tressaillit et parut sortir de sa torpeur. Saisissant ses rênes, elle jeta à Carl un coup d'œil penaud qui lui donna une juvénile expression de gamine prise en faute. Il se sentit presque interloqué d'avoir dissipé, fût-ce un instant, le masque d'indifférence derrière lequel elle se cachait depuis le départ et s'en voulut d'avoir montré de l'humeur.

« Je n'avais pas fait attention, bredouilla-t-elle.

— Ça arrive à tout le monde », marmonna-t-il d'un air maussade en se penchant à nouveau sur la carte.

Celle-ci faillit aussitôt lui être arrachée des mains par une subite rafale de vent froid. Comme il cherchait d'où elle provenait, il entendit la voix d'Angdawa.

« Ça passe, sahib, ça passe ! criait le jeune homme sans qu'il pût voir où celui-ci se trouvait.

Où es-tu ? cria Carl.

— Ça passe, sahib, ça passe », répéta-t-il.

Tenant les chevaux en bride, ils s'approchèrent de l'endroit d'où venait la voix. A peine visible, un étroit boyau s'ouvrait dans la roche, balayé par un violent courant d'air.

« Avec un vent pareil on débouche sûrement sur l'éperon », se dit Carl sans savoir s'il avait parlé tout haut.

Une longue avancée rocheuse s'étendait désormais devant eux ; elle eût semblé d'un accès aisé si elle n'avait pas été parcourue par des bourrasques glacées qui les transpercèrent dès les premiers pas et les obligèrent à se réfugier en contrebas dans une vaste anfractuosité tapissée d'une herbe abondante et drue qui formait au-dessus de la vallée une sorte de balcon naturel. Winifred avait confié les rênes de sa monture à Angdawa, et Carl vit qu'elle gardait les yeux fixés sur l'immense arc de cercle qui s'étendait de Dudhnial à Shardi, dont l'éperon cachait toute une partie et qui pour le reste était entièrement noyé de brume. Celle-ci s'était immiscée entre les parois abruptes de la gorge, isolant la pyramide régulière du Chatthewala et paraissant masquer à dessein les ravages opérés par le déferlement de la masse d'eau. Winifred frissonna en se tenant les bras croisés.

« Je crois que vous aviez raison, pour le froid, dit-elle avec un sourire contraint.

— Vent du nord-ouest, lui indiqua-t-il. Quinze cents miles de steppe pour prendre son élan. »

Les chevaux s'étaient réfugiés d'eux-mêmes à l'abri du rocher. Il fit signe à Angdawa de dénouer les courroies du rouleau de selle, et l'instant d'après Carl lui tendait une grande cape de bure dans laquelle il l'aida à se draper. Il fut frappé du naturel avec lequel elle ajusta autour d'elle les lourds plis de l'étoffe. Dans le même mouvement elle retira son *topee* et s'épongea le visage avec l'un des pans. C'était la première fois qu'il pouvait la voir en quelque sorte démasquée, ses hautes pommettes offertes à l'air glacé. Les autres traits de son visage qu'il releva presque à son insu — son grand front bombé, ses yeux plus rapprochés que la normale et qui paraissaient refléter la grisaille cendrée qui se levait au nord, son nez mutin qui égayait à peine son expression soucieuse — contribuaient à la déroutante impression de vulnérabilité qu'il donnait, en opposition avec l'ample découpe de ses épaules et la masse protectrice de l'étoffe qui semblait recouvrir son corps d'une austère cotte d'armes.

« A dix mille pieds de haut, j'espérais que l'on pourrait au moins voir quelque chose », dit-elle d'un ton déçu.

Carl crut qu'elle se méprenait sur la partie de la vallée qu'ils surplombaient.

« De toute façon, le pont est invisible d'ici, même par temps clair ! dit-il. Nous allons juste faire une petite halte, car il y a beaucoup de chemin à faire...

— Je pensais que d'ici on pourrait au moins localiser les réfugiés ! Tout semble si désert...

— C'est Changaraswamy qui les rencontrera, et bien plus bas que nous. »

Elle hocha la tête avec une expression d'abattement. Angdawa s'approchait, une corbeille d'abricots séchés à la main, et Carl fut satisfait de cette diversion. Le jeune Kashmiri avait disposé du corned-beef et de la galette sur un tapis de selle à l'abri d'un rocher, non loin du piquet de chevaux que gardait Tikkoo.

« La memsahib a faim ? » demanda Angdawa.

Winifred secoua la tête.

« Oh non...

— Vous devriez, conseilla Carl. Nous ne nous arrêterons plus très souvent. »

Elle s'était assise le dos contre le granit et, les doigts gourds, essaya maladroitement de renouer la faveur de son *topee*. Angdawa le lui prit gentiment des mains et s'en acquitta avec une surprenante agilité.

« Ils ont des doigts trapus de montagnard et pourtant ils feraient des nœuds avec des fils de la Vierge », lui fit remarquer Carl.

Un pâle sourire effleura les lèvres de Winifred. Le premier. Il espéra qu'elle ne remettrait pas tout de suite son casque.

« Vous connaissez bien les gens de la vallée ? » lui demanda-t-elle.

Il s'aperçut qu'elle faisait un effort manifeste pour lui parler et lui en fut secrètement reconnaissant.

« Surtout ceux de l'autre rive, répondit-il. Je suis resté quelque temps à Khakhian, il y a deux ans, pour mes triangulations.

114

« — Vos triangulations ?

— Pour faire mes relevés topographiques. C'est rare quand je me promène sans mon matériel vous savez. Je me sens tout léger, aujourd'hui ! Bien. Si vous essayiez de grignoter un peu ? »

Elle se coupa un morceau de galette et se mit à la mâcher d'un air absent.

« Peut-être n'ont-ils pas quitté le pont, dit-il brusquement. Peut-être nous attendent-ils en faisant simplement le compte des dégâts, s'il y en a...

— Vous voulez me donner de l'espoir, dit-elle d'une voix sourde. C'est gentil de votre part. »

Il secoua la tête avec agacement.

« Je cherche simplement à imaginer ce qui a pu arriver, dit-il. On peut supposer qu'il y a des blessés et qu'ils attendent du secours... Ou peut-être que, dans l'impossibilité de remonter la vallée, ils se sont repliés vers l'aval...

— Ce ne serait pas le genre de mon mari, de tout quitter comme cela, répliqua-t-elle avec vivacité. Il a passé trois ans à Dartmouth, vous comprenez. Il en a toujours gardé cette mentalité de marin...

— De marin ?

— Vous savez bien, ne pas quitter le bâtiment, tout cela...

— Et si le bâtiment *coule* ? » s'écria-t-il.

Elle eut une moue douloureuse.

« D'ailleurs, si vous voulez savoir, reprit-il, j'ai moi-même fait mon service à la mer, à Kiel. Alors vous pensez, sur la mentalité du marin, je dirai même du simple matelot, j'en connais un bout ! »

Il y eut un silence.

« C'est vrai que vous êtes prussien, dit-elle comme si elle faisait une découverte.

— Bavarois, répliqua-t-il vivement. Rien à voir.

— J'aurais dû y penser, avec votre drôle de petit chapeau. »

Il eut un rire bref, puis se remit debout.

« Je ne me suis jamais fait au *topee*. Il faut que nous repartions, ajouta-t-il. Nous prenons du retard.

— Ne vous inquiétez pas pour la faculté de résistance de mon mari, dit-elle. En plus, il ne s'affole jamais. Shoogam et lui ont eu une vraie vie d'aventuriers, vous comprenez.

— C'est sûrement quelqu'un de très remarquable, puisque vous l'avez épousé », répliqua-t-il.

Il eut l'impression qu'elle le regardait pour la première fois — peut-être pour savoir s'il faisait ou non de l'ironie.

« Je vous ai froissé, n'est-ce pas ? demanda-t-elle brusquement.

— Quand cela ?

— Quand je vous ai demandé si vous étiez prussien. »

Il haussa les épaules.

« Pas du tout. Il y a une vieille tradition de cartographes allemands au *Survey*, vous savez. Allez, cette fois on y va. »

Elle réajusta son casque d'un geste rapide et remonta à cheval. Tels des pèlerins des nuages apparemment insensibles aux malheurs d'en bas, ils suivirent silencieusement pendant des miles le long éperon rocheux qui s'abaissait par paliers vers l'horizon, comme l'ultime prolongement d'un continent dont ils sentaient derrière eux l'oppressante immensité. Winifred marchait à son côté, et il vit de profil que la cape joignait ses épaules à la croupe de sa monture en une ample courbe de traîne antique. Elle avait la sereine majesté d'une jeune princesse maourya conduisant son cortège. Il se pencha vers elle.

« A vous voir on pense... c'est curieux... à des choses anciennes. A tous ceux qui ont hanté ces hautes terres reculées. Vous savez qu'on est à la limite nord de l'empire d'Ashoka... »

Elle parut s'éveiller d'un songe morose.

« Non, je ne savais pas, dit-elle du ton prosaïque qu'elle aurait utilisé pour se faire expliquer l'emplacement d'une station de tramway.

— C'était le premier grand empire indien, au deuxième siècle avant Jésus-Christ, s'efforça-t-il néanmoins de préciser. Ashoka était le petit-fils de l'empereur Tchandragoûptâ qui avait fondé la dynastie maourya. C'était ce même empereur qui aimait prendre pour compagnes des jeunes femmes dont on vante encore la beauté, aussi habiles à cheval que l'arme à la main. »

Il avait prévu d'ajouter : je les imagine un peu comme vous, mais il se retint.

« C'est tout de même intéressant, poursuivit-il avec élan, de savoir que dans ces vallées que nous surplom-

bons sont passés tour à tour depuis plus de trente siècles Indo-Européens, Perses, Aryens, Grecs, Scythes,
Huns, Arabes, Turcs, Mongols, et j'en passe ! »

Il la regarda du coin de l'œil. Elle avait eu pour toute
réponse à sa vaste et confuse énumération un sourire
détaché.

« C'est gentil de me raconter tout ça », fit-elle.

Il fronça les sourcils.

« Comment ça, gentil ? Vous n'avez que ce mot-là à la
bouche !

— Ne vous croyez pas obligé de me parler, vous
savez. Vous ne donnez pas l'impression d'aimer beaucoup cela. »

Il parut déconcerté.

« Mais je pensais que..., commença-t-il.

— Pardonnez-moi, mais je n'arrive pas à remonter
trente siècles en arrière. Ce soir, quand nous serons sur
place, je me demande même si je parviendrai à remonter le cours de ma vie de trente secondes. Vous comprenez ce que je veux dire ? Me souvenir de l'instant béni
où je ne savais pas. »

Il resta quelques instants sans réponse.

« Moi aussi, je redoute parfois la fin de cette journée », murmura-t-il.

Le silence retomba. La petite colonne s'était à nouveau dispersée, et elle voyait les silhouettes des Bakarouals se détacher à contre-jour sur un ciel livide. Il
faisait froid. A la surprise de Carl, elle reprit soudain la
parole.

« Tous ces noms de peuples, de tribus, de dynastie...
Pour moi c'était l'Orient, cela, avec tous ses philtres.
Pendant des années, je me suis sentie emportée par le
souffle des dieux. J'étais soulevée de vents parfumés. Je
me sentais, comment dire... l'impériale commensale
des grands satrapes aventureux. Si vous saviez combien tout cela m'a claqué entre les doigts !

— Pourquoi tant de désenchantement ? demanda-t-il.
Avant cette catastrophe, vous n'étiez tout de même pas
si malheureuse...

— Si, dit-elle très vite. Bien avant. C'est inadmissible,
n'est-ce pas, dans une région si belle... Peut-être me
punit-on de cela d'ailleurs, quelque part. »

Elle eut un petit rire triste.

« Mais je serai forte, n'ayez crainte. J'essaierai de ne

pas être un tracas pour vous, quoi qu'il arrive. J'ai tenu à venir. Je savais que vous préfériez que je reste au camp, ajouta-t-elle.

— Ah bon ? »

Elle parut hésiter.

« Branjee me l'avait dit. Et puis, je ne suis pas aveugle...

— Vous croyez que c'était facile pour moi de faire la connaissance de quelqu'un dans de telles circonstances ! Vous croyez peut-être que j'ai l'habitude...

— On le dirait, fit-elle en l'apaisant d'un geste. Et puis votre accent est charmant. »

Elle eut un petit rire dont la gaieté le laissa à la fois charmé et déconcerté, comme la résurgence inattendue d'un aspect d'elle qu'il n'avait pu découvrir jusqu'alors.

« Vous avez de la chance que je ne sois remonté que trente siècles en arrière ! s'écria-t-il. Si vous le désirez, je peux faire mieux. Il suffit pour cela de passer de l'histoire à la géologie, ce qui n'est pas l'opposé !

— Pitié ! supplia-t-elle.

— Ici même, commença-t-il, l'Inde s'est carambolée avec le continent, il y a cinquante millions d'années. Les degrés dans lesquels nous avons failli nous perdre sont des mouvements horizontaux ayant affecté...

— Regardez plutôt Angdawa », l'interrompit-elle.

Le jeune Bakaroual avait abandonné sa position d'éclaireur et revenait vers eux au grand trot, le bras tendu vers un point précis en contrebas.

« Du monde, sahib », criait-il.

Scrutant la direction qu'indiquait Angdawa, il ne vit personne. Celui-ci pointait pourtant son index avec assurance vers un endroit précis, à la lisière d'une avancée de forêt. Carl découvrit soudain, à peine visible sur le fond des arbres, un petit groupe qui progressait avec lenteur. Il pouvait y avoir quatre ou cinq personnes ; ils venaient de l'ouest et paraissaient retardés par quelqu'un qui traînait la jambe.

« J'y vais, sahib ? » le pressa Angdawa dès que ce dernier l'eut rejoint.

Il sentit son cœur battre soudain. Si les fugitifs venaient de là-bas et leur annonçaient... Comment réagirait-elle, alors que tant d'heures de chevauchée les

118

attendaient encore ? Une sorte de réticence lui interdit de faire le geste qu'attendait le jeune Bakaroual.

« Attends », fit-il.

Il suivait des yeux le petit groupe et pressentit qu'il pouvait à tout moment disparaître sans recours dans les profondeurs de la forêt. Il se retourna alors vers Angdawa.

« Va, dit-il. Nous on continue, tu nous rejoindras. »

Celui-ci poussa sa monture comme s'il disputait une partie de *bouzkachi*, et disparut tout aussitôt derrière un repli de terrain. Bientôt lui parvinrent un aboiement lointain et même, crut-il entendre, le son d'une voix détimbrée par la distance. Les mains crispées sur les rênes, Winifred regardait avec inquiétude l'endroit où se trouvait le petit groupe quelques instants plus tôt. On ne voyait plus en effet les quatre silhouettes, et pas davantage Angdawa qui ne réapparaissait pas. Carl décida d'infléchir son itinéraire vers la droite, en se disant qu'il lui serait toujours possible de l'attendre à la lisière. Ils s'étaient à peine déroutés que le jeune homme surgissait devant eux, sa monture en eau, le visage aussi impénétrable que d'ordinaire. Il resta pourtant quelques instants à reprendre sa respiration.

« Ils faisaient partie... d'une vingtaine de familles qui campaient au-dessus de Dudhnial, sahib. Dudhnial... détruite. Beaucoup de morts. Plus rien à manger. Ils ont rencontré personne en remontant. Ils disent qu'ils auraient pas vu, de toute façon, avec la brume. »

Il s'interrompit. Son débit haché montrait un degré de nervosité inhabituel chez lui. « Beaucoup de morts », répéta-t-il d'un air soudain si accablé que Carl se demanda s'il ne voulait pas leur faire comprendre ce qui était arrivé. Il le regarda dans les yeux.

« Le pont ? » demanda-t-il.

Angdawa secoua la tête.

« Ils savent pas. Ils ont vu personne. Personne n'est revenu de plus bas que Dudhnial.

— Tu leur as dit où était le camp ?

— Oui, sahib. Ils y arriveront pas avec le vieux qu'ils traînent. S'ils ont de la chance, ils tomberont sur Changaraswamy. »

Carl se tourna vers Winifred pour traduire. Elle l'arrêta d'un geste.

« J'ai deviné, fit-elle. Enfin, pour le pont. Je préfère cela, d'ailleurs. Continuer à ne pas savoir...

— Ce dont on est sûr maintenant, c'est que c'est toute la vallée qui a été dévastée ! » dit-il.

La jeune femme avait fermé les yeux.

« La travée est à deux cent cinquante pieds au-dessus de tout cela », ajouta-t-il hâtivement.

Il ne vit pas s'il était parvenu à la rasséréner. Elle s'était remise en marche, droit devant elle, sans un mot.

A mesure qu'ils descendaient vers la rivière, ils se perdaient dans un espace irréel aux pans obliques, aux perspectives miroitantes et indécises, dont les lignes de fuite oblitérées par le brouillard faussaient l'appréciation des distances et des perspectives. Bien qu'elles lui fussent d'ordinaire familières, Carl ne s'y reconnaissait plus, et le vaste épaulement du Sariar lui donnait désormais l'impression de chavirer dans l'océan de brume où ils furent bientôt immergés à leur tour. La purée de pois qui les entourait maintenant de toutes parts était dense et parsemée d'infimes particules de grésil qui semblaient y flotter et leur picotaient le visage. Ils se resserrèrent frileusement les uns contre les autres et parvinrent à se faufiler ainsi à travers les rochers dont ils ne faisaient qu'entrevoir les formes fantomatiques et déchiquetées. L'âcre odeur de la vallée les atteignit pourtant dans leur isolement avant même qu'ils n'entendissent à nouveau le bruit de l'eau. Puis en quelques instants le rideau de brume s'entrouvrit et celle-ci leur apparut en enfilade quinze cents pieds plus bas, comme s'ils pénétraient par le plafond dans une vaste galerie aux perspectives livides et désertes. Parsemée de flaques grandes comme des étangs, elle semblait avoir été recouverte par quelque pinceau géant d'immenses arabesques funèbres ponctuées de centaines d'arbres abattus ou fichés en terre dans toutes les directions comme une jonchée de flèches. Winifred s'était arrêtée en pleine pente, le visage figé dans une expression de stupeur.

« On dirait le champ d'une très ancienne bataille, murmura-t-elle.

— On va suivre quelque temps la rivière avant de couper à nouveau au plus court », dit Carl.

Abandonnant ses méandres pour suivre la ligne de plus grande pente, la Kishenganga s'était creusée un nouveau lit, frôlant tour à tour chacun des versants de ses puissants tourbillons boueux. Sur leur droite, l'avancée du Sariar empêchait de voir ce qui restait de Dudhnial.

« Cela m'ennuie d'avoir si peu de visibilité pour retrouver le flanc du Malang, reprit Carl avec inquiétude. Là, on peut vraiment se perdre. »

Il avait mis sa main en visière dans un geste familier.

« La piste », s'écria-t-il soudain.

Il se retourna vers les Bakarouals. De l'escouade s'élevait une brève gerbe de commentaires. Winifred se tourna vers lui, interrogative.

« Elle n'est pas recouverte ! constata-t-il d'un air incrédule.

— Ça peut faire gagner quatre heures, sahib », remarqua Angdawa.

Carl regardait à l'endroit précis où il pensait regagner la forêt l'infime trace claire qui suivait l'ancien lit de la rivière. Par endroits, elle paraissait submergée par une langue de boue ; puis réapparaissait presque aussitôt. On avait l'impression que le léger remblai sur lequel elle était construite avait suffi, telle une digue, pour empêcher la nappe de boue de s'étendre plus avant. Quelque chose pourtant le surprenait. Winifred le formula d'une phrase.

« Si elle est vraiment ouverte, expliquez-moi pourquoi il n'y a personne dessus ? »

Elle le regarda. Ses yeux semblaient s'être creusés, soudain.

« Vous me suivez ? insista-t-elle d'une voix blanche. Si la piste était ouverte, il n'y a alors aucune raison qu'ils ne nous aient pas envoyé d'émissaires...

— De toute façon, il est vraisemblable que cette piste est interrompue après Dudhnial, répliqua Carl en s'efforçant de ne pas paraître trop soucieux. Nous savons aussi par Changa qu'elle est recouverte en aval du glissement, sans quoi nous n'aurions pas pris un tel itinéraire ! Il n'en reste donc au mieux que des tronçons.

— Arrêtez de me dorer la pilule ! s'écria-t-elle. Vous n'allez tout de même pas me dire qu'il ne devrait pas y avoir un sacré va-et-vient dans des circonstances pareilles, même sur cet unique tronçon. »

Carl continuait à examiner ce qu'il en voyait.

« C'est vrai », concéda-t-il à mi-voix.

Ils descendirent au ras de l'eau. La rivière avait beaucoup baissé, mais de multiples débris continuaient pourtant à dériver. Au milieu de cadavres d'animaux gonflés comme des outres et des toits de chaume scalpés qui flottaient tels des esquifs bondissants et fragiles, des troncs s'entrechoquaient et se chevauchaient avec un bruit plus terrifiant encore d'être entendu au même niveau. Malgré cela, ils furent heureux de se retrouver sur la piste et de sentir sous leurs sabots le remblai rassurant d'une chaussée. Ils firent ainsi quelques pas à la file, puis Carl s'arrêta net et saisit ses jumelles.

« Ah, mais voilà !... » s'exclama-t-il.

A trois cents yards devant eux, postés à quelques pas de la piste à l'abri d'une avancée de bois, un petit peloton d'hommes en uniforme bleu s'était regroupé autour d'un feu.

« Un détachement de guides, dit-il avec surprise. Je ne les savais pas déjà à pied d'œuvre... »

Comme ils reprenaient leur progression, il s'aperçut que deux des hommes sautaient prestement à cheval et se portaient à leur rencontre. L'un d'eux, remarqua-t-il, était un jeune officier. Winifred vint à sa hauteur.

« Ne leur dites pas où l'on va, ne leur demandez rien au sujet du chantier, lui recommanda-t-elle précipitamment. Je vous en prie. Je ne veux rien savoir venant d'*eux*. »

Les deux cavaliers approchaient, et Carl, qui l'instant d'avant avait décidé de s'arrêter pour s'informer, s'apprêta à passer outre en ne leur adressant que le salut de rigueur entre voyageurs. Voyant qu'il maintenait son allure en tête de la petite colonne, l'officier se mit brusquement en travers de la piste au moment où ils allaient se croiser. Carl s'immobilisa net et devina aux jurons réprimés derrière lui que les cavaliers de l'escouade avaient failli se heurter les uns les autres.

« Qui êtes-vous ? Où allez-vous donc ? » demanda l'officier en forçant sa voix pour dominer le fracas du torrent.

C'était un lieutenant dont les traits juvéniles semblaient infirmer le maintien hautain et presque arrogant.

« Professeur Burgsmüller, du *National Survey* of *India,* se présenta Carl en le saluant d'un geste bref. Nous nous rendons... Nous effectuons une liaison avec Muzafarabad pour juger de l'état de la vallée. Ordre du Diwân. »

L'officier rendit le salut de mauvaise grâce et laissa planer sur l'escouade un regard dédaigneux.

« Partridge, du premier escadron du deuxième régiment de guides, se présenta-t-il à son tour. Je crains qu'il ne vous soit impossible d'aller plus loin, professeur... Pardonnez-moi ?

— Burgsmüller, répéta Carl. Et pourquoi cela, lieutenant ?

— Mesure d'hygiène décrétée par le palais en prévision d'éventuelles épidémies de typhus ou de choléra, expliqua l'officier.

— Vous n'avez donc pas bougé d'ici ? » demanda hâtivement Carl.

Le jeune officier le regarda étonné.

« Je suis ici, vous ai-je dit, pour n'en pas bouger et pour empêcher tout passage sur la piste, de l'ordre du palais. »

Carl se sentit soulagé. Il n'avait donc pas été là-bas.

« C'est que... nous avons *précisément* un laissez-passer signé de Sa Majesté », rétorqua-t-il.

L'officier secoua la tête.

« Mes ordres sont...

— Formels, je n'en doute pas. Je me permettrai de vous dire toutefois que le laissez-passer l'est aussi. Mrs. Howard, me permettez-vous... Merci. »

Winifred lui avait tendu le document alourdi du sceau du Maharadjah. Il l'agita devant l'officier.

« Pour votre information personnelle, lieutenant : nous avons également l'intention de gagner le chantier de Danyarbani, car nous n'avons de nouvelles ni de l'ingénieur en chef, ni des trente hommes qui sont avec lui. J'ajoute que son épouse, Mrs. Howard, nous accompagne, comme vous pouvez le constater. »

Winifred lança à Carl un regard de reproche. Le petit lieutenant sembla alors la découvrir. Il s'inclina sèchement.

« Je suis navré, Mrs. Howard. Cette décision a été prise à Srinagar cette nuit et retransmise par mon chef de corps. Je n'y suis pour rien, croyez-le bien.

— Je crains de m'être mal fait comprendre, lieutenant, répliqua Carl avec impatience. Mrs. Howard tenant ce laissez-passer de Sa Majesté elle-même, et moi mon ordre de mission du Premier ministre de ce royaume, le pandit Branjee, vous conviendrez que nous ne pouvons guère vous donner davantage de preuves du bien-fondé de notre mission. J'ajouterai que nous sommes en train de perdre notre temps.

— Vous m'en voyez désolé, professeur. Je suggère que vous fassiez le tour du Malang, cela vous permettra d'éviter la vallée...

— Et pourquoi pas revenir à Srinagar ! s'écria Carl avec une exaspération grandissante.

— J'ai des ordres, Mr. Burgsmüller, rétorqua sèchement l'officier en changeant de ton. Aucune exception ne sera tolérée avant l'envoi à Muzaffarabad d'une antenne du dispensaire. »

A un brusque cliquetis de son mors, Carl sentit que Winifred perdait patience.

« Le dispensaire est installé à quinze miles d'ici par la montagne, Mr. Partridge, intervint-elle soudain. Je suggère, *moi*, que vous alliez y traîner un peu vos guêtres, ça vous permettra de les patiner, et puis ils ont besoin d'aide là-haut, je vous en réponds.

— Navré, Mrs. Howard. Je comprends votre irritation, mais aucune population civile n'a le droit d'enfreindre cette limite. Croyez bien que...

— Ce que je crois, c'est que la plaisanterie a assez duré, l'interrompit brusquement Carl. Laissez-nous passer, lieutenant. Mrs. Howard n'est pas une " population civile " et n'a que faire de votre obstruction. C'est une épouse angoissée que vous empêchez de se renseigner sur le sort de son mari.

— Non mais, racontez-lui ma vie, en plus ! » lui lança Winifred d'un ton courroucé.

L'officier parut ignorer Carl et s'adressa à la jeune femme avec une affectation soudaine.

« S'il y a malentendu, Mrs. Howard, croyez bien que

je le regrette. Je vais me renseigner. En attendant, permettez-moi de vous offrir le confort bien limité de mon cantonnement. »

Il désignait un point dans la direction de Dudhnial, quelque part au-delà de l'épaule de Carl, comme si celui-ci était transparent. Le regard de Winifred se durcit et elle s'avança brusquement.

« Deuxième régiment de guides, dites-vous, lieutenant ? *Hindu Blues.* L'un des meilleurs corps, n'est-ce pas ? Félicitations ! Très *pukka* ! On peut se permettre d'être pète-sec ! Etudes à Eton, sans doute... Non ? Harrow, peut-être ? Bel avancement en perspective, Mr. Partridge ! Et beau mariage à la clef, je n'en doute pas ! Propriété dans le Devon, ou peut-être dans les Highlands, pour retrouver les paysages grandioses de la frontière nord-ouest ?... »

Carl n'en croyait pas ses oreilles. La voix jusque-là éteinte de la jeune femme s'était faite mordante et acérée comme une lame. Apparemment insensible à son changement de ton, l'officier parut en revanche s'émouvoir de tant de félicités champêtres à venir.

« Je me retirerai sûrement un jour avec une âme sœur, annonça-t-il, mais ce sera dans le comté d'Antrim. »

Elle resta un instant interdite.

« Quoi, en lrlande ?

— En Ulster, ce qui est quelque peu différent, rectifia-t-il.

— Différent ! Ça ne le restera pas longtemps, lieutenant », s'exclama-t-elle.

Partridge la regarda et parut se raidir brusquement devant son emportement.

« J'admets votre... nervosité, Mrs. Howard, dit-il avec froideur. Mais dans les Blues, comme vous dites justement, un ordre est un ordre, une consigne est une consigne et une piste fermée est une piste fermée.

— Eh bien, c'est ce qu'on va voir, espèce de trou de balle. »

D'une vive pression du talon, elle poussa en avant son cheval qui bouscula celui de l'officier. Celui-ci piqua du nez sur l'encolure. Il se redressa tout aussitôt et se retourna vers le soldat qui l'accompagnait.

« Gaitskell », dit-il d'une voix brève.

Celui-ci sauta à terre et d'un geste vif enserra les

rênes de la jeune femme au-dessous du mors de bride. Les yeux écarquillés, Winifred regarda la poigne qui l'empêchait soudain d'avancer. D'un geste violent et précis, elle abattit sa cravache. Le coup atteignit le soldat à la base du pouce, et il lâcha le cuir avec un cri de douleur. Aussitôt elle éperonna sa monture qui se mit au galop, et l'instant d'après Carl la voyait s'éloigner sur la piste, laissant derrière elle l'officier pantois et le soldat courbé en deux et gémissant. A quelque distance, les hommes du détachement qui avaient observé la scène s'étaient rapprochés de leurs chevaux. Il se retourna et sentit les Bakarouals prêts à en découdre.

« On suit la memsahib », s'écria-t-il.

D'une vive impulsion, il s'élança à son tour au galop et eut pendant quelques instants, ses cavaliers le poussant au train, la sensation grisante de mener une charge et de survoler les aspérités de la piste sur un destrier de légende. Il n'eut toutefois pas latitude de savourer longtemps cette impression, car il vit surgir presque aussitôt à son côté, le visage congestionné, éructant des jurons qu'il ne pouvait entendre, le petit lieutenant qui était parvenu à remonter toute l'escouade en profitant de sa monture plus fraîche. Pendant une centaine de yards, ils galopèrent ainsi botte à botte. Le cheval de Carl s'essoufflait, et il sentit qu'il n'allait pas pouvoir continuer longtemps à ce rythme. Devant lui la piste s'étranglait brusquement entre deux rochers en un étroit goulet au-delà duquel Winifred avait déjà disparu. Il vit qu'il leur serait impossible de passer à deux de front et s'attacha dès lors à occuper le milieu de l'étroite chaussée et à repousser son poursuivant sur le bas-côté caillouteux. Le défilé s'approchait à une allure vertigineuse, et il sentait derrière lui l'escouade lui communiquer à grands cris gutturaux une force qui le poussait au-delà du raisonnable. « Ça passe ou ça casse », se dit-il. L'officier mesura en un éclair que le passage lui était refusé et dut freiner des quatre fers. Quasi désarçonné, il vit passer dans l'instant qui suivit l'escouade au ras de son chanfrein, suivie du cheval de charge qui malgré le poids de son bât s'ébrouait en serre-file. Carl s'éloigna en soulevant son feutre d'un geste railleur. « Sale Boche ! entendit-il hurler malgré les fracas conjugués du galop et du torrent. Suppôt du Kaiser ! Rien à foutre par ici ! Attendu au retour... »

Peu après, il aperçut à une centaine de yards devant lui la silhouette de la jeune femme.

« Arrêtez ! cria-t-il hors d'haleine. Les chevaux ne tiendront jamais ! »

En pleine course, elle jeta un coup d'œil derrière elle et se mit brusquement au pas. Il la rejoignit et tapota en silence l'encolure trempée de son cheval. Derrière eux, les Bakarouals échangeaient des exclamations sonores ponctuées de grands rires. Même Angdawa avait abandonné son habituelle impassibilité, bien qu'on le sentît attentif à l'éventuelle rumeur d'une poursuite. Winifred était encore haletante et serrait nerveusement ses rênes. Ses joues étaient moins pâles. « L'indignation lui va bien », pensa-t-il.

« Dieu, je ne vous savais pas si... impulsive ! » s'exclama-t-il.

Le profil crispé, elle regardait fixement devant elle.

« Celui-là, on va s'occuper de son avancement, et comment ! » souffla-t-elle avec une fureur mal contenue.

Le silence revenu, ils chevauchèrent quelques instants côte à côte. Soudain, et sans qu'il l'ait prévu, elle se tourna vers lui.

« Merci de votre appui, lui dit-elle. C'était un vrai plaisir de forcer le passage dans ces conditions.

— Je n'ai guère de mérite. J'avais l'impression de suivre la Rani de Jhansi sortant de Gwalior !

— Celle qui avait traversé les lignes anglaises au grand galop pour récupérer ses terres ?

— Oui. Les rênes entre les dents ! »

Une expression d'amusement illumina fugitivement le visage de la jeune femme. Puis ses traits se durcirent à nouveau.

« M'empêcher de me rendre là-bas ! » murmura-t-elle comme pour elle-même.

« Vous l'aimez donc tant », demanda-t-il brusquement.

Il s'en voulut tout aussitôt de sa maladresse. Mais elle paraissait ne pas avoir entendu et ne répondit pas. Devant eux la piste s'allongeait désormais au bord même du cloaque. Par endroits, la boue avait poussé des tentacules qui avaient emprisonné les hautes herbes et les buissons de thuyas dans une glaise déjà sèche et fendillée de petites crevasses.

« C'était donc vrai, reprit-il pour ne pas laisser le silence s'installer.

— Que quoi ?

— Que vous ne supportez pas les Anglais. »

Elle fit quelques pas en silence, puis se tourna vers lui.

« Peut-on savoir qui vous a mis cette idée dans la tête ? »

Il eut un geste d'ignorance.

« C'est ce qu'on dit dans la vallée...

— Eh bien, *on* aurait pu penser que si j'en ai épousé un, c'est qu'ils ne sont pas tous comme ce petit fier-à-bras ! »

Il ne répondit pas. Elle le regarda du coin de l'œil.

« En tant que " suppôt du Kaiser ", c'est normal que vous ne soyez pas convaincu ! remarqua-t-elle avec ironie.

— Oh ! s'exclama-t-il. Moi qui espérais que le bruit et la distance vous auraient empêchée d'écouter les aménités de ce brave garçon ! »

Elle se mit à rire.

« Je ne sais quel biologiste assurait que la fureur décuplait l'intensité des cordes vocales. »

Carl hocha pensivement la tête et ils firent quelques pas côte à côte sans mot dire. Il paraissait hésiter.

« Dois-je vous l'avouer, Mrs. Howard ? se décida-t-il enfin. Intensité mise à part, l'éminent ingénieur vers lequel je vous conduis parlerait de moi exactement dans les mêmes termes. »

Elle se retourna vers lui avec une expression étonnée.

« Christopher ? Vous devez faire erreur, mon cher. Je ne me souviens pas qu'il ait une seule fois fait allusion à vous en ma présence... ou peut-être si, une fois ou deux... », se ravisa-t-elle.

Il eut un demi-sourire.

« Je n'ai certes jamais eu l'honneur de lui être présenté ; il me connaît pourtant suffisamment pour m'avoir fait expulser de son chantier. »

Elle parut interloquée.

« Et pourquoi cela, grands dieux ? »

Carl haussa les épaules.

« Il doit me prendre pour un espion, ou quelque chose d'approchant. » Il se tut, puis reprit : « Tout cela pour vous dire que je ne suis pas absolument certain de faire le voyage de retour en votre compagnie à tous deux ; ce sera à votre époux que reviendra le plaisir de se colleter avec l'aimable Partridge, ou bien de se réconcilier avec lui sur mon dos. »

Elle eut en sa direction un geste retenu, mais d'une ferveur inattendue.

« Vous me faites du bien, murmura-t-elle.

— Du bien ?... répéta-t-il, déconcerté.

— Oui, de me parler du voyage de retour avec lui. Comme cela, avec naturel... Comme si cela allait vraiment se passer ainsi. »

Elle avait un ton si désenchanté qu'il resta silencieux, indécis, incapable de savoir s'il devait lui donner de l'espoir ou s'il convenait de la préparer au pire — à ce désastre que laissait désormais présager le paysage autour d'eux.

La piste apparaissait moins praticable en effet qu'elle ne l'était tout à l'heure. Jonchée de débris nauséabonds sur lesquels venaient se poser de grosses mouches bleues sous les lents cercles concentriques des rapaces, elle était de plus immergée par endroits sous une nappe de liquide boueux et grumeleux dans lequel ils enfonçaient jusqu'au boulet. Il repensa aux risques d'épidémie.

« C'est tout de même curieux qu'il ne nous ait pas poursuivis, marmonna-t-il.

— Il a dû penser à son avancement ! » fit-elle.

Il ne put s'empêcher de rire. Quelle femme insaisissable ! Dans cet environnement lugubre, elle avait soudain eu un éclair de gaieté... Dieu, ne pas lui donner trop d'espoir. Sans doute allait-il aussi devoir lui expliquer les circonstances de son arrivée au Cachemire, car celles-ci pouvaient justifier en effet l'hostilité du mari comme les invectives de l'officier. Il se demandait comment il allait aborder lui-même le sujet lorsqu'il la vit soudain s'écarter de l'escorte et prendre son élan devant un tronc abattu en travers de la piste pour le franchir comme un obstacle de steeple-chase.

« Mrs. Howard ! s'écria-t-il avec reproche. Pensez à l'état de nos montures !

— La mienne sauterait encore un *oxer* de trois pieds », dit-elle avec désinvolture.

Elle ne céda pas moins à son admonestation et entreprit de contourner l'arbre en longeant ses racines rompues et disjointes qui émergeaient du bourbier. Revenue sur la piste, elle se retourna vers lui.

« Vous ne me dites toujours pas pourquoi Christopher pouvait penser cela de vous ? » reprit-elle à brûle-pourpoint.

Pris de court, il eut une réaction d'humeur.

« Vous n'avez qu'à le lui demander ! Il semble très renseigné ! »

Elle l'observa avec une attention soudaine.

« Je ne sais d'ailleurs pas pourquoi je vous pose cette question, remarqua-t-elle. D'habitude je ne m'intéresse jamais à la vie des gens.

— Moi cela fait ici trois ans que j'évite les questions et je m'en trouve fort bien !

— Allez ! fit-elle d'un ton enjoué. Vous ne voulez pas m'avouer que vous êtes arrivé au Cachemire déguisé en fakir ? En vendeur de safran ? En moine tibétain ? »

Il se mit à rire.

« C'est à peine moins étrange, répliqua-t-il. De bonnes langues vous affirmeront que j'étais caché dans les malles du Kronprinz d'Allemagne. Rien de moins. »

Elle ouvrit des yeux ronds.

« Quoi ? Le fils du Kaiser ? Le prince héritier ?

— Mais oui. »

Il la regarda amusé exprimer sa surprise avec un geste délié d'adolescente.

« Pour être plus précis, le prince héritier Wilhelm, venu faire une visite officielle aux Indes, au printemps 1911.

— Je comprends maintenant l'aimable interpellation de ce bon lieutenant ! » s'exclama-t-elle.

Carl la regarda à la dérobée. A vrai dire, il n'était pas loin d'avoir de la reconnaissance pour le petit officier des guides. L'incident semblait avoir en effet tissé entre eux un lien ténu, comme si une sorte de fragile connivence les unissait désormais.

« Et qu'y a-t-il de vrai dans tout cela ? » demanda-t-elle.

Il eut une moue et parut réfléchir. Il se sentait incité par le changement d'attitude de la jeune femme à lui parler plus librement.

« Disons que je faisais partie de sa suite...

— Mais quand l'avez-vous connu ? On ne rencontre pas comme cela un membre de la famille impériale !

— Pendant que j'étais étudiant à l'institut de géologie et de cartographie de Munich. J'étais passionné de course en montagne. Et voilà qu'un jour de tempête, je me retrouve bloqué avec le jeune prince dans un refuge. Il s'était lancé dans une longue promenade et s'était égaré, un peu inquiet d'une situation qui, bien sûr, lui était peu familière. Il m'est apparu en effet par la suite comme un garçon solitaire mais il était surtout inquiet ce jour-là qu'on le cherche et que la chose puisse s'ébruiter. Je l'ai conduit dès le lendemain sans encombre dans un village et il m'en a montré une vive reconnaissance. Toujours est-il qu'à la suite de cette aventure une sorte de... je sais qu'il est difficile de parler d'amitié dès qu'il s'agit d'un prince du sang... enfin disons qu'un attachement réciproque est né entre nous. J'ai compris que j'étais devenu en quelque sorte un élément de fantaisie dans l'univers qui l'entourait. Le moins qu'on pouvait dire est qu'il en manquait singulièrement.

— Quand on voit le papa, on comprend ! s'exclama-t-elle.

— Je continue ? » demanda-t-il en ressentant de l'incrédulité devant l'intérêt qu'elle semblait prendre à cet épisode de sa vie. « Je ne vous ennuie vraiment pas ?

— C'est plus amusant que Trollope, je vous assure !

— Pardon ? fit-il sans comprendre.

— Rien. Continuez. Vous avez connu le Kaiser aussi ? »

Il en était toujours à se demander si elle se moquait de lui ou non.

« Entre-temps, j'avais terminé mes études avec un titre de docteur en géographie, géologie et topographie. C'est donc tout naturellement que lorsque l'Allemagne s'est décidée à construire le chemin de fer de Bagdad, le Kronprinz Wilhelm...

— Ah ! parce qu'il s'appelle Wilhelm comme son père ?

— Sans rire, je l'appelais Altesse. Guère le choix. » Il s'arrêta. « Où en étais-je ?

— L'Altesse vous a suggéré de participer au tracé du chemin de fer, j'imagine.

— Oui.

— Je commence à comprendre mon mari. L'Angleterre en a assez voulu à vos compatriotes de menacer sa chère route des Indes !

— Il paraît en effet que c'était vu comme un acte d'hostilité délibérée à l'égard de votre pays. »

Elle réagit vivement.

« Combien de jours de chevauchée vous faudra-t-il pour que vous compreniez que l'Angleterre n'est pas *mon* pays ?

— Pardonnez-moi, dit-il précipitamment. Quoi qu'il en soit, je suis resté deux ans en Irak. Mais j'avais eu le tort de m'imaginer Bagdad comme la merveille des califes, emplie de jardins et de maisons à moucharabiehs...

— Ce n'est pas ça du tout ?

— Non. Bizarrement, c'est à Srinagar, avec son côté sordide et branlant, que j'ai trouvé ma Bagdad rêvée. »

Une lointaine chute de pierres lui fit prêter l'oreille et il se retourna. A la mine sereine des Bakarouals, il vit que c'était une fausse alerte.

« Si je comprends bien, reprit-elle, au bout de dix-huit mois vous en avez eu assez. Vous êtes un peu instable, dites-moi.

— Le travail des géologues et des topographes était achevé. Et puis la montagne me manquait. Je suis donc revenu en Bavière et, grâce à mon pécule, j'ai décidé de consacrer deux ans à ma passion pour les grandes courses. Je vivais un peu comme ici, dans un petit village, loin de tous...

— Seul ?

— Oui. Enfin, non.

— Ah-ah.

— Pas ce que vous croyez. Juste le tout-venant. Mais quelqu'un avait tout de même captivé mon attention, ajouta-t-il. Un alpiniste.

— Oh, fit-elle.

— Un alpiniste mort depuis longtemps. » Il s'interrompit, puis reprit : « Le plus grand de son époque. Mon idole et je dirais même mon modèle. Je me suis amusé à refaire toutes ses ascensions, m'attachant à suivre les voies qu'il avait lui-même ouvertes, car elles étaient toujours les plus élégantes et les plus téméraires.

— Peut-on savoir qui c'est ?

132

— J'ose à peine... Un Anglais.

— Vous êtes incroyable ! Ne vous ai-je pas dit qu'il y en a certains que j'admire profondément ?

— Je sais », dit-il d'un air sombre.

Ils marchèrent quelque temps en silence. La piste s'était écartée de la rivière et le grondement de celle-ci se faisant plus lointain, ils eurent l'impression de traverser une zone d'un calme presque improbable.

« Mummery. Albert-Frederick Mummery. »

Elle n'eut pas de réaction. Il ralentit l'allure, l'air déçu.

« Ça ne vous dit rien ?

— Non.

— Il est pourtant mort non loin d'ici, reprit-il avec un air de gravité soudaine.

— Navrée, s'excusa-t-elle, je ne m'intéresse pas beaucoup à la montagne, moi. Les regarder, oui. Mais grimper dessus ! Je ne sais même pas leur nom, sauf celui du pic Haramukh que je contemple le matin de ma fenêtre de Gulmarg. Vous voyez, je n'ai pas grand-chose à voir avec cette dame dont on me rebat les oreilles, qui se promène avec son régiment de porteurs, ses troupeaux de mules et ses chapeaux. Vous voyez de qui je veux parler ?

— Oh oui, dit-il sobrement.

— Je n'ai jamais tant ri que lorsqu'elle est arrivée en cet équipage à la Résidence. Figurez-vous qu'elle voulait faire monter ce bon Greenshaw sur une mule. Ça lui aurait convenu, non ? »

A cette évocation, elle pouffa comme une petite fille. Il la regarda avec une surprise mal déguisée. « Elle ne se rappelle donc plus vers quoi nous allons ? » se demanda-t-il. Comme si elle avait lu sa réprobation sur son visage, ses traits se figèrent et elle retrouva le masque de tristesse qu'elle avait lors de leur départ. Il s'en voulut d'être la cause de son changement d'expression et resta quelques instants décontenancé, avant de se décider à reprendre son récit, dans l'espoir qu'elle s'animerait à nouveau.

« Si j'avais étudié les itinéraires de Mummery, poursuivit-il, c'était pour les faire mieux connaître aux lecteurs de l'Alpine Club Journal, dans le cadre d'une série d'articles qui devait paraître sur le sujet au cours de 1910. Que d'émotions ils m'avaient apportées ! Par exemple, lorsque j'ai progressé le long de la fameuse fissure qui porte son nom, au Grépon ; quand je suis arrivé au sommet, si vous saviez comme j'ai pensé à lui et à cette scène où, entre le gros Bürgener et le petit Venetz, il avait débouché la bouteille de champagne qu'il avait trouvé le moyen d'emporter avec lui pour fêter sa victoire ! »

Il s'arrêta avec la certitude qu'elle n'avait pas écouté un mot de son récit.

« C'est vrai, j'avais oublié ce que vous m'avez dit au sujet de la montagne, dit-il d'un ton dépité.

— D'autant qu'avec vos histoires de grimpeurs nous avons perdu le jeune Kronprinz de vue ! Souvenez-vous que je suis une petite-bourgeoise orpheline élevée dans un couvent irlandais ! Exactement le genre qui peut être fascinée par une cour impériale !

— Mais non, je ne le perds pas de vue ! Après mon retour d'Irak, nous nous sommes au contraire retrouvés avec joie pour faire ensemble quelques ascensions — plutôt faciles, d'ailleurs. C'est donc tout naturellement que, lorsque son voyage officiel aux Indes a été décidé il y a trois ans, il m'a demandé de faire partie de sa suite, à la fois comme ami et comme scientifique. Il estimait en effet qu'à l'image de Bonaparte en Egypte, toute expédition de cet ordre devait comporter des savants et des mémorialistes. Cela dit, peut-être avait-il à mon égard une idée de derrière la tête, mais je l'ignorais alors tout à fait. »

Elle semblait de nouveau attentive, et il ressentit avec satisfaction que l'atmosphère entre eux était redevenue propre aux confidences.

« Après quarante jours de voyage, je me suis donc retrouvé à la grande parade que le vice-roi offrait en l'honneur du Kronprinz à la passe de Khyber. Quel spectacle ! Plus de dix mille cavaliers, des Waziris, des Kohistanis, des Diamiris, des Hounzas, des Bakarouals, des Pendjabis, tous ceux dont j'allais plus tard connaître les noms, sortant au galop du défilé comme avait dû le faire vingt-trois siècles plus tôt la cavalerie d'Alexandre ! Le roi du Cachemire Perpèt Singh était là, au premier rang, avec son Premier ministre le pandit Branjee. Le prince m'a présenté à eux comme si j'avais été le cartographe le plus compétent d'Europe. J'ai commencé à ce moment-là à deviner ses arrière-pen-

134

sées et, je dois vous l'avouer, à les entériner. C'était pour moi une occasion unique, inespérée, de suivre mon grand homme dans son ultime champ d'action...

— Qui ça, déjà ? »

Devant son expression, elle se reprit hâtivement.

« Pardonnez-moi ! Vous conviendrez que je peux avoir l'esprit un peu ailleurs aujourd'hui...

— Je vous l'accorde, soupira-t-il.

— Si l'on pouvait m'admirer comme cela, moi, vingt ans après ma mort, murmura-t-elle après un silence.

— Pour cela, il faudrait que vous fassiez de grandes choses ! » dit-il en riant.

Elle eut une moue pensive.

« Parfois j'y songe », murmura-t-elle.

Elle avait un tel ton de ferveur que, saisi, il la regarda à nouveau sans mot dire. Ils chevauchèrent quelques instants en silence côte à côte, puis elle parut se détendre.

« Alors le Diwân vous a demandé de rester, c'est cela ? reprit-elle.

— Je sentais qu'il désirait m'engager pour une mission précise : dresser la carte définitive des zones montagneuses du royaume — autant dire de la quasi-totalité de celui-ci. Il m'avait en effet reçu et expliqué que les pandits hindous, qui étaient jusque-là chargés de la cartographie de la région, éprouvaient les pires difficultés avec les jogirdars locaux et les chefs de village qui craignaient que l'on profite de ces expéditions pour faire le cadastre de leurs propres terres. Figurez-vous que ces malheureux pandits étaient obligés de camoufler leurs expéditions en pèlerinages religieux ! Ils en étaient ainsi venus à dissimuler leurs notes dans des moulins à prières, et leurs thermomètres dans des bâtons de marche ! Mieux, pour tenter d'évaluer les distances parcourues, ils étaient munis d'un chapelet de cent grains, au lieu de cent huit chez les bouddhistes ! Evidemment, les relevés manquaient quelque peu de précision... C'est pourquoi Branjee avait estimé que seul un cartographe européen éloigné des querelles locales pouvait faire l'affaire. De plus, fixer son choix sur ma modeste personne avait pour lui l'avantage d'agacer au plus haut point le Résident Greenshaw avec qui, comme vous le savez, il était en perpétuel conflit.

— Parce que vous n'étiez pas anglais ?

— Bien sûr ! Toujours est-il que tout cela réuni m'a permis de devenir le cartographe " officiel " du petit royaume, avec la bénédiction du Kronprinz.

— ...Ravi de laisser derrière lui un pion dans la région, n'est-ce pas ? »

Il eut un geste excédé.

« Vous souffrez décidément d'espionnite, dans cette famille !

— C'est une boutade, écoutez ! »

Il hocha la tête d'un air dubitatif.

« Encore fallait-il l'accord du *Survey*, qui centralise toutes les recherches sur le massif. Le vice-roi, qui voulait garder un œil sur moi (sans doute avait-il les mêmes idées que votre époux), tenait en effet à ce que celui-ci soit mon employeur. Et c'est là que Mummery m'a rendu à titre posthume un peu de l'affection que je lui porte. Il se trouvait que Sir George Evans, qui dirigeait à l'époque le *Survey*, avait lu mon article dans l'*Alpine Club Journal*. Quelques jours après il me recevait à Delhi, et je me souviens encore mot pour mot de ce qu'il m'a dit : " J'ai fait travailler jadis avec profit des cartographes allemands ; de plus, que vous ayez suivi toutes les voies ouvertes par Mummery qui était un ami personnel est en ce qui me concerne un atout supplémentaire non négligeable. Je vous engage donc, mais je vous demande toutefois instamment, mon cher ami, si le démon des montagnes devait un jour vous reprendre, de ne pas suivre mon vieux complice dans ses dernières chimères. "

Winifred parut perplexe.

« Cela signifie quoi ? » demanda-t-elle.

Il eut un geste évasif.

« Oh, vous comprendrez un jour », murmura-t-il.

Carl paraissait à son tour absent et taciturne, et ce fut elle qui pour la première fois le regarda à la dérobée.

« Je trouve qu'on se fait mutuellement beaucoup de cachotteries autour de nos projets d'avenir », lui lança-t-elle.

Il hocha pensivement la tête, et lorsqu'il s'adressa de nouveau à elle, ce fut avec une nuance soudaine de véhémence qu'elle ne lui avait pas entendue jusqu'alors.

« Il y a une chose que je vous demande en tout cas et à laquelle je tiens : je voudrais que vous rapportiez à votre mari tout ce que je vous ai dit concernant ma situation. C'est désagréable, je ne vous le cache pas, de se faire jeter hors d'un chantier sur de fausses allégations. Qu'il sache que mon but est avant tout de satisfaire le *Survey* et d'égaler ce qu'ont fait mes grands prédécesseurs, que ce soit les frères Schlagintweit au Garhwal ou Garwood au Kangchenjunga. Rien de plus ni de moins. Après tout il s'en est assez servi, de mes cartes, et il a dû mesurer le travail qui a été nécessaire pour les dresser ! Aussi n'ai je pas compris cette réaction qu'il a eue à mon égard. »

Elle ne répondit pas et il se retourna vers elle. Elle semblait bouleversée.

« Je lui dirai tout ce que vous voudrez, et plus encore, dit-elle d'une voix sourde. Carl, cela prouverait... »

Elle s'interrompit. Il eut l'envie subite de se pencher et de mettre sa main sur la sienne dans un geste de réconfort, mais avec l'escorte derrière lui et Angdawa toujours aux aguets, il n'osa pas.

La petite troupe s'était maintenant resserrée autour de la jeune femme comme s'il convenait désormais de la protéger tout particulièrement. Une heure auparavant ils avaient été obligés de quitter la piste, car, à l'entrée du défilé du Malang, la masse de boue s'était repliée sur elle-même en grasses ondulations noirâtres qui interdisaient tout passage. Ils progressaient désormais lentement en lisière de la nappe parsemée de vastes flaques et striée de traînées blafardes. Carl chercha pendant quelque temps l'origine de ces dernières, avant de découvrir qu'il s'agissait de la paille des toits de Doarian, et que cette pâle écume était tout ce qui restait du village englouti.

Puis ils perdirent de nouveau la vallée de vue. Carl s'efforçait de suivre la ligne de pente un peu en deçà de la brume dont seuls émergeaient quelques grands pins comme autant de jalons funèbres. Ils rejoignirent un petit val écarté et atteignirent un hameau de quelques feux aux maisons presque invisibles, telles de petites taupinières émergeant à peine de la prairie. Carl descendit de cheval et, se baissant, franchit le seuil de la plus proche. Elle paraissait avoir été désertée depuis peu, comme si l'on avait fui hâtivement en n'emportant que les objets usuels. Le *chula* de brique sentait encore la cendre froide. Lorsqu'il remonta à cheval, une poule solitaire s'enfuit en caquetant sous ses sabots. Sans mettre pied à terre, Angdawa se pencha et l'assomma d'un coup de bâton. Puis d'un geste il l'égorgea et la suspendit à sa selle par les pattes, laissant le sang s'égoutter sur la croupe de sa monture. Carl s'aperçut que Winifred avait détourné les yeux.

Ils quittèrent le hameau et commencèrent à gravir un versant dénudé et parsemé de pierres brunes et plates. Sur leur droite, les vastes contreforts du Malang se découvraient lors d'éclaircies fugitives où la lumière réfractée par les glaciers et piégée par la brume floconneuse lançait de brèves flèches scintillantes. Carl se retourna vers Winifred. Il avait souvent pensé qu'il devait émaner de quelqu'un ayant rendez-vous avec son destin un halo mystérieux à peine perceptible qui devait le distinguer de tous ceux pour qui le jour et l'heure n'avaient pas d'importance particulière. Il ne semblait y avoir rien de tel pour elle ; sous son casque elle était simplement plus pâle encore que tout à l'heure. Bientôt ils débouchèrent en plein ciel. Devant eux se déployait l'immense paysage que composaient au loin l'éperon de Danyarbani, le sillon étroit de la Nagdarra et les moraines bleutées du pic sans Nom. Le bruit de la rivière leur parvint à nouveau, lointain et paraissant réfléchi en un multiple écho par les falaises de la vaste gorge encore invisible. Un instant il fut tenté d'envoyer en éclaireur Angdawa qui brûlait toujours d'apprendre les nouvelles un peu avant les autres. Mais il sentit qu'elle avait à ce moment besoin d'être seule. Aussi retint-il du geste le jeune Bakaroual prêt à s'élancer, et lui-même se laissa-t-il glisser derrière elle. C'est dans cet ordre qu'ils atteignirent le haut du plateau.

6

PARVENUS sur l'arête du plateau qui s'inclinait vers le défilé en un glacis aride et raviné, ils restèrent quelques instants silencieux, à scruter l'immense paysage. À moins d'un demi-mile, les superstructures du grand ouvrage surgissaient de la mince ligne noire de la gorge, se détachant malaisément des arides contreforts du Chiura. A retrouver sa silhouette apparemment intacte, Winifred sentit son cœur bondir de joie et sa fatigue se dissiper comme par magie.

« Mon Dieu, oh, mon Dieu », ne put-elle que murmurer, les mains crispées sur ses rênes.

Sa voix s'étrangla dans sa gorge. Carl venait de reposer ses jumelles, et sa mine lui apparut soudain si défaite que la bouffée de soulagement qu'elle venait de ressentir se transforma instantanément en une crispation douloureuse et angoissée. Elle eut envie de saisir n'importe quoi et de le serrer dans un geste d'exorcisme jusqu'à ce que les ongles lui entrent dans la paume.

« Mais il est... comme je l'avais vu en avril !... » protesta-t-elle faiblement, comme si elle voulait maintenir coûte que coûte autour d'elle, même au prix de quelque dérisoire illusion, la fragile cuirasse d'espérance dont elle s'était bardée tout au long de la route.

« L'eau a passé par-dessus les falaises », dit Angdawa sur un ton impassible.

Elle pâlit. Sans un mot, Carl avait mis sa monture au

trot. Presque inconsciemment la jeune femme le suivit, sa vision subitement brouillée, uniquement sensible au bruit de la rivière qui augmentait à chaque instant. Lorsqu'ils parvinrent sur l'esplanade, ils virent qu'elle était parsemée de flaques d'eau croupie dans lesquelles se reflétait, mouchetée de taches informes, la maçonnerie massive des pylônes. Elle l'imita machinalement lorsqu'il mit pied à terre, et d'une démarche raidie par la fatigue ils s'avancèrent côte à côte. Fortement éclairé par le soleil déjà déclinant, ciselé d'ombres précises qui en creusaient les moindres reliefs, le vaste terre-plein paraissait désert et aucun cadavre n'y était visible. Ils appelèrent et seul leur répondit le fracas de l'eau provenant de la gorge. Ils s'en approchèrent lentement, comme à regret, et purent mesurer alors l'étendue du désastre. « Le tablier », dit Carl en s'efforçant de maîtriser le tremblement de sa voix.

Prostrée, Winifred resta sans réaction. Peut-être, se dit-il, ne se rendait-elle pas compte de la gravité de ce qu'ils découvraient. La longue travée hardiment suspendue par Christopher au-dessus du vide semblait avoir été le jouet d'une poigne géante surgie des profondeurs du gouffre à seule fin de la disloquer. Le tablier s'était brisé net en son milieu, et ses deux tronçons, toutes traverses démantelées, s'étaient effondrés dans la gorge, entraînant un écheveau inextricable de suspentes rompues que l'action des rapides animait de brusques saccades. Les bruits sourds que faisaient les débris heurtant la travée effondrée résonnaient comme de lointains coups de gong à l'orée d'un temple. Carl sentit pourtant à ce moment, plus perceptible que tous les vacarmes du torrent et les grincements du platelage éventré, un frêle frôlement à son côté. Il se pencha. Winifred s'était laissée glisser, et il ne vit à ses pieds que son dos agité de contractions convulsives, comme si elle vomissait.

« Et lui... et eux..., l'entendit-il bredouiller. J'avais tant d'espoir... »

Il se pencha et voulut la soutenir, mais elle refusa son appui avec une sorte de nervosité excédée.

« ...Un si long voyage... et trouver cela... au bout », crut-il entendre.

Puis la voix de la jeune femme se brisa tout net.

« Les bungalows », dit-elle dans un souffle.

Carl se retourna. Doublement anxieux dans un premier temps de savoir s'il y avait des survivants près de l'ouvrage et de se rendre compte dans quel état se trouvait celui-ci, il ne s'était pas encore préoccupé des abords de la forêt. Bien qu'il n'eût pu observer le site que de loin, il pensait se souvenir de l'emplacement du camp.

« C'était là, n'est-ce pas ? demanda-t-il en se retournant.

— Oui..., fit-elle d'une voix étranglée. Là les bungalows et là les tentes... »

A l'endroit où les uns et les autres auraient dû se trouver, légèrement en retrait et adossés à la lisière de la forêt, il ne découvrait que des troncs abattus aux amoncellements désordonnés, comme les ruines d'une ville oubliée.

« Ils les avaient sûrement quittés, de toute façon, dit-il en cherchant à la rassurer. Sans quoi... on retrouverait...

— Il faut y aller », l'interrompit-elle d'un ton étouffé.

Il fit signe à Angdawa de laisser les chevaux au piquet et de partir ratisser avec l'escouade la partie de l'esplanade qui était au-delà de la piste d'accès. Puis il l'aida à se remettre debout et ils gagnèrent la lisière.

Le raz de marée avait ravagé les arbres sur plusieurs rangs de profondeur ; scalpés, ébranchés, recouverts d'une boue durcie qui avait reflué par endroits en coulées sinueuses qui ressemblaient à de la terre refroidie, ils avaient été abattus par centaines, formant au sol un étrange lacis fossilisé aux mailles lâches et chaotiques. Ils cherchèrent des yeux quelques vestiges — une planche, un bout de verre, un lambeau de toile, ou bien l'un de ces morceaux de papier encore marqués d'écritures quotidiennes dont la pathétique précarité semble toujours survivre aux grandes catastrophes. Rien. Il n'y avait rien. Tout paraissait figé, silencieux, englué dans une atmosphère lourde et moite. Repensant à l'animation qu'il avait observée en ce lieu depuis le village de Danna Baihk, sur l'autre rive, cette débâcle ne parut à Carl que plus irréelle. Sans se parler, ils revinrent sur leurs pas. Les silhouettes des Bakarouals leur apparurent au loin, à contre-jour, déployées autour d'Angdawa. Seul le piquet des chevaux, le nez dans leurs musettes à la limite de la boue et de l'herbe, apportait une note de quiétude au paysage dévasté. Winifred marchait un peu voûtée, les bras croisés, avec un air de somnambule. Les cernes de ses yeux semblaient s'être agrandis jusqu'à creuser ses joues. « Et voilà, pensa-t-il, maintenant je l'ai sur les bras. Tout ce que je craignais. » L'idée d'avoir à la réconforter tout au long du voyage de retour lui était par avance insupportable.

« Peut-être ont-ils pu traverser à temps et se sont-ils réfugiés dans les villages de la Nagdarra pour s'y regrouper... Danna Baihk ou un autre... », reprit-il sans conviction.

Elle jeta un regard morne vers l'aride et lointaine petite vallée dont on distinguait à peine, d'ici, les hameaux épars dans l'ocre des grandes pentes.

« Ils nous verraient, de là-bas, fit-elle remarquer d'une voix sans timbre. Ils nous feraient des signaux. »

Il hocha la tête. C'était l'évidence.

« Ou alors ils ont profité du passage de cette caravane de borax dont m'avait parlé Maddanjeet pour se replier sur Mansehra ou Abbotabad. »

Elle secoua la tête d'un air abattu.

« Je n'y crois pas. Ce n'est pas son genre, je vous l'ai dit.

— C'est bien joli, mais s'il avait des blessés ? Ou s'il était blessé lui-même ? » Comme pour lui-même, il ajouta : « Il faudrait pouvoir aller voir en face.

— Vous voyez bien que ce n'est plus possible », dit-elle en montrant le pont.

Elle éclata d'un seul coup en sanglots.

« Tout neuf... et déjà détruit... comme le *Titanic*... Quand il verra ça... Quand il verra ça... »

Il murmura quelque chose d'inaudible et s'approcha avec précaution de la falaise. L'eau était encore très haute. « Il doit y avoir un blocage en aval, ce n'est pas possible autrement », pensa-t-il. Il s'aperçut avec inquiétude que les deux fragments de la travée rompue ne se rejoignaient pas. Ils laissaient au milieu du courant un étroit chenal où se créaient dans la pénombre de la gorge des remous presque phosphorescents. Puis il examina le dédale des poutrelles effondrées et des câbles sectionnés avec la même attention qu'il aurait mise à chercher une voie d'escalade dans une paroi hostile. Une idée se faisait jour en lui. « Il faudrait être l'un de ces petits singes dont parlait Maddanjeet », se dit-il pensivement en revenant vers la jeune femme. Elle s'était assise et, immobile contre le remblai de la piste d'accès, semblait écrasée par la masse du premier groupe de pylônes auxquels elle tournait le dos. Il s'accroupit pour être à sa hauteur.

« Mrs. Howard, dit-il brusquement. Il faut tout de même en avoir le cœur net. On ne peut pas rester sans savoir. Malgré la violence du raz de marée, il est inimaginable que trente personnes aient pu disparaître sans laisser de traces... D'autant qu'aux jumelles l'autre rive semble aussi déserte que celle-ci. Cela me semble pourtant impossible qu'on ne puisse y retrouver au moins un indice... »

Winifred paraissait suivre ses paroles sur les lèvres plutôt que les écouter — comme si c'était le fait que Carl lui parlât qui la rassérénait, et non ce qu'il lui disait.

« Il reste plus de deux heures de jour, reprit-il. Dans un premier temps, je vais essayer d'explorer en face le terre-plein, la lisière, et de revenir vous donner des nouvelles. Selon ce que j'aurai trouvé, nous pourrons envisager demain matin ce qu'il convient de faire. Le mieux sera sans doute que je vous laisse revenir avec Angdawa et l'escorte, et que moi je monte jusqu'aux villages de la Nagdarra pour me renseigner.

— Revenir », répéta-t-elle machinalement.

Il y eut un court silence.

« Bien, dit-il en se remettant debout avec une détermination soudaine. Je tente le coup. Je serai de retour avant l'obscurité. Surtout ne bougez pas d'ici. »

Elle le regarda.

« Je ne comprends pas, fit-elle.

— Je vous demande simplement de ne pas vous éloigner, répéta-t-il en s'efforçant au calme. Je vais essayer d'aller voir ce qui se passe de l'autre coté.

— Vous ne vous imaginez tout de même pas que je vais rester seule ici avec l'escorte ? » répliqua-t-elle avec une véhémence mal contenue.

Il se méprit.

« Ici vous êtes à l'abri du remblai, dit-il. Plus haut vous risqueriez d'avoir ce vent glacé de tout à l'heure. »

Elle se leva d'un bond.

« Ce n'est pas cela que je voulais dire et vous le savez très bien. Je viens avec vous. »

Il resta d'abord interdit, puis se reprit.

« C'est totalement hors de question, fit-il. Même moi je ne suis pas sûr de pouvoir traverser. Vous voyez bien dans quel état se trouve...

— *Même* vous ! l'interrompit-elle avec colère. Le grand alpiniste, hein ! C'est sûrement vous qu'il s'attend à voir apparaître s'il est mourant sur l'autre rive, comme vous le pensez !

— Je n'ai pas dit cela ! Et de toute façon ce n'est pas le problème ! Le problème, c'est qu'il faudrait être une sorte de funambule pour passer. Vous ne pourrez pas le faire et, je vous l'ai dit, sans doute moi non plus !

— Quoi ! J'aurais fait tout ce chemin pour me borner à vous suivre des yeux au dernier moment ! Au moment où peut-être... »

Sa voix s'était à nouveau désaccordée.

« Voilà pourquoi je ne voulais pas vous emmener, s'écria-t-il d'un ton excédé. J'étais certain qu'à un moment ou à un autre, vous seriez le jouet de vos nerfs !

— Et moi j'aurais dû m'en douter, j'aurais dû m'en douter ! hurla-t-elle. Vous avez des yeux sans couleur, je déteste ce genre de regards délavés, on ne sait jamais ce qu'ils pensent, on ne peut jamais leur faire confiance !

— Qu'est-ce que viennent faire mes yeux là-dedans, j'aimerais bien le savoir ! » cria-t-il à son tour.

Il eut l'impression qu'au loin Angdawa se dirigeait vers eux.

« Ecoutez-moi, dit-il en s'efforçant de maîtriser son débit comme s'il expliquait quelque chose à un enfant. Ecoutez-moi *bien*, Mrs. Howard. Il reste moins de deux heures de jour, et chaque minute que nous perdons nous risquons de la payer très cher. La travée mesurait près de neuf cents pieds, chacun des tronçons effondrés mesure donc plus de quatre cents pieds, à descendre puis à remonter. De plus la rivière est très haute et les deux tronçons ne se rejoignent pas. Il y aura donc au fond un passage particulièrement dangereux. Si je vous emmène, vous risquez à tout moment de glisser sur ces poutrelles et de vous empaler plus bas sur l'un des longerons arrachés, à moins, plus simplement, que vous ne tombiez dans l'eau ! Essayez d'imaginer, bon Dieu, que je retrouve sur l'autre rive votre mari encore

144

vivant et que je doive lui annoncer : elle *était* avec moi, elle m'*avait* obligé à prendre ce risque et...

— Il ne s'en remettrait jamais », dit-elle avec simplicité.

Carl se détourna d'elle avec brusquerie et il lui prit l'envie de frapper le sol du pied avec rage.

« Sahib ! » entendit-il crier.

Il se retourna. Angdawa accourait à toutes jambes en faisant des gestes. Carl s'aperçut que l'escouade s'était groupée là-bas près du massif d'ancrage. Il pressentit le pire et hésita à se porter à la rencontre du jeune Bakaroual. A son côté la jeune femme restait figée, la bouche entrouverte. Angdawa dut s'apercevoir tout en courant de leur attitude angoissée, car il s'arrêta net.

« Ce n'est pas..., ce n'est pas le *burra sahib !* » cria-t-il.

Les hommes s'écartèrent d'un seul mouvement lorsque Carl s'approcha. Au pied de la maçonnerie plusieurs corps étaient alignés les uns contre les autres. Il en compta cinq enchâssés en groupe compact au fond d'une petite déclivité dans une gangue presque solidifiée, leurs yeux scellés par une sorte de glu qui recouvrait leur visage d'un masque uniforme. Il essaya d'examiner les cinq formes terreuses, imbriquées jusqu'à former un monstrueux gisant à plusieurs têtes comme s'ils avaient voulu se protéger les uns les autres, mais cela lui souleva le cœur et il se détourna.

« Il y avait des traverses recouvertes de boue juste au-dessus d'eux, expliqua Angdawa. Avec l'ombre du contrefort, on ne les avait pas vus à notre premier passage.

— C'est Mesjid », dit Tikkoo en désignant l'un des corps.

Il semblait à Carl avoir entendu le major prononcer ce nom. Il pensa que c'était l'un de ses chefs d'équipe, ce que lui confirma Angdawa.

« Fais creuser une tombe provisoire », lui demandat-il brièvement avant de rejoindre la jeune femme qui était restée à l'écart.

« Vous voyez, souffla-t-elle, on ne les avait pas vus, sur l'autre rive il y en a peut-être aussi...

— Je reviendrais vous le dire très vite, si c'était le cas. »

D'un geste furtif elle l'entraîna à l'écart, puis s'arrêta et le regarda d'un air suppliant.

« Dans certaines circonstances, on peut être amené à faire des choses qu'on n'aurait jamais pensé pouvoir faire... Je suis *sûre* que je ne vous gênerais pas...

— Je serais obligé de vous assurer avec la corde que j'ai apportée. Nous avancerions si lentement que nous n'aurions pas le temps de traverser avant la nuit. Mais enfin vous ne comprenez donc pas ! Et ce retard que l'on prend...

— Et vous, vous ne comprenez pas que cela représente beaucoup pour moi de m'approcher de lui à travers ce... » Elle eut un geste de découragement. « Vous savez ce qu'il m'avait dit ? Qu'il n'y avait pas un jour où il n'avait pas pensé à moi pendant qu'il le construisait... Il est là-bas, et vivant, je le sais, je le sens. »

Elle s'interrompit puis reprit d'une voix sourde :

« On peut perdre quelqu'un par manque de foi...

— Ce serait une folie, l'interrompit-il. Ne comptez pas sur moi pour l'accomplir. Le Diwân ne vous a pas confiée à moi pour cela. »

Elle eut un geste pathétique d'adjuration.

« Je suis agile..., murmura-t-elle.

— Je vous répète qu'il ne peut en être question, Mrs. Howard », se borna-t-il à répéter.

Les Bakarouals observaient la scène à quelques pas. Il se sentait vaguement coupable et sans mot dire entoura la corde autour de lui.

« Angdawa, appela-t-il. Je vais essayer de trouver un indice sur l'autre rive. Tu veilles bien à ce que Mrs. Howard reste ici et à ce qu'elle ne prenne pas froid. Tu ne la quittes pas d'une semelle, ajouta-t-il en le fixant. Je serai de retour avant la nuit.

— Bien, sahib. »

Sans retenue à l'égard de l'escorte, elle s'accrocha de nouveau à lui comme une liane implorante. Il fut pris d'une sourde fureur contre Branjee.

« Ah, bravo ! pensa-t-il. C'était une bonne idée de l'emmener. Une riche idée ! » Il s'efforça néanmoins de la repousser avec douceur. Elle recula avec un petit gémissement plaintif et il se demanda s'il ne l'avait pas entendue murmurer « Chris ».

Emergeant à peine d'une nappe d'eau croupie et moite saturée de boue laiteuse comme celle d'une plâtrière, ses traverses démantelées se chevauchant les unes les autres, l'embryon de chaussée ressemblait davantage à un radeau assemblé de façon primitive qu'au superbe platelage de pins d'Orissar dont Shoogam était quelques jours auparavant si fier. Du moins Carl put-il progresser presque normalement jusqu'à la base des pylônes. Après quoi le tablier basculait d'un seul coup dans le vide. Il franchit avec précaution la cassure béante et commença aussitôt à descendre avec célérité le long du tronçon naufragé, s'accrochant comme un chat aux suspentes emmêlées et enjambant avec souplesse les spires des câbles porteurs rompus et les pièces de pont désaxées qui crevaient les traverses. A mesure qu'il descendait, les parois de la gorge réfléchissaient davantage le tumulte des rapides, et il se sentait à la fois assourdi et asphyxié par les vapeurs glacées qui émanaient de l'amont. Il était presque arrivé à la moitié du tronçon lorsqu'il crut entendre appeler.

« Sahib ! » criait-on.

Il s'arrêta net dans sa course et se retourna. Au-dessus de lui, le labyrinthe du tablier se détachait malaisément sur le fond déjà obscur de la falaise. Il ne vit personne et se demanda si, avec la réverbération des sons, il n'avait pas pris pour un appel ce qui n'était qu'un tintement de poutrelle.

« Sahib ! répéta-t-on. *Sa-hib !* »

« Bon Dieu, se dit-il. C'est Angdawa. »

On cria encore, et il eut l'impression cette fois que la voix s'affaiblissait, comme si le fracas des eaux avait soudain pris le pas sur elle. Il hésitait pourtant à remonter. Il leva à nouveau les yeux et chercha à discerner une silhouette et à se rendre compte si le jeune homme avait franchi ou non la cassure du tablier.

« Qu'est-ce qu'il se passe ? » hurla-t-il.

La réponse voltigea jusqu'à lui à travers tourbillons et grondements.

« La memsahib ! » criait Angdawa.

« Qu'est-ce qu'elle a encore trouvé le moyen de faire ? » s'exclama-t-il tout haut.

Pestant contre le temps perdu, il se décida à se hisser le long du tronçon. Bien qu'il se soit hâté le plus qu'il pouvait, cela lui parut une éternité de remonter près de deux cents pieds et de se retrouver, haletant, au point de rupture de la travée. A peine eut-il accédé à l'une des premières traverses intactes qu'il la découvrit debout, se tenant agrippée à une suspente, sans *topee* et sans cape, paraissant incrédule et paralysée devant la vertigineuse perspective de la chaussée naufragée. Angdawa se tenait à son côté, l'air penaud. Se sentant gagné par une rage froide, il s'approcha d'elle et la gifla avec violence. Elle vacilla, puis porta sa main à sa joue en lui jetant un regard vaste et vide.

« C'est ma faute, sahib ! C'est ma faute..., pleurnicha Angdawa. Quand la memsahib s'est mise à courir, je l'ai pourtant retenue par sa cape...

— Qui t'est restée entre les mains, je suppose ! Hein ? Stupide garçon ! *Dummkopf* !

— C'est que la memsahib a filé comme devant l'officier... », expliqua Angdawa d'une voix craintive.

Carl la regarda. Elle lui avait tourné le dos. Ecrasée par la maçonnerie, sa silhouette paraissait étrangement plus frêle et vulnérable que lorsqu'elle était à cheval.

« Je ne pensais pas que l'on pouvait avoir un tel comportement plus d'une fois dans une journée », soupira-t-il.

Il lui sembla qu'elle avait haussé les épaules.

« Je pense aussi qu'il est inutile que je dépense ma salive pour vous faire revenir sur la rive ? » reprit-il d'un ton sarcastique.

Elle se retourna tout d'une pièce.

« Vous n'êtes qu'un être brutal et mal dégrossi. Vous m'avez fait un affront et vous ne l'emporterez pas en paradis ! s'écria-t-elle avec indignation. Il est vraiment dommage que j'aie à ce point besoin de vous.

— Désolé ! ricana-t-il. On a comme cela des petites malchances, dans l'existence !

— Des petites malchances ! Vous osez, avec ce qui m'arrive !

— Parce qu'il faut en plus que je supporte vos sermons !

— Je sais parfaitement quelle mission vous a confiée Branjee, rétorqua-t-elle d'une voix blanche. J'ai eu six heures de *doolee* pour en parler avec lui. Il ne vous a pas chargé de rechercher mon mari, comme vous le croyez, mais de me *conduire* à lui ! Peut-être y resterons-nous, dans cette gorge de malheur. Mais au moins j'aurai tout essayé pour y parvenir.

— C'est admirable ! Vous disposez de ma propre vie, moi qui n'ai qu'une idée depuis ce matin, c'est que vous la débarrassiez de votre présence !

Il se frappa la paume de la main.

« J'étais sûr que ça se terminerait comme ça, par une crise de nerfs. »

Elle lui adressa un regard presque apitoyé qui l'exaspéra.

« Rappelez-moi déjà *qui* m'a giflée ? demanda- t-elle.

— Vous le méritiez cent fois ! Et ce n'est tout de même pas à vous qui allez m'expliquer la mission que m'a confiée le Diwân ! Je peux maintenant vous l'avouer : je l'ai supplié de l'accomplir seul, cette mission, ou du moins sans avoir un personnage tel que vous pendu à mes basques !

— Brutal, et grossier en plus ! *Vraiment,* on ne m'a pas choisi pour m'accompagner ce qu'il y avait de mieux dans la vallée... »

Il hocha la tête avec une ironie amère.

« Ça, c'est la meilleure de la journée, s'exclama-t-il.

— Les sahibs parlent beaucoup, et pendant ce temps-là la nuit approche », intervint Angdawa d'une petite voix.

Carl se retourna, furieux.

« Qu'est-ce qui te prend ? glapit-il. Si tu l'avais gardée comme je te l'avais demandé, ça ne serait pas arrivé. »

Angdawa avait repris son masque impassible.

« Les sahibs sont comme les singes hurleurs du dieu Hanuman suspendus à la même liane, remarqua-t-il.

— Angdawa a raison, s'écria Winifred. La ressemblance est évidente. Surtout pour vous. »

Carl eut à cette minute précise une furieuse envie de s'extraire du gouffre, de remonter à cheval et de s'enfuir droit devant lui, loin et seul. Ce ne furent même pas les ordres de Branjee qui le retinrent : ce que désirait avant tout le vieillard, c'était d'être informé au plus tôt du sort de l'ouvrage et de celui de ses constructeurs. Peu lui importait, il en était certain, les états d'âme de la jeune femme, d'autant qu'il avait toute confiance en Angdawa pour la ramener. Carl pouvait donc mettre un abandon si hâtif sur le compte de l'urgence qu'il y avait à le prévenir — et à faire prévenir

Changaraswamy pour qu'il recherchât dès maintenant les traces de Howard et de Shoogam sur l'autre rive.

Il allait suivre son impulsion et la quitter lorsqu'il fut frappé par le contraste entre la grossière torsade en fer de la suspente à laquelle elle s'était agrippée et sa main délicate, blanchie aux jointures par la crispation et le froid, qui tremblait imperceptiblement. Il avait souvent remarqué à quel point la perception d'un détail infime pouvait, si celui-ci le touchait, modifier profondément le cours de ses humeurs et de ses sentiments. Le reflux, en lui, de la vague de colère fut si brusque qu'il le laissa soudain dégrisé, et comme désarmé.

« Bien, soupira-t-il. Puisque c'est comme cela, mettez vos pieds exactement où je mets les miens. Ne regardez pas en bas. Jamais moins de trois points de contact en même temps avec votre support. »

Il se retourna vers Angdawa dont la stupéfaction semblait troubler pour la première fois à sa connaissance les traits lisses et inexpressifs.

« Suis-nous, tu l'auras assez cherché !
— Je ne sais pas si je serai bien utile, sahib », répondit le jeune homme avec réticence.

Carl lui lança un regard courroucé.

« Leste comme tu es, ça ne fera jamais que trois singes sur la même liane », lui lança-t-il d'un ton goguenard.

Ils entreprirent de descendre avec précaution d'abord puis, à mesure qu'elle s'enhardissait, un peu plus vite. Elle s'attachait à le suivre pas après pas dans un labyrinthe de traverses et de poutrelles qui lui rappela soudain le dédale des charpentes de la digue de Dun Laoghaire, lorsqu'elle s'y promenait jadis et qu'il était gagné par la marée montante et par la nuit. Entre les intervalles des traverses de bois qui se chevauchaient et s'entrechoquaient à grand bruit, elle découvrait parfois en un brusque éclair phosphorescent l'écume des rapides, et le tremblement nerveux qui la saisissait alors lui apparaissait comme le prolongement naturel des vibrations et des secousses qui agitaient constamment la vaste structure démantelée. Elle resta pourtant brusquement paralysée, malgré ses efforts pour ne pas le quitter d'un pouce, devant une brèche du platelage plus large encore que les autres, béante lui sembla-t-il et qu'elle ne s'imagina pas une seconde pouvoir franchir seule. Dans un demi-brouillard, elle vit Carl puis Angdawa prendre de l'avance et disparaître soudain à ses yeux.

« Hé, doucement ! appela-t-elle précipitamment. Je ne m'appelle pas... Quel est le nom de votre Anglais, déjà ? »

Il s'arrêta, revint sur ses pas et lui tendit le bras pour l'aider.

« Inutile de me le dire, je m'en aperçois ! rétorqua-t-il.

— Ne soyez pas mufle une fois de plus. »

S'approchant de lui, elle parvint sans encombre à franchir la brèche.

« Vous voulez savoir ? dit-elle sur un ton de bravade en se retournant. Ce n'est pas pire que le *Scenic Railway* de Phœnix Park sur lequel je montais quand j'étais petite fille. »

Il ne put s'empêcher de rire.

« Il y avait autant de bruit à Phœnix Park ? lui cria-t-il à l'oreille.

— Ça dépendait si mes cousins venaient ! » hurla-t-elle en retour.

Le tintamarre devenait en effet infernal. Le tronçon opposé, qui paraissait, de là où ils se trouvaient, jaillir de l'eau à la verticale, avait entraîné avec lui un écheveau de suspentes qui pendaient jusqu'à l'eau et que l'on entendait tintinnabuler malgré le grondement de la rivière comme une volée de cloches dans la tourmente. Le couchant éclairait le haut du faisceau de rayons fugaces et miroitants qui lui semblaient, lorsqu'elle parvenait à lever les yeux, se mêler en un lointain buisson ardent que l'on devait apercevoir à des miles à la ronde, comme si le grand ouvrage — et c'est ainsi qu'elle imaginait tout naufrage — unissait l'eau et les flammes dans son effondrement. Carl s'arrêta soudain et, mettant ses mains en porte-voix, s'adressa à elle.

« S'il se révélait que c'était vraiment impossible de passer en bas, *même pour moi,* demanda-t-il en insistant lourdement sur les trois derniers mots, admettriez-vous que *nous* puissions remonter ? »

Elle regarda de nouveau au-dessus d'elle. Au-delà du

réseau désordonné des poutrelles, le ciel paraissait aussi lointain que si elle le découvrait du fond d'un puits.

« Je ferai ce que vous ferez, répondit-elle d'un ton obstiné. Je vous le disais. Pas plus, mais pas moins non plus. »

Il la dévisagea. Sous ses cheveux plaqués sur son front, ses yeux paraissaient translucides et ses pupilles dilatées de fatigue.

« Encore heureux que vous ne portiez pas de chignon, constata-t-il. Il se serait emmêlé dans tous ces bouts de fer, ç'aurait été un vrai bonheur.

— Je fais toujours couper mes cheveux l'été ! lui confia-t-elle. C'est plus commode pour le *topee...* »

Il devina là tout un monde de petits choix domestiques qui devaient rythmer sa vie et qu'il lui paraissait presque cocasse d'évoquer dans ces circonstances.

« Vous les faites couper l'été », répéta-t-il songeur.

Elle mit sa main en conque au-dessus de l'oreille.

« Que dites-vous ?

— Est-ce que cet homme se rend compte au moins de ce qu'il a épousé ? » demanda-t-il brusquement.

Sidérée, elle le fixa quelques instants, puis se détourna.

Parvenu à l'extrémité du tronçon, Carl s'accroupit au-dessus de l'eau et examina avec inquiétude le chenal qui le séparait de l'autre partie de la travée effondrée. Il avait au moins trente pieds de large. Etrangement le fracas des eaux se révélait à cet endroit moins assourdissant qu'au cours de la descente. L'écheveau désordonné des suspentes arrachées avait en effet formé à la surface de la rivière un barrage ondoyant et instable qui avait arrêté dans leur déboulé un amas confus de débris — troncs d'arbres, branches emmêlées, toits scalpés, cadavres d'animaux gonflés et à demi informes déjà — imbriqués les uns dans les autres et soumis à de continuelles saccades. Après avoir investi l'éphémère barrage, les rapides s'assagissaient et la rivière s'insinuait dans le dédale des poutrelles avec des clapotis tranquilles comme ceux d'un étang. De temps à autre un tronc d'arbre franchissait néanmoins l'obstable en force et venait heurter le tablier en produisant un choc si violent que la poutrelle à laquelle s'était accrochée Winifred vibrait à nouveau sous ses pieds pendant de longues secondes comme un diapason. Elle vit enfin Carl se lever puis revenir vers elle, paraissant moins déçu que déconcerté.

« Infranchissable », dit-il.

Il désigna l'amas informe de débris immobilisés.

« D'en haut je voyais le chenal moins large, et surtout je pensais que les débris formeraient une sorte de passerelle. Mais ils ne sont ni assez denses, ni assez bien placés. »

A l'idée qu'elle aurait pu mettre son pied sur l'un des cadavres qu'elle voyait tressauter dans le courant, elle ne put réprimer une grimace de dégoût. Au même instant, comme pour lui montrer qu'une telle tentative était en effet vouée à l'échec, un morceau de tronc d'arbre vint s'enchevêtrer dans les suspentes, roulant furieusement bord sur bord avec des soubresauts d'animal pris au piège. Elle craignit que ses coups de boutoir répétés ne fassent basculer les poutrelles plongeant dans la rivière et se recula vivement.

« Attention, il va tout casser ! cria-t-elle. Vous m'entendez, professeur... mister... Comment il s'appelle déjà... Il faut faire quelque chose pour l'immobiliser ! Vous m'entendez ? »

Elle se retourna. Il n'était plus à côté d'elle, et Angdawa non plus. Soudain angoissée que l'un des chocs ait pu les précipiter dans la rivière, elle se redressa et regarda tout autour.

« Vous m'entendez ? répéta-t-elle en s'affolant brusquement. Cette bille de bois ! Elle risque de... CARL ! »

Elle aperçut soudain Angdawa, allongé à plat ventre sur une poutrelle comme un félin aux aguets. Il tenait l'extrémité de la corde de Carl, ce qui lui permit, en suivant celle-ci, de découvrir le jeune Allemand dans la même position un échelon plus bas. Il avait passé un nœud coulant autour du tronc d'arbre et s'efforçait de le stabiliser en le fixant au longeron. Il ne semblait pas l'avoir entendue appeler par son prénom et elle s'en félicita. Coincée sur son étroit balcon, elle s'efforça de retrouver son calme. Elle voyait se détacher à contrejour les lignes de fuite acérées du tronçon opposé, griffues comme des barbelés, et se revit deux mois auparavant et deux cent cinquante pieds plus haut arpenter la chaussée de bois au bras de son mari dans la fraîcheur d'un soir de printemps. Avec cet orgueil un peu vain qu'il montrait parfois, il lui avait fait découvrir son ouvrage comme un défi au site, aux éléments, aux habitudes millénaires des populations, et comme une gageure que lui seul avait pu tenter et réussir. « Et puis j'ai tant pensé à l'instant où tu apparaîtrais au bout de cette travée », avait-il ajouté, et cela avait effacé d'un seul coup son agacement naissant. Elle eut la brusque conscience de ce qu'il allait souffrir lorsqu'il découvrirait ce qu'elle-même voyait en ce moment. Sans doute avait-il déjà vu le pont dans cet état, d'ailleurs, et errait-il quelque part, droit devant lui, choqué, peut-être blessé, sûrement accablé. Une émotion inconnue et qu'elle ne pouvait cerner la submergea. Elle se sentit soudain plus proche de son mari qu'elle ne l'avait été lorsqu'elle marchait à son bras lors de cette promenade mémorable. Cette fois encore, comme en avril, elle avait chevauché vers lui mais elle s'était en plus, et à son insu, introduite au plus profond de son œuvre, au plus obscur de son enchevêtrement complexe et vulnérable, et là, accroupie, transie, tapie au cœur du désastre, alors qu'elle sentait le froid corrosif du métal pénétrer sa chair, elle avait l'impression qu'elle se donnait à lui et qu'en même temps son âme s'élevait vers lui avec une ferveur qu'elle n'avait jamais ressentie jusqu'alors. Elle regarda au-dessus d'elle. Le miroitement du soleil sur le haut des câbles avait disparu. Cette belle travée massacrée. Cette vallée lointaine. Cet Orient rêvé. *Nous avions ouvert nos yeux sur le monde, et entrepris d'y ouvrir des voies nouvelles.* « Je sens la grandeur de ce que tu as tenté », murmura-t-elle.

Elle avait parlé tout haut, et eut l'impression, par cette dernière phrase, de délivrer au chevet de l'ouvrage mort-né cet étrange sacrement tenant du baptême et de l'extrême-onction que dans son enfance des prêtres venus à bicyclette donnaient hâtivement, dans la pénombre humide des fermes du Connaught, à des nourrissons chétifs dont on savait dès leur apparition qu'ils ne fouleraient pas longtemps le sol tourbeux de leurs aïeux. « Tu blasphèmes, se dit-elle. Tu prends pour une créature du Seigneur un tas de ferraille inanimé. » Le pont grinçait et gémissait pourtant comme une structure encore vivante après l'écartèlement. Une traverse se détacha soudain, ricocha dans l'enchevêtrement des poutrelles et s'abîma dans l'eau. Elle eut la tentation fugace de se laisser glisser à sa suite pour s'abandonner au grand torrent indompté. N'être plus qu'un débris parmi tous ceux qui étaient entraînés par le courant. Carl n'aurait pas le temps d'intervenir. Seule la retint l'idée que les câbles qu'elle voyait plonger sous la surface puissent la happer au passage et la déchirer de leurs sections acérées.

« J'ai l'impression que l'eau baisse, entendit-elle dire à son oreille. Un barrage a dû céder en aval. »

Elle tressaillit. Il avait surgi à côté d'elle, un peu haletant, ayant perdu son feutre. Elle trouva que cela le rajeunissait.

« On aurait eu un peu plus de jour devant nous, je vous aurais simplement proposé d'attendre ici que la largeur du chenal diminue », ajouta-t-il.

Bien qu'elle refusât de se l'avouer, ce *on* la toucha. C'était comme s'il acceptait désormais sa présence et, mieux, admettait qu'ils avaient signé à leur insu une manière de pacte pour tenter ensemble cette traversée hasardeuse. Même si — c'était évident maintenant — cela aboutissait à un échec.

« On aura tout fait, dit-elle. Tout. Je vous en tiens quitte. »

Il secoua la tête.

« Pas encore, dit-il. En fait, j'ai une petite idée. Mais il faudrait pour cela que vous nous aidiez. »

Elle eut une moue dubitative.

« Je vois bien ce qu'il faudrait faire, mais j'en suis incapable, soupira-t-elle. Vous aviez raison de ne pas vouloir m'emmener. Pourtant il était nécessaire que je vienne ici et que vous m'y meniez comme vous l'avez fait. Je ne peux vous expliquer.

— Venez », insista-t-il.

Elle désigna le fond du gouffre avec un geste d'impuissance.

« Vous non plus, d'ailleurs, malgré tous vos talents d'équilibriste, vous ne pourriez pas passer. »

Elle ajouta d'un ton presque détaché.

« A moins de nager dans les tourbillons. Ou de s'élancer au bout d'une suspente comme avec une liane. Angdawa avait raison...

— Pourquoi ?

— Il faudrait être des singes », dit-elle.

Il eut un petit rire.

« Nous n'en sommes pas là mais on s'en rapproche », dit-il en l'entraînant.

Subjuguée, elle le suivit et, descendant les dernières traverses, s'approcha de la surface jusqu'à sentir les éclaboussures mouiller ses joues. L'eau était à moins de deux pieds au-dessous d'elle. Elle se baissa, y trempa furtivement sa main et se la passa sur le visage. L'eau de la Kishenganga. Glacée. Elle eut l'impression de flatter à la dérobée son pire ennemi. Celui-ci semblait pourtant vouloir baisser sa garde : il était certain que la largeur du chenal diminuait insensiblement. Oui, l'eau baissait. Mais le jour aussi.

Carl paraissait s'en rendre compte, et son action lui parut soudain plus fébrile. Elle vit qu'Angdawa et lui étaient parvenus à stabiliser l'extrémité de la bille de bois avec le nœud coulant et à l'arrimer au longeron avec le reste de la corde. Il ne s'agissait pas, comme elle l'avait d'abord cru, d'un tronc d'arbre abattu mais bien d'un madrier grossièrement équarri, d'une vingtaine de pieds de long, qui paraissait provenir d'une habitation sinistrée. Bien qu'atténuée dans le chenal lui-même, l'intensité du grondement en amont et les chocs sourds de la bille contre le longeron étaient tels qu'ils annihilaient ses pensées et ses gestes. Aussi ne comprit-elle pas ce que Carl voulait faire lorsqu'elle le vit lancer l'extrémité libre de la corde autour d'une poutrelle qui les surplombait comme s'il voulait utiliser cette dernière comme une poulie.

« On va tenter de le mettre en travers du courant, cria-t-il. Essayez de le pousser avec les pieds pendant que nous tirons. Attention de ne pas vous faire coincer ! »

Persuadée que cela ne servirait à rien, elle s'assit néanmoins et, prenant appui sur l'angle de poutrelles qui lui servait de dossier, s'arc-bouta contre l'énorme bille qui ne bougea pas d'un pouce.

« Je n'y arrive pas ! cria-t-elle.

— Si, regardez ! » l'encouragea Angdawa.

Halé en même temps par la corde, le madrier venait de décoller du bord. À peine eut-elle le loisir de voir un petit remous se former qu'elle entendit Carl hurler :

« Attention ! »

Elle n'eut que le temps de retirer ses jambes. Le

madrier leur avait échappé et venait de heurter avec violence le longeron où elle se trouvait. Elle faillit être précipitée à l'eau sous la brutalité du choc. Toute tremblante, elle se redressa.

« On n'y arrivera jamais, je vous dis ! s'écria-t-elle. A l'impossible nul n'est tenu ! »

Carl se retourna vers elle, et c'est tout juste si elle le reconnut, tant ses traits étaient soudain durcis par un pli amer de la bouche.

« Vous l'avez voulu, non ? fit-il avec rudesse. Vous m'avez suffisamment bassiné pour venir, si je peux me permettre ! Eh bien, vous pouvez nous remercier ! Nous en crèverons peut-être, mais nous irons jusqu'au bout.

— Vous souffrez déjà de l'hypnose des profondeurs ? s'écria-t-elle. Vous ne voyez pas que l'eau n'a pas baissé d'un pouce depuis un quart d'heure et que le madrier est trop court ?

— Avant de parler, regardez plutôt en face l'avancée de la poutrelle, répliqua-t-il vivement. Elle n'émergeait pas, tout à l'heure. »

Une poutrelle à laquelle était attachée l'amorce d'une traverse brisée en son milieu sortait en effet lentement de l'eau, découvrant avec elle l'amoncellement inextricable d'herbes et de branches dégoulinantes qui s'y étaient accrochées. Elle ressemblait ainsi à un petit promontoire feuillu qui réduisait la largeur du chenal d'une dizaine de pieds. Winifred comprit alors ce que tentaient de faire les deux hommes. S'ils parvenaient en effet à guider jusqu'à cette avancée l'extrémité du madrier et à la faire reposer sur le moignon de traverse comme sur le barreau d'une échelle, peut-être deviendrait-il possible d'emprunter au ras de l'eau cette passerelle précaire pour gagner l'autre tronçon. Comme le madrier mesurait à peine plus d'un pied de large, elle eut un frisson à cette idée, mais malgré son appréhension essaya d'aider Carl en poussant sur le bois tant qu'elle put l'atteindre avec ses pieds. De sa position surélevée, Angdawa, bientôt rejoint par Carl, continuait à tirer la poutre avec la corde et à la guider en travers du chenal. Peu à peu ils parvinrent à l'approcher de la traverse.

« Il y va ! » s'écria Carl avec un enthousiasme soudain.

Il poussa presque aussitôt une exclamation de déception. Le madrier avait dérapé sur le métal et s'était coincé plus bas, sous l'eau, à quelque chose qu'il ne pouvait distinguer. Il franchissait certes le chenal désormais, mais restait immergé sur la moitié de sa longueur.

« Ça accroche sur un obstacle, mais je ne vois pas sur quoi ! dit Carl, avant d'ajouter à l'intention de Winifred : Bigre, il ne faudra pas flâner en route...

— Ce qui est sûr, c'est qu'on va se mouiller les pieds, remarqua Angdawa descendu de son perchoir.

— Pour moi, merci, c'est déjà fait », s'exclama Winifred en regardant avec inquiétude le madrier à demi immergé tel un saurien à l'affût. « Mais je vous préviens, je ne m'engage pas sur ce morceau de bois. »

Carl se retourna avec un air vaguement gouailleur.

« Moi qui étais sûr qu'en pensant très fort à votre mari, vous seriez capable de marcher sur les eaux !

— Vous aviez raison, répondit-elle. Je tiens aussi à ce qu'il me retrouve vivante. »

Il resta quelques instants à réfléchir.

« Et si je vous installais un garde-fou, Mrs. Howard ? »

Joignant le geste à la parole, il avait prestement détaché la corde et entrepris d'en nouer l'extrémité à un fragment du platelage.

« C'est Shoogam qui aurait bien fait cela..., murmura-t-il.

— Vous le connaissiez ? » demanda-t-elle.

Il termina placidement son nœud et se retourna. Il paraissait surpris de sa question.

« Si je connaissais le major ? Plutôt ! J'espère bien qu'on va le retrouver, lui aussi, ce vieux brigand ! Il nous aurait bougrement aidés en ce moment, lui qui était déjà célèbre dans tout le Pendjab à vingt ans comme lanceur de ponts de corde ! »

Tenant d'une main l'extrémité du filin, il s'engagea comme un funambule sur le madrier. Il franchit en quelques enjambées la partie émergée puis, entrant dans l'eau, parut suivre avec difficulté l'axe de la bille de bois. Il faillit glisser et ne se rattrapa à la poutrelle que par un acrobatique grand écart. Il n'avait pas lâché la corde et l'attacha aussitôt à l'une des traverses, de façon à obtenir une main-courante de fortune.

« Pas pire que le franchissement d'une crevasse !

cria-t-il avec un air de bravade. Et j'ai même une idée pour vous faciliter le passage, Mrs. Howard. »

Il se pencha et pour tenter de rapprocher la poutre de la surface, plongea ses mains dans l'eau. Presque aussitôt il les en sortit comme si celle-ci était brûlante. « *Scheisse* ! » l'entendit-elle s'écrier. Elle regarda le madrier avec inquiétude. Soudain déstabilisé, il était soumis à de violentes secousses, et elle sentit qu'il allait leur échapper. L'idée d'être séparée de Carl par une passe étroite mais infranchissable lui apparut soudain comme la situation la pire qui pût advenir. Dans une vision brouillée par l'affolement, elle vit qu'il essayait, ses épaules tremblant sous l'effort, de coincer la poutre contre l'embryon de traverse. « Mais qu'est-ce qui peut alourdir comme cela... », marmonna-t-il. Impuissant à intervenir, Angdawa le regardait avec inquiétude. Soudain Carl poussa un cri étouffé, désignant quelque chose qu'elle discernait mal et qui semblait accroché au bois, puis leva la tête comme pour se disculper. Un haillon décoloré venait d'émerger de l'eau.

« Dieu », murmura-t-elle.

Deux jambes recouvertes d'une étoffe verdâtre tressautaient dans le courant en prolongement de ce qui paraissait être un buste, bien qu'elles formassent avec ce dernier un angle improbable.

« C'est lui qui bloquait tout, expliqua Carl. Il a dû s'empaler sur quelque chose ! »

Il semblait être parvenu à stabiliser le madrier et se redressa en haletant.

« Maintenant, venez vite ! Angdawa ! Aide Mrs. Howard. »

Les yeux écarquillés d'effroi, elle ne bougeait pas. Il s'impatienta.

« Allez, venez ! hurla-t-il. C'est un vrai garde-fou que j'ai tendu, vous pouvez vous appuyer dessus ! Mais dépêchons, ça va pas tenir des jours, ma petite construction. »

Une boule d'étoupe noire venait d'apparaître à la surface, flottant dans le prolongement du buste. Elle mit sa main devant sa bouche.

« Est-ce que ce ne serait pas... est-ce que ce ne serait pas... Ramesh ? bredouilla-t-elle.

— Ramesh ?

— Le... *khitmutgâr* de mon mari... Ils ne se quittaient jamais... Il me semble... J'ai vu son visage, j'ai vu son visage ! hurla-t-elle.

— Il n'en a plus, de visage », rétorqua brutalement Carl.

Le courant agitait le cadavre de brusques saccades, comme il eût fait d'un pantin désarticulé. Elle se sentit, à leur image, la proie de frissons si violents qu'elle faillit perdre l'équilibre.

« Je ne peux pas... Je ne pourrai jamais... enjamber ça...

— Je ne peux rien y faire ! cria Carl avec un geste d'exaspération. Il est empalé ! A un clou, à je ne sais quoi...

— Quoi... empalé..., gémit-elle.

— Ce n'est pas le moment d'avoir des vapeurs ! s'époumona-t-il. C'est vous qui avez voulu venir ! Alors avancez, bon Dieu de bon Dieu ! J'irais bien vous chercher, mais on ne peut pas repasser à deux ! Alors, ça vient ? *Reiss dich zusammen, Angsthase !* »

Il s'était penché en avant, le plus qu'il pouvait, en lui tendant le bras. Elle recula, et il vit que son corps tétanisé refusait tout mouvement et que, les mains crispées sur la corde tendue, elle vacillait dangereusement. Fixant lui-même le cadavre avec une apparente répulsion, Angdawa semblait peu soucieux d'autre part de l'obliger à aller plus avant.

« Eh bien, si, s'écria Carl rageusement. Il va bien falloir y tenir à deux, sur ce fichu bout de bois. »

Précautionneusement il enjamba le cadavre et, effaçant le madrier en trois enjambées, vint la rejoindre.

« Allez, venez avec moi », dit-il en s'efforçant soudain de prendre un ton apaisant.

Elle s'était mise à pleurer spasmodiquement. Il la prit doucement par le bras et l'entraîna. « Elle se laisse faire », se dit-il, surpris que cette pensée lui vienne, si simple et si sereine, dans un tel moment. Guidant sa main comme si c'était celle d'un enfant, il la précéda sur la fragile passerelle. A sa suite elle enjamba mécaniquement la forme encore maintenue à la surface mais presque flottante déjà dans le courant, déliquescente et légère comme une algue. « Je passe. Je suis passée », se dit-elle avant de se glisser dans le dédale incohérent des poutrelles. Frôlée de suspentes luisantes et de câbles poisseux comme des lianes, elle avait l'impression de suivre désormais un sentier dans une jungle humide. A se déplacer ainsi à un pied au-dessus de l'eau à l'endroit précis où la travée aérienne et hautaine de Christopher franchissait le gouffre, elle eut la pénible impression de surprendre l'orgueilleuse structure à son ultime état de rupture et de dénuement et de se montrer d'une impudence impardonnable — comme si elle allait dévisager un agonisant sous le nez. Un agonisant. Elle imagina de nouveau Christopher, à demi inconscient et recouvert de boue, ses yeux seuls ouverts sur ce désastre sans nom. Chris. Comprendras-tu que je sois venue ? Il fallait cette longue route, mon ami, pour éprouver la certitude que tu es vivant. Et je la ressens désormais.

Au moment de se hisser sur le tronçon dont elle découvrait d'en bas l'immense plan incliné enserré par les spires des câbles porteurs rompus, elle se sentit soudain légère, toute fatigue et tout vertige envolés ; cela semblait presque facile désormais. Se sentant inondée d'une rosée bienfaisante, les pieds chaussés de ballerines, elle s'élança à la suite de Carl vers le ciel embrasé du couchant. Le jeune Allemand se retourna.

« Jamais moins de..., commença-t-il de son ton doctoral.

— ... trois points de contact avec le support ? l'interrompit-elle. Vous vous répétez, Mr. Mummery. »

7

ELLE plongea ses yeux dans le gouffre, essayant de découvrir à travers le lacis envahi d'ombre l'endroit où la pauvre loque spongieuse leur était apparue.

« On ne le distingue plus, murmura-t-elle.

— Vous le retrouverez demain en retournant prendre votre *breakfast* chez les Bakarouals, lança-t-il d'un ton gouailleur. Pour peu qu'il n'ait pas été entraîné par le courant, il risque de le chevaucher quelque temps, son madrier, avec l'eau qui baisse. »

Elle le regarda avec réprobation.

« Pourquoi faites-vous tant d'efforts pour apparaître pire que vous n'êtes réellement ?

— J'étais de ceux qui piquaient toujours des fous rires dans les enterrements, autrefois », plaisanta-t-il.

Elle haussa les épaules.

« Je vous dis cela parce que nous n'avons retrouvé personne, ajouta-t-il hâtivement. Je me sens presque soulagé, figurez-vous. Cela renforce ma conviction que la plupart ont dû quitter les lieux avant le raz de marée. »

Elle ne répondit pas et laissa son regard errer autour d'elle. Abattus par centaines, les arbres gisaient épars, ébranlés, uniformément pétrifiés par la couche de boue, certains maintenus en équilibre au-dessus du vide par une substance qui ressemblait à de la glu. Les yeux à terre, Angdawa continuait seul à errer avec obstination dans ce labyrinthe grisâtre, étudiant chaque pouce de terrain au milieu des ombres qui s'allongeaient démesurément. De l'autre côté de la gorge, un filet de fumée noire s'élevait du campement des Bakarouals. Elle les voyait distinctement aller et venir, montant leur campement pour la nuit non loin du piquet des chevaux.

« Vous m'imaginez seule là-bas ? demanda-t-elle soudain en se retournant vers lui.

— Vous auriez eu en tout cas un excellent dîner ! Ils doivent être en train de rôtir cette fameuse poule. Il me semble que je sens le fumet d'ici.

— Je n'ai pas faim, balbutia-t-elle. Je n'ai pas faim... »

Elle se mit soudain la tête dans ses genoux comme une enfant accablée.

« Vous êtes terriblement déçue, n'est-ce pas, dit-il d'un ton désolé. Vous voulez savoir ? C'est tout ce que je redoutais. C'est pourquoi je ne voulais pas vous emmener. Car je n'ai jamais pensé réellement qu'on le retrouverait ici. Ni lui ni les autres. Après tout, on le voyait bien aux jumelles que tout était désert.

— La déception insupportable, ç'aurait été de vous laisser partir sans moi ! s'écria-t-elle en se redressant. C'est pourquoi j'ai tant insisté ! J'avais l'impression que, où que pût être Christopher, il fallait qu'il sente que j'avais tenté cette ultime approche pour le rejoindre. Dans un sens, cela effaçait tous ces mois, toutes ces années où nous étions si loin l'un de l'autre...

— Vous étiez très seule, n'est-ce pas ? » demanda-t-il avec précaution.

Elle hocha la tête pensivement.

« Oh, j'en connais un bout, là-dessus », finit-elle par murmurer.

Elle s'interrompit et resta rêveuse à contempler l'esplanade.

« Je me souviens de l'une des phrases de Christopher, reprit-elle. Vous savez que j'étais venue en avril ici. Il voulait me montrer le pont presque achevé. Nous nous étions assis l'un à côté de l'autre, à peu près à l'endroit où sont en ce moment les Bakarouals. Il m'avait dit : " Si on mettait bout à bout les allées et venues qu'on a faites ici, Shoogam et moi, je suis sûr qu'on obtiendrait la distance de l'Himalaya au cap Comorin. " Et en l'écoutant je pensais : " Et pendant que tu accomplissais cette longue distance, où étais-je, moi... " »

Des sanglots la secouèrent brusquement.

« Dire que je... je l'aurai à peine revu... »

Il se retint de ne pas la prendre par les épaules pour la réconforter.

« Pourquoi imaginer le pire ? demanda-t-il avec douceur. Je veux m'assurer dès cette nuit qu'il y a de l'espoir en allant dans la Nagdarra...

— Je n'y crois plus, murmura-t-elle d'un ton las. J'y croyais encore en bas, après avoir enjambé le... on peut dire le gardien du tombeau, n'est-ce pas ? Et puis mes yeux se sont ouverts quand je suis remontée ici. Vous avez vu l'état de l'ouvrage ! Et la violence du cataclysme sur les deux rives... Non, mon mari est mort à l'heure qu'il est, mort avec ses compagnons, et vous le savez bien. »

Il ne savait que dire.

« Enfin, reprit-elle d'une voix sourde, si maintenant nous devions être séparés à jamais, au moins il y aura eu ça.

— Ça ? » demanda-t-il sans comprendre.

Elle parut hésiter.

« Cette lente progression vers lui. Cette impression de m'être... unie à lui, en bas », dit-elle très vite.

Carl eut un mouvement de recul comme s'il avait surpris par inadvertance un de leurs moments d'intimité.

« C'est impossible que l'on n'ait trouvé aucun cadavre, aucun vestige..., marmonna-t-il. Ça n'existe pas, un naufrage sans naufragés ! Ils sont sûrement ailleurs...

— Sur une chaloupe de sauvetage, sans doute ! s'exclama-t-elle avec une ironie désenchantée. Oh, je vois bien que vous essayez de me réconforter, mais... »

Elle resta quelques instants silencieuse en contemplant la silhouette massive des pylônes.

« Voulez-vous que je vous dise le fond de ma pensée ? reprit-elle d'un air abattu. Quand j'imagine ce qu'il aurait éprouvé devant ce spectacle... cet ouvrage qui n'était même pas terminé... Quand je pense à sa stupeur, sa consternation..., je me dis que c'est peut-être mieux ainsi. »

Elle se tut brusquement, comme effrayée d'avoir pu

envisager la réalité en termes aussi dénués d'équivoque.

« Vous ne pouvez pas parler comme cela », protesta-t-il.

Elle le regarda avec une expression soudain changée.

« A propos de parole à ne pas prononcer, dit-elle. Je suis sûre que ce n'était pas joli-joli, ce que vous m'avez hurlé aux oreilles en bas !

— Quand ça ? demanda-t-il avec une feinte innocence.

— Vous le savez bien. Cette phrase en allemand. »

Il haussa les épaules.

« Ce n'était pas bien méchant ! Et puis ça vous a secouée. C'était ce qu'il fallait, non ?

— Pas du tout ! Je n'aurais pu enjamber ce pauvre malheureux si vous n'étiez venu me chercher. Ce ne sont pas des injures, même vociférées dans votre idiome maternel, qui y auraient changé quelque chose. Mais dites-moi au moins ce qu'elles voulaient dire...

— Pas question, se récria-t-il. Je voudrais garder une chance de ne pas me brouiller définitivement avec vous.

— Alors je demanderai à mon oncle Reginald, dit-elle d'un ton obstiné. Tel que je le connais, il a dû rencontrer dans les bas-fonds de Berlin des gens qui utilisaient votre genre de vocabulaire et pratiquaient certains de vos gestes. »

Il eut un sursaut d'agacement.

« En plus, vous avez une mémoire d'éléphant ! Voulez-vous que je vous dise ? La *seconde* d'avant, j'ignorais que j'allais vous donner cette gifle. »

Elle le regarda.

« Je sais ce que c'est, soupira-t-elle. J'en ai moi-même donné une il n'y a pas si longtemps. »

Il sourit et se releva pour rejoindre Angdawa.

« Il faut qu'il s'occupe de votre abri pour la nuit, dit-il.

— Vous croyez que j'ai le cœur à dormir !

— On voit que vous ne connaissez pas l'habileté d'Angdawa pour aménager un bivouac confortable avec quelques branches ! Et puis vous devez vous reposer, avec tout ce qui vous attend demain. Pendant ce temps, comme je vous le disais, j'irai faire une petite incursion nocturne dans les environs, d'abord pour obtenir un peu de nourriture, et aussi pour tenter de savoir ce qu'il est advenu de cette caravane de mineurs dont m'avait parlé Maddanjeet. Ce sont sûrement les derniers qui soient passés sur le pont et les seuls qui pourraient nous donner quelques renseignements. Peut-être ont-ils parlé à Shoogam au passage, qui sait...

— Au moins, voilà des gens pour qui ce pont aura servi à quelque chose, dit-elle. Finalement, il y en aura eu si peu... »

Sa voix semblait flotter à la surface du désastre, à peine incarnée, écrasée par le silence et prête à tout moment à s'y fondre. Il ne sut que répondre.

« Je préférerais que vous ne vous éloigniez pas, reprit-elle avec une soudaine anxiété. Je n'ai pas besoin de nourriture. Mais j'ai peur des *dacoits* qui peuvent rôder par ici. Les armes sont restées de l'autre côté. Et puis... »

Après une hésitation, elle reprit.

« J'ai besoin qu'on me parle, ce soir, murmura-t-elle.

— Je ne ferai pas de grandes expéditions, Mrs. Howard ! la rassura-t-il. Je ne vous cache pas que je suis recru de fatigue. Angdawa sera votre cerbère. Mais vu le ressentiment des habitants de la Nagdarra vis-à-vis du palais, je ne vous cache pas que je préfère ne pas attendre que Changaraswamy soit arrivé sur place avec son équipe. »

Elle était revenue s'asseoir à côté de lui.

« Voulez-vous savoir une chose ? demanda-t-elle avec un air soudain attendri qui le surprit. Il y a quatorze ans, presque jour pour jour, que je n'ai pas dormi à la belle étoile.

— Ah bon, fit-il en s'efforçant de prendre un air intéressé.

— J'avais dix ans, lui expliqua-t-elle. C'était chez mon oncle Reginald, dans sa maison du bord du Lough Ree, au début d'août. Il m'avait invitée avec mes meilleures amies de classe, et nous avions décidé de jouer un soir la parodie de Pyrame et Thisbé dans *Le Songe d'une nuit d'été*, ainsi que les quelques répliques qui forment l'épilogue. Je me souviens : j'avais le rôle de Titania. Pas bien long », ajouta-t-elle avec un petit rire.

Elle s'interrompit comme si elle voulait laisser à ses souvenirs le temps de remonter à la surface en une nappe apaisante.

« Quand à la fin Obéron dit : " Retrouvons-nous à la pointe du jour " et qu'il sort de scène, j'ai eu envie de le prendre au mot et d'attendre la fin de la nuit dans la campagne, comme une vraie fée. Je me suis donc endormie sous un arbre et réveillée quelques heures plus tard, transie de froid. Tout le monde m'avait cherchée, bien entendu, Obéron, Pyrame, Thisbé en pleurs et, ce qui était plus grave, mon oncle Reginald furieux.

— Et ça s'est terminé comment ?

— Par une magistrale fessée qu'il s'est fait un plaisir de m'administrer, le cher homme. »

Il leva les sourcils.

« J'ai l'impression qu'il y a toujours quelque chose ou quelqu'un pour vous empêcher d'accéder aux féeries que vous vous promettez », laissa-t-il échapper.

Elle le regarda, étonnée.

« Pourquoi ? Vous me trouvez si... douloureuse ? »

Elle avait levé son visage vers lui avec tant d'impulsivité et il y avait dans sa voix un ton si fébrile qu'il craignit soudain quelque nouvelle réaction de découragement et baissa les yeux. Le col de sa vareuse s'était ouvert pendant l'ascension et un grain de beauté y apparaissait au creux de son cou comme une perle sombre sur un éclair de peau entrevue. Il s'écarta d'elle sans qu'elle se rendît compte de son trouble.

« J'ai eu tort de vous dire cela, avoua-t-il avec une amertume soudaine. Je ne me permettrai jamais d'avoir une opinion personnelle sur vous. A quoi cela me servirait-il, d'ailleurs : quoi qu'il arrive, nous allons nous quitter à jamais. Si votre mari disparaît, vous repartirez sans plus attendre. Si on le retrouve, vous resterez, en étant désormais liée à lui à chaux et à sable par cette épreuve. Je ne peux donc même pas espérer vous revoir. Je n'aurai été dans votre vie qu'une rencontre de circonstance, même si celle-ci était exceptionnelle ; une silhouette que vous n'aurez suivie que pendant une journée de votre existence, même si c'était une journée d'exception...

— Mon Dieu, s'écria-t-elle, mais c'est la tirade la plus longue dont vous m'ayez gratifiée depuis que nous nous connaissons !

— Ne vous moquez pas de moi ! s'écria-t-il avec un brusque accent de colère.

— Je dois tout de même vous dire que vous vous

trompez sur un point, reprit-elle en redevenant grave. Même si par miracle je retrouve Christopher, nous quitterons aussitôt le Cachemire, je peux vous l'assurer ! Il me l'avait promis. »

Carl ne put s'empêcher de hausser les épaules devant un tel exemple d'ingénuité.

« C'était avant », s'écria-t-il.

Les traits de Winifred se figèrent à nouveau.

« Ça ne change rien !

— Ça change tout. Il ne pourra pas refuser à Branjee de le reconstruire. »

Il y eut un long silence. Il eut l'impression que le visage de la jeune femme se défaisait sous ses yeux. Elle ne pouvait détacher son regard de la ligne d'ombre s'élevant le long des falaises de la gorge.

« S'il le lui demande, bien sûr, ajouta-t-il. Ce qui n'a rien de certain.

— Parce qu'il ne va pas le faire, à votre avis ? » l'interrompit-elle avec brusquerie.

Il parut hésiter.

« La reconstruction serait possible techniquement, dit-il. L'ancrage n'a pas reculé. Et pourtant... »

Elle paraissait attendre sa réponse avec une telle angoisse qu'il se sentit un instant paralysé.

« ... Et pourtant j'en doute, reprit-il.

— Pourquoi ?

— Les dieux ont parlé. »

Elle demeura silencieuse. La bouche légèrement ouverte, elle semblait d'un coup rassérénée, et un peu de sang était revenu à ses joues.

« Mais j'imagine mal Branjee se résoudre à ce que sa passe de l'Ouest ne s'ouvre jamais. Sur ses intentions j'en saurai plus demain soir, lorsque je lui aurai rendu compte de ce que nous avons trouvé ici. »

Il fit quelques pas et revint vers elle en soupirant.

« Ce qui est certain, c'est que l'affreux Dhakki Singh va triompher, dit-il.

— L'affreux Greenshaw aussi. Mais comme je m'en moque maintenant ! »

Il eut un geste d'inquiétude.

« Moi pas. Je ne pourrais plus travailler dans ces régions si Branjee ne me protégeait pas. Or j'ai beaucoup à faire, par ici. »

Il regarda sur sa gauche, vers le nord. Un imposant

front de nuages opaques et nacrés apparaissait sur le bleu lumineux du ciel. Puis son regard revint lentement vers le gouffre.

« Vous le laisseriez partir avec ce tas de ferraille derrière lui ? s'écria-t-il sur un ton de reproche.

— Oh oui ! fit-elle.

— Et que cette grande carcasse devienne au cours des siècles le royaume des macaques et des petits gibbons jacassants, cela ne vous fait rien ?

— Vous me faites rire. Il n'y a plus de singes dans la vallée.

— C'était une image. Ils étaient là autrefois. Ils reviendront. Et s'ils ne reviennent pas, le silence qui régnera sur l'ouvrage sera peut-être encore pire à imaginer. »

Elle secoua la tête avec impatience.

« Ecoutez, dit-elle. Vous pouvez me raconter toutes les histoires que vous voulez, de singes ou d'autres. La seule chose que je sais, moi, c'est que je veux partir, et le plus vite possible. D'autres viendront reconstruire ce pont si Branjee ou ses successeurs en décident ainsi. Mais pour moi il est le symbole des pires années de mon existence. A la limite, le fait qu'il se soit effondré correspond presque trop bien à ce qu'il a représenté de tristesse et de rupture dans ma propre vie. Ce que je veux maintenant, c'est échapper à cette enclave éloignée de tout et dont je sens que, mois après mois, année après année, elle m'asphyxie, m'englue comme la boue a englué ces arbres et me garde éloignée de tout ce qui me tient au cœur. Christopher avait compris cela, enfin. Cette catastrophe ne change rien à l'affaire.

— Vous êtes si mystérieuse ! s'écria Carl. Il y a sûrement autre chose que j'ignore, que vous ne me dites pas...

— Il y a peut-être des choses que nous ne nous sommes pas dévoilées, vous et moi, concernant nos futures activités, dit-elle avec ce vague sourire dont il ne savait toujours pas s'il recouvrait de l'ironie ou un profond détachement à son égard.

— Et s'il n'accepte pas, votre mari, de vous suivre ? demanda-t-il avec un subit emportement. S'il tient à le refaire, son ouvrage ? C'est bien son droit, non ? Vous ne pouvez le lui refuser ! Après tout, sa responsabilité n'est pas engagée dans cette affaire. C'était tout de même un sacré beau travail qu'il avait accompli dans sa solitude à lui. Vous avez pu le sentir, n'est-ce pas, ce soir, pouce après pouce, rivet après rivet...

— Oui, et je vous l'ai dit. Mais ça n'a rien à voir. Je veux partir. Mon destin n'est plus ici, et il l'a compris.

— De toute façon c'est un faux problème, essaya-t-il d'argumenter. A supposer que la construction soit décidée, vous ne vous imaginez tout de même pas que chez Harland and Wolff ils vont fournir sur l'heure les longerons, les poutrelles et les câbles nécessaires. Il faudra des mois et des mois pour que le matériel soit de nouveau entreposé sur l'esplanade. Vous auriez largement le temps de rentrer en Europe puis de retourner au Cachemire si besoin est. »

Elle avait froncé les sourcils.

« Harland and Wolff, répéta-t-elle. Comment connaissez-vous le nom de ce chantier ? »

Il parut surpris.

« Vous n'avez pas vu l'inscription ? »

Elle s'était levée, se montrant soudain fébrile.

« Venez me la montrer », lui demanda-t-elle.

Ils regagnèrent le massif d'ancrage. A l'endroit précis où le faisceau de câbles porteurs s'en échappait, une plaque de bronze ovale était fixée à hauteur d'homme et un rayon de soleil déclinant la faisait rutiler comme à dessein. Elle lut l'inscription, puis suivit avec son doigt le relief des lettres. On eût dit qu'elle voulait se convaincre :

HARLAND AND WOLFF
BELFAST

« Il ne me l'avait pas dit, murmura-t-elle.

— Pas dit quoi ?

— Pas dit... Il ne me l'avait pas dit, répéta-t-elle d'un air têtu. Il aurait dû. D'ailleurs, la plaque n'y était pas, en avril.

— Oh, mon Dieu, ça recommence ! Qu'allez-vous chercher encore ? »

Elle se retourna brusquement.

« Je ne vais pas ennuyer avec les problèmes de ma malheureuse île quelqu'un qui n'a jamais entendu le nom de Connaught, dit-elle avec une impatience mal contenue. Ce qui, entre parenthèses, pour un géographe...

— Cartographe, Mrs. Howard. Maintenant, je ne vois pas pourquoi le fait que cette aciérie soit irlandaise vous met dans un état pareil !

— Ce n'est pas une aciérie, dit-elle. Ils produisent peut-être des longerons et des poutrelles, mais H and W, comme nous l'appelions, c'est avant tout un chantier naval. Ils ont construit le *Titanic*.

— Ça ne leur fait jamais qu'un naufrage de plus », dit Carl à mi-voix.

Elle ne le releva pas. Son expression montrait un désarroi qu'il ne lui avait pas encore vu, comme si cette interminable journée venait de lui apporter une ultime déchirure. Puis elle parut se ressaisir.

« Je sais cela, car j'ai entendu ces initiales toute mon enfance, expliqua-t-elle. Mon père s'était établi avocat à Antrim et il plaidait pour les catholiques qui ne parvenaient pas à s'y faire embaucher malgré leur compétence. Ils se heurtaient à tous les Écossais qui faisaient la pluie et le beau temps sur le chantier. On prétendait que les catholiques n'avaient pas dans le sang les traditions qui font les bons constructeurs de bateaux. Eh oui. Un jour, mon père m'avait montré un papier tout déchiré et m'avait dit : " Tu vois, c'est ma plaidoirie type. Je n'ai jamais eu à la refaire, c'est la même depuis trente ans. " »

Elle tourna le dos au massif d'ancrage et fit quelques pas. Vu sous cet angle, dans la montée du crépuscule, l'ouvrage ressemblait à un puits de mine abandonné. Elle se retourna.

« Docteur Burgsmüller », dit-elle.

Il leva les yeux vers elle.

« Je n'aurais pas traversé, si j'avais su », murmura-t-elle.

Il la regarda pensivement.

« Vous me fatiguez, lui dit-il. On a l'impression que tout est pour vous brûlure et occasions de brûlure. Il faut absolument que vous vous reposiez, maintenant. Le reste, nous en reparlerons demain matin lorsque nous aurons repassé la rivière, ce qui sera un jeu d'enfant avec la baisse du niveau. »

Il ressentait comme une obsession le besoin de se retrouver seul dans la nuit.

« L'aube risque d'être plutôt fraîche, ajouta-t-il. Gardez bien tout ce que vous avez sur vous, même vos bottes. Comme dans votre souvenir d'enfance. »

Elle s'était assise et fixait le pylône.

« C'est vous qui risquerez de prendre froid si vous n'allez pas récupérer votre *dungaree* de ce pas », répliqua-t-elle.

Il y eut un petit silence surpris.

« Mais... je l'ai sur moi, ma *dungaree!* » fit-il.

Elle se retourna et le regarda comme si elle le voyait pour la première fois de la journée. D'un geste tremblant, elle désigna une tache sombre sous la brèche du tablier.

« Bon Dieu ! s'écria Carl. Il avait la même vareuse que moi. Le major. Je le sais, il la portait au camp, avant-hier. »

Winifred s'était levée, toute pâle.

« Vijay », souffla-t-elle.

Porté à grand-peine par Carl et par Angdawa, le corps massif de Shoogam quittait pour la dernière fois un ouvrage dont — elle le savait par Christopher — il n'était pas une pièce, pas un rivet, pas une traverse qu'il n'eût personnellement calibrée et choisie, ou qu'un homme engagé par lui et désigné par lui pour cette tâche précise n'eût fixé, riveté ou attaché sous son contrôle. Cela leur avait pris à eux deux une grande heure pour l'arracher au nœud de métal qui s'était refermé sur son abdomen et l'avait maintenu, disloqué, la tête et les épaules pendues au-dessus du vide, fixant le gouffre de ses yeux exorbités. Pendant tout ce temps elle était restée à l'écart dans l'ombre du pilier, sans voir et sans entendre. Carl, lui, avait dû se détourner au moment où Angdawa, pour en finir, s'était résolu à utiliser son poignard acéré et avait commencé à taillader dans les chairs. La position dans laquelle se trouvait le cadavre, en contrebas du longeron amont et presque suspendu en dehors de la structure, expliquait comment ils avaient pu passer moins de deux heures plus tôt si près de lui sans le voir.

Puis ils s'étaient mis en marche avec l'extrême lenteur nécessitée par les deux cent livres que devait au bas mot peser le major. Heureusement, la partie du platelage restée solidaire des longerons était à cet endroit presque intacte, ce qui leur permit de remonter le cadavre vers la brèche du tablier, de franchir malaisément celle-ci et de regagner la base des pylônes. Complètement épuisés, ils l'étendirent alors à terre. Winifred sortit de l'ombre et s'approcha.

« La memsahib ne doit pas venir trop près, prévint Angdawa avec inquiétude. Il est resté deux jours au soleil. »

D'un geste elle passa outre et s'accroupit à son chevet. Angdawa l'avait enroulé dans sa vaste *dungaree* souillée de traînées de boue. Elle ne l'avait jamais vu sans son turban immaculé, et avec son vaste front dévoilé le reconnut à peine. Son grand nez impérieux était rendu mince et coupant par la mort. Elle passa furtivement le bout de son index sur les poils de sa barbe devenus rêches comme du lichen. Son visage semblait se fondre dans la pénombre grandissante. Elle essaya de le fixer jusqu'à ce que la transparence et la clairvoyance auxquelles il pouvait désormais prétendre s'immiscent peu à peu en elle.

« Te souviens-tu, chuchota-t-elle, de la fleur blanche que tu m'avais demandé de jeter dans le Jhelum lorsque vous aviez achevé votre premier pont... Je revois la fleur entraînée dans les eaux de la rivière, et nous, accoudés au garde-fou, tous les trois, la regardant disparaître. »

Entraînant avec lui Angdawa, Carl s'était reculé de plusieurs pas, et elle lui en fut reconnaissante. Une étrange sérénité la gagnait. Elle songea à rester accroupie au chevet de Shoogam et à demeurer là, comme un oiseau nocturne qu'il retrouverait à son réveil endormi dans le soleil levant. Peut-être lui soufflerait-il alors la réponse à ce qu'elle cherchait.

« Où est-il, Vijay ? Où les *nagas* l'ont-ils emmené ? Vous ne vous étiez pas quittés pendant tant d'années... T'a-t-il déjà rejoint ? Kâli, en sa funeste volonté, a-t-elle décidé que vous ne survivriez pas l'un à l'autre, et ni l'un ni l'autre à la chute de votre grand œuvre ? »

Elle resta quelques instants encore silencieuse puis sentit que Carl s'était à nouveau approché.

« On va le déposer en attendant dans un des petits fossés creusés par le reflux de la boue, dit-il. Je planterai un signal pour que Changaraswamy puisse le retrouver. »

Elle les suivit à distance sans oser proposer de les aider. Ils s'arrêtèrent le long du remblai le plus proche et le firent rouler au fond. Avec le fracas de l'eau derrière eux, ce fut comme si sa chute à lui s'était passée sans bruit, sans pesanteur, et qu'il eût été entraîné à la dérobée par le flux du grand torrent. Face au sombre sillage de la tranchée, elle se demanda un instant si le cadavre était encore là et, se penchant alors qu'Angdawa s'efforçait de faire s'écrouler le remblai pour le recouvrir, aperçut le reflet de la boucle de son ceinturon. A son côté la silhouette de Carl se détachait sur le ciel d'un bleu qui n'était pas encore obscur. Sa voix s'éleva soudain, juste assez haut pour se faire entendre malgré le fracas sourd qui provenait de la gorge. « Tu ne nais ni ne meurs, dit-il. Ayant été, tu ne peux plus cesser d'être. Non né, permanent, éternel, ancien, tu n'es pas détruit quand ton corps est anéanti. » Elle lui fut reconnaissante de faire planer comme un oiseau de haut vol sur cette rigole noirâtre où rien n'apparaissait plus l'intemporelle grandeur du *Gitâ*. Ils se reculèrent lentement.

« Regardez », dit-il soudain en lui saisissant le bras.

Très haut, vertigineusement haut, vers le nord, s'était produite une déchirure dans les nuages par laquelle apparut, fine comme un éclair dans un ciel d'orage, une arête sommitale d'un éclat inexprimable. Cela ne dura qu'un bref instant. Puis les bords translucides du grand sommet parurent se dissoudre dans la nuit claire et les nuages le masquèrent à nouveau.

« Vous l'avez vu ? » demanda-t-il à voix basse.

Il y avait dans sa voix une inflexion à la fois si incrédule et si fervente qu'elle se tourna vers lui. Il restait en contemplation, perdu dans une sorte de rêve, comme s'il avait eu une vision. Elle lui en voulut d'abord de laisser ses pensées vagabonder loin de Shoogam alors qu'il gisait encore sous leurs yeux, puis pensa que c'était peut-être là sa trace céleste et qu'il voulait la lui montrer.

« Peut-être était-ce en l'honneur de Vijay, dit-elle d'une voix étranglée. Il croyait que les dieux habitaient

174

soit dans des cavernes, soit sur des sommets inaccessibles comme celui-là.

— C'est là qu'il est mort...

— Comment ça ? fit Winifred interloquée.

— Mummery. C'est là-haut qu'il est mort », dit Carl.

Assis contre un tronc d'arbre, il ne pouvait détacher son regard de la tente de fortune qu'Angdawa était parvenu à confectionner avec le lambeau d'une bâche qu'il avait retrouvé en lisière de forêt. Dans la nuit on la distinguait à peine de l'une des multiples petites levées de terre qui bouleversaient le sol tout autour. A présent elle devait y chercher le sommeil, après qu'elle eut accepté d'Angdawa (qui ne s'en séparait jamais) une petite dose de *pantch* pour y parvenir plus facilement. « Serai-je loin de Vijay ? » avait-elle demandé presque timidement lorsqu'elle avait vu Angdawa rechercher un endroit abrité du vent où dresser le fragile abri de toile — sans qu'il puisse deviner s'il s'agissait d'une crainte ou d'un souhait. Il soupira et se leva pour faire quelques pas. Devant lui, se détachant bien visibles sur le ciel encore clair, les pylônes du pont encadraient la pyramide familière du pic Malang. Il se prit à penser que, si d'aventure Christopher réapparaissait à l'endroit précis où lui-même se trouvait, il s'imaginerait dans un premier temps que rien n'avait changé, hormis la lueur rougeoyante du campement des Bakarouals, sur l'autre rive. A l'éventualité de son retour, il eut une moue pensive. Tout d'abord, que lui dirait-il ? « *Mr. Howard, I presume ?* » Il réprima un haussement d'épaules. Il ne ressentait pourtant plus à l'idée de le trouver en vie le mélange confus de satisfaction et d'appréhension qu'il éprouvait encore une heure auparavant. A mesure que cette longue journée sombrait dans la nuit, cette éventualité lui semblait en effet de moins en moins plausible. Il l'avait d'ailleurs répété à Winifred lorsqu'il l'avait enfin persuadée de se retirer sous son abri pour se reposer. « On ne retrouvera plus personne ce soir. Demain on reprendra les recherches, et c'est là que vous aurez besoin de toutes vos forces. » Il revit son expression à cet instant — les méplats de son visage enduit de poussière, ses courts cheveux mouillés de sueur —, puis il se répéta mot pour mot à mi-voix d'un ton presque incrédule les termes de sa réponse. Cela tenait en trois courtes phrases : « Merci de m'avoir guidée. Vous m'avez tant aidée. Et qui sait si un jour... » *Et qui sait si un jour.* Qu'avait-elle voulu dire ? Perplexe, il s'éloigna un peu de la tente. Paraissant tout proches, les sommets voisins semblaient délimiter autour d'elle les parois translucides d'une aire accueillante et protectrice ouverte sur un ciel chatoyant de mer du Sud. Une joie inconnue, qui lui parut aussi inattendue que la brusque résurgence d'une nappe enfouie, vint tout à coup l'inonder. « Je n'oserai jamais dire à personne que cela a été une belle journée », pensa-t-il.

Presque aussitôt il s'irrita de sa propre réaction et essaya de reprendre son calme. Que signifiait cette exaltation soudaine ? A quoi cela rimait-il ? Fallait-il qu'il ait oublié, pour rêver autour de ces quelques phrases, les règles élémentaires de la courtoisie anglo-saxonne à laquelle même une jeune Irlandaise devait se plier ? Il repensa aux deux possibilités qui s'offraient à Winifred et se les répéta *in petto* pour être bien certain qu'il n'y en avait pas d'autre : ou bien son mari ne réapparaissait pas vivant — et alors il était certain qu'elle quitterait en hâte cette petite communauté confinée où elle semblait avoir eu tant de mal à survivre. Ou au contraire on le retrouvait errant quelque part, vraisemblablement blessé ou choqué, et comment dans ce cas leur amour l'un pour l'autre ne sortirait-il pas grandi d'une pareille épreuve... Il n'avait donc pas à se demander s'il souhaitait ou non que Christopher fût sauvé : quoi qu'il pût advenir désormais, cela ne le concernait plus.

Se sentant presque soulagé par cette constatation désabusée, il s'éloigna à pas lents des abords de la gorge. Malgré ce qu'il avait pu dévoiler à Winifred de ses intentions, il se sentait indécis au moment de poursuivre ses investigations nocturnes, se demandant s'il ne serait pas plus raisonnable de prendre également un peu de repos, et plus efficace d'attendre le matin pour rechercher de nouveaux indices. Il prit néanmoins le parti de poursuivre jusqu'à l'endroit où la piste réapparaissait pour tenter de déceler si la caravane y avait laissé des traces visibles — ornières ou crottins d'animaux. A mesure qu'il marchait, le tumulte diminuait et d'autres sons lui redevenaient perceptibles, étrangement proches maintenant qu'ils n'étaient plus recouverts par le fracas de l'eau. Les chutes de pierres résonnaient sur les parois du pic Chura avec autant de netteté que si elles allaient tomber à quelques pieds de lui, et la cadence de ses pas était renvoyée par un écho si net qu'il avait l'impression que quelqu'un marchait sur ses talons. A tout cela ses multiples courses en montagne l'avaient depuis longtemps habitué. Aussi lorsqu'un bruit discordant se fit soudain entendre, sursauta-t-il comme si celui-ci avait troublé le plus grand des silences. Il s'immobilisa aussitôt et prêta l'oreille : cela ne provenait pas du pont. On eût dit qu'une barre de fer avait été heurtée quelque part dans les hauteurs, vers Danna Baihk. Des environs du village invisible d'ici ne paraissait pourtant provenir aucune lueur. Puis le son retentit à nouveau, clair et net. La silhouette d'Angdawa fit silencieusement irruption à son côté.

« Tu as entendu ? lui demanda-t-il.

— Deux fois, sahib. Ça vient de la Nagdarra.

— De Danna, tu crois ? »

Angdawa secoua la tête.

« Plutôt de chez les Marathes.

— Mais ils sont beaucoup plus loin !

— Il faut aller voir, sahib, chuchota Angdawa. La lune ne devrait pas tarder à se lever, et c'est le seul moyen de se rendre compte.

— On ne peut pas prendre le risque de laisser Mrs. Howard toute seule, dit Carl en essayant de discerner dans l'obscurité la toile de tente perdue en lisière. Ce sont peut-être des irréguliers ! Des détrousseurs !

— Ecoutez ! » dit brusquement Angdawa en lui saisissant le bras.

Le bruit avait repris, suivi cette fois d'une sorte de crissement, comme si on déchirait une étoffe. Sans se consulter, ils se mirent à couvert des arbres pour continuer à observer le site tout en se dissimulant. Le petit val ressemblait avec ses degrés grisâtres et mal différenciés à un escalier de guingois débouchant sur le ciel.

« Sans les armes on ne peut pas faire grand-chose », murmura Carl.

Il lui sembla que le jeune Bakaroual le regardait à la dérobée avec un air de reproche, comme s'il le sommait de reprendre la direction des opérations. Peut-être avait-il raison, après tout. Peut-être Christopher errait-il plus haut, harassé, choqué, perdu à quelques centaines de yards d'eux, produisant sur son passage ces bruits d'animal égaré comme un sillage de survie.

« On peut toujours tenter une petite reconnaissance, admit-il à contrecœur. Mais il ne faudrait pas que nous soyons partis plus d'une demi-heure. »

Ils quittèrent leur abri et se remirent en marche. Sentant la fatigue et la fringale amoindrir sa vue et ses réflexes, il laissa à Angdawa le soin de le guider. Tout autour d'eux le flot d'eau boueuse, après s'être engouffré dans la petite vallée comme dans un cul-de-sac, avait reflué en formant d'épais tourbillons maintenant pétrifiés qui avaient enseveli les arbres jusqu'à mi-hauteur sans toutefois les abattre, comme si l'effet du cataclysme s'était montré à cet endroit plus sournois que violent.

A mesure que Carl s'éloignait de la gorge s'accroissait pourtant son inquiétude de laisser Winifred isolée, et le silence revenu lui apparaissait à chaque instant plus lourd de menaces. Ces bruits entendus tout à l'heure n'étaient peut-être qu'une diversion afin de les attirer loin du terre-plein... Bientôt il n'y tint plus et siffla doucement pour arrêter la progression d'Angdawa dont la silhouette se profilait distinctement à quelques pas devant lui.

« Il ne faut pas laisser la memsahib seule si longtemps », lui répéta-t-il.

Il sentit que le jeune homme ne l'écoutait qu'à contrecœur et gardait les yeux fixés sur la montée du col. Soudain Angdawa se tourna vers lui.

« Vous voyez ce que je vois ? » demanda-t-il dans un souffle.

Carl ne distinguait rien d'autre que ce qu'il avait vu tout le jour — des monticules de boue séchée jonchés de troncs abattus et sur lesquels la clarté brumeuse de la lune montante semblait avoir déposé une légère couche de neige. Au second plan, à moins d'un mile, les rochers entre lesquels s'insinuait la piste se découpaient sur le ciel pâle.

« Mais que se passe-t-il, crénom ? répliqua-t-il avec impatience. Qu'as-tu donc remarqué ? »

Angdawa se retourna.

« Il y a une étoffe qui bouge.

« — Eh bien ?

— Il n'y a pas de vent, sahib. »

Sans se soucier du mot d'ordre de prudence que Carl lui avait donné, le jeune Bakaroual s'était avancé à découvert ; les yeux ivres de fatigue, il le suivit sans trop réfléchir. Était-ce à cause de cela, se demanda-t-il, si le vallon prenait soudain, sous cette clarté trompeuse, l'aspect d'un petit port ensablé ? Précautionneusement, ils s'avancèrent plus avant. Le long de ce qu'il prenait pour un môle et qui n'était sans doute que la résurgence de la piste après qu'elle eut été recouverte, il crut alors découvrir une série de boutres ventrus encalminés les uns contre les autres et surmontés de voiles cendreuses. L'une d'elles frémissait, lui semblat-il, à un vent insensible — ou était-ce...

« C'est la fatigue, grommela Carl. C'est...

— Non ce n'est pas la fatigue », dit Angdawa.

Carl regarda à nouveau et sentit sa gorge se nouer.

« *Oh mein Gott*, ne me dis pas ça. Ce n'est pas possible.

— Je crois bien que si », marmonna le jeune homme.

Ils restèrent un instant côte à côte, frappés de stupeur, puis quittèrent leur abri et s'avancèrent à découvert. Carl avait l'impression que la réalité s'effaçait plus que jamais derrière les apparences fugitives comme des mirages, et que l'aube les trouverait marchant toujours à leur rencontre dans cette clarté diffuse et fallacieuse. Angdawa prit les devants, s'avança prudemment puis se retourna vers lui.

« A peu de chose près ils s'en tiraient », chuchota-t-il.

Carl tressaillit et surmontant son appréhension s'approcha à son tour avec circonspection. Sous ses yeux incrédules s'accomplit alors la transformation qu'il redoutait inconsciemment. C'était d'abord une question de distance. Les monticules qu'il croyait à une centaine de pas étaient en réalité tout proches. Et ce qu'il prenait pour des voiles de bateau... Il s'approcha et toucha le matériau alourdi et comme empesé, rugueux et humide sous sa main. C'était bien de la toile.

Les sommets bâchés de chars émergeaient à peine de la boue, l'un suivant l'autre, comme si le cataclysme n'avait pas créé de désordre lors de sa brusque irruption et que la caravane avait pu conserver même sous le choc son ordonnance de lourd et lent convoi. Jalonnée de timons dressés et d'arceaux dénudés qui se distinguaient mal des ondulations du cloaque, la caravane était là sous leurs yeux, engloutie dans sa quasi-totalité comme par une énorme congère de neige, ses passagers et ses attelages pétrifiés à quelques pieds sous la surface. Tous avaient dû être surpris alors que dans un ultime réflexe de survie ils piquaient les lourds animaux de leurs aiguillons afin de les presser. Luttant contre la nausée, il imagina leurs poumons emplis de ce matériau qui avait failli l'engloutir lui-même et dont il sentait encore en frissonnant le contact visqueux et le froid de catacombe, leurs orbites désormais scellées, leurs bouches et leurs narines obturées avec la précision d'un moulage à la cire perdue — leur lente trajectoire, hommes et bêtes mêlés, brusquement figée dans l'opaque.

« Et Maddanjeet qui m'avait dit : ils ont dû passer à temps, marmonna-t-il sans trop savoir s'il s'adressait à lui-même ou à Angdawa. Faute d'échappatoire, l'eau a dû tourbillonner là-dedans comme dans une marmite de sorcière... »

Il restait là paralysé devant cette vision, se sentant incapable de faire un pas, lorsqu'il sentit que le jeune Bakaroual le prenait par le bras.

« Ne restons pas là, sahib. Rappelez-vous le bruit. Ce n'est pas la peine de se faire prendre. Surtout maintenant qu'on sait où est sans doute... (il hésita, puis reprit)... le burra sahib. »

Carl tressaillit. Angdawa avait raison. Il y avait de bonnes raisons de penser qu'ils avaient tous pris cette route. « Lui annoncer ça demain à son réveil », pensa-t-il avec désespoir.

« Bien, on repart », murmura-t-il.

Comme pour renchérir sur les craintes du jeune Bakaroual, ils entendirent à nouveau à cet instant précis, beaucoup plus proche, le crissement d'étoffe déchirée de tout à l'heure.

« Tu as entendu ? demanda Carl.

— Et voilà une torche, souffla Angdawa en s'immobilisant. En voilà deux ! Ils devaient attendre qu'on soit partis... »

Une flammerole venait de s'allumer à une centaine de yards devant eux, puis une autre, puis une autre encore, paraissant virevolter comme des feux follets à la surface d'une tourbière. Ils discernaient maintenant un confus va-et-vient à la tête du convoi englouti, sans que Carl pût trouver de sens et d'utilité à cet étrange manège. Angdawa lui-même paraissait perplexe.

« Je comprends, s'exclama soudain Carl. Ils retirent le minerai des chars ! Maddanjeet m'avait dit que les mineurs avaient emporté après l'inondation des galeries tout le borax qu'ils avaient pu. Eh bien ! Il n'y sera pas resté très longtemps, sous la boue.

— C'est un coup des Waziris ! s'exclama Angdawa. Et regardez comme ils font vite !

— Ils ont jusqu'à l'aube pour franchir la frontière du Pendjab, remarqua Carl.

— Et pour ne pas rencontrer Changaraswamy ! s'écria Angdawa. Voleurs ! Barbares ! *Dacoits !* »

Le jeune Bakaroual s'était bien gardé de proférer ces injures autrement qu'à voix basse, car il semblait maintenant que toute une petite foule se pressait autour de la tête de la caravane, procédant au transfert du minerai sans précipitation apparente mais avec une rapidité et un silence en effet surprenants. Carl se dit qu'à ce rythme il ne faudrait que quelques heures pour que tous les chars fussent dépouillés de leur chargement et que les bâches demeurassent à jamais abandonnées derrière eux comme autant de mues de serpents sèches et vides, montrant la célérité et l'adresse des prédateurs, tout autant que leur indifférence devant le sort de ceux qui y avaient trouvé la mort. Il éprouva un frisson de répulsion.

« Ce sont des Marathes ! s'écria soudain Angdawa au risque de se faire remarquer. Ce ne sont pas des Waziris ! Ce sont des Marathes... »

Carl se rapprocha.

« Tu vois la nuit, maintenant ? Comment peux-tu les distinguer ?

— Le *palki*, répondit Angdawa avec une intonation de stupeur et d'excitation à la fois. Je suis sûr, je vois le *palki.* »

« Que dis-tu ? souffla Carl.

— Le palanquin ! Le fameux palanquin de fête qu'avait perdu le rajah du Gilgit ! Je le reconnais. »

Carl fit un signe vague pour lui montrer qu'il ne

voyait rien et que de toute façon ses facultés de perception étaient désormais altérées par la répulsion et la lassitude.

« Vous ne remarquez pas quelque chose de brillant, là-bas, près des arbres ? » insista Angdawa.

Il finit par discerner à quelque distance, isolé sur le fond d'une avancée de forêt quelque chose qui scintillait vaguement sous la lune.

« Vous savez ce que disait le Diwân ? lui chuchota le jeune homme : " Je serais aveugle comme le pandit Sagerdisala que je mesurerais quand même la splendeur du *palki* ! " »

Carl se souvint du fait d'armes, principal sujet de conversation du mess de Srinagar à l'époque où, peu après son arrivée, il le fréquentait encore de temps à autre. C'était au moment de la deuxième expédition contre les nationalistes de la vallée du Gilgit. Ces « montagnards bornés » (comme les appelait Dhakki Singh) persistant à refuser l'annexion opérée quelques années auparavant, Branjee avait jugé utile d'intervenir une nouvelle fois militairement. Piégé dans Astor, le rajah n'avait dû son salut qu'au courage de sa garde et à sa faculté personnelle de bondir en selle avec promptitude, mais il avait dû laisser derrière lui dans sa fuite précipitée l'un des derniers gages de sa puissance et de son prestige, ce magnifique palanquin de bois doré, ciselé comme ne l'était même pas le Pavillon d'Or d'Amritsar, et dans lequel il paradait tout au long des vallées de son minuscule État. « Il ne s'en remettra pas, le vieux singe », avait prévu le Diwân en réceptionnant en grande pompe l'effervescent ouvrage. Et tel avait été le cas. Le rajah avait trouvé la mort dans une embuscade sur ses marches de Ghijar quelques mois après. L'ennui, c'est qu'au même moment le prestigieux *palki* avait disparu de la remise de Srinagar où il avait été déposé. Le spartiate Branjee n'avait attaché que peu d'importance à cet escamotage. Dhakki Singh, qui avait des vues sur l'objet pour le cas où la succession tournerait en sa faveur, beaucoup plus. Il n'y avait pas une tribu du royaume qui n'eût été soupçonnée.

« Tu es sûr qu'il s'agit de lui ? demanda Carl. Je vais finir par me demander si cette vertueuse communauté marathe ne renferme pas les plus grands voleurs de la terre !

— Tout le monde savait que c'était les Marathes qui l'avaient, l'assura Angdawa. Je suis sûr que Dhakki Singh savait, et que Son Excellence savait.

— Et ils n'auraient rien dit ? demanda Carl.

— Ils avaient sûrement leurs raisons, comme les Marathes ont sans doute les leurs de l'avoir descendu à cet endroit... »

Carl eut l'impression qu'il n'en dirait pas plus pour l'instant. Il se sentait d'ailleurs incapable de réfléchir et seul le sentiment d'avoir à résoudre il ne savait trop quelle énigme lui donnait encore la force de tenir debout. Ils avaient maintenant quitté la zone ensevelie et progressaient silencieusement en s'écartant de l'axe de la petite vallée. Devant eux, à près d'un demi-mile de l'animation à la fois fébrile et silencieuse qui régnait en tête de la caravane encalminée, le palanquin semblait isolé tel une *stupâ* sur son éminence.

« Comment savais-tu qu'ils l'avaient avec eux ? demanda-t-il à voix basse. Je n'avais rien entendu de semblable... »

Angdawa s'immobilisa.

« Le sahib sait bien que les Marathes pensent que Krishna les visitera un jour dans leur lointaine retraite et qu'il viendra sous les traits d'un enfant, lui dit-il à l'oreille, comme s'il s'agissait d'un secret qui ne pouvait être transmis qu'en confidence. Ils croyaient que le pont était construit uniquement pour permettre à l'enfant de venir les rejoindre plus facilement. C'est pourquoi ils vénéraient comme un dieu le *burra sahib* qui le construisait.

— Mais que vient faire le palanquin là-dedans ?

— C'est le plus beau du royaume, souffla Angdawa. Il servira à transporter l'enfant quand il leur apparaîtra de l'autre côté de la rivière. C'est le plus digne de lui. C'est pour cela qu'ils l'ont pris.

— Et tu dis que le Diwân savait ?

— C'était des bruits qui couraient, sahib. N'oubliez pas que la passe traverse le territoire marathe, et que les Marathes ne parlent que du jour où l'enfant leur rendra visite et où ils se mettront tous à plat ventre pour être foulés aux .pieds par les porteurs du dieu. Vous rencontrez un Marathe, sahib, il ne vous parle pas de ses bœufs : il vous parle de cela. C'est pour cette raison qu'ils sont restés si à part et que les Waziris et les autres ne les aiment pas. Et maintenant l'enfant ne paraîtra plus..., dit-il avec une sorte de tristesse.

— Et pourquoi cela ?

— Mais parce que... il ne peut plus traverser les gorges pour venir vers eux ! C'est sans doute pourquoi les Marathes s'agitent tellement !

— Je m'explique d'autant moins la présence du fameux palanquin. Il ne peut plus servir à rien...

— Il est sans doute là pour une autre raison », murmura Angdawa.

Carl le regarda. Nul doute qu'il n'eût une idée de derrière la tête. Lui-même ressentait aussi l'impression que tout devait s'organiser autour de cet objet d'apparat et de dévotion si étrangement isolé, qui scintillait sous la lune comme un mystérieux signal. Il avait le sentiment néanmoins qu'un maillon lui échappait encore.

« Ils ne semblent pas lui prêter beaucoup d'attention, en tout cas. Pas même une sentinelle ! »

Ils s'approchèrent pourtant avec précaution. Le *palki* ressemblait dans la brume légère qui paraissait sourdre du sol à une caravelle chantournée prête à l'appareillage. Etait-ce l'épuisement qui le gagnait par moments, mais il eut l'impression qu'il était même agité d'un léger roulis. Il hésita. « C'est tout de même étrange, chuchota-t-il. Comme appât, on ne ferait pas mieux... »

Angdawa eut un geste d'insouciance.

« Si nous les rencontrons, ils verront bien que nous n'avons pas d'arme.

— Surveille tout de même pendant que j'avance », recommanda-t-il au jeune homme.

Il franchit avec lenteur les derniers pas qui l'en séparaient et se pencha à l'intérieur avec une brusque appréhension, se demandant si, dans l'état de fatigue où il se sentait, il n'allait pas être la proie d'une hallucination et se trouver face à face avec le visage irréel et diaphane de quelque enfant d'essence divine reposant sur les coussins. Mais l'habitacle était vide. Il eut un bref instant la tentation de s'y étendre et de s'y endormir sans façon comme un pèlerin fourbu, ce que tout Marathe bien né comprendrait aisément.

« Sahib », entendit-il appeler Angdawa derrière lui.

Son intonation était légèrement appuyée comme s'il

avait senti venir sa défaillance et voulait l'en préserver. Carl se retourna. Il discernait à peine sa silhouette à quelques pas.

« S'ils l'ont pris, c'est sans doute pour transporter le burra sahib », murmura-t-il très vite.

Carl s'arrêta net et se sentit pâlir.

« Mais qu'est-ce que tu racontes, ils l'auraient avec eux ? s'écria-t-il.

— Je vous ai dit... Les Marathes vénèrent le burra sahib puisque c'était lui qui construisait la voie... et moi je pense... Depuis que la voie s'est effondrée, ils cherchent sûrement à le retrouver, comme nous.

— Quoi, pour se venger ? Ils le rendraient responsable de ce qui s'est passé ?

— Non, sahib. Les Marathes sont des pèlerins. Depuis la Haute-Godavari d'où ils viennent, ils ont suffisamment marché pour savoir que la voie qu'empruntera l'enfant est longue et pleine de dangers et qu'il faudra souvent la reconstruire... »

Il parlait maintenant de façon précipitée, comme s'il ressentait une soudaine urgence.

« Je ne peux pas penser qu'ils sont venus pour le borax, sahib. Les Marathes ne sont pas des voleurs. Ils ne sont pas comme les Waziris à chercher la moindre roupie au fond des caisses de péage. Ils ont sans doute pensé que le burra sahib avait été enseveli dans le convoi, et ils sont venus pour le rechercher s'il est vivant afin qu'il puisse reconstruire son œuvre. Pour que l'enfant... »

Sa phrase s'étouffa dans sa gorge. Une forme silencieuse avait bondi sur lui et en un tour de main l'avait bâillonné. Carl devina plus qu'il ne vit qu'on l'entraînait sans un bruit. Conscient d'un changement d'atmosphère, il se retourna brusquement. L'avancée de la forêt s'était peuplée et chaque tronc d'arbre paraissait avoir donné naissance à une silhouette qui descendait vers lui. Il sentit que ses bras étaient immobilisés et se retrouva genou en terre, étouffé par un groupe confus. Il chercha à se débattre et à se redresser.

« Laissez-moi, j'ai une mission officielle ! cria-t-il en urdu, j'ai l'accord du Diwân ! »

Ils ne semblaient guère comprendre ses paroles et seul un murmure indistinct les accueillit. Ceux qui le pressaient parlaient une langue inconnue de lui, et ne manifestaient ni précipitation ni acrimonie à son encontre ; devant cette absence d'hostilité, il reprit son calme et chercha à se trouver au milieu d'eux un interlocuteur.

« Je suis en mission officielle, je suis à la recherche du burra sahib qui a construit le pont, répéta-t-il d'une voix persuasive. Où est votre chef de village ? Où est le jeune Angdawa ? »

Il y eut un remue-ménage, et, précédé d'un porteur de fanal, un grand vieillard sec fit irruption dans le cercle. La lueur de la lanterne laissait son visage dans l'ombre, mais sa barbe paraissait longue et soignée et son *puggaree* immaculé. Carl s'inclina cérémonieusement.

« Je suis..., commença-t-il.

— Je t'ai entendu, l'interrompit le vieillard. Mais tu as vu, et le Bakaroual qui t'accompagne a vu également ce que nous étions en train de faire. Tu es pour nous un témoin et...

— Ce que j'ai vu, c'est que vous recherchiez le burra sahib Howard ! s'exclama Carl. L'homme qui a construit le pont. Nos buts sont les mêmes. Moi aussi je le recherche et nous avions eu la même idée : chercher près de la caravane. Le pont ne pourra pas être reconstruit si on ne le retrouve pas vivant. »

Il tenta de rencontrer le regard du vieillard pour se faire plus convaincant encore, mais celui-ci l'évitait. Il se demanda s'il devait dire que Mrs. Howard l'accompagnait, mais décida de n'en point parler.

« Ne savez-vous donc pas si l'ingénieur est vivant ? insista-t-il.

— Le Bakaroual a vu que nous emportions le minerai, reprit obstinément le vieillard. Il préviendra le Diwân sans donner les vraies raisons de notre acte !

— Le jeune Angdawa a toute ma confiance. Il n'a rien vu, j'en réponds. Il me l'aurait dit, il ne m'a pas quitté.

— Il a tout vu. Il nous a traités de *dacoits.* »

« L'imbécile », pensa Carl. Il releva la tête.

« Parce que vous vous empariez de lui ! Mais nous ne sommes pas là pour vous espionner. Nous sommes là pour retrouver le *burra sahib.* Qu'importe ce que nous avons vu !

— Tu as la réputation dans les hautes vallées d'être

un homme discret et prudent. Mais lui, il est comme ses frères. »

Carl pensa à cet instant qu'Angdawa courait un réel danger et qu'il lui importait bien plus désormais de le ramener sain et sauf que de se préoccuper du sort de Christopher.

« A ce que je sais, les Bakarouals n'ont jamais été les ennemis de la communauté marathe depuis que vous êtes installés dans la Haute-Nagdarra. Les Bakarouals ne sont pas les Waziris. Rendez-le-moi.

— Je vais te donner d'abord les raisons de notre acte, dit le vieil homme. Nous ne sommes pas des voleurs. Mais nous sommes pauvres et il nous faut obtenir de l'argent pour faire des offrandes et apaiser la colère des dieux, afin que la voie soit rouverte et que l'enfant puisse venir à nous. C'est pourquoi, au moment où je te parle, la communauté continue à tout charger pour être prête avant l'aube. »

Il traduisit lui-même dans leur langue au petit groupe qui les entourait ce qu'il venait de dire à Carl en urdu. Il y eut un sourd murmure d'assentiment.

« Le Seigneur dit, reprit-il de sa voix lente : ne te laisse pas aller au découragement, car il ferme les portes du ciel ; et ce que les dieux ont détruit, d'autres le reconstruiront.

— Si nous retrouvons Mr. Howard vivant, renchérit Carl, il sera possible de reconstruire la voie avec l'appui des dieux. Lui seul qui l'avait tracée pourra la refaire. »

Il lui sembla discerner une expression d'amertume et de doute dans le visage du vieillard.

« Les dieux ont parlé, dit-il d'un ton las. S'ils ont laissé dans leur clairvoyance le burra sahib en vie, il ne pourra plus s'opposer à eux.

— Il est donc vivant ? s'écria Carl. Oh, dites-moi la vérité ! Dites-moi ce que vous savez et je vous dirai ce que moi-même...

— Dis-nous d'abord ce que tu as appris.

— Eh bien... Je sais que le major Shoogam est mort. Lui aussi avait aidé à construire la voie et il est mort. Si les dieux ont laissé l'ingénieur en vie, c'est pour qu'il la reconstruise seul. »

Le vieil homme ne parut pas surpris par la nouvelle

concernant le major, et Carl se demanda s'il ne la connaissait pas déjà.

« Cela prouve que Vijay n'avait pas offert assez aux dieux, constata le vieillard. Shivâ et Kâli se sont vengés. Et maintenant, même le minerai des Kohistanis ne suffira pas pour payer le bétail des sacrifices et des offrandes, si nous voulons que leur courroux s'apaise...

— Les dieux peuvent-ils accepter l'argent des rapines pour prix des sacrifices ? »

Le vieillard eut un sourire fugitif qui lui adoucit les traits.

« Ecoute-moi, dit-il. Sur les bords sablonneux de la Bhîma j'ai vénéré Viththal, l'enfant Krishna. J'avais son âge et déjà je savais comme mes maîtres Jnandev et Toukharam qu'il gouvernerait ma vie et saurait me retrouver, même au seuil de la mort, même au-delà des cols infranchissables où nous étions réfugiés, mes frères et moi. Et désormais je sais que l'enfant viendra, je sais qu'il apparaîtra un matin et que la voie se refera sous ses pas. Etendus côte à côte, nous formerons de nos corps la chaussée qu'il foulera, et il n'en aura pas trouvé de plus douce à ses pieds depuis Pandharpour. Et qu'importeront alors nos péchés quand, sous son mystérieux toucher divin, nous nous livrerons à son pardon. »

Il s'interrompit et regarda Carl.

« Et celui qui avait tracé cette voie partagera notre joie et notre triomphe, ajouta-t-il.

— Mort ou vivant ? » demanda vivement Carl.

Le vieil homme garda son visage impassible.

« S'il est mort, dit-il, nous le vénérerons jusqu'à la fin des temps, et l'enfant viendra le visiter là où nous l'aurons enterré. »

Carl sentait que malgré les pièges qu'il essayait de lui tendre il n'en apprendrait pas plus. Cette impassibilité sibylline était plus éprouvante décidément que toutes les violences. Et de toute façon il était plus important maintenant de négocier le sort du jeune Bakaroual que celui de Christopher.

« Quoi qu'il en soit, Angdawa, lui, est bien vivant, dit-il d'un ton résolu. Il ne cherchait qu'à vous aider. Rendez-le-moi puisque je connais désormais la noblesse de vos intentions et que j'en ferai part à Son Excellence. »

Il y eut un bref conciliabule autour du vieillard. Carl, à l'écart, eut l'impression que sa demande ainsi formulée était presque un hommage qui leur était rendu et qu'elle évitait tout malentendu quant aux raisons de leur larcin. Le chef de la communauté revint vers lui.

« C'est bon, dit-il. Nous te le rendons. Puissiez-vous tous les deux convaincre le Diwân que nous autres pèlerins sommes des hommes de vertu. »

Presque aussitôt il y eut dans la petite foule un nouveau remous, et le jeune homme garrotté, bâillonné, mais les jambes libres, fut amené devant lui. Pendant que l'on défaisait ses liens, il regarda fixement Carl qui se rapprocha autant qu'il le put. Ils lui retirèrent enfin son bâillon.

« Ils l'ont », murmura-t-il très vite dès qu'il put ouvrir la bouche.

Carl ressentit une vive et subite douleur comme s'il avait un point de côté. Il s'accrocha au vieillard, paraissant lui manifester sa reconnaissance, au vrai pour ne pas vaciller.

« Qu'a-t-il dit ? » demanda celui-ci d'un ton soudain menaçant.

Carl prit résolument Angdawa à côté de lui.

« Je lui ai reproché d'avoir été imprudent. Lui pense qu'il ne l'a pas été.

— Imprudent ?

— D'avoir regardé à l'intérieur du palanquin. Cela me concernait seul.

— Le *palki* est vide », dit le vieillard.

Carl avait l'impression qu'Angdawa voulait lui parler mais qu'il n'osait pas. Il se mit le plus près possible de lui mais le jeune homme resta silencieux. Il avait l'impression qu'à tout moment les Marathes allaient désormais s'évanouir comme ils étaient venus, emportant avec eux le secret de leur demi-dieu nouvellement intronisé en substitution de celui qui ne viendrait pas. Il s'efforça, autant que sa fatigue le lui permettait, de réfléchir. Avant tout savoir s'il était mort ou vivant. Il ne restait qu'un argument.

« Ne serait-ce pas un but digne de la sagesse du Grand Pèlerin d'édifier un temple qui apaiserait le courroux des dieux ? proposa-t-il soudain. Il pourrait être édifié en même temps que le pont serait reconstruit... »

Pour autant qu'il put en juger, la physionomie du chef de village garda son impassibilité.

« Une récompense de... disons cent annas d'argent si vous remettiez le burra sahib vivant permettrait déjà de construire un beau temple », reprit-il sans élever la voix.

Le vieillard tourna cette fois la tête.

« A portée de fusil des Waziris ? s'exclama-t-il. Le temple de Pandharpour fut ainsi rasé par les mahométans, mon ami, et tous ceux qui communiaient dans le culte de Jnandev dispersés. Et que faire d'un temple alors que Jnandev n'en avait pas besoin pour faire réciter aux buffles les strophes du *Rig-Veda*... Mais ton offre n'en est pas moins généreuse... »

Il se retourna vers son groupe et leur parla à mi-voix. Carl se demandait comment Branjee accueillerait sa proposition, et plus encore Dhakki, si avare des deniers du royaume. Il lui sembla pourtant qu'il n'y avait guère de choix.

« Bras cassé. Drogué à l'opium », entendit-il chuchoter à son oreille.

La physionomie d'Angdawa n'avait pas bougé. « Bon sang, pensa-t-il. Il faudra que je dise à Branjee de le sortir du rang, ce garçon. »

Déjà le vieillard revenait vers eux.

« Place aux psaumes, dit-il. Que les chants de la Haute-Godavari viennent apporter le calme et l'espoir à la lointaine Nagdarra. Si un jour ce don nous parvenait il serait le bienvenu. »

Il se retourna vers ceux qui l'entouraient et entonna un chant grave et lent qu'ils reprirent en chœur sur un ton de mélopée dont Carl ne sut s'il était de supplication ou de reconnaissance. Il eut l'impression que c'était le nom de Viththal qui était cent fois répété et invoqué avec des intonations à la fois sereines et suppliantes. Habillé d'étoffes claires et légères, agité de frémissements de ferveur, le groupe des chanteurs donnait l'impression d'un ballon prêt à l'envol qui aurait pu à tout moment s'élever dans la nuit tranquille et s'y dissoudre.

« Vivant, tu es sûr ? souffla Carl.

— Je crois bien, sahib.

— Où ?

— Dans le... », commença Angdawa.

190

Dans le même moment ils furent brusquement séparés et le groupe des Marathes entoura le *palki*. Ils empoignèrent le prestigieux palanquin avec naturel, comme s'ils reprenaient possession au passage d'un objet qui leur était depuis longtemps familier. Carl le vit soudain osciller au-dessus de la petite foule qui s'éloignait. Sans réfléchir, et avant qu'Angdawa ait pu l'en empêcher, il bouscula ceux qui étaient à côté de lui et se mit à courir derrière eux.

« Vous créez votre malheur ! cria-t-il avec une soudaine colère. Qu'imaginez-vous ? Que Branjee va se laisser faire ? »

Le vieillard se retourna, fit quelques pas à sa rencontre comme pour lui répondre, puis s'arrêta et lui adressa sans un mot un long regard avant de rejoindre le cortège. Subjugué par la noblesse taciturne qui émanait de sa haute silhouette, Carl ne vit pas disparaître le palanquin et ses porteurs. Seul lui parvint, dans la direction de la caravane enfouie et comme si celle-ci s'était soudain remise en marche, un fugitif écho des psaumes des pèlerins. Angdawa fit irruption à son côté.

« Ne vous mettez pas en colère, sahib ! Je suis sûr qu'ils vont le chercher et que le *palki* a été descendu pour le transporter.

— Où as-tu vu Mr. Howard ? demanda-t-il fébrilement.

— Dans le fortin qu'on avait commencé à reconstruire pour protéger la piste.

— Un fortin sur cette rive ? J'ignorais son existence !

— Il y a juste les murs, à la lisière de la boue... Moi non plus je ne le connaissais pas. Ils m'ont déposé là, les bras attachés et un bandeau sur les yeux. Il n'y avait personne pour me garder et j'ai pu me dégager. Personne ne s'occupait de lui, non plus ; il était dans l'autre coin... Il ne risquait pas de se sauver d'ailleurs, je vous assure, sahib !

— Tu as pu l'approcher ?

— Oui, mais je n'ai pas osé le toucher. Il avait un morceau de bois attaché au bras droit.

— Une attelle, sans doute...

— Et il était couvert de boue séchée. Je vous ai dit. Il dormait comme quelqu'un qui a été drogué, et avec la bonne dose !

— Il n'aurait pas pu dormir sans cela, avec un bras

cassé ! Tu es sûr qu'il n'était pas mort ? insista-t-il, à nouveau pris d'un doute.

— En tout cas... Vous vous rappelez le major ? dit Angdawa en hésitant.

— Tu veux dire, il ne...

— C'est ça, il ne sentait pas, sahib. »

Carl réprima un frisson de répulsion.

« J'ai l'impression qu'il respirait, ajouta Angdawa après quelques instants de réflexion. C'est tout ce que je peux dire.

— Et tu ne sais pas où ils l'ont trouvé ?

— Non, sahib. Les revoilà. »

Le palanquin avait réapparu en contrebas. Deux porteurs de torches s'étaient joints à sa suite. Toujours psalmodiant, les pèlerins prirent la direction du pont en longeant la caravane de borax. Carl suivit des yeux l'étrange côte-à-côte entre le cortège diaphane et musical des vivants et le convoi des morts enfoui dans sa glu compacte, et la frontière entre eux lui parut soudain indécise.

Le palanquin avait maintenant pénétré dans l'avancée de la forêt qui les séparait de la gorge et qu'Angdawa et lui avaient traversé deux heures auparavant. Illuminé par la clarté des torches, il oscillait doucement comme une galère royale glissant sur un lac souterrain. En le suivant à distance, ils discernèrent vaguement une forme étendue à l'intérieur et échangèrent un regard.

« Ils vont réveiller Mrs. Howard, s'inquiéta Carl. Savent-ils seulement qu'elle est là ?

— Je ne sais pas, sahib. Mais avec le bruit de la rivière elle ne risque pas de les entendre. »

Le cortège s'immobilisa quelques instants à la lisière, comme si les Marathes hésitaient tout à coup, le pont étant maintenant en vue, à poursuivre plus avant. Puis le palanquin oscilla à nouveau, et Carl fut satisfait de voir que les porteurs se dirigeaient vers les piliers ouest et qu'ils ne passeraient donc pas à côté de la tente. Dès qu'il eut quitté à son tour l'abri des arbres, il regarda vers l'endroit où se dissimulait le petit abri de toile. Rien n'avait bougé et tout semblait calme.

Les deux pylônes jumelés prenaient devant l'avancée du cortège la majesté d'un péristyle antique, et les Marathes progressaient vers eux avec une lenteur processionnelle, comme s'ils s'apprêtaient à pénétrer dans un temple. « Je comprends qu'ils ne jugent pas utile d'en construire un », pensa Carl. A quelques pas du massif d'ancrage et à moins de deux cents pieds de l'endroit où ils avaient retrouvé Vijay, les porteurs choisirent une petite zone qui avait échappé au bouleversement général et y déposèrent le palanquin comme au centre d'une chambre claire. Ne cherchant plus à lutter contre le fracas des eaux, les pèlerins cessèrent alors de psalmodier et se déployèrent en demi-cercle. De là où il se trouvait, Carl eut l'impression que le vieillard levait le bras et que d'un ample geste il ordonnait que les torches fussent plantées de part et d'autre du *palki*. Puis les Marathes s'immobilisèrent et, sur une nouvelle injonction, se retirèrent vers les arbres d'un pas alerte et comme libéré.

Carl regardait de tous ses yeux.

« Ils nous le laissent », souffla-t-il.

Sa silhouette baroque s'opposant de façon singulière à la masse austère des pylônes, le palanquin paraissait plus étrange encore entre ses deux flammes vacillantes qu'il ne l'était tout à l'heure lorsqu'ils l'avaient approché pour la première fois. Les oreilles aux aguets, Carl ne se décidait pourtant pas à s'avancer à découvert, craignant plus encore qu'auparavant il ne savait trop quel piège.

« Ils ont sans doute leur raison de ne pas ramener le palanquin, dit brusquement Angdawa.

— Que veux-tu dire ? demanda Carl pris d'un pressentiment.

— Le burra sahib. Il est peut-être mort, après tout. »

Il réprima pour la première fois un mouvement d'humeur à l'égard du jeune homme.

« Mais tu m'as dit tout à l'heure qu'il respirait ! s'exclama-t-il.

— Il faisait noir, sahib. J'ai pu me tromper... La seule chose que je sais...

— Tu me l'as dite », l'interrompit Carl avec brusquerie.

Il regarda les torches dont les flammes s'étiolaient déjà. Cela avait en effet tout d'une représentation funèbre. Voilà pourquoi ils l'avaient rendu avec tant de précipitation, comprit-il soudain, et pourquoi ils avaient considéré le palanquin d'apparat comme le véhicule le plus digne pour le ramener une dernière fois sur les lieux de sa grande entreprise. Il s'affola. « Winifred, pensa-t-il. Annoncer cela à Winifred. »

D'une démarche incertaine, il s'avança parmi les troncs d'arbres abattus, Angdawa à son côté.

« Si c'est le cas, au moins il n'aura pas vu ça », dit-il en ébauchant un geste vers la travée.

Il s'approcha du palanquin et, avec l'impression que son cœur s'arrêtait, se pencha à nouveau par la portière. L'ingénieur reposait sur les coussins, et la lueur déclinante des torches lui donnait une teinte de momie. Il avait les yeux clos, les ailes du nez pincées jusqu'à paraître noires et une légère traînée de bave séchée à la commissure des lèvres. Une grossière attelle immobilisait la clavicule et le bras droit. Carl toucha sa main puis sa fracture et ne perçut pas le moindre frémissement. Sa main était froide. Perplexe, il la saisit de nouveau, remonta jusqu'au poignet et finit par déceler un pouls au battement imperceptible.

« Il vit, dit-il d'une voix sans timbre. C'est vrai qu'ils ont dû mettre la bonne dose.

— Est-ce qu'on réveille la memsahib ? » demanda Angdawa.

Carl s'efforçait de réfléchir. Tout se brouillait autour de lui, mais il demeurait pourtant en lui cette évidence qui seule gardait un peu de cohérence à ses pensées : « Pas tant que je serai là. »

« Non, dit-il avec assurance. Il faut qu'elle dorme et qu'elle récupère. Elle va éprouver un tel choc à son réveil. »

Il fit quelques pas, les yeux à terre, puis revint vers le jeune homme.

« Ecoute-moi, dit-il avec une fébrilité soudaine. Plus vite il sera plâtré, mieux ce sera. Il n'y a pas une minute à perdre. Je vais donc repartir tout de suite pour prévenir Changaraswamy. »

Angdawa s'agita.

« Le sahib ne préfère pas que ce soit moi qui reparte ? Le sahib est trop fatigué pour une nouvelle et longue course... Comme cela, il pourrait prévenir lui-même la memsahib...

— Mais non, justement ! » s'exclama Carl.

Il regarda pensivement le jeune homme, puis lui dit presque avec entrain :

« Ecoute, je vais t'écrire un petit mot pour elle. Tu n'auras qu'à le lui remettre à son réveil. »

Il s'approcha de l'une des torches, consulta sa montre et sortit son vieux stylomine et son carnet.

« Minuit trente.

« Chère Mrs. Howard,

« Il est vivant ; drogué à l'opium avec une fracture non réduite qui le fera beaucoup souffrir quand il émergera de sa torpeur, vers la fin de la matinée, je pense. Je repars aussitôt pour le camp afin de prévenir Changaraswamy de venir avec un médecin (Benegal, sans doute) qui le plâtrera et organisera son retour. Il sera là à la fin de la nuit prochaine si tout va bien. »

Il posa son stylomine. S'arrêter là ? Il hésita, puis reprit le feuillet.

« Félicitations. Je suis heureux. Ça valait donc la peine. Tout de même... Vous m'aviez parlé d'un homme remarquable, mais pas d'un demi-dieu, fût-il marathe ! (Angdawa vous racontera.) J'espère que vous ne serez pas obligée de vous prosterner tous les matins. »

Sitôt écrite, il eut envie de biffer la dernière phrase mais pensa qu'une rature ferait encore plus mauvais effet.

« Sachant l'émotion qui vous attendait, je ne me suis pas senti le droit de vous priver d'un sommeil réparateur. N'oubliez pas qu'il aura, lui, une émotion double à son réveil : vous voir, d'abord — et peut-être aussi l'état de son ouvrage. Nous l'avons disposé (vous jugerez dans quel apparat) de façon qu'il ne le voie pas dès son premier regard.

« Bien fidèlement à vous,

« C.B. »

Cela faisait deux feuillets. Il les tendit à Angdawa sans les relire.

« Dès qu'il fait jour, tu fais passer Tikkoo et Janardan avec de l'eau et des vivres, lui recommanda-t-il. Le niveau de la rivière sera suffisamment redescendu pour que ce ne soit-plus un problème.

— Les armes ?

— Pas nécessaire. Tu laisses Tarashankar avec les

chevaux, il est moins agile. Maintenant, on va transporter le palanquin sous les arbres. »

Ils y parvinrent à grand-peine, car il était aussi lourd que le laissait supposer son imposant aspect, et Carl craignait de plus que la fracture ne se déplaçât. Ils le déposèrent en lisière, entre deux pins.

« Je comprends mieux maintenant pourquoi les pèlerins ne l'ont pas ramené avec eux », dit Angdawa en reprenant son souffle.

Il ne répondit pas. Il jeta de nouveau un coup d'œil dans la direction de la tente et — était-ce la lune qui rendait la toile translucide — il lui sembla qu'il discernait sa silhouette. Sans davantage l'observer, il s'élança à grands pas. Il y avait une longue marche à faire, et il s'agissait de tenir le sommeil, la fatigue et la fringale à distance. Il sentit une obscure satisfaction, qu'il se qualifia lui-même avec dérision de quasi prussienne, à quitter le champ des mirages pour le simple plaisir de partir *rendre compte.* Et pourtant, dès qu'il se fut mis en route, un battement de cœur vint faire vibrer son oreille, étrangement, selon un rythme qui engendrait sa propre résonance, comme si on l'appelait avec insistance, là-bas, auprès du fleuve effervescent.

II

La marche d'approche

« Qui sait ce que nous réserve le destin ? En tout cas, bien que la vie semble pleine de lumière ce soir ici, si jamais je m'en vais, ce serait pour un pays qui par un côté t'appartiendra, n'est-il pas vrai, Père ? »

Anna-Lucia JOYCE*.

*Lettre à son père, 1934. (Cité par Philippe Lavergne.)

8

Il suivait cette allée depuis quelques minutes avec la sensation de plus en plus nette de s'être égaré. A travers les arbres, sur sa gauche, il devinait les ondulations parsemées de fleurs du « golf le plus haut d'Asie », ainsi que le proclamait fièrement l'affiche du Club-House. Sous ses pieds, les ornières étroites creusées par les petites *tongas* avaient disparu à mesure que les chalets s'étaient espacés, et l'allée s'était peu à peu rétrécie jusqu'à devenir un sentier sinueux et désert. Pas une âme en effet à qui demander sa route : ce qu'elle disait dans sa lettre était bien exact. Peu après le sentier lui-même s'interrompit, et il revint pensivement sur ses pas, cherchant vainement dans sa mémoire la dernière fois où il s'était ainsi fourvoyé. Il finit par ressortir de sa poche la lettre qu'il y savait pliée, et ne put s'empêcher de la lire une fois encore :

Professeur Carl Burgsmüller.
Chasma Shahi Road, Srinagar.   Gulmarg, lundi 22 juin.

« Cher Dr Burgsmüller,

« J'apprends que toute là communauté (quel autre mot utiliser ?) de Gulmarg se rendra ce jeudi 25 à Ningle Nallah pour la journée de recollection autour du Révérend Parsons qui remplace cette année, vu les circonstances, l'habituelle *Midnight Parade* du solstice d'été. Je vous ai dit pour quelles raisons je n'estimais pas devoir faire partie de cette assemblée et je laisse donc en cette occasion mon mari nous représenter seul. A moins que vous ne soyez déjà parti sur les traces de votre vénéré Mr. Mummery, peut-être verrez-vous là l'opportunité de venir partager avec moi un *moung monsellam* (poulet rôti, comme vous ne l'ignorez pas) qui vous rappellera peut-être celui dont un soir nous dûmes nous priver.

« Je vous rappelle à toutes fins utiles les indications mentionnées sur ma précédente invitation : le chalet se trouve toujours au 4, Apharwat Lane, 2e route en descendant du Club vers le Circle Road, 4e maison à gauche après le poteau indicateur. Laissez donc votre *tonga* au Club et venez à pied. Nous n'avons pas remplacé Ramesh et l'*ayiah* se trouvera avec l'intendance à Ningle Nallah. (Je ne sais plus s'ils prient en mangeant, ou le contraire.)

« Je compte sur vous vers 19 heures.

« Bien à vous,   « Winifred Howard. »

Il lui sembla que l'écriture avait moins de régularité et de retenue que lors de sa première missive, et qu'une certaine hâte s'y décelait même vers la fin, bousculant les dernières lignes comme si elle avait soudain manqué de temps. Il remit la lettre dans sa poche et reprit sa marche d'un pas rapide.

Le poteau indicateur lui apparut bientôt, et il se dit qu'il avait fallu en effet qu'il eût l'esprit bien préoccupé pour ne pas l'apercevoir. La flèche portait, bien visible, l'inscription APHARWAT 6 1/2 et indiquait la direction d'une allée plus large que celle qu'il avait prise par mégarde. Il devina sur sa droite, derrière son rideau d'arbres, l'imposante façade de la Résidence qui, tel un donjon médiéval, paraissait protéger la longue théorie des chalets. Ceux-ci se succédaient désormais en lisière de forêt, et seule la pente plus accentuée de leur toit pouvait les différencier de leurs homologues de la Bavière ou de l'Oberland. Lorsque se profila le quatrième, il se sentit soudain aussi chancelant qu'après sa longue marche de retour, l'autre nuit, et sans réfléchir quitta précipitamment l'allée pour se dissimuler derrière un tronc de sapin.

Le chalet paraissait aussi désert que les autres. A l'extérieur de la porte, semblant être à la fois la dérisoire réminiscence de leur longue chevauchée et l'amer symbole de ce qu'elle ne pourrait plus avoir lieu désormais, deux selles posées côte à côte sur des tréteaux attendaient d'être astiquées et cirées. Le soleil couchant illuminait derrière la fenêtre une partie d'un bouquet et le haut d'un canapé de chintz. Il espéra pendant quelques instants qu'elle allait apparaître dans la pièce et qu'à l'observer à son insu il se donnerait le temps de maîtriser son émotion. Mais le salon demeurait vide. Il se sentit soudain ridicule dans son *banian* et son pantalon de lin clair si visibles au milieu de la verdure. Peut-être après tout était-elle aussi en train de l'observer avec un sourire narquois, cachée derrière un rideau... A cette idée, il regagna l'allée et, s'efforçant de reprendre une démarche assurée, franchit les quelques pas qui le séparaient de l'entrée. Il n'y avait aucune plaque sur la boîte aux lettres et pas davantage de sonnette. Peut-être eût-il fallu contourner le chalet pour gagner une autre entrée, mais il ne s'en sentit pas le courage. Il frappa discrètement puis attendit, tapotant nerveusement sur la porte. Personne ne répondit. Il tourna alors doucement la poignée et, passant la tête à l'intérieur, entrevit dans la pénombre une entrée exiguë et les premières marches d'un escalier. Il toussota pour s'éclaircir la voix.

« Mrs... Mrs. Howard ? » appela-t-il discrètement.

Il lui sembla entendre un bruit de pas provenant de l'étage.

« C'est bien le docteur Burgsmüller, du *National Survey* ? » entendit-il demander.

Il ne put s'empêcher de sourire.

« *Oui*, Mrs. Howard. Lui-même. Je crains d'être en avance ! Figurez-vous que j'ai pourtant trouvé le moyen de me perdre en venant. »

Il l'entendit rire à son tour. Sans doute était-elle sortie de sa chambre et se penchait-elle pour lui répondre, mais il ne pouvait la voir.

« Pour quelqu'un comme vous, c'est un comble ! lui lança-t-elle. Attendez-moi au salon, je descends tout de suite. »

Il ferma soigneusement la porte d'entrée derrière lui, franchit le vestibule et entra. Sachant qu'elle n'était pas là pour l'y accueillir, ce fut presque à contrecœur. Le salon avait l'aspect quelque peu disparate et clair-semé des intérieurs de garnison dont les occupants savent dès le départ qu'ils ne sont que de passage. Seul un grand tapis mordoré aux motifs géométriques et à la texture douce et profonde compensait par une note chaleureuse ce que le mobilier et l'ordonnance pouvaient avoir d'impersonnel... Quelques exemplaires de *Queen*, du *Backwoodsman* et des *News of Kashmir* étaient empilés sur une étagère en rotin. Hésitant à s'asseoir, il les feuilleta distraitement. Tous traitaient abondamment de la catastrophe, et il avait déjà lu la plupart des reportages et articles. Le *News* contenait de plus des portraits en photogravure de Branjee, de Christopher et de lui-même (celui de son dossier d'accréditation auprès du *Survey*), et un autre de Shoogam qui paraissait dater d'il y avait vingt ans, une aigrette fichée dans son *puggaree* immaculé, comme s'il s'était soudain attribué la garde-robe du rajah du Gilgit. Il reposa le journal avec impatience et, voyant que Winifred ne descendait toujours pas, se décida à s'asseoir.

Sur la table à côté du fauteuil régnait le type de petit désordre familier qui lui fit penser que c'était là son coin favori. A côté d'une bouteille de tonique Huxley dans laquelle jouait le soleil du soir, un exemplaire avachi de *Behind the Bungalow* avec la reliure de la bibliothèque du Club était sans doute en train d'être lu, car une lettre dont il ne fit qu'entrevoir l'en-tête — un petit paysage bleu et or représentant un palmier devant les pyramides — dépassait de la tranche en guise de signet. A l'extrémité de la table était posé le vase de fleurs qu'il avait remarqué du dehors, et il jeta aussitôt un coup d'œil à travers la fenêtre pour se rendre compte s'il aurait pu être surpris tout à l'heure dans son lieu d'observation — bien évidemment oui ! Heureusement, elle devait être à ce moment en train de se changer pour le dîner. *Leur* dîner. Il ne parvenait pas à croire que cela puisse être vrai, et que c'était elle qui allait descendre les marches et entrer ici dans quelques instants.

Son regard fut tout à coup attiré par une photo encadrée qui était à demi masquée par le vase. Le cœur battant, il prêta l'oreille : il l'entendait aller et venir au-dessus de lui. Il se saisit alors du cadre.

La photographie devait dater du jour de leurs fiançailles. Bien pris dans son spencer blanc, les cheveux et la barbe apprêtés, légèrement en retrait à son côté, l'air gourmé, Christopher semblait lui servir de faire-valoir ou de lointain recours protecteur. Elle portait un corsage aux manches bouffantes avec un col amidonné. Il faillit ne pas la reconnaître, car elle avait des cheveux longs remontés en lourde galette, ce qui accusait jusqu'à l'aigu l'ovale de ses traits et accentuait la gracilité de son cou. Elle fixait l'objectif avec une intensité telle qu'elle en venait presque à loucher, et cette fixité obsédante du regard retirait au document tout ce que ce genre de pose avait d'ordinaire de convenu et de figé. En se rapprochant, il tenta de superposer le visage qu'il lui connaissait et celui qu'il avait maintenant sous les yeux, et se demanda si la Winifred qui allait apparaître pourrait les rassembler en une unique apparence. Comment allait-elle s'immiscer entre le souvenir si vif et obsédant qu'il gardait d'elle et cette représentation dont l'éclat voilé et l'intensité lui paraissaient presque hypnotiques ?

Il crut entendre un bruit dans l'escalier et d'un geste fébrile remit le cadre en place, manquant de précipiter à terre dans sa maladresse un petit bocal d'apothicaire qui paraissait contenir quelques aiguilles de pin séché. Il l'empêcha *in extremis* de se renverser et, le calme revenu, l'examina pour voir ce qu'il avait ainsi pu sauver au dernier moment. L'étiquette était manuscrite — mais non écrite par Winifred, remarqua-t-il.

BRINS D'HERBE
provenant du
CENTRE COURT
du All England Lawn Tennis and Croquet Club,
Wimbledon
authentifiés par
Sir Hugh Montrose, K.B.E., G.C.M.G., M.V.O., Président
du Club
ce 11 juillet 1907

Suivait un vague paragraphe.

« On a les reliques qu'on mérite, n'est-ce pas ? » entendit-il derrière lui.

Il se retourna brusquement et dans ce mouvement faillit faire trébucher à nouveau le précieux bocal.

« Attention ! s'écria-t-elle. Il ne vous le pardonnerait pas !

— Win..., Mrs. Howard... », balbutia-t-il en s'inclinant.

Elle s'encadrait dans la porte vêtue d'une longue robe de tussor pâle, et il eut l'impression que sa grâce évanescente s'opposait de façon presque caricaturale à sa propre fébrilité.

« Ainsi, le demi-dieu joue au tennis... », murmura-t-il.

Elle eut un geste évasif.

« Oh, ne comptez pas sur moi pour vous dire l'importance qu'a eue ce jeu dans notre rencontre ! dit-elle avec une sorte de désinvolture.

— Je n'y connais pas grand-chose... Mais c'est un tournoi reconnu, non ? »

Elle haussa les épaules.

« Il s'y était engagé en double avec un vieil ami. Il m'a dit qu'au premier tour ils n'avaient tous deux pu prendre qu'une dizaine de points à leurs adversaires. Dégoûté, Chris avait décidé d'emporter cela en souvenir de leur raclée. Oh, mais, *my goodness !...* » s'écriat-elle soudain.

Elle le regardait d'un air légèrement perplexe, les sourcils arqués, paraissant amusée.

« Vous êtes superbe, s'écria-t-elle. Tout à fait superbe. A vrai dire, je vous reconnais à peine ! » Il se sentit rougir et fut satisfait de se savoir à contre-jour.

« Je ne le mets pas très souvent, admit-il d'un ton embarrassé.

— C'est vrai que vous flottez un peu dedans. Cela vous donne un air attendrissant !

— Ah bon... », bredouilla-t-il.

« Ce crétin de Dehnu a taillé trop large, je le savais, pensa-t-il avec irritation. Dix-huit roupies de fichues en l'air ! »

Elle s'était assise dans le fauteuil qu'il occupait tout à l'heure et avait ramené devant elle d'un geste naturel les plis de sa jupe, ce qui découvrait ses chevilles recouvertes de bas blancs. Il s'installa sur le canapé de chintz sans trop oser la regarder. Si elle le trouvait « superbe », lui retirait de ce nouveau contact une impression de déception. Sous la grâce de l'étoffe, elle paraissait amaigrie. Elle avait toujours ses cernes sous les yeux. « Ce n'est pas moi qui oserais lui dire qu'elle flotte, constata-t-il, mais elle fait presque osseuse. »

« On n'imaginerait jamais que ça fait trois semaines », dit-il pour rompre le silence.

Elle eut presque un mouvement de protestation.

« Moi cela m'a semblé horriblement long !

— A vrai dire, moi aussi », rectifia-t-il aussitôt.

Elle le regarda. Il enchaîna précipitamment.

« Et comment..., comment se porte le blessé ? »

Il s'aperçut qu'il avait désigné machinalement la photographie, mais elle ne sembla pas avoir remarqué son geste.

« Vous auriez pu vraiment le lui demander vous-même, répondit-elle avec un semblant d'impatience. Ce n'est pourtant pas faute de mon côté d'avoir essayé ! »

Il l'interrompit en levant la main d'un air coupable.

« Pardonnez-moi, mais je ne pouvais pas, dit-il d'une voix étouffée. Vraiment.

— Quoi, vous lui en voulez toujours pour cette vieille histoire d'expulsion ! »

Il secoua la tête.

« Pas vraiment. C'était plutôt... Devoir écouter ses remerciements. Vous voir l'un et l'autre sans que je puisse m'entretenir seul avec vous... Enfin tout un ensemble de choses qui m'aurait été désagréable. Mais vous ne m'avez pas répondu...

— Comment se porte-t-il ? répéta-t-elle d'un ton dégagé. Mais fort bien, ma foi, depuis que Branjee a pris sa décision. L'ennui, c'est que c'est moi, du coup, qui ne vais plus. »

Elle se pencha un peu en avant comme pour appréhender quelque chose qui lui échappait. A revoir le grain de beauté de son cou dégagé par l'échancrure de sa robe, il sentit le même trouble le gagner que lorsqu'il l'avait vu pour la première fois, alors qu'ils venaient de remonter de la gorge et qu'elle regardait sur l'autre rive le campement de l'escouade.

« Et qu'allez-vous faire ? » finit-il par lui demander.

Comme si elle avait soudain pris conscience de la cause de son émotion, elle se rejeta en arrière, remontant son col d'un geste vif.

« Que voulez-vous que je fasse ? soupira-t-elle. Nous *devions* partir. Je ne pouvais pas imaginer que les

désastres du ciel, de la terre et des eaux se déchaîne-
raient sur nous. Pourtant, il avait promis.

— C'est ce que je vous avais dit ! s'écria-t-il. C'était
avant ! Vous ne pouviez pas l'obliger à quitter le
royaume en laissant cela derrière lui, tout de même !
Ou alors il aurait fallu lui demander avant de choisir
un autre métier !

— Oh, je sais, fit-elle. En fait, mon unique espoir
résidait dans ce que vous m'aviez laissé entendre... J'espérais tant que vous auriez raison.

— Qu'avais-je laissé entendre ? demanda-t-il avec
inquiétude.

— Que " les dieux avaient parlé " et que le Diwân
n'oserait pas aller contre leur volonté ! Pour une fois je
m'étais sentie l'alliée objective, sinon inconsciente, de
Greenshaw. Et puis non. Il a fallu qu'il prenne la décision de reconstruire. Et bien entendu Chris n'a pas
tergiversé une seconde, ajouta-t-elle avec amertume.
"Prêt à se charger de tout ! "

— Aurait-il voulu prendre une autre décision qu'il ne
le pouvait pas, répondit Carl avec vivacité. Il y a les
commissions d'enquête, les études de rupture des
matériaux et tutti quanti. Il y en a pour des semaines.
Même Greenshaw doit prolonger d'un mois sa mission.
Ne faites donc pas l'enfant gâtée ! D'autant que vous
aurez sans doute le temps de retourner en Angleterre
ou en Irlande avant que le nouveau matériel ne parvienne sur place. »

Elle secoua la tête d'un air las.

« Il ne le pense pas. Il dit que simplement pour dégager la gorge il faudra déjà plusieurs mois.

— C'est vraisemblable, répondit Carl. Mais peut-être
un nouveau Shoogam pourra-t-il le suppléer ? »

Elle soupira comme si elle n'y croyait pas.

« Il ne voudra pas. Et quoi qu'il en soit j'essaie de me
raisonner, reprit-elle en laissant son regard dériver,
au-delà du bouquet, vers la cime lointaine de l'Haramukh. Je parviens même à lui faire bonne figure. Mais
la seule chose que je vois c'est que je me retrouve piégée une fois de plus, et cela juste au moment où la
situation dans ma pauvre île devient la proie de... »

Elle s'interrompit, et il eut l'impression qu'elle avait
ébauché un geste vers le livre où se trouvait la lettre.
Sa voix était monocorde, et elle semblait se parler à

elle toute seule. Tout à coup, elle sembla se souvenir de sa présence.

« Oh, Carl... Essayez de me comprendre... Avoir l'impression de se trouver perpétuellement au milieu d'ennemis... Je ne la cherche pas, cette solitude ! Je ne le désirais pas, ce repli sur moi-même ! Ils me sont imposés... »

Il se demanda si c'était la première fois qu'elle l'appelait ainsi par son prénom. Il lui semblait bien. A cette idée, il sentit sa gorge se dénouer.

« Ne serait-il pas possible, suggéra-t-il avec le plus de conviction possible, maintenant que vous savez que vous devez rester... de tenter de changer ces rapports avec ceux qui sont autour de vous... je veux dire, ce que vous appelez la communauté ? »

Elle resta quelques instants sans répondre puis leva vers lui son visage.

« Regardez où ils sont aujourd'hui. A Ningle Nallah. Parce qu'il y a eu six cents morts, ils ont cru bon de décommander le bal et de faire monter d'en bas le Révérend Parsons. Cela ne va pas les empêcher de faire ripaille, vous allez voir. Et qui reste là, seule ? Non, rien n'a changé. Rien.

— Agréable pour moi ! s'écria-t-il.

— Carl. Ne vous faites pas plus bête que vous n'êtes. Vous comprenez, n'est-ce pas. En plus, la situation s'est exacerbée depuis que l'on sait que je reste. On s'accoutumait un peu à moi parce que je devais partir. Maintenant, plus que jamais je suis l'Irlandaise, la révolutionnaire, la sale papiste. Et lui se trouve là-bas, à les soutenir et les encourager du seul fait de sa présence..., ajouta-t-elle avec amertume.

— Il ne pouvait sans doute pas faire autrement !

— Je ne sais pas. Je ne sais plus. »

Elle resta silencieuse. Carl eut un petit rire songeur.

« Et moi qui pensais que cette épreuve allait vous lier à chaux et à sable, dit-il. Après tout, vous vous étiez montrée si passionnée dans votre volonté forcenée de le retrouver et de le rejoindre ! Je me sentais presque redevable de sa vie à votre égard, savez-vous...

— Passion..., répéta-t-elle pensivement. Oui, nous aurions sûrement vécu une période de retrouvailles passionnées, après tant de travail pour lui et de solitude pour moi. J'imaginais cette recherche, cette lente approche de lui comme une... sorte de prélude à ce qui nous attendait. »

Elle avait parlé avec tant d'élan et de mélancolie à la fois qu'il se sentit d'un seul coup blessé, rejeté.

« Je crois que mon premier réflexe était le bon, de ne pas vouloir vous revoir, murmura-t-il d'une voix sourde. Je me suis souvent dit depuis trois semaines que j'aurais tant souhaité que cette rencontre n'ait jamais lieu. Vous seriez partie à l'heure qu'il est et je n'en aurais jamais rien su.

— Pas encore partie, dit-elle. Le pont aurait dû être inauguré demain.

Carl faisait effort pour ne pas laisser son regard s'attarder sur la photo du guéridon. C'était trop fort, tout de même. Elle continuait à l'aimer. Et cet homme qui avait la chance inouïe d'être l'époux de cette femme ne semblait pas s'en rendre compte.

« A ce propos, fit-il. Dites à votre mari que... »

Il parut hésiter.

« Je suis retourné sur le site du glissement de terrain, dit-il. Ce n'est pas sismique. Mais il a fallu une telle conjonction de phénomènes naturels, et en des lieux précis, pour que la coulée interrompe totalement le cours de la rivière que l'on pourrait vraiment croire au pouvoir maléfique de Kâli !

— Ou au sabotage, dit-elle. Christopher n'était d'ailleurs pas loin à ce sujet de partager l'opinion de Dhakki Singh et de Greenshaw. »

Carl fouilla dans sa poche et en retira un feuillet et un petit sac de toile.

« J'ai aussi apporté à ce sujet la réponse de la Direction des routes et des travaux publics concernant le câble ainsi qu'un fragment de celui-ci. La lettre est arrivée au Pavillon Moghol hier et j'en ai pris copie. Quant au câble, je l'ai repris quand on nous l'a renvoyé après l'enquête. J'ai pensé que l'ensemble de ces deux pièces pourrait peut-être intéresser votre mari et probablement le rassurer, ajouta-t-il.

— Oh, vous vous êtes préoccupé de cela... Je suis certaine que vous vous seriez bien entendus tous les deux, vous savez.

— Je n'en suis pas si sûr, répliqua-t-il avec une impatience soudaine. Mais pour en revenir à ce sujet, je ne parvenais pas à croire, moi, à l'hypothèse d'un acte de sabotage commis vingt miles en amont de l'ouvrage ; la lettre de Delhi lève les derniers doutes et elle a sûrement influé sur la décision de Branjee », ajouta-t-il en lui tendant le document.

Elle prit le sac des mains de Carl, puis presque à contrecœur le feuillet et en lut rapidement la teneur.

DIRECTION DES ROUTES ET DES TRAVAUX PUBLICS
DELHI
—

Le Directeur des R.T.P.
à
S.E. le Pandit Deben Battacharya BRANJEE
Premier Ministre du Royaume de Cachemire et Jammu
Secret/Confidentiel

Delhi, le 16 juin 1914.

« Excellence,

« Nous avons bien reçu le fragment de câble que nous a fait envoyer par la valise S.E. Dhakki Singh au lendemain de la catastrophe qui a endeuillé la vallée de la Kishenganga et provoqué la rupture de l'ouvrage de Danyarbani. Nous avons adressé par voie diplomatique nos condoléances attristées et je me permets de les renouveler à cette occasion.

« Nous avons bien entendu procédé de toute urgence à l'enquête demandée. Il ressort de celle-ci que le numéro encore visible sur la gaine de caoutchouc :

316 — intervalle vide — 2 B

n'apparaît pas sur la nomenclature des matériaux de câblage actuellement en usage dans l'Empire dans les domaines tant civil que militaire.

« L'Office des Forêts nous signale toutefois que ce numéro pourrait correspondre à la référence d'un câble utilisé jusqu'en 1900 environ par les géomètres de l'Office pour des travaux d'arpentage et de cadastre. Le numéro de répertoire en était 106316 — C2BU, et le fabricant : les Tréfileries Bembridge et Carbow, de Coventry. Ce type de câble fut ensuite abandonné au profit de chaînes certes plus lourdes et encombrantes à manier, mais aussi plus robustes et moins sensibles à l'humidité.

« Il semble de toute façon peu vraisemblable pour

des raisons d'étanchéité qu'une telle gaine ait pu servir de protection à des filaments électriques susceptibles de faire fonctionner à distance un détonateur d'explosif.

« Respectueusement vôtre,

« Francis Lewis. »

Elle la reposa devant elle.

« Je lui donnerai tout cela, dit-elle sans autre commentaire. Cela le préoccupait tellement.

— Ça, je le comprends ! fit-il.

— Il vous sera reconnaissant de l'avoir prévenu aussitôt... »

Il paraissait soudain mal à l'aise.

« À ce sujet, avez-vous fait justice... de toutes ses allégations me concernant, qui avaient motivé sa réaction à mon égard ? Lui avez-vous dit que mon rôle se bornait à celui d'être un bon cartographe, et rien que cela ? »

Son anxiété était si visible qu'elle parut un instant s'en divertir.

« Je le lui ai dit, fit-elle. Je vous ai défendu comme l'aurait fait... »

Elle chercha son mot.

« ... la meilleure des complices.

— Oh, vraiment ! Et... il vous a cru ?

— Je n'ai pas eu à me forcer beaucoup. Et de toute façon il sait ce qu'il vous doit.

— Quelle horreur ! C'est une des raisons pour lesquelles je ne voulais pas le voir.

— Et puis il est tombé sur votre portrait dans le *News of Kashmir,* ajouta-t-elle d'un ton presque narquois. Ainsi, il sait à quoi ressemble son sauveteur ! »

Depuis quelques instants, il se sentait ragaillardi. Bientôt il serait de force à attaquer ce fameux poulet. « La meilleure des complices », se répéta-t-il avec un ravissement qui vint le baigner comme une rosée bienfaisante.

« Ce n'est pas faux, non ? dit-il.

— Pardon ? »

Il s'aperçut qu'il avait en fait pensé tout haut.

« Complice..., murmura-t-il, avec la crainte qu'elle ne revienne sur ce terme.

— Une complice que le *pantch* d'Angdawa a écarté de

l'action au moment où elle devenait quasiment d'ordre surnaturel ! s'exclama-t-elle avec dépit. Pour une fois que je pouvais rencontrer tout le merveilleux de l'Orient..., je dormais.

— Pour quelqu'un qui a joué autrefois la Reine des Fées, c'est en effet dommage ! Mais ne regrettez rien. Je ne vous aurais sûrement pas emmenée.

— Vous ne deviez pas non plus m'emmener sur le pont !

— C'est vrai que j'avais oublié à quel point il était difficile de se débarrasser de vous !... dit-il avec un demi-sourire. D'autant que l'autre soir, après m'avoir remercié, vous avez ajouté avant de vous endormir : " Et qui sait si un jour... " » Il resta quelques instants songeur. « Voilà, vous n'avez rien dit de plus. »

Elle parut prise de court et le regarda à son tour sans mot dire.

« C'est simple, cela signifie qu'on ne sait jamais ce que l'avenir nous réserve ! Peut-être referons-nous quelque chose...

— Je ne vois guère comment, et où ! »

D'un geste, elle écarta la réserve.

« Dites-moi plutôt... Pour ce qui est de la reconstruction du pont... N'y aurait-il aucune possibilité à votre avis... de changer de fournisseur ? »

Il resta un instant sans voix.

« C'est plutôt avec votre époux qu'il faudrait voir cela ! Moi, cela ne me rentre pas du tout dans mes compétences ! Vous aussi, vous surestimez mon influence auprès du Diwân ! »

Elle haussa les épaules.

« Christopher restera bien évidemment fidèle à ce chantier. Mais ne pourrais-je pas, moi, de mon côté, aller voir Son Excellence et essayer de la persuader...

— Mais qu'est-ce que cela peut vous faire, à la fin, que ces fichues poutrelles viennent de Belfast ? » demanda-t-il avec vivacité.

Elle mit brusquement la tête dans ses mains.

« Cela se passe si mal là-bas... si mal..., balbutia-t-elle.

— Vous avez reçu de mauvaises nouvelles ? lui demanda-t-il.

— Des nouvelles, oui..., l'entendit-il murmurer en mots saccadés. Des nouvelles, ça j'en ai ! Mais jamais d'action, jamais... Piégée ici... Piégée... »

Elle s'était soudain mise à pleurer. Il la regarda, consterné, se demandant ce qu'il devait faire. Elle se ressaisit.

« Vous voyez dans quel état sont mes nerfs, dit-elle en sortant son mouchoir.

— Ne vous exagérez-vous pas la situation dans votre pays ? demanda-t-il d'un ton apaisant. Quand on est loin, vous savez, on voit tout à travers des prismes déformants ou grossissants... D'après ce que vous m'avez expliqué, la situation là-bas est un peu comme ici, non ? Il y a deux communautés qui se haïssent pour des motifs religieux mais qui se mettent d'accord pour demander l'autonomie... *Swaradj*, comme ils disent ici...

— Nous, nous parlons du *Home Rule*. Mais ce n'est pas ça... » Elle parut hésiter à se lancer dans une explication, puis se décida : « Les protestants de l'Ulster n'en veulent justement pas, de l'autonomie. Ils veulent au contraire être unis le plus étroitement possible à l'Angleterre, et c'est pour cela qu'on les appelle unionistes. Ce sont autant de petits..., vous qui avez la mémoire des noms, comment s'appelait déjà notre sémillant lieutenant de guides ?

— Partridge.

— Eh bien, ce sont autant de petits Partridge. Ils se débrouilleront toujours pour être en dehors de la loi d'autonomie, si elle nous est un jour octroyée. Notre malheureuse île sera alors officiellement partagée en deux, et les libéraux, actuellement au pouvoir à Londres, ne pourront jamais s'y opposer.

— Et que pensent les catholiques du reste de l'Irlande ?

— La plupart se contenteraient parfaitement de ne pas crever de faim, avec ou sans autonomie. Et puis il y a ceux — une petite minorité — qui militent pour l'indépendance dans des mouvements comme le Sinn Fein ou des organisations secrètes comme la Fraternité républicaine irlandaise. Mon oncle Reginald est proche de leurs idées.

— Votre oncle ? L'ancien Résident ? demanda-t-il.

— Oui. Il arrive d'ailleurs aux Indes et j'attends d'un moment à l'autre des nouvelles de lui. »

Carl hocha la tête.

« Voulez-vous que je vous dise le fond de ma pensée ?

demanda-t-il. Je suis content que vous soyez éloignée de tout cela par les circonstances. Impulsive comme vous êtes, avant même d'avoir débarqué, vous vous seriez retrouvée embrigadée dans je ne sais trop quel mouvement terroriste comme il y en a tant par ici. Je les ai vus agir, et croyez-moi, je vous préfère loin de tout cela.

— Ah, ah ! s'exclama-t-elle. Vous voyez bien que vous les avez vus ! Chris avait donc un petit peu raison, malgré tout ! »

Il eut un geste d'agacement.

« Croyez-vous qu'il soit possible de rester trois ans sur le terrain sans rencontrer au moins quelques-uns de ces agitateurs ? D'autant qu'ils opèrent au Pendjab et se réfugient ensuite au Cachemire comme dans un sanctuaire ! »

A mesure qu'elle montrait davantage d'intérêt, il remarqua que son regard devenait comme sur la photo fixe et pénétrant.

« Vous n'avez jamais été inquiété lorsqu'il vous est arrivé de les trouver sur votre chemin ? demanda-t-elle.

— Je faisais comme si je ne voyais et n'entendais rien. Sans quoi je n'aurais pas tenu deux mois : on aurait simplement retrouvé mon corps un beau matin. L'important avant tout était d'être discret, et même les Marathes ont reconnu que je l'étais ! Ce sera plus difficile désormais, parce que les rebelles ont depuis quelque temps tendance à proliférer et à endoctriner la population, et que le Diwân, sur la pression de Delhi, pourra difficilement continuer à fermer les yeux. C'était une des raisons pour lesquelles Greenshaw ne voulait pas du pont, car leur infiltration en aurait été nettement facilitée...

— Les paysans n'accepteront pas toujours de payer en impôts le sixième de leurs récoltes ! » remarqua Winifred.

Carl parut surpris de la réflexion.

« N'allez pas dire cela à Branjee ! lança-t-il.

— Vous croyez vraiment que je suis une gourde ! répliqua-t-elle vivement. Et ce n'est pas le sort de l'Inde qui m'importe, figurez-vous, ni celui du Cachemire. Il y a suffisamment d'hindous et de mahométans pour prendre ici même leurs responsabilités. Leurs mouvements ne m'intéressent que dans la mesure où ils se rapprochent des nôtres.

— Tout de suite vous prenez la mouche..., soupira-t-il.

— Et vous, vous êtes comme Christopher ! Vous croyez que je suis névrosée, sans doute ! Et pourtant je me trouve bien calme quand je pense que je suis en votre présence et que *vous* aidez mes pires ennemis. »

Il tomba des nues.

« Moi, j'aide vos pires ennemis ? »

Elle prit la lettre à en-tête qui était dans le livre et la lui tendit. « Vos compatriotes, j'entends. Tenez, lisez. »

Il hésita à la prendre.

« Je ne veux plus me préoccuper de cela, dit-il avec réticence. Ça m'est étranger. Vous m'avez vous-même fait remarquer que j'ignorais totalement ce qui se passait là-bas. Et c'est vrai. Jusqu'à ce que vous m'en parliez, il y a de cela trois semaines, je n'avais prononcé de ma vie le nom de l'Irlande. Peut-être est-ce trop peu montagneux pour moi.

— Pas d'ironie, je vous prie ! lui lança-t-elle avec une brusque acrimonie. Car ce n'est pas le cas de tous les Allemands, apparemment ! Et en particulier, à titre personnel, du père de votre camarade !

— Quel camarade ? demanda-t-il, ahuri.

— Lisez, je vous le demande ! »

A l'altération de sa voix, il se rendit compte qu'elle ne lui laisserait pas d'autre choix et il se saisit des feuillets.

« C'est de votre oncle ? s'enquit-il.

— Oui, dit-elle en se calmant quelque peu maintenant qu'il avait la lettre en main. Il m'avait écrit de Madère il y a près de deux mois pour m'expliquer les raisons de sa démission de notre ambassade à Berlin. Il avait acquis la conviction que par l'entremise de l'ambassadeur, celui qu'on appelle le " roi sans couronne de l'Ulster ", le chef du mouvement orangiste Edward Carson, le pire de tous, cherchait à s'armer en Allemagne, et cela avec l'appui du Kaiser lui-même... Bien entendu, c'était illégal.

— Avec l'appui du Kaiser ? s'étonna-t-il.

— Oui, Carson s'en disait l'ami.

— Eh bien, c'est du joli », fit-il avec désinvolture.

Elle tapa avec rage sur la table.

« Vous avez le front de plaisanter ! Vous êtes comme Christopher qui ne supporte pas que je reçoive ces lettres, et moins encore qu'oncle Reggie soit en route pour les Indes et vienne me parler de tout cela !

— Calmez-vous, dit Carl avec une sécheresse soudaine. Je ne pourrai pas lire une ligne si vous vous mettez dans ces états.

— C'est que Reginald a les preuves maintenant, murmura-t-elle d'une voix éteinte. Ces armes, ils les ont obtenues... »

Quelque chose agaçait Carl dans l'influence qu'il devinait de cet inconnu (il n'avait entendu parler que de ses exploits cynégétiques) sur la jeune femme, et il se sentait presque de connivence avec son mari sur ce point. Il se pencha sur la lettre. L'écriture était fine et régulière avec de grands jambages et de larges interlignes.

THE SHEPHERD'S
LE CAIRE

Le Caire, mercredi 20 mai 1914.

« Ma petite Winnie,

« C'est d'une main fort lasse que je t'envoie ces quelques lignes au moment de rejoindre à Port-Saïd ce pauvre vieux *Soudan* dont les grincements incessants (je n'ai jamais senti une coque vibrer autant) vont désormais bercer — si l'on peut dire — mes nuits d'insomnie jusqu'à Bombay. Lasse, te disais-je, car la félicité a autant déserté mon escale égyptienne qu'elle avait rempli à satiété (en dépit de la présence de la bonne Magda) celle de Madère.

« Tout cela avait fort mal commencé par une nouvelle qui te semblera futile et que j'ai apprise par le *Times* dès mon arrivée. Un de mes tableaux favoris a été détruit par une vandale et je m'en sens un peu responsable. Le corps délicieux de la *Rokeby Venus* que j'avais contribué naguère à faire acheter par Agnew lors de la succession du vieux Haggerty a été en effet la victime des coups de couteau répétés d'une Miss Richardson, suffragette de son état. Funeste idée que j'avais eue de l'arracher aux cimaises discrètes de Belgravia Square où elle serait encore intacte ! Quand j'y pense... Lacéré, l'unique nu qui nous restait du grand Velasquez ! Découpée en rondelles, la divine cambrure dont j'emportais toujours avec moi la reproduction pour la regarder avec reconnaissance (le montant de la commission m'avait fait vivre pendant deux années) et, je ne te le cache pas, quelque concupiscence ! J'étais anéanti. Que n'ai-je su alors ce qui allait suivre ! O sombre nuit de l'âme humaine ! J'aurais gardé quelques larmes en réserves... »

« Il écrit fleuri, votre oncle, remarqua Carl en levant les yeux du feuillet.

— Il est comme ça, dit-elle d'un ton sans réplique.

— C'est en tout cas bien dommage pour cette peinture, se crut-il obligé d'ajouter.

— Il voulait créer une Galerie nationale d'Irlande il y a quelques années. Feu de paille comme tant d'autres projets... Mais continuez, continuez », dit-elle avec une impatience anxieuse.

« ... M'attendait en effet à l'hôtel une lettre de Thomas Duneggan que j'avais rencontré à Dublin dans les circonstances que je t'avais racontées. Cette missive m'en apprenait de belles et justifiait a posteriori (ce qui ne me consolait pas, je te prie de le croire) ma décision de démissionner. Je t'avais laissée fort de ma conviction que l'ambassadeur cherchait à faciliter l'armement des unionistes. Eh bien, voilà ce qui se passait peu après, par un soir d'hiver, comme dans les mauvais rêves : un petit cargo venant de Hambourg, le *Franny*, abordait à Larne (Ulster). Des centaines de voitures et véhicules divers, venus là par hasard, selon le rapport des *constables*, chargèrent la cargaison et lui permirent d'être rapidement répartie et évacuée, au nez et à la barbe d'autorités complaisantes. Tu devines que le paisible *Franny* n'était pas chargé de *Delikatessen*. Thomas m'écrit qu'il avait pu se procurer le double du connaissement. Pas moins de trente-cinq mille fusils à baïonnette, trois millions de cartouches, des dizaines de mitrailleuses — tu m'excuseras du peu — venaient d'être introduits chez nos pires ennemis en dépit de l'embargo britannique. Pourquoi tant d'armes si les unionistes n'ont pas d'intention belliqueuse ? Ceux qui croyaient au mythe d'une possible cohabitation avec nous ont désormais bonne mine ! Mais il y a mieux.

« Thomas s'étant enfin penché sur l'épais dossier que

j'avais constitué lors des derniers mois de mon séjour à la Wilhelmstrasse (côté ambassade), il lui a été possible par recoupement de remonter la filière de cette inqualifiable transaction. " J'aurais dû davantage t'écouter ", m'écrit-il. Il ressort de ses investigations que les agents de Carson (dont nous avons les noms) avaient fait affaire avec un courtier de Hambourg, personnage que j'avais vu plusieurs fois lors de réceptions à la Chancellerie et à l'ambassade, et dont j'avais donné le nom dans mon rapport. Il est évident que cette affaire a été manigancée avec l'aval de la Chancellerie et a bénéficié de la complicité de notre ambassade, vu les liens (certains diront l'amitié) qui unissent le Kaiser, l'ambassadeur Lord Ransfield et Carson, cimentés bien entendu par le conservatisme le plus étroit. Ces trois-là sont prêts à tout pour conserver les privilèges et les prérogatives des unionistes, tout en plaçant des banderilles sur notre actuel et vacillant cabinet. J'avais essayé lors de mon passage à Londres de prévenir certains que je croyais être mes amis de ce qui se tramait, et de leur dire que c'était l'intérêt de l'Allemagne que de déstabiliser nos arrières en fomentant (ou du moins en encourageant) une guerre civile en Irlande. Et tu sais ce que j'entendais me répondre, dans des clubs comme le *Boodle's*, de vieux gentlemen dont je connaissais les décorations gagnées aux Indes, en Afrique du Sud ou ailleurs ? " Mais enfin, Reginald, pourquoi voulez-vous faire des Allemands nos ennemis ? Après tout, nous avons combattu ensemble à Waterloo ! "

« Si tu veux mon avis, cette guerre civile, nous y allons tout droit. Ainsi surarmés, les orangistes ne vont avoir de cesse que de nous provoquer. Ce ne serait pas pour me faire peur (il faudra bien un jour débrider l'abcès), mais ce n'est pas avec des cantiques et des lance-pierres que nous pourrons leur répondre et franchir la Boyne.

« Cela dit, sois gentille de prévenir ton mari que j'arriverai vraisemblablement trop tard pour assister à l'inauguration de son grand ouvrage. Je suis certain qu'il en sera fort affecté, mais dis-lui pourtant qu'il ne s'en tirera pas à si bon compte ! J'ai bien l'intention de me rendre sur le site pour juger de l'entreprise, même s'il faut doubler pour cela l'attelage de la *tonga*, eu égard au poids de l'admirateur.

« A très bientôt, ma toute petite... Ma seule consolation vient de ce que, lorsque tu liras cette lettre, je serai presque à portée de voix pour vaticiner en ta compagnie.

« Si affectueusement,

« Ton vieil oncle,

« Reggie. »

Il lui rendit la lettre en silence.

« Vous ne dites rien », dit-elle avec reproche.

Il eut un sourire contraint.

« C'est que je finis par craindre vos réactions ! A lire votre oncle, je trouve en effet qu'il a tort et ses amis raison : pourquoi vouloir à toute force faire des Anglais et des Allemands des ennemis ? J'ai eu suffisamment à souffrir de cet état d'esprit, comme je vous l'ai dit, pendant que nous construisions le chemin de fer de Bagdad ! Si vous aviez entendu tous ceux qui prétendaient que nous avions un comportement hostile et provocateur !

— Je vois pourquoi vous dites cela, s'écria-t-elle avec humeur. J'oubliais que les uns étaient vos compatriotes et les autres vos employeurs !

— Ne soyez pas déplaisante, répliqua-t-il vivement, ou bien je pars, et tout de suite. »

Elle s'agita sur son fauteuil.

« Comprenez donc que je ne demande pas mieux qu'Anglais et Allemands s'entendent, mais ailleurs que sur notre dos ! Or vous avez lu avec la bénédiction de qui s'est passée cette honteuse transaction : le Kaiser lui-même. Ça ne vous chiffonne pas ? »

Il eut une moue sceptique.

« Je n'en crois pas un mot, dit-il. L'empereur est un homme solitaire, hautain et renfermé. Je n'ai pas l'impression que quiconque puisse se prévaloir de son amitié.

— Amis ou pas, Carson les a maintenant, ses armes ! s'exclama-t-elle. Et la proportion entre eux et nous en matière de carabines et de munitions doit être maintenant de quarante contre un ! Oncle Reggie a raison, avec quoi irons-nous les combattre désormais ?

— Mais pourquoi voulez-vous, Seigneur, qu'il y ait une guerre civile ? L'Angleterre s'entremettra ! Comme elle s'entremet ici entre hindous et mahométans, ce qui est une autre paire de manches, croyez-moi !

— Vous voyez comme un prétendu blocus a empêché les armes d'atteindre l'Ulster ! Quant à comparer avec la situation ici, Carl, je me souviens d'avoir dit un jour au major, après avoir reçu une lettre de Reginald : " La guerre civile aura lieu chez moi, Vijay, avant d'avoir lieu chez vous. " »

Le ressentiment de Carl vis-à-vis de l'ex-Résident s'en accrut. Que faisait-il dans toute cette affaire, si ce n'était manipuler une nature un peu exaltée en profitant de son isolement — peut-être pour se donner vis-à-vis d'elle une importance qu'il n'aurait pas eue sans cela ?

« D'autant que maintenant qu'ils ont l'avantage, ajouta-t-elle, ils vont déferler, croyez-moi, ils vont en profiter ! Il nous faudrait au moins rétablir l'équilibre. Et pour cela je ne vois pas d'autre solution que d'utiliser les mêmes moyens qu'eux... »

Carl se rendit compte qu'il avait hâte que la conversation quitte ce terrain, car il s'y sentait encore plus mal à l'aise que sur le gneiss pourri du Chatthewala. Et il avait beau tenter de s'intéresser à l'Irlande dans la mesure où Winifred l'incarnait dans ses yeux avec tant d'ardeur et de véhémence, il ne se sentait guère plus concerné par ce qui s'y passait — ou risquait de s'y passer — que par n'importe lequel des conflits locaux qu'il n'avait cessé de rencontrer depuis trois ans au cours de ses pérégrinations dans les vallées. A leur égard il n'avait qu'un seul comportement : ne jamais prendre parti, ne jamais intervenir. Cela s'était vite su : question de survie. Et il n'avait pas l'intention, même pour la satisfaire, d'abandonner cette prudence qui lui était devenue une seconde nature.

Il sentit soudain son regard posé droit sur lui. L'impression fut si vive qu'il se dit que ce devait être la première fois qu'elle le fixait avec cette intensité.

« ... Par exemple, peut-être pourrait-on utiliser l'influence de votre ami pour obtenir à notre tour une cargaison d'armes », lui dit-elle d'une petite voix.

Il crut avoir mal entendu.

« Mon ami..., répéta-t-il sans comprendre.

— Puisque Carson, malgré vos doutes, semble bien avoir un ami dans la place, je veux dire dans la famille impériale, nous pourrions après tout nous en créer un nous aussi ! Et je ne vois pas qui cela pourrait être d'autre que ce jeune prince dont vous me parliez...

— Le Kronprinz ?

— Le propre fils du bienfaiteur de nos ennemis !... Voilà justement qui rétablirait l'équilibre. »

C'était donc bien ce qu'il avait cru entendre. La stupeur le disputa en lui à la colère.

« J'ai eu bien tort de vous en parler ! s'exclama-t-il. Et je croyais pourtant vous avoir fait comprendre que je ne pouvais en aucun cas parler du Kronprinz comme d'un ami...

— Il n'empêche que c'est à lui que vous devez d'être ici ! Vous pourriez au moins attirer son attention sur ce qui se passe !

— Et par qui ? Comment ? demanda-t-il d'un ton sarcastique. Et à supposer même que j'aie quelque influence, vous ne vous imaginez tout de même pas que je puisse l'utiliser pour lui suggérer une décision exactement contraire à celle qu'aurait prise, ou laissé prendre, son père ! »

Elle le regarda avec une consternation visible.

« Vous ne pouvez pas prendre contact avec lui... Mais alors... Toutes ces histoires sur vos liens avec le consul d'Allemagne à Delhi... »

Il se dressa d'un bond, à la fois furieux et plein de subit ressentiment.

« Vous aussi avez cru à ces racontars, n'est-ce pas ? Cela court la vallée, je le sais, et allez savoir qui les a lancés... Il suffirait de chercher à qui la calomnie profite ! Et puis les réputations ont la vie dure. La mienne, c'était celle de l'espion, n'est-ce pas, et pour faire bonne mesure certains ne se gênaient pas pour dire qu'entre le consul et moi... que ces fameux liens... c'était plus que de l'attachement ! Oui ! Je sais qu'on le disait ! Voilà l'étiquette que de bons apôtres étaient trop contents d'accrocher à mes basques ! D'ailleurs, quand ce n'était pas le consul, c'était Branjee ! J'étais toujours l'ami de quelqu'un ! Je comprends que certains colportent cela, si je ne l'excuse pas... Mais vous ! Ah, vous pouvez parler des médisances de la communauté ou des conflits avec votre mari ! Malgré tout ce que j'avais pu vous raconter sur mes activités, c'était lui que vous croyiez bel et bien ! Vous auriez agi comme il l'avait fait à mon égard en m'interdisant la vue du chantier ! Le consul d'Allemagne risquait d'être au courant, n'est-ce pas ! Fichtre, j'ai bien fait de refuser ce dîner ! Quant à celui-ci... »

Il arpentait nerveusement la pièce, hachant son monologue de gestes fébriles. Elle le suivait des yeux sans mot dire, interdite devant ce déferlement de phrases saccadées. Il finit par se planter devant elle.

« Vous ne comprenez donc pas, Winifred, reprit-il d'une voix plus grave, que je ne peux en aucun cas encourir le risque de me faire expulser ? Que j'ai des choses à faire ici, moi ? Et en particulier une qui me tient particulièrement... »

Il s'interrompit brusquement, puis hocha la tête avec amertume.

« Ah, c'était pour cela que vous m'aviez relancé, c'était pour cela que vous insistiez tant pour cette invitation... Moi qui croyais que c'était pour moi. Pour me voir. Oh, j'étais trop bête. Trop... »

Sa voix dérapa. Tout cela avait assez duré. La colère et le dépit lui donnèrent brusquement des ailes. En deux enjambées il traversa le salon, le vestibule et il se retrouva dehors, sur l'allée.

Il avait maintenant dépassé l'entrée de la Résidence. En haut de la pelouse, le rouge éclatant des sauges s'assourdissait avec la tombée de la nuit, et la grande demeure semblait se fondre dans une zone confuse déjà envahie par la pénombre que des traînées de couchant illuminaient encore de l'extérieur, comme les marges claires d'un vaste mandala. Parvenu au pied du poteau d'Apharwat, il le frôla du bout des doigts, éprouvant à son toucher la même sensation que lorsque, trois semaines auparavant, il avait regagné le tronc abattu après s'être arraché à la boue de la coulée : celle de s'en être tiré à bon compte et au bon moment. Demain, il serait toujours temps de penser à la souffrance ; mais à présent tout paraissait si simple :

il allait atteler et rentrer tout de suite à Srinagar, et la longue descente solitaire vers la ville au son du grelot de la petite *tonga* parviendrait peut-être à l'apaiser. A mesure qu'il s'approchait du Club-House, il sentait pourtant une sorte d'hébétude l'engourdir et un malaise l'oppresser à chaque pas davantage, comme si le gouffre qui s'était creusé entre l'idée qu'il se faisait auparavant de sa soirée à Gulmarg et ce qui s'était réellement passé s'ouvrait maintenant sous ses pieds, béant, en travers de l'allée. Il dut s'asseoir sur le bas-côté dans la douceur odorante du sous-bois pour tenter de reprendre son calme. Le silence était total. Il écarta les doigts et les plongea machinalement dans les aiguilles de pin, les laissant s'échapper comme un enfant l'aurait fait de grains de sable, regardant sans les voir une nappe de petites fleurs claires se perdre dans les sapins comme un ruisseau.

Il y eut un frôlement sur sa gauche et il la vit surgir sur l'allée, marchant d'un pas rapide, paraissant à la fois diaphane et déterminée — il n'y avait qu'elle pour juxtaposer ainsi les extrêmes. Elle se rendait sûrement au Club, et allait passer sans le voir. Un court instant, il fut tenté de ne pas manifester sa présence. Il repensa souvent par la suite à ce laps de temps infime — ce bref éclat de leurs deux vies où tout s'était joué.

« Ho », fit-il sans élever la voix.

Elle sursauta, s'arrêta net et, revenant un peu en arrière, scruta le sous-bois. Il se redressa et sortit lentement de la pénombre. Un bref instant, elle resta déconcertée, puis se ressaisit.

« Il doit être écrit quelque part que nous ne mangerons jamais de poulet ensemble, dit-elle.

— Ça en prend le chemin », murmura-t-il.

Il y eut un silence. Elle se tenait indécise sur le bas-côté, les mains jointes, et lui regardait sans trop croire à sa réalité cette silhouette évanescente et fluide.

« Vous pensiez arriver avant moi ? » demanda-t-il.

Il aurait voulu mettre un ton de persiflage dans sa question, mais il sentit que sa voix tremblait et qu'il ne faisait que dévoiler son trouble.

« Je voulais que vous sachiez que je m'étais mal exprimée, reprit-elle hâtivement. Je n'ai jamais voulu dire... cela... Je n'ai d'ailleurs jamais rien entendu de tel, en particulier venant de Chris... Et je ne vous ai bien sûr pas invité pour... pour vous demander d'utiliser votre influence ! C'est un malentendu... Simplement, comme c'est un problème qui m'obsède, à qui pourrais-je en parler en ces termes, si ce n'est à vous ? Mais c'est vous qui avez pris la mouche cette fois, avant même que je ne m'explique... »

Il la sentait encore haletante de sa course.

« " Si ce n'est à vous "..., répéta-t-il, avec une sorte d'incrédulité. Vous parlez de moi comme si on se connaissait bien. Vous savez pourtant que ce n'est pas le cas... »

Il lui sembla qu'elle secouait la tête dans la pénombre en manière de dénégation.

« On a tout de même brûlé les étapes, non ? fit-elle. Et quelles étapes ! Il y a des inconnus qui font connaissance en se parlant par hasard dans leur omnibus en traversant Waterloo Bridge. Vous imaginez, nous, ce qu'il a fallu de cataclysmes, de morts, de détresses, pour que l'on se rencontre alors qu'on aurait simplement pu avoir des *doongas* voisines l'hiver à Srinagar ! Ça ne peut pas ne pas mettre à jamais nos relations sur un niveau différent des autres !

— Nos relations, répéta-t-il tristement. Elles vont se terminer au bout de cette allée, nos relations. »

Elle parut saisie par son désenchantement.

« Cela vous attriste ?

— Ça ne pouvait être autrement, dit-il.

— Vous m'en voulez encore, n'est-ce pas ? »

Il soupira.

« Tout à l'heure, je vous disais que j'étais plutôt satisfait que les événements vous obligent à rester, car je craignais que là-bas vous ne fassiez des bêtises, reprit-il. Eh bien, maintenant, après ce que vous m'avez dit justement, je suis certain que vous les auriez faites ! Oui, même si je ne dois plus vous revoir, je suis content que vous restiez par ici. »

Elle eut un geste d'humeur.

« Si ce que vous appelez des bêtises, c'est mon désir de prendre contact dès mon retour avec des milieux nationalistes irlandais et ma résolution de militer dans leurs organisations secrètes, alors soyez sûr que je les ferai, dit-elle avec un accent de sincérité presque solennel. Je peux même vous dire que cela m'aide à vivre et me donne le courage d'attendre...

— Et que ferez-vous ? Comme la fille de la lettre ? Vous saccagerez des objets d'art dans les musées ?

— Pourquoi pas, s'il le faut pour se faire entendre ! Je m'arrangerai simplement pour ne pas le dire à mon oncle Reginald !

— Oh, celui-là ! s'écria-t-il avec une brusque animosité.

— Quoi, celui-là ?

— Je comprends votre mari qui ne l'apprécie pas !

— Il y a des considérations personnelles que vous ne pouvez pas connaître...

— J'ai l'impression qu'il vous manipule à distance ! Cette anxiété, ce sont bel et bien ses lettres qui l'ont causée, non ? Il savait que vous étiez seule avec votre tempérament impulsif et votre énergie rentrée... »

Il s'interrompit, comme s'il savait que chaque mot comptait et qu'il ne pouvait se permettre de paroles en l'air.

« Mon inquiétude provient de cet éternel problème d'engrenage, reprit-il d'une voix qu'il s'efforça de rendre persuasive. On est entraîné à faire des choses que l'on ne voulait pas. On commence par porter des messages à bicyclette et quelques semaines plus tard on se retrouve avec des porteurs de bombe, des *bombparasts* comme ils disent ici. »

Il eut un petit rire.

« Je ne sais pas s'il y a une traduction typiquement irlandaise du mot terroriste.

— Qu'importe la langue, dit-elle. La violence existe en elle-même, en dehors de tout langage, dans l'absolu. J'ai réfléchi au problème, figurez-vous, et peut-être les lettres de Reggie ont-elles en effet accéléré cette réflexion...

— Comment, qu'importe la langue ! Mais le terroriste, si l'on adopte sa propre logique, est justement un homme de violence qui prétend défendre aussi sa nationalité, son particularisme, sa langue justement, quand il les juge menacés... C'est le contraire de ce que vous dites !

— Le terroriste a pour ambition de se substituer à l'histoire, dit-elle. C'est là qu'on peut parler d'absolu, non ? »

Il haussa les épaules.

« Vous en rajoutez toujours, dit-il. Vous êtes tellement excessive ! C'est là où j'en veux à votre oncle qui le sait, lui, et qui en joue.

— Est-ce excessif, protesta-t-elle avec véhémence, que d'essayer de rêver à ce qu'on fera plus tard ? d'essayer de se donner un but qui vous tienne ensemble alors que tout autour de vous vacille dans tous les sens du terme, et sombre dans l'égoïsme, le conservatisme et la solitude ? Oh, je sais bien que Reggie a des défauts — plus encore que vous ne le croyez — et je suis la première à les connaître ! Mais au moins me fait-il penser que ma vie aura un jour un sens... que je regarderai peut-être l'histoire dans les yeux... Et alors seulement cette période que j'aurai vécue ici dans cette enclave, si... si longuement, croyez-moi, Carl, si pesamment, se révélera peut-être avoir eu son utilité... »

La tête un peu baissée, elle s'était remise en marche, soudain silencieuse comme si elle ne pouvait rien lui dire de plus. Il entendait les frous-frous de sa robe s'accrochant aux branches basses. C'était les derniers pas qu'ils faisaient ensemble. Il aurait tant voulu la quitter apaisée avant qu'elle ne s'effaçât dans la nuit. A l'embranchement de l'allée du Club-House et de la petite route de Ningle Nallah, elle s'arrêta.

« J'aurais bien voulu connaître l'un de ces groupes de *bomb-parasts,* dit-elle tout à trac.

— Oh, mon Dieu, ça y est, ça recommence », fit-il.

Il lui sembla retrouver cette expression de gamine implorante qu'elle avait eue lorsqu'elle avait voulu traverser le pont.

« Vous ne pouvez pas nier cette fois que vous les avez rencontrés. Vous me l'avez dit. D'ailleurs, j'en étais sûre. Ecoutez, vous ne pouvez pas me refuser cela. Vous devez vous faire pardonner, après tout. »

Il s'appuya sur le poteau d'angle du carrefour.

« Me faire pardonner quoi, Seigneur ? s'efforça-t-il de demander d'une voix douce.

— Je suis certaine que vous auriez pu plaider la cause des Irlandais auprès du prince impérial. Ils ne pourront rien entreprendre sans l'opinion internationale derrière eux, et le transfert d'armes dont parle oncle Reggie aurait peut-être pu être l'occasion d'envoyer une lettre pour évoquer le problème. Mais enfin, bon, je comprends votre situation, je n'insiste pas.

— Si peu.

— Et puis après tout peut-être était-ce utopique de ma part.

— A peine.

— Il n'y a pas d'ironie à faire, Carl. Je voudrais vraiment essayer de rencontrer l'un de ces groupes qui militent pour l'autonomie de l'Inde ! Je suis certaine qu'il y a de nombreuses concordances entre les actions respectives de nos mouvements. Et le fait d'avoir côtoyé ces groupes me permettra peut-être d'apporter quelque chose à ceux que je retrouverai plus tard sur mon propre sol... »

Il ne répondit pas, et elle se méprit sur son silence.

« Vous ne dites rien ! insista-t-elle. Vous pouvez sûrement m'arranger quelque chose... J'aurai moins de mauvaise conscience à rester, alors.

— Vous *arranger* quelque chose ! s'exclama-t-il. On dirait qu'il s'agit de prendre un rendez-vous de dentiste ! Mais, Winifred, décidément, ce soir vous avez perdu la tête ! Je vous ai pourtant expliqué que les dissidents que j'ai pu rencontrer dans les villages, au hasard de mes expéditions, viennent clandestinement pour se réfugier dans les hautes vallées où ils savent qu'on les laissera en paix le temps de se faire oublier ! Vous les imaginez acceptant de dialoguer avec une Anglaise ?

— Carl !

— Ce n'est pas inscrit sur votre visage et votre accent que vous ne l'êtes pas ! Et puis, imaginez-vous les obstacles matériels ? Il nous faudrait quatre ou cinq jours, et sur les pistes nous serions encore plus clandestins que les plus recherchés des terroristes ! On ne peut même pas l'envisager. Je vous ai pourtant assez expliqué que je ne pouvais me permettre... »

Elle eut un geste fataliste qui le surprit.

« Dans ce cas... », dit-elle sur un ton de résignation.

Et voilà. Elle allait s'en retourner.

« Dans ce cas ! Dans ce cas ! s'exclama-t-il. Vous ne me demandez que des chimères irréalisables. Je suis prêt à tout faire pour vous, mais essayez de me demander des choses qui soient possibles, que diable ! »

Elle se tourna vers lui. Il voyait son visage comme une plage tranquille à quelques pouces de lui. Comment tant d'ardeur et d'obstination pouvaient-elles s'y cacher.

« On nous aurait demandé si c'était *possible* de faire ce que nous avons fait l'autre jour, lui fit-elle remarquer, tout le monde nous aurait dit que ce ne l'était pas, vous le premier. Or, ai-je eu raison de vous demander de traverser ? Ou non ?

— Je vous l'ai écrit, cette nuit-là », dit-il d'une voix sourde.

Ils firent quelques pas, comme pour dépasser consciemment ce seuil que représentait le poteau indicateur du Club, qui semblait n'être là que pour leur fixer une limite à ne pas franchir. Après, c'était à nouveau la forêt.

« Pour ce qui est du temps nécessaire, reprit Winifred d'une voix calme et pondérée, comme si elle avait déjà réfléchi au problème, Christopher m'a annoncé hier qu'il partait lundi pour quinze jours à Srinagar. Commission des dommages naturels, Office des routes, Lloyd's, que sais-je encore. Ah, si, discussions avec Branjee, bien entendu. Il voulait que je l'accompagne, mais j'ai refusé, prétextant la fatigue accumulée par tout ce qui s'était passé. Je ne vous dirai pas que je n'avais pas une petite idée de derrière la tête, mais je faisais tout de même grand cas de sa réaction. Eh bien, mes yeux ont été vite dessillés ! Il n'a pas semblé du tout affecté par mon refus ! Le chantier le reprend, et déjà je n'existe plus... »

Sa voix ne semblait toutefois montrer ni tristesse ni amertume, mais au contraire une sorte de libération. Elle se retourna vers lui.

« Carl, je peux donc consacrer tout le temps dont je disposerai désormais à me préparer à être un jour fidèle aux engagements que je me suis donnés, et je veux le faire. Mais le problème est pour vous : êtes-vous libre de quitter en ce moment les délices de votre *doonga* ? Oh, Carl, vous ne pouvez pas me refuser cela. »

Cette façon de renverser les rôles. C'était à lui qu'elle demandait de se justifier de cette liberté qu'il revendiquait si hautement.

« Cela fait trois ans que j'organise mes déplacements à ma guise avec la confiance du Diwân. Je ne suis resté à Srinagar ces temps derniers que pour aider la commission d'enquête. Mais maintenant les rapports sont remis.

— Vous êtes donc libre...

— Je vous vois venir ! s'exclama-t-il. Ecoutez, il y a une chose que je voudrais vous dire à mon tour pour que vous ne vous mépreniez pas. D'après le peu que vous m'avez expliqué de la situation dans votre pays, il paraît y avoir beaucoup moins de ressemblance que vous ne semblez le croire entre les deux situations. Pour vous donner un exemple, ici, aussi bien hindous que mahométans s'accommodent parfaitement des Anglais et ne les imaginent même pas comme des occupants. Ils les voient au contraire comme un tampon nécessaire entre les deux communautés, et le gage d'une unité nationale qu'ils n'auraient jamais pu obtenir sans eux.

— Mais ce n'est pas spécialement aux Anglais que nous en avons ! Ils font parfois d'excellents libéraux, je le sais, j'en ai tout de même épousé un ! Mais c'est à ces caricatures d'Anglais conservateurs et bornés que sont les unionistes de l'Ulster, ceux-là mêmes qui campent sur notre sol, que nous nous en prenons. Pouvez-vous comprendre cela ?

— D'autant plus que nous avons suffisamment souffert en Allemagne de l'hégémonie de la Prusse protestante !

— Quoi, vous êtes catholique, Carl ? s'écria-t-elle avec surprise ; vous ne le disiez pas !

— Un Bavarois vous ferait remarquer : au point de me sentir presque autrichien. Et votre mari ?

— Il est de souche protestante, mais cela n'a jamais été un problème entre nous, d'autant que nous n'avons pas d'enfant, et que pour moi la question d'Irlande est politique avant d'être religieuse. »

A voir sa silhouette furtive et fluide au milieu des arbres, il se dit qu'il aurait pu la rencontrer dans une ville d'eaux — l'une de ces longues créatures diaphanes que tout jeune il voyait déambuler sereinement dans Baden-Baden. Il se serait glissé à son côté, sous son ombrelle, et l'aurait courtisée, au lieu de mener cette stupide conversation sur des concepts qui lui étaient étrangers et où il se sentait mal à l'aise.

« Eh bien, *moi* au contraire j'aurais bien aimé vous rencontrer sur Waterloo Bridge », dit-il sur un ton de regret.

Elle se mit à rire.

228

« On n'y aurait pas survécu ! Enfin, je veux dire, aux semaines qui auraient suivi. »

Il se tourna vers elle.

« Et survivriez-vous à la rencontre d'un pandit d'une courtoisie exquise, qui s'adresserait à vous dans un anglais parfait, dont vous découvririez en effet qu'il a été élevé à Harrow, et dont je vous apprendrais que les soirs d'octobre il se dédouble et se transforme en tueur à la solde de la secte thug, les mains poisseuses de sang, avec autour de son cou autant d'ossements que la Déesse noire et au cœur l'antique croyance que le sacrifice est rédempteur et qu'il exige l'immolation de la victime ?...

— Cette fois, c'est vous qui en rajoutez !

— Pas du tout.

— Ou alors vous pensez à quelqu'un de précis. »

Il parut réfléchir.

« Peut-être une telle rencontre permettrait-elle après tout de vous faire enfin réaliser dans quel chemin vous vous engagez et de vous empêcher plus tard d'être entraînée plus loin que vous ne le désiriez... »

Elle se retourna vers lui.

« Alors, c'est oui ! » s'écria-t-elle.

Il soupira. Une chose lui semblait soudain impossible : qu'elle disparaisse sur le sentier comme elle était venue.

« Et puis cela me permettrait de vous revoir encore une fois », avoua-t-il comme à regret.

Elle ne répondit pas. Ils marchèrent en silence.

« Winifred, reprit-il. Il ne faudrait en aucun cas que nous puissions être vus.

— Je sais, dit-elle. Je pourrais peut-être me déguiser en une des franciscaines de Baramula...

— Elles ne vont pas en montagne.

— Je peux être une *reporter* de l'*Irish Independant* venue voir le mouvement frère...

— Ce serait déjà mieux. Et l'*ayiah* ?

— Il est possible de lui demander d'accompagner Christopher et de rester à son service à la *doonga*. Elle a sa famille en bas. Il est facile pour moi de dire que je prendrai quelqu'un sur place pendant quelques jours. Ne craignez rien, ajouta-t-elle d'un ton presque ironique. J'aurai réponse à tout.

— Je le sais, que l'on ne se débarrasse pas de vous comme cela !

— Merci pour le débarras. »

Il ne releva pas. Le voyant si préoccupé, elle lui toucha le bras.

« *Jamais* Christopher ne pourrait imaginer que je vais faire une chose pareille en ce moment, Carl, dit-elle avec une sorte de fierté.

— Ce n'est pas pour me rassurer ! »

Elle devint tout à coup plus incisive.

« De toute façon c'est *lui* qui me quitte, une fois de plus ! Pour reprendre votre mot de l'autre jour, c'est lui qui se prosterne, et pas devant moi, je vous prie de le croire !

— A ce propos... », commença-t-il.

Elle se mit à rire.

« Je pourrais à cette occasion vous montrer quelque chose auquel je tiens.

— Je me doute, non ? »

A son intonation, il sentit qu'elle avait son air mutin, celui qu'elle prenait lorsqu'elle était satisfaite ou qu'elle avait obtenu ce qu'elle désirait. Il eut envie de la serrer contre lui.

« Non, assura-t-il. Non, vous ne vous en doutez pas. »

Il posa brusquement la main sur son bras.

« Écoutez ! » fit-il.

Un lointain éclat de voix avait soudain percé le silence de la nuit.

« Déjà », murmura-t-elle.

Ils s'immobilisèrent, l'oreille aux aguets. On entendait maintenant se rapprocher le grincement des charrettes et le tintement des clochettes des poneys, bientôt recouverts de chants graves et recueillis qu'émaillait parfois de façon presque incongrue un rire vite étouffé. Carl l'entraîna hors de l'allée, et ils se figèrent côte à côte dans le sous-bois. Il sentait l'odeur de ses cheveux et ferma un instant les yeux d'émotion sans qu'elle s'en aperçût.

« Qu'est-ce que je vous disais, chuchota-t-elle. Ils ont festoyé et maintenant ils chantent. Il y a eu six cents morts, et ils chantent.

— Voyez comme vous êtes ! Ils chantent peut-être, mais des hymnes ! Et s'ils rentrent si tôt c'est que le festin n'a pas dû être bien long. »

La petite troupe se rapprochait. A travers le lacis des arbres, il entrevit bientôt la flamme d'une lanterne et le reflet d'une serrure sur une malle d'osier. *Rule Britannia, Britannia rules the waves,* entendirent-ils. Il la sentit frissonner.

« Je les déteste », murmura-t-elle.

Les chants s'éloignèrent. Après quelques instants, quittant leur retraite, ils s'apprêtaient à déboucher sur l'allée lorsqu'il lui saisit à nouveau le bras. Une silhouette haute et solitaire apparut à découvert, passant à quelques pas d'eux sans les voir. Carl n'aperçut son profil qu'un court instant mais le reconnut aussitôt au vaste plâtre qui emprisonnait sa clavicule et son bras droit. Loin derrière le cortège, un peu courbé en avant, il ressemblait, avec cette tache claire dans laquelle il semblait se draper comme dans une toge, à quelque dignitaire égaré et taciturne. « Il ne lui manquait que son *palki* », se dit Carl. A son côté, Winifred avait regardé bouche bée l'apparition de son époux, et seulement maintenant, peut-être sous le coup d'une émotion dont il aurait bien aimé savoir jusqu'à quel point elle était ressentie, se reculait silencieusement dans le sous-bois. Pétrifiée, elle écouta les chants décroître au loin. Il se rapprocha d'elle.

« Rien de changé ? » demanda-t-il à mi-voix.

Il eut l'impression qu'elle avait tressailli. Elle se retourna vers lui.

« Comment cela, rien de changé ?

— Il est encore mille fois temps de... »

Elle l'arrêta d'un geste impatienté.

« Pourquoi voulez-vous ? » fit-elle.

9

Il lui prit la bride des mains et l'accrocha à un anneau scellé dans le mur. Combien de fois, pensa-t-il, avait-il déjà fait ce geste. Entre les éventaires déserts de ce qui devait être un ancien marché couvert pendaient des cloisons rudimentaires formées de tresses de paille que des courants d'air agitaient sporadiquement. Il y régnait une fragrance douceâtre, entêtante, qui lui piqua le nez comme si une denrée périssable achevait de moisir quelque part, cachée sous l'un des tréteaux en enfilade. Elle hésita néanmoins à sortir de l'abri et préféra attendre que Carl eût donné leur musette aux deux montures. Au-dessus d'elle, recouvrant le linteau qui reliait les piliers de bois en une série d'arcades grossières, les vestiges d'une fresque laissaient encore apparaître le roi des Singes sortant d'une forêt décimée par l'humidité et la moisissure. Il ressemblait à une grosse chauve-souris tapie dans l'ombre. Elle frissonna et se sentit soudain inquiète et vulnérable.

« J'ai mal dormi à Tenkipur, lui dit-elle sur un ton de mauvaise humeur, lorsqu'il fut revenu. Vous m'aviez choisi le *dâk-bungalow* le plus mal tenu de la vallée !

— Le plus isolé, ça, certainement, dit-il sans se départir de son calme.

— Les seules qui n'étaient pas isolées dans cette auberge, apparemment, c'était les puces ! » répliqua-t-elle.

Il ne répondit pas. Il avait dormi lui-même à quelques centaines de yards de là chez un villageois ami du hameau de Kuligam qui pourrait en témoigner à l'occasion, et au matin il avait trouvé Winifred les yeux battus et l'humeur maussade. De toute la montée le long du torrent Matsil Nar elle n'avait pas desserré les dents.

« Alors, c'est cela votre ville ouverte ? » demanda-t-elle.

Devant eux l'agglomération s'étalait sur la pente dans la lumière du soir, éclatée en plusieurs hameaux bien distincts.

« En tout cas un refuge ou un havre de tranquillité pour tous, répondit-il : pèlerins, renonçants, exclus, voyageurs et insoumis de toutes provinces avoisinantes et de toutes religions n'y sont jamais inquiétés. Les pandits autonomistes venant du Pendjab s'y réfugient aussi bien que les *bomb-parasts* mahométans : par consentement tacite l'armée n'est jamais intervenue à Hajiwali. Cela n'exclut pas la méfiance, comme vous le verrez, et les communautés sont nettement séparées. Le village le plus proche devant vous, c'est celui de la communauté hindouiste. Plus loin, au fond, ce sont les bouddhistes, plus spécialement chargés de l'entretien des pistes et sentiers pendant l'hiver. Au fond là-bas, dit-il en tendant le bras vers le sud, ce sont les mahométans. Et puis un peu à l'écart, moi, tout seul avec cette petite casemate de matériel que j'utilise quand je travaille dans les hautes vallées... »

Elle resta un instant rêveuse à regarder dans la direction qu'il lui avait montrée.

« Bien, reprit-il. Il faut que j'aille demander au pandit et aux assistants si votre présence à cette réunion sera possible. Ce n'est pas acquis d'avance, je vous prie de le croire.

— Dites-leur bien que je ne suis pas anglaise, lui recommanda-t-elle avec une nervosité soudaine. Que j'ai fait deux jours de cheval pour les rencontrer ! »

Il se mit à rire.

« Cela leur fera autant d'impression que si quelqu'un vous disait : j'ai fait le tour de la pelouse. Deux jours, c'est ce qu'il leur faut en moyenne pour aller au marché. »

Ils longèrent la petite murette de pierre qui protégeait un bosquet de jeunes peupliers de la voracité d'un troupeau de chèvres étiques. Un peu plus loin, à l'entrée du village, des petites filles lavaient de l'orge à une fontaine, et Winifred fut tout autant frappée par la finesse de leurs traits que par la beauté de leurs boucles d'oreilles. Mais dès qu'elles se sentirent observées, elles disparurent, et la jeune femme eut la sensation de s'être indûment immiscée dans une scène immémoriale qu'elle troublait par sa seule présence. Ils s'avançaient maintenant dans la ruelle centrale, et bien que celle-ci fût déserte elle avait l'impression que des yeux la suivaient, embusqués derrière chaque ouverture et derrière chaque porte. Le long des façades chaulées pendaient des écheveaux de laine qui avaient exsudé l'humidité des orages antérieurs en ruisselets multicolores dont il ne restait plus que des sillages pimpants aux trajectoires imprévues. Seul occupant de la rue, un marchand ambulant remisait dans de vastes paniers d'osier des mottes de beurre cousues dans des peaux qu'il n'était peut-être pas parvenu à vendre. Carl se dirigea vers lui, mais l'homme secoua la tête avant qu'il lui eût demandé quoi que ce soit et, empoignant son chargement, lui tourna le dos avant de s'éloigner précipitamment.

« J'aimerais tout de même savoir où a lieu la réunion..., marmonna Carl interloqué.

— Surtout ne me laissez pas seule », souffla Winifred.

Ils venaient de franchir un petit croisement lorsqu'ils virent qu'une certaine animation semblait régner plus loin, sur une petite place.

« Peut-être que ces gens là-bas savent quelque chose, suggéra-t-elle. Ils ont l'air d'attendre.

— Tout me laissait pourtant supposer que le pandit était déjà arrivé », répondit Carl d'un ton soucieux.

Ils s'approchèrent. La tombée de la nuit rendait uniformément grisâtres les étoffes et les visages.

« Il ne semble pas y avoir de femmes », remarqua-t-il.

Au même instant, quelqu'un se détacha du groupe et, sans se préoccuper de Winifred, se dirigea droit sur Carl pour lui dire quelques mots. Celui-ci parut soulagé.

« C'est l'émissaire de notre homme. Il est dans la maison avec le balcon, dit-il en lui désignant une habitation un peu plus haute que les autres. La réunion se passe là. Il faut que j'aille négocier votre présence.

— Pour l'amour du Ciel ne me laissez pas ! répéta-t-elle avec une insistance fébrile. Il n'y en a pas un seul qui ne me regarde pas. Et puis, c'est horrible... me négocier !

— Désolé, mais c'est le seul mot qui convienne... Venez avec moi. »

Il s'approcha de la maison et elle le suivit. Un homme était accroupi devant la porte, lapant à petits coups de langue bruyants une boisson sirupeuse dans laquelle jouait un ultime rayon de soleil. Carl fit signe à Winifred de se tenir en retrait et s'avança vers lui.

« Uptalendu Krishna Sen ? » l'entendit-elle demander.

L'homme essuya d'un revers de la main le liquide visqueux qui avait coulé dans sa barbe et prononça quelques mots brefs. Winifred eut l'impression qu'ils parlementaient tous les deux mais que la discussion s'enlisait. Elle sentait tous les regards du groupe converger sur elle. Soudain impatienté, Carl se retourna.

« Ecoutez. Il ne nous laissera pas entrer ensemble. Laissez-moi aller voir moi-même le pandit pour lui expliquer le cas. Restez ici à m'attendre. Vous ne risquez rien, je vous l'assure. »

Elle se raidit.

« Carl ! Non ! Vous m'aviez promis. Regardez, il y a aussi un groupe de femmes, maintenant, et ce n'est pas fait pour me rassurer. »

Il ne les avait pas vues. Elles se tenaient groupées à l'entrée de la ruelle où avait disparu le marchand ambulant.

« Elles doivent venir du lavoir, dit-il.

— Carl ! Ne me laissez pas ! »

Elle avait presque crié.

« Il ne fallait pas demander à venir, s'exclama-t-il avec impatience, si vous étiez si pusillanime ! »

L'homme de garde attendait sans paraître s'impatienter.

« Eh bien, allez, dit-elle de guerre lasse, vous revenez vite. »

Elle s'adossa au mur et regarda avec appréhension Carl disparaître derrière un rideau de cotonnade.

L'homme accroupi l'avait suivi et elle se retrouva seule. Le groupe des hommes s'était soudain dispersé et elle se trouva soulagée de ne plus sentir tous ces regards fixés sur elle. Le silence était retombé, simplement troublé de temps à autre par le bêlement d'une chèvre près du bosquet de peupliers. Elle resta néanmoins sur ses gardes, regrettant amèrement désormais d'avoir entraîné Carl dans cette aventure et d'avoir cédé l'autre jour sur la route de Ningle Nallah à cette impulsion irraisonnée.

Elle entendit un bruit furtif non loin d'elle. Elle se retourna et tressaillit. Le groupe des femmes s'était silencieusement rapproché sans qu'elle s'en aperçût et avait maintenant achevé de faire le tour de la petite place. Elle se recula lentement le long du mur pour se rapprocher de la porte par laquelle Carl avait disparu. Elle l'atteignit mais en secoua vainement le loquet rouillé : elle était fermée de l'intérieur. Prise d'une panique muette qui fit trembler sa main contre le vantail alors qu'elle essayait de le frapper, elle se retourna et vit que les femmes avaient franchi les derniers pas qui les séparaient de la maison. Elle se sentit soudain frôlée de partout, entraînée dans un tourbillon confus et bruissant comme un vol de corneilles d'où émergeait parfois un visage bistre aux lèvres muettes et aux grands yeux sombres. « Carl ! » voulut-elle crier, mais l'appel s'étrangla dans sa gorge. Elle sentait maintenant que des mains s'accrochaient à elle comme si cet obscur envol de *purdahs* avait dissimulé les multiples tentacules d'une pieuvre qui cherchait à l'étouffer.

« *Sister* », entendit-elle.

Le dos au mur, elle chercha à leur échapper, mais elle se sentit entraînée avec une douceur sournoise et opiniâtre.

« *Me, not a sister ! not a sister !* » protesta-t-elle en s'efforçant de ne pas céder à l'affolement.

« *Sister, sister* », les entendit-elle murmurer avec une sorte de dévotion qui la glaça.

Elle s'arc-bouta contre la poussée, mais la pression se fit plus insidieuse. « Carl ! appela-t-elle de nouveau en essayant de se retourner. Elles s'imaginent que je suis... » Une main se posa sur sa bouche pour la faire taire. Elle aurait pu la mordre, mais elle craignit soudain des violences et des représailles. Elle voyait vaguement une habitation se rapprocher et elle eut l'impression que c'était l'une de celles devant lesquelles ils étaient passés et dont elle avait vu les écheveaux déteindre sur les murs. La pénombre l'empêchait déjà de s'en assurer. Elle sentit qu'on l'obligeait à se baisser, et le froid du seuil lui tomba sur les épaules au moment où elle entendit la porte se refermer.

Elle se retrouva dans une pièce sombre aux murs maculés, dont l'odeur putride la prit à la gorge. L'unique ornement consistait en un vaste tapis aux épais plis laineux sur lesquels un braséro grésillant dans sa gaine d'osier jetait des lueurs intermittentes. Il n'y avait plus personne à ses côtés, et elle eut l'impression que le flux qui l'avait poussée en avant s'était retiré aussitôt, l'abandonnant comme une épave sur une grève déserte. Elle se retourna : les femmes s'étaient regroupées autour de la porte en une grappe confuse qui lui interdisait toute retraite.

« German Sahib ? » demanda-t-elle anxieusement.

Il n'y eut aucune réaction. De la longue frise que formaient leurs visages émanait une résignation sourde et apathique. Elle voulut alors leur demander de faire venir le pandit afin qu'il la délivrât lui-même puisque Carl se montrait si défaillant dans sa protection, mais elle ne parvint pas à retrouver son nom. Et puis à quoi bon, pensa-t-elle. Elle éprouvait la certitude que, leur but une fois atteint, leur barrage rendu opaque comme une muraille, les femmes ne laisseraient jamais entrer ou sortir quiconque. Elle s'efforça de se calmer peu à peu, cherchant la raison pour laquelle elle avait été entraînée là, à cet endroit précis, face à cette surface nue où elle semblait seule autorisée à pénétrer. Seule ? A mesure que son regard s'accoutumait à la pénombre, elle discernait progressivement, à peine visible dans le coin opposé au sien, une silhouette accroupie dont la séparait toute la largeur du tapis. Celui-ci semblait n'avoir d'autre utilité que d'isoler encore davantage cette forme immobile en l'entourant d'une aire infranchissable. Winifred eut le sentiment très vif que l'on attendait justement d'elle qu'elle rompît cet isolement et s'avançât sur le tapis. Au lieu de cela, elle eut une réaction de recul.

« *I am not a sister, I told you !* s'écria-t-elle en se retournant à nouveau avec une brusque colère. *Sisters*

237

are in Baramula. Vous comprenez, oui ? ajouta-t-elle en se désignant elle-même du doigt. *ME : NO sister.* »

Un lourd silence continua à régner.

« Bien, se dit-elle. Après tout, tu l'as bien cherché. Tu as voulu monter jusqu'ici, non ? Et puis Carl va peut-être finir par réagir ! En attendant, gagner du temps. Et d'abord y voir. »

Elle se retourna à nouveau vers le groupe compact de l'entrée.

« Apportez-moi une lampe », demanda-t-elle en anglais.

Il y eut un murmure confus. Elle le ressentit comme un progrès, d'autant que l'une des femmes se décidait enfin à bouger et se rapprochait d'elle presque craintivement.

« *A lamp,* insista Winifred avec douceur. *Petrol-lamp.* »

Presque aussitôt elle sentit un courant d'air froid et entrevit le ciel pâle du soir à travers la porte qui venait de s'ouvrir. Elle se dit qu'à cet instant précis elle aurait peut-être pu d'un brusque élan fendre le groupe par surprise et s'enfuir. Mais elle se sentit clouée au sol, mue par l'étrange désir d'aller plus avant dans ce bizarre face à face qui lui était imposé, et elle ne bougea pas, se disant qu'il était impossible que Carl, s'il ne la retrouvait pas dans les minutes à venir, ne fasse pas retarder la réunion. Cette pensée l'apaisa.

Quelques instants après — plus rapidement en tout cas que Winifred ne l'escomptait — la femme revint avec la majesté et la lenteur d'une porteuse de torche, en tenant à deux mains une lampe allumée qu'elle lui tendit sans un mot. Elle la prit et s'avança sur le tapis qui sous la lueur fuligineuse de la lampe semblait strié de grandes lueurs sanglantes. Le silence était uniquement troublé par le clapotis du pétrole dans le petit réservoir de cuivre. Elle s'approcha de la silhouette voilée à côté de qui se trouvait une écuelle vide. Une idée lui vint soudain, et dès qu'elle se la fut formulée elle faillit laisser tomber la lampe dans un réflexe de répulsion.

« *Leprosy ?* » demanda-t-elle d'une voix étranglée.

La femme qui lui avait apporté la lampe se retourna vers elle sans répondre, et l'impassibilité de son visage ne permit pas à Winifred de se rendre compte si elle avait compris sa question. Affolée par l'évidence qui venait de lui apparaître, elle essaya pourtant de se raisonner. Elle n'avait jamais entendu parler de cas de lèpre dans la montagne : quelle perturbation cette révélation n'eût-elle pas apportée en bas ! Et pourtant... L'isolement farouche dans lequel était maintenue cette forme drapée, cette sorte de confiance qu'elle sentait soudain mise en elle à son corps défendant pour l'en tirer, comme si elle seule était capable de faire ce miracle. Et puis cette... oui cette odeur qui lui montait soudain aux narines. Elle recula d'un pas.

« *Leprosy ?* » insista-t-elle.

Au milieu de cette suite de visages indéchiffrables, il lui sembla soudain qu'elle avait pu rencontrer le regard de l'une des femmes et elle s'y accrocha comme à une bouée. Celle-ci secoua la tête.

« *No leprosy* », répondit-elle d'une voix à peine audible.

Winifred se sentit néanmoins rassurée. Peut-être n'était-ce après tout, se dit-elle, que l'un de ces obstacles prétendument infranchissables que depuis quelque temps elle trouvait sur sa route et devant lesquels elle sentait tout courage l'abandonner, certaine pourtant qu'elle finirait par accomplir les gestes nécessaires pour se sortir de là, au risque de s'en trouver à jamais meurtrie. Elle posa la lampe à terre, s'accroupit devant la silhouette afin d'être à son niveau et d'un geste décidé lui retira son voile. Elle dut se faire violence pour ne pas fermer les yeux. C'était une très jeune fille, mais il était devenu presque impossible de s'en apercevoir. De la racine des cheveux à l'arête nasale, une énorme blessure purulente avait dévoré la moitié de son visage, scellant les paupières sous une épaisse croûte de pus parsemée de filaments livides d'où émanait une odeur si fétide qu'elle ne put maîtriser un mouvement de recul. Au niveau des pommettes, des boursouflures de chair noirâtre séparaient la blessure de la partie de son visage qui n'avait pas été attaquée. Celle-ci apparut fine et juvénile avec son petit menton arrondi et sa bouche aux lèvres bien ourlées qui s'entrouvrait en une moue résignée, comme si elle acceptait avec un détachement stoïque l'intolérable intrusion. On eût dit qu'un énorme papillon aux ailes visqueuses s'était déployé sur une fragile porcelaine.

Essayant de maîtriser sa fébrilité, elle toucha du doigt en tremblant la croûte striée de ridules. La jeune fille exhala un faible soupir, et Winifred se sentit soudain en sueur. « Que faire, mon Dieu, mais que faire ? » murmura-t-elle. Elle n'avait jamais rien vu ni imaginé de semblable. Et ces femmes qui attendaient d'elle quelque chose. Elle se retourna, chercha des yeux celle qui lui avait apporté la lampe et tenta à nouveau d'attirer son attention. Incurvant ses mains en forme de coupe au-dessus du brasero et sortant ensuite un pan de son chemisier, elle espéra s'être fait comprendre. La jeune femme acquiesça en effet et, sans sortir de la maison (du moins Winifred n'entendit-elle pas la porte se rouvrir), disparut de sa vue.

Dans l'attente de ce qu'elle avait demandé, elle s'accroupit à l'extrémité du tapis, à quelques pas de la jeune fille. Elle ne ressentait plus désormais le désir que Carl revînt immédiatement, comme si l'ordre de priorité qui gouvernait son expédition se trouvait désormais bouleversé, et que la violence que pourrait évoquer le pandit perdait dorénavant tout sens devant celle qui s'exerçait en ce moment sous ses yeux. Elle sentit que l'on posait à côté d'elle, d'un geste furtif, une jatte d'eau bouillante recouverte d'un linge qui paraissait immaculé. En une longue inspiration, elle chercha alors à laisser le calme redescendre en elle et à se persuader qu'elle avait les moyens de tenter quelque chose. « Au moins qu'elle y voie », se dit-elle.

Effilochant le tissu, elle confectionna une compresse qu'elle trempa dans l'eau chaude, puis l'appliqua avec précaution sur la blessure pour tenter dans un premier temps d'en amollir la croûte. La jeune patiente eut un sursaut, et Winifred craignit un instant que l'eau ne fût trop chaude, mais, la bouche toujours entrouverte sans qu'un son en provienne, elle se laissa faire.

Dès que Winifred jugea la croûte suffisamment ramollie dans la zone de l'orbite droite où, contrairement à l'autre, elle retrouvait au toucher la vague proéminence de la paupière, elle tenta de la détacher à petits gestes précis. A une brève plainte, à une crispation de la bouche, à une bulle de salive que la jeune fille exhalait, Winifred pouvait juger lorsqu'elle lui faisait mal et s'arrêtait alors tout aussitôt, avant de reprendre sa tentative en s'efforçant de maîtriser le tremblement de sa main. Alors qu'elle essayait de retirer une écaille qui ne lui paraissait plus tenir que par un filament minuscule, un flot de sang jaillit soudain et inonda le linge. Affolée, elle l'appliqua alors maladroitement sur l'hémorragie sans trop savoir si elle devait ou non appuyer pour tenter de la contenir, et parvint pourtant à remettre l'écaille dans sa cavité. Le sang s'arrêta alors de couler et elle put en plongeant l'étoffe dans l'eau éponger doucement les traces qu'il avait laissées le long de ses joues et sur le haut de sa robe. Se rapprochant ensuite le plus qu'elle put, elle parvint à détacher à sec une petite croûte, derrière laquelle elle découvrit la paupière à vif. La jeune fille laissa cette fois échapper un cri bref et rauque — si violent que Winifred surprise lâcha le linge et que celui-ci tomba sur le tapis. Craignant par-dessus tout que le sang ne jaillisse à nouveau, elle déchira fébrilement le pan de son chemisier et l'appliqua sur l'infime éclat de peau parcheminée qu'elle était parvenue à dégager, mais il n'y eut pas cette fois d'hémorragie. Retirant le lambeau de tussor avec précaution, elle examina la partie de la paupière qu'elle pouvait observer ; celle-ci paraissait soudée à la cornée par une pâte compacte et rosâtre. Plus bas, au niveau de l'œdème, la peau était rouge et grenue, chaude au toucher et paraissait douloureuse. Assise sur ses talons, elle s'efforça de réfléchir et se sentit alors si démunie et incompétente qu'elle serra les dents convulsivement pour ne pas défaillir.

Il fallut un courant d'air qui manqua de souffler la lampe pour qu'elle se rendît compte que la porte venait de se rouvrir violemment, provoquant chez les femmes un murmure réprobateur. L'instant d'après, précédé d'un Kashmiri de haute taille portant *dungaree* et *puggaree* noirs qui lui traça un sillage à coups d'interjections hautaines et laconiques, Carl la rejoignit. Il lui prit aussitôt la lampe des mains et se pencha sur le visage de la jeune fille qu'il examina les sourcils froncés, avec l'expression attentive et presque sévère qu'il avait d'ordinaire lorsqu'il étudiait une carte.

« Il y a un mois..., avec des sulfamides..., on aurait pu tenter quelque chose..., l'entendit-elle murmurer. Mais maintenant... »

Il se retourna vers les femmes et les interrogea avec

une véhémence mal contenue. Deux ou trois seulement lui répondirent, à contrecœur, sembla-t-il à Winifred.

« C'est trop tard ? » demanda-t-elle anxieusement.

Il secoua la tête avec un air d'impuissance.

« Ce que je peux, c'est lui verser un peu de collyre antiseptique et lui faire un pansement humide à l'alcool, puisque ce n'est pas à vif. Après, j'essaierai de les persuader de l'emmener en bas, car le médecin ne montera jamais... »

Elle le regarda avec stupeur fourrager dans son sac.

« Vous avez du collyre !

— A force de voir par milliers des yeux brûlés par le soleil victimes de graves ophtalmies, j'avais persuadé le Diwân de créer un petit laboratoire pour en fabriquer. J'en emporte toujours avec moi quelques fioles, mais je ne peux me charger davantage... »

Il s'attachait calmement à instiller le liquide entre la paupière et la cornée, puis sortit de son sac une bande de gaze qu'il aspergea d'alcool et enroula autour de la blessure. La jeune fille gémit doucement. Bientôt n'apparurent plus de son visage que ses lèvres et son menton gracile qu'il effleura d'un dérisoire geste de réconfort.

« Un cautère sur une jambe de bois », marmonna-t-il.

Tenant toujours la lampe, il s'était reculé sans bruit, comme s'il ne voulait pas donner à la jeune recluse l'impression qu'elle allait de nouveau, dans quelques instants, être rendue à son isolement. Immobile et solitaire comme une déesse de la résignation, elle fut de nouveau absorbée par la pénombre.

La gorge serrée, Winifred le suivit en direction du grand Kashmiri qui paraissait s'impatienter de se trouver seul près de la porte au milieu des femmes. Carl s'adressa de nouveau à ces dernières à voix presque basse, mais elle entendit néanmoins qu'il prononçait les noms du Diwân et du médecin Benegal. Puis, la prenant avec résolution par le bras, il l'entraîna au-dehors.

La nuit était tombée. Ils marchèrent quelques instants sans se parler. A la mer de safran vaguement fluorescente sur laquelle se détachait la silhouette de leur guide, elle vit qu'ils étaient sortis du village.

242

« Vous ne dites rien, murmura-t-il. Et pourtant, vous pourriez m'en vouloir...

— Je vous en ai voulu. Mais plus maintenant. Je sais que ce n'est pas votre faute... En fait, je vous en voulais de me rendre aussi évidente ma propre peur. Un jeune visage ravagé et j'ai manqué de m'évanouir... Voyez la belle révolutionnaire ! J'ai cru que c'était la lèpre...

— Ce n'est pas ça, dit-il. Ce qu'elle a, j'en ai vu des cas en Irak. Erysipèle. Pour arranger le tout, la gangrène s'y met aussi.

— C'est contagieux ? demanda-t-elle à brûle-pourpoint.

— Je ne sais pas, dit-il. Je demanderai à Benegal. Ce qu'il ne faudrait pas, c'est que ça contamine le petit. »

Elle s'arrêta net.

« *Quoi ?* »

Elle avait presque crié. Il secoua la tête.

« Vous n'aviez pas remarqué ? D'au moins six mois. »

Elle ne pouvait en croire ses oreilles.

« Mais..., balbutia-t-elle, j'étais... Enfin, je ne me préoccupais que de son visage... »

Elle se sentait à la fois stupide et désemparée.

« Ils le savent tous, alors, que la petite est enceinte ! Et on a laissé le mal accomplir tant de progrès sans songer à la descendre !

— Il y a une chose que j'ai cru comprendre à la suite de ma visite au pandit. Le chef de la communauté brahmane était venu le voir au Pendjab, à quelques miles d'ici, pour le prévenir que Kâli jetait un mauvais sort au village, car elle cherchait à se venger du *saddhu* qui veille sa statue dans le petit temple où nous nous rendons et qui la couvre paraît-il d'injures depuis la catastrophe. On a demandé au pandit d'intervenir. Mon sentiment est que l'on refuse de soigner cette petite afin de laisser à la déesse la proie qu'elle s'était choisie.

— Et on laisse faire cela... Au début du vingtième siècle... Un tel péché contre la vie, contre... oui, la beauté... Je suis certaine que son visage l'était. »

Carl baissa la voix comme si le guide pouvait l'entendre.

« Vous ne vous êtes jamais aperçue que les hindous n'aimaient justement ni l'une ni l'autre ? demanda-t-il.

— Et pourtant, dit Winifred. Cette sexualité affichée

sur les statues. Ces seins incroyables. Ces *lingams* dans toutes les grottes...

— Faux-semblants. Il n'y a pas de pays qui soit plus pudique. Tout ce qu'ils savent dire, c'est : détachez-vous. »

Elle se tourna vers lui.

« Nous en Irlande c'est pareil. Nous disons devant un malheur : ç'aurait pu être pire. Et pourtant nous ne pouvons pas nous détacher, nous, de ce que nous avons vu..., dit-elle. Oh, Carl, depuis tout à l'heure, c'est comme si notre longue équipée avait complètement changé de signification pour moi. J'ai l'impression que le destin nous a mis sur la route de cette petite pour la sauver. Ce qui ne me fait pourtant pas comprendre pourquoi les femmes sont venues me chercher...

— Peut-être pour profiter de ce que les hommes étaient à la réunion du pandit. Celle-ci devait être très brève, car il devait se rendre au temple de Kâli et elles n'avaient pas de temps à perdre si elles voulaient tenter quelque chose pour la pauvre petite.

— Mais pourquoi *moi* ?...

— Elles vous ont sans doute prise pour l'une des franciscaines de Baramula qui ont la réputation de chercher à s'opposer au culte maléfique de Kâli en lui opposant celui de la Vierge Mère. Cela, elles le savent...

— Peut-être l'une des religieuses aurait pu être efficace, dit-elle. Sûrement plus que je ne l'ai été en tout cas. »

Il marcha quelques instants en silence.

« Voulez-vous que je vous dise ? reprit-il. En acceptant de poser la main sur elle sans répulsion, sans doute l'avez-vous sauvée d'un isolement mortel. »

Etait-ce la faible clarté du safran ? Elle eut l'impression que le sol s'illuminait d'une allégresse diffuse et fit pour la première fois quelques pas sans angoisse au cœur.

« Vous croyez vraiment ! s'exclama-t-elle. J'ai passé un moment si affreux. Je me demande même s'il faut aller voir le pandit. Il va nous parler de violence, et qu'ai-je vu, moi, si ce n'est la violence la plus intolérable ?

— Je veux le voir, ne serait-ce que pour intervenir auprès de lui afin qu'ils la fassent descendre au plus vite...

— Ça, c'est une bonne raison », convint-elle.

Elle sentait maintenant sous ses pas la chaussée tassée par de multiples passages d'une vieille piste ouverte en toutes saisons. Devant eux la légère efflorescence du champ de safran avait cédé la place à l'obscurité du sous-bois dans laquelle s'était engloutie la sombre silhouette du Kashmiri.

« En plus on perd notre guide ! » s'inquiéta-t-elle à nouveau.

« Ce n'était pas un guide mais l'un des *gurkhas* du pandit, répondit-il à mi-voix. Loin de ses bases, le vieux brigand devient aussi craintif qu'un yak égaré. Pourtant je l'ai amadoué tout à l'heure, avant qu'il ne parte pour le temple rencontrer ses fidèles, en lui disant que je lui faisais préparer un copieux *wazwan* ! Vous pourrez lui poser beaucoup plus facilement des questions lorsqu'il aura le ventre plein.

— Je vous l'ai dit, je n'en ai plus envie..., murmura Winifred.

— Vous avez tort, si je prends votre point de vue ! Il a été élevé en Angleterre. On dit qu'il a été un ami de Tilak au moment de la révolte de Poona. Sans doute est-il au courant de tous les soulèvements passés, présents et à venir !

— Pardonnez-moi, Carl. Je ne me rends compte de tout cela que maintenant... Vous aviez raison, je dois être trop sensible et manquer de sang-froid. Je ne peux sans doute devenir qu'une bien piètre conspiratrice. Voilà, vous avez réussi, sur ce plan ! Mais quelque chose m'étreint au plus profond quand je revois ce visage saccagé, cette solitude tragique. Peut-être sommes-nous arrivés juste à temps, Carl.

— Mais alors, l'Irlande, dans tout ça ?

— Oh, l'Irlande, dit-elle d'un ton désenchanté. Je ne sais même pas si je parviendrai à y revenir un jour. »

Bientôt le sentier sur lequel ils se trouvaient s'élargit en une sorte de terrasse dont elle vit luire vaguement les dalles irrégulières parsemées d'herbes folles. Un peu en retrait se détachait le tronc conique du petit temple. Lorsque Carl eut poussé la porte, une odeur de suint et de moisissure la saisit à la gorge et elle étouffa un cri : une énorme araignée noirâtre semblait s'être repliée contre le mur, prête à lui fondre dessus ; elle ne reconnut qu'après un instant la statue de la déesse aux bras multiples. La pièce n'était éclairée que par une petite lampe posée à même le sol de terre battue dont la lueur sortait de l'ombre les rondes-bosses d'une frise aux formes opulentes et lourdes. Dévorée de mousse et suintante d'humidité, elle ressemblait à quelque excroissance maligne de la forêt. Carl regarda autour de lui puis s'avança vers un renfoncement dans le mur. Elle le vit se pencher sur quelque chose qui avait bougé dans l'anfractuosité. « C'est le *saddhu*, le renonçant », la prévint-il. Elle discerna peu à peu dans la pénombre une silhouette accroupie et immobile qui ressemblait à un fragment de la frise qui serait tombé à terre et se serait fossilisé, tel un contrepoint grotesque à la jeune recluse de tout à l'heure. Un profond sillon partageait en deux son front dégarni, comme si les lobes du cerveau apparaissaient à nu.

« Et *lui*, qu'est-ce qui lui est arrivé ? souffla-t-elle.

— Un ours », expliqua-t-il brièvement.

Il disposa près de lui un sac de toile.

« En fait, il a renoncé à tout sauf au chocolat, expliqua-t-il en revenant vers elle. C'est la seule offrande qu'il accepte. Il le cache sous des abricots séchés pour que les apparences soient sauves. C'est ce que m'avait recommandé le major. »

Elle regarda Carl avec surprise.

« Qu'est-ce que Shoogam vient faire là-dedans ?

— Je ne vous le disais pas ? Il protégeait ce petit temple, et ce brave homme par-dessus le marché. »

Elle parut se souvenir.

« Christopher m'en avait un jour parlé... Mais je ne savais pas, non, que c'était ce temple-là... Je savais simplement qu'il était né dans la région...

— C'est exact. A Nalewali, non loin d'ici. »

Elle secoua la tête avec incrédulité.

« Quoi, il protégeait un temple dédié à Kâli ?

— Il m'avait dit un jour qu'il craignait qu'elle ne devienne jalouse des *nagas* qu'il vénérait. Il pensait qu'il fallait honorer Kâli en tous lieux de crainte qu'elle ne se venge.

« — Je comprends maintenant pourquoi le renonçant lui crie des injures à la statue ! »

Sans paraître l'entendre, Carl se dirigea vers une porte du fond.

« Bien, attendez-moi là. Le pandit doit être à côté avec ses fidèles du Hazara. Il faut que je le prévienne de votre arrivée et que je sache ce qu'il en est avec cette histoire, justement. »

Elle eut une réaction d'inquiétude.

« Ah non, vous n'allez pas me laisser encore seule, et avec ce bonhomme qui gigote dans l'ombre, en plus ! Oh, et puis si, allez-y, dit-elle soudain d'une voix plus assurée. Il faut tout de même que je m'endurcisse un peu. »

Carl jeta un coup d'œil vers l'anfractuosité où se tenait le renonçant.

« Il ne verra même pas que vous êtes là. Je reviens dans quelques instants. »

Il lui fit un petit signe et disparut. Restée debout, elle garda d'abord les yeux rivés à terre, se sentant aussi pétrifiée que les figures de la frise qui l'entouraient. Puis elle perçut soudain au-dessus d'elle une présence si forte, si obsédante, qu'à contrecœur elle se résolut à lever les yeux vers la statue. Après un instant d'incrédulité, elle resta comme hypnotisée. Au-dessus de son collier d'ossements, la Déesse noire avait le mince sourire qu'elle lui avait toujours vu sur les lèvres dans ses effigies, mais c'était la seule partie de son visage que l'on pouvait reconnaître. Pour le reste ce n'était plus possible, car la moisissure qui recouvrait la frise avait également gagné son front et ses yeux et elle eut l'impression que les traits saccagés de la statue se superposaient exactement à ceux de la jeune recluse. Après quelques instants de tête-à-tête, elle eut une réaction de stupeur et heurta dans son recul un objet métallique qui fit un bruit assourdissant. Elle tressauta et s'assura aussitôt en regardant vers le renfoncement que le saddhu n'avait pas réagi. Mais le vieil homme qu'elle discernait à peine semblait continuer à poursuivre avec la déesse son dialogue immobile ininterrompu depuis des lustres.

Elle s'efforça de se détendre et regarda à terre ce qu'elle avait heurté. Aux pieds de la statue, quelques vieux sabres rouillés, des fleurs séchées et même des billets froissés formaient un ensemble aussi disparate que poussiéreux. Anciennes offrandes, pensa-t-elle. Il lui sembla entendre de nouveau tinter quelque chose dans la distance, comme si le bruit lui revenait à travers un lointain écho. Elle prêta l'oreille. Mais non. On n'entendait aucun son, ni aucune voix derrière le mur. Le temps commençait à lui sembler long. Cela lui rappelait les interminables minutes pendant lesquelles Carl avait disparu au fond du gouffre, au cours de la traversée du pont, ou lorsque tout à l'heure il l'avait laissée si démunie face à... Elle frissonna, tourna brusquement le dos à la statue, et elle s'apprêtait à tromper son anxiété en l'attendant au-dehors lorsque son regard fut attiré par le renfoncement où l'instant auparavant trônait encore le saddhu. Elle resta un instant bouche bée puis, incrédule, se rapprocha précautionneusement. La niche était vide. Elle demeura hébétée, puis sa stupeur fut troublée par un soudain bruit d'ailes au plafond. Elle eut alors l'impression qu'on lui frôlait les cheveux comme si derrière elle, multiples et grouillants, les bras de la déesse cherchaient à l'atteindre. Elle réprima un cri et se retourna. Se détachant mal de la décrépitude des murs, une ombre grise avançait vers elle, ses bras décharnés tendus dans sa direction. Lentement elle recula vers la porte, et dans ce mouvement fit à nouveau tinter les sabres. Soudain furieuse, la silhouette se baissa en gesticulant et en marmonnant des mots incohérents.

« Carl ! » hurla-t-elle.

Une porte s'ouvrit derrière elle et la lumière d'un fanal apparut.

« Mais qu'est-ce qu'il se passe ? » entendit-elle.

C'était sa voix.

« Ce qui se passe !... s'écria-t-elle éperdue. Vous avez le culot de... A chaque fois que vous me laissez... regardez... Le renonçant... Je ne veux plus... Je n'en peux plus, Carl ! »

Il s'était avancé et leva sa lanterne vers le renfoncement du mur. Le saddhu était là, accroupi, paraissant sommeiller. Winifred le regarda avec une stupéfaction égale à celle qu'elle avait éprouvée devant sa disparition.

« Il vient de m'attaquer avec un sabre, je vous dis ! Il

le brandissait à l'endroit même où vous vous trouvez !
Je ne veux plus que vous me laissiez ! »

Il se retourna vers elle.

« Mais c'est impossible, cela fait vingt ans qu'il ne
s'est pas levé de son tapis ! Si vous voulez tout savoir, il
ne se traîne d'ici que pour se poser sur son trou creusé
ad hoc au fond, là, dans le renfoncement ! Il serait
d'ailleurs incapable de se tenir debout, il tomberait en
poussière. C'est la chauve-souris qui vous a fait peur. Il
prétend pourtant qu'il l'a apprivoisée...

— Mais, Carl, Carl..., s'exclama-t-elle. C'est impossible ! Je l'ai *vu* ! Ou alors je suis victime d'hallucinations !

— Mais non, dit-il en cherchant à la calmer. Vous
êtes simplement épuisée. Et cet endroit est trop lugubre... »

Elle se mit à hoqueter sur ses épaules des sanglots
nerveux, entrecoupés de paroles sans suite.

« ... En poussière... Pourriture partout... partout des
humeurs mauvaises... Je veux quitter tout ça... »

Il lui entoura les épaules des mains et sentit qu'elle
tremblait.

« Et puis je n'ai pas perdu mon temps, dit-il pour
tenter de la rasséréner. Le sort de votre petite protégée... J'y vois plus clair. »

Elle se calma presque aussitôt.

« Dites-moi, dites-moi vite, fit-elle avec un élan de
confiance revenue. J'ai besoin d'une bonne nouvelle.

— Le pandit m'a dit que c'est vrai que depuis la mort
de son protecteur, c'est-à-dire depuis près d'un mois
maintenant, le vieux ne cesse de lancer des imprécations à la statue de Kâli en lui disant qu'elle l'a trompé,
qu'elle est la dernière des putes, et je vous en passe et
des meilleures. Les brahmanes du village pensent que
la déesse a mal accepté ces anathèmes et que le mal
mystérieux de la jeune femme n'est qu'un premier
symptôme du sort désormais jeté sur la communauté.
Ils ont donc chargé Uptalendu de ramener le renonçant à la raison. Après quoi seulement la petite pourra
être descendue au dispensaire de Baramula.

— C'est trop tard de toute façon, dit-elle d'un ton
désabusé. Déesse ou pas, le mal fait son œuvre et elle
ne pourra jamais être guérie. Quant aux habitants de
votre si tolérant village... »

Il l'interrompit d'un geste.

« Remontez votre cape au-dessus de votre tête », recommanda-t-il.

Elle obéit à contrecœur.

« Je suis supposée être qui, déjà ? chuchota-t-elle.

— Une journaliste de l'*Irish Independant,* comme vous l'aviez suggéré. Il ne vous demandera pas votre nom, mais j'avais parlé d'une Mrs. Smith...

— Oh, mais c'est original ! Et puis ça fait irlandais en diable. Mrs. Howard, cela ne peut pas convenir ? Mes convictions sont connues, après tout...

— Les miennes, non », répliqua-t-il.

L'odeur des *hookahs* la prit à la gorge lorsqu'elle entra à sa suite dans la petite pièce. Au milieu de la fumée âcre et épaisse qui en émanait, une vingtaine de personnes entouraient le pandit assis en tailleur sur sa natte. A la lueur des deux chandelles qui l'encadraient, il parut à Winifred plus jeune qu'elle ne l'aurait pensé. Il parlait à la maigre assistance sur un débit monocorde qu'il n'interrompit pas lorsque la porte s'ouvrit. Personne d'ailleurs ne se retourna. Satisfaite de voir que leur arrivée passait inaperçue, et peu soucieuse de zigzaguer entre les silhouettes accroupies, Winifred fit signe à Carl de ne pas s'avancer plus avant. Ils s'installèrent contre le mur du fond. L'orateur déroulait ses phrases comme une mélopée nasillarde qu'il ponctuait parfois de gestes et d'accents d'une brusquerie surprenante dans un tel discours, comme s'il voulait effrayer ou intimider ses auditeurs avant de les entraîner dans le tourbillon de ses espoirs et de ses rêves. Elle jeta à la dérobée un coup d'œil sur Carl qui semblait céder à une somnolence qui lui ressemblait d'ordinaire fort peu. Elle lui toucha discrètement le genou.

« N'oubliez pas que je vous demanderai de me traduire », chuchota-t-elle.

Il tressauta.

« Je ne supporte pas cette fumée », dit-il.

Peu après, l'orateur se tut et se mit à méditer dans un profond silence, les mains à plat sur ses genoux.

Son interruption n'avait été précédée par aucune envolée oratoire visant à enflammer l'auditoire, mais au contraire par une baisse de tension perceptible comme si le souffle lui manquait peu à peu. Les assistants semblèrent se presser les uns contre les autres dans une attente peureuse, et Winifred les vit soudain recouverts d'un voile gris poudreux comme si la couche de salpêtre du plafond s'était subitement effondrée sur eux. Elle se pencha sur Carl.

« Ce n'est pas possible que l'Inde nouvelle puisse éclore à travers de pareils fossiles », chuchota-t-elle sans qu'il réponde.

Puis le pandit reprit la parole le temps de quelques phrases brèves, et enfin tous se levèrent et entonnèrent un chant grave et triste.

« *Bande mantaram*, lui murmura Carl. Je salue ma mère. »

Elle s'était levée avec eux, ayant l'impression que pour la première fois un souffle d'émotion passait sur les visages alors qu'ils chantaient sans ouvrir la bouche, les yeux mi-clos. Puis l'hymne s'éteignit et l'orateur lança une ultime prière en forme d'objurgation.

« Om... », répondit l'assistance d'un seul et sourd élan.

Les assistants commencèrent aussitôt à refluer vers le temple. Deux ou trois saluèrent Carl au passage, le regard absent, comme s'ils se demandaient ce qu'il faisait là. Winifred vit par l'encadrement de la porte que certains disposaient des offrandes à côté du *saddhu* et que le vieil homme ne les remerciait pas, gardant les yeux fixés sur le visage de la statue. Carl se rapprocha alors du pandit qui conversait avec quelques disciples. Se sentant soudain hésitante et troublée, elle demeura en retrait.

« Je vous présente la jeune journaliste dont je vous ai parlé, dit Carl en anglais. Elle est vivement intéressée par tout ce qui concerne les mouvements autonomistes et m'avait demandé de lui faciliter une rencontre avec vous. »

Le pandit joignit les mains dans sa direction d'un air impénétrable. Prise de court, Winifred esquissa une sorte de révérence puis, telle une catéchumène s'avançant vers les fonts, sortit lentement de l'ombre.

« Bienvenue à notre sœur irlandaise », dit le pandit en la regardant s'approcher.

Bien qu'il ne fût pas pris dans le même sens que tout à l'heure, le mot *sister* lui fit un effet si désagréable qu'elle eut de la peine à réprimer une moue, d'autant que le regard inquisiteur du brahmane démentait l'affabilité du propos.

« Le professeur m'a traduit à mesure votre discours, dit-elle avec un entrain affecté. Je sais qu'il existe tant de points communs entre les mouvements de libération de nos deux pays....

— Ce n'est guère surprenant lorsqu'on sait que les appellations de votre île, Ireland, ou en celte : Erin, viennent toutes deux du sanscrit *Arya*, du nom du peuple qui a commencé la conquête de l'Inde au cours du deuxième millénaire avant votre Christ... », répondit-il dans un anglais très pur.

Winifred, qui s'attendait à tout sauf à ce rapprochement historico-linguistique, resta muette.

« Voilà qui peut vous lier, en tout cas, intervint Carl sans conviction.

— Lorsqu'on voit à quel point nos mouvements s'ignorent les uns les autres..., commença-t-elle.

— La distance, tenta d'expliquer le pandit. Les mœurs peut-être...

— Leurs buts sont pourtant les mêmes, dit Winifred avec assurance. Encore que vous combattiez pour l'autonomie, et nous pour l'indépendance !

— L'indépendance viendra en son temps, répliqua Uptalendu d'un ton impatienté. Il faudra d'abord en finir avec les mahométans qui nous ont mis en coupe réglée pendant trop de siècles. »

Ses traits s'étaient brusquement durcis. Le grand Kashmiri entra à ce moment dans la pièce, et Carl se félicita de la diversion. Il portait un *kangri* brasillant dans sa gaine d'osier sur lequel était posé un plat de pilaf de riz accompagné de boulettes de viande et d'odorantes côtelettes d'agneau. Il revint ensuite avec un grand samovar de cuivre contenant du thé aux épices. Le pandit en huma le fumet avec un soupir de délectation, puis saisit une côtelette entre ses doigts et la dévora en deux bouchées, suçant ensuite l'os à grand bruit.

« Il n'y a pas de fatigue qui résiste au *wazwan*, dit-il.

— Un vrai *wazwan* exigerait un peu de musique, du moins un peu plus que nous n'en avons, fit remarquer Carl.

— La musique n'a guère de sens pour· moi », dit Uptalendu d'une voix douce qui la fit frissonner sans qu'elle sût pourquoi.

Après avoir apporté le samovar, le Kashmiri était resté debout et immobile derrière son maître. Gêné par cette présence, Carl lui fit signe de se joindre à eux, mais il ne bougea pas. Le pandit lui fit alors signe de s'approcher et d'un geste désinvolte lui tendit une boulette. L'homme la prit délicatement entre ses doigts avec une expression de dévotion fervente, puis se retira pour la manger à l'écart à petites bouchées. Uptalendu se versa alors un gobelet de thé et, celui-ci une fois rempli, compta attentivement le nombre des graines de cardamome qui nageaient à la surface. D'un geste précis, il en rejeta une avant de boire, apparemment rasséréné, une longue rasade du liquide brûlant.

« Pourquoi avoir retiré une graine de votre thé ? » demanda innocemment Winifred.

Le brahmane se donna le temps d'avaler lentement le reste de son breuvage, puis leva vers elle un regard éteint.

« Au-delà de... oui, neuf graines..., commença-t-il. Oh, je préfère ne pas en parler.

— Vous allez faire croire à la memsahib qu'il s'agit d'un dangereux poison ! » s'écria Carl.

Le pandit eut un mince sourire et reprit :

« Vous tenez vraiment à vous informer sur nous, *sister* ? »

La question lui parut entachée d'une sourde menace.

« Je n'aurais pas fait deux jours de cheval si ce n'était pas le cas, répondit-elle après une hésitation. Plus encore qu'à m'informer je tiens à m'inspirer...

— De notre idéal ou de nos moyens ? » demanda-t-il brusquement.

Elle le dévisagea. Il avait les yeux légèrement exorbités.

« S'il y avait plus de neuf graines dans ma tasse, je ne ressentirais plus la triple division de la Foi que nous apprennent la science de l'Eternel et l'esprit du yoga dans les glorieuses Upanishads de la Baghavad-Gitâ bénie, dit-il d'une voix lente et comme détachée. Au-delà de neuf graines, la haine me submerge, *sister*. Le jour où j'ai égorgé ma première victime, les graines se sont mises à danser autour du visage du mort. Sa langue sortait de sa bouche et semblait vouloir les gober l'une après l'autre. Au moment où je l'ai tué je ne savais ni ce qu'il faisait, ni qui il était, ni où il allait. »

Elle eut un mouvement de repli.

« Si vous frappez aveuglément les innocents, c'est que vous en avez décidé ainsi ! s'exclama-t-elle, et que...

— Si vous ne comprenez pas à quel point toute terreur aveugle peut se transmuer en bien, ne nous suivez pas sur ces voies, *sister* », répliqua-t-il.

Comme mû par une impulsion subite, il se leva et se rendit dans le petit temple attenant. Elle regarda Carl d'un air consterné.

« Ah, bravo ! chuchota-t-elle. Bien choisi ! Deux jours de cheval pour rencontrer un dément ! La caricature de ce que je cherchais ! Vous vouliez vraiment m'immuniser. »

Il haussa les épaules.

« Vous savez bien que je n'ai pas choisi un homme, mais une opportunité.

— Et comment voulez-vous qu'il fasse quelque chose pour la petite ? s'exclama-t-elle avec désespoir.

— Ecoutez », fit-il.

De la pièce contiguë provenait un murmure confus. Ils entendirent le renonçant émettre un son rauque et syncopé qui pouvait paraître comme une protestation. La voix du pandit s'éleva à nouveau, plus claire cette fois. Carl lui traduisit à mi-voix.

« Tu as peut-être perdu un protecteur, disait Uptalendu. Mais sache qu'il avait cessé de plaire à Bhowani et qu'il l'a payé de sa vie. »

« Qui est Bhowani ? » murmura-t-elle.

Carl l'arrêta d'un geste et prêta l'oreille. Peut-être sensible au ton comminatoire du pandit, le vieux s'était tu. Puis la voix d'Uptalendu retentit à nouveau.

« Essaie encore d'injurier Bhowani, entendit-elle Carl lui traduire, et les griffes de l'ours qui t'a labouré le crâne... »

La voix s'était perdue dans un nouveau murmure.

« Bhowani, c'est Kâli, chuchota Carl. Peut-être les villageois estimeront-ils que le courroux de la déesse a été apaisé par cette semonce.

254

— Et que la petite...

— Oui.

— Oh, revenons, dit-elle d'un ton las. Je ne veux plus rien savoir de tout cela. »

Avant qu'elle eût pu se lever, semblant glisser sur ses socques de feutre, le pandit avait de nouveau fait irruption devant eux. Tout vibrant encore de colère, il vint se planter devant Winifred et s'adressa à elle d'un ton exalté.

« Trouvez-vous normal, *sister*, que je sois obligé de me terrer ainsi chaque nuit dans de petits temples écartés ? Ne devrais-je pas pouvoir me rendre processionnellement dans les hautes vallées, de village en village, et être accueilli chaque soir comme je le suis ici ? Notre allié naturel dans notre lutte aurait pu, aurait dû être Branjee. Après tout, l'intérêt du Maharadjah n'était-il pas de prendre ses distances vis-à-vis de la Couronne, d'un côté, et des mahométans de l'autre qui forment la moitié de sa population et qui n'accepteront pas longtemps encore de rester sous la tutelle des jogirdars dogras ! Mais non, le Diwân s'est imaginé que nous pourrions faire l'économie de la violence. Il n'a pas compris que sans la violence la déception et la frustration deviendront intolérables pour un peuple dont on ne peut tenir pour acquis le fatalisme et la résignation... Alors pourquoi nous pourchasser à ce point ? Pourquoi les princes se tiennent-ils ainsi à l'écart de notre lutte ?

— Le recours à la violence marque l'effondrement d'une cause », s'écria Carl avec une expression qui fit penser à Winifred qu'il s'adressait surtout à elle. « On ne trace pas à la mitrailleuse une voie historique !

— Peut-être, dit Uptalendu d'un ton monocorde. Il n'en demeure pas moins que ce pays a besoin de chocs, de crises majeures, d'événements susceptibles de provoquer en lui un sentiment d'indignation et de révolte. Nous les lui apporterons malgré les obstacles : un peuple qui ne réagit pas est perdu.

— Il n'a pas tort, vous savez, souffla Winifred soudain intéressée. Je retrouve là beaucoup des préoccupations de Reginald...

— Voyez-vous dans l'administration, poursuivit le brahmane, un seul hindou à un poste élevé ? Non ! Pourtant l'Inde était déjà un pays de forte culture que les Anglais menaient encore une existence de sauvages dans les forêts de la Germanie. Dites-moi alors pourquoi le peuple hindou, si immémorialement civilisé, ne se gouvernerait-il pas lui-même ? »

Conscient de l'intérêt qu'il éveillait soudain chez la jeune femme, le pandit se rapprocha.

« Je vais vous dire le fond de ma pensée, *sister*, et croyez-moi, celle-ci vaut bien les deux jours que vous avez passés à cheval pour venir l'entendre et les deux mois que vous passerez en mer pour venir la rapporter à vos frères d'Irlande. La voici, elle tient en une phrase : les Anglais, qui pour le monde entier ont inventé la notion de liberté, ne la donnent jamais aux autres. Eh bien, dit-il en mettant sa main sur l'avant-bras de la jeune femme, exigeons qu'on applique chez nous et chez vous les principes qu'ils appliquent chez eux. N'est-ce pas simple ?

— Vous ne pouvez leur retirer », répliqua Carl agacé par la subite familiarité dont il faisait preuve à l'égard de Winifred, « que par leur seule présence ils vous évitent de vous entre-tuer avec les musulmans. C'est déjà un fait. Et pour le reste... vous ne pouvez leur retirer non plus qu'ils ont accompli ici une grande œuvre. Pensez à l'unité donnée à ce pays par cette langue que vous maîtrisez si bien. Regardez les cultures, l'irrigation, les voies ferrées, l'industrie... »

Le pandit eut un geste d'irritation.

« Les cultures ne sont pas libres, vous le savez ! s'écria-t-il. L'irrigation est moins un secours pour l'agriculture qu'un procédé fiscal ! Les voies ferrées ont surtout un intérêt stratégique. Quant à l'industrie, elle n'est tolérée que dans la mesure où elle ne fait pas concurrence à l'Angleterre...

— ... et à Harland and Wolff », murmura Winifred.

La remarque eut le don d'agacer Carl.

« Cela fait trois mille ans que votre pays est envahi, vous le dites vous-même !

— Du moins autrefois, répliqua Uptalendu, les produits du pays demeuraient-ils dans le pays. Il n'y avait pas de déperdition comme c'est le cas maintenant. Certes nous n'avons pas eu l'équivalent de ces *penal laws* scélérates qui ont failli faire disparaître votre peuple. Néanmoins nous exigeons que cesse la perte de substance matérielle et morale dont souffre le pays. Pour cela, il nous faut en premier lieu boycotter, pour reprendre ce terme qui vient de votre île à vous, *sister,* boycotter, disais-je, les produits britanniques, les écoles, les tribunaux. Le second stade, qui me concerne plus particulièrement, sera de préparer la révolution. Il nous faudra un jour en effet répondre à tant d'avanies, durcir encore notre action, imposer la phase de destruction sur laquelle nous édifierons la nation future. *Nivrîtâ Margâ...* Dans chaque village de mon territoire du Hazara, comme mes amis le font sur toute l'étendue du Pendjab, je demande que l'on se prépare ; dans chaque maison, que l'on me fournisse quelqu'un qui soit apte à me suivre. Une poignée de *policemen* et de soldats ne pourra jamais contenir cette marée issue du sol même de la patrie. Place à la Voie de la main gauche, à la *Vama Cara* qui naît dans l'humidité des nuits d'octobre... Mais qui l'aura voulu ? ajouta-t-il sur un ton d'incantation. Qui l'aura voulu, ô bonne Déesse, ô Bhowani !... Quel aveuglement aura-t-il fallu chez nos adversaires pour que ces vieux sabres reprennent soudain vigueur et que ces lames rouillées se rougissent du sang versé ! C'est un symbole, bien sûr. Les vieilles lames seront remplacées par des bombes et des grenades ! J'ai donné mes ordres. Qu'il ne reste plus un bâtiment public là où nous aurons décidé d'agir. Plus une route. Plus un pont. »

Elle se sentit pâlir.

« Oh, Carl, souffla-t-elle. Je vous le disais. C'est eux. »

Chancelante, elle se leva et se dirigea vers le temple. Il la rattrapa alors qu'elle était déjà près d'en sortir.

« Ecoutez, murmura-t-elle d'une voix blanche. J'ai certainement beaucoup de défauts, mais je ne peux pratiquer la duplicité à ce point. Je ne peux trahir Christopher de telle façon.

— Je ne vous ai pas attendu pour avoir la certitude que les *bomb-parasts* ne sont pour rien dans la destruction de Danyarbani ! s'exclama-t-il. Je croyais que nous en avions suffisamment parlé !

— Que se passe-t-il ? » demanda Uptalendu.

Il les avait rejoints avec une silencieuse vélocité.

« La memsahib est incommodée, expliqua Carl. La fumée sans doute. La fatigue de cette longue course. Je vais la ramener au village. »

A nouveau tiré de son tête-à-tête orageux avec la

Déesse noire, le renonçant poussa une sorte de sifflement, comme un cobra dérangé au fond de sa caverne.

« Tais-toi, âne ! hurla le pandit en se retournant vers lui. Ton protecteur était l'un de ceux qui m'étaient le plus hostiles ! Regarde comme elle l'a récompensé ! »

Un crachat jaunâtre vint terminer sa trajectoire sur ses socques brodées.

L'effet ne s'en fit pas attendre. Uptalendu se précipita sur le vieil homme et, le saisissant au collet, le souleva à demi en éructant des injures.

« Vieil imposteur ! hurla-t-il. Tu es là pour veiller la déesse et non pour l'injurier ! Si un matin on te retrouve sans vie nageant dans ton sang croupi, qu'on sache au moins pourquoi ! »

Carl se précipita et chercha à s'entremettre. De la bave encore brune du chocolat qu'il avait sucé sortait des lèvres du vieillard et se perdait dans sa barbe informe. Sous ses efforts le pandit lâcha prise, et le *saddhu* retomba sur son séant avec un bruit mou, oscillant quelque peu avant de retrouver son assise.

« Shoogam était son bienfaiteur, ne l'oubliez pas ! s'écria Carl. Il doit penser que la déesse l'a trompé en le lui enlevant...

— Shoogam s'est trop opposé à moi et à mes entreprises pour que je le regrette !

— Ce serait pourtant votre échec personnel — *kala yuga,* comme disait votre vieux maître Mahawani Singh — s'il lui arrivait quelque chose. »

Le renonçant s'était remis à marmotter des propos incohérents.

« Mahawani a trahi son pays et son peuple en refusant la voie de la violence ! » lança Uptalendu sur un ton si menaçant que Carl fut presque soulagé que le patriarche, objet de vénération des brahmanes comme des Anglais, eût été retrouvé l'année précédente dans une grotte du Nord-Pendjab, mort depuis plusieurs semaines, décharné et gelé comme une vieille racine. Il n'avait pas de traces de blessures apparentes, et on n'avait jamais su s'il s'était agi d'un crime.

Winifred chancela soudain.

« Je voudrais un peu d'air », demanda-t-elle d'une voix faible.

Uptalendu la regarda et parut se calmer subitement.

« La memsahib se sentira mieux loin de la présence

de cette loque malodorante », dit-il avec un geste de dégoût vers le renfoncement du mur.

Ils sortirent sur le petit parvis. Winifred rattacha avec peine son châle qui s'envolait au vent de la nuit et prit une grande inspiration. Puis, le dos un peu voûté, elle fit quelques pas sur les dalles aux côtés du pandit.

« Quoi qu'il en soit, je me souviendrai de notre conversation, lui dit-elle avec effort. Vous avez des vues justes dont beaucoup pourraient s'appliquer à nos propres mouvements de dissidence et de libération. J'en ferai part à nos frères irlandais. Je savais en montant vers vous combien votre visite me serait précieuse. »

Apparemment flatté, Uptalendu joignit les mains et inclina la tête.

« Je vous ai parlé de terrorisme et de violence, *sister*, mais il m'est apparu que c'était nécessaire. Par une étrange transmutation du mal en bien, il n'est pas d'autre voie pour arracher son dû et accomplir l'Histoire. »

Elle hésita, regarda Carl à la dérobée, puis s'enhardit.

« La violence dont vous m'avez parlé ce soir n'est pas pire que celle que j'ai vue... de... de mes yeux... au village... », balbutia-t-elle.

Le brahmane lui jeta un regard vif.

« Je suis au courant », dit-il d'une voix brève.

Il y eut un silence.

« Bhowani ne peut pas demander ainsi l'immolation de l'innocence..., dit Winifred. Car pour l'instant seule souffre une âme innocente.

— Son âme l'est peut-être, dit-il avec une brusque irritation. Son corps ne l'est pas. »

Winifred se sentit pâlir.

« Il ne l'est plus, car elle est marquée à vie, intervint Carl. Mais il faut au moins qu'elle soit nourrie correctement et qu'on la descende afin de sauver l'enfant qu'elle porte. »

Le pandit s'immobilisa dans la pénombre, et ils n'entendirent plus que sa voix lente dont le calme soudain inquiéta davantage Winifred que son emportement antérieur.

« Les voies de Bhowani sont impénétrables et sa rancune est tenace, dit-il. Mais que la déesse vous ait en sa garde pour lui avoir rendu visite dans son sanctuaire écarté. »

Winifred eut un mouvement de recul. A peine visible, la silhouette du pandit s'en retournait déjà, et elle se sentit soulagée. Puis Carl s'approcha d'elle et l'entraîna.

10

CELA faisait deux heures que, baignant dans une lumière diaphane et cristalline, ils s'élevaient le long d'un éperon qui leur bouchait complètement le paysage vers le nord. A voir se profiler devant elle la silhouette de Carl, à entendre le pas de sa monture sur le granit, Winifred se retrouvait dans un sillage si familier qu'elle ne regardait plus ce qui l'entourait qu'à de brefs moments, pour échapper aux songes qui la poursuivaient comme des nuées malsaines. Elle remarqua pourtant qu'à mesure qu'ils s'élevaient les mélèzes se faisaient plus rares et que les arbres morts émergeaient de plus en plus nombreux du fouillis des fougères et des touffes de digitales. Jusque-là plus taciturne qu'à l'ordinaire, comme s'il lui tardait de retrouver son véritable élément, il se retourna soudain vers elle en lui désignant un point précis dans le lointain.

« Vous voyez, là-bas ? dit-il avec une intonation presque joyeuse. En bas de l'escarpement rocheux ?

— Là où s'arrêtent les arbres ? »

Elle avait mis ses mains en visière, comme si celle du *topee* ne suffisait pas.

« Il y a un bosquet de bouleaux devant les sapins, vous remarquez ? Eh bien, c'est celui devant lequel vous vous trouviez lorsque je vous ai vue pour la première fois.

— Cette petite brèche..., quoi, c'était l'emplacement du camp volant ?

— Oui... », dit-il presque rêveusement.

En observant ce point précis qu'il lui désignait et qu'elle n'aurait jamais reconnu sans cela, elle retrouva le pincement de cœur qu'elle éprouvait toujours lorsqu'elle revoyait les endroits où il lui était *arrivé* quelque chose qui allait compter dans sa vie. C'était à chaque fois comme si la matière des choses et l'atmosphère qui les baignait en restaient imprégnées à jamais. Le petit if, dans le jardin d'Armagh près duquel elle avait appris des lèvres tremblantes de la vieille Angela la mort subite de son père, en pleine audience. La tribune d'honneur de l'institution Sainte-Brigitte avec son odeur de cire le jour où elle avait obtenu son prix d'anglais devant son oncle et tuteur (Reginald lui avait dit plus tard que c'était à cet instant que, tout fier de sa récompense, il avait décidé de la faire venir un jour au Cachemire). Le tennis de la Résidence... Fallait-il y ajouter désormais le camp volant du Katsil, avec le souvenir du palanquin de Branjee immobilisé devant les tentes au moment où elle était arrivée ? Ce n'était pas du même ordre. Elle ne voyait d'ailleurs l'endroit que de loin et, se fût-elle rendue sur place, n'eût rien retrouvé, elle le savait, du décor éphémère où elle n'avait passé qu'une nuit... Et pourtant.

Peut-être inquiet de son manque de réaction, Carl s'était laissé glisser à sa hauteur. Croisant son regard, elle crut y discerner une interrogation presque anxieuse à laquelle elle se sentit incapable de répondre, même par un geste anodin. Elle se sentait désorientée et abattue. Si encore elle avait su vers quoi il l'emmenait à cette minute.

« Vous semblez tout endormie, ce matin, dit-il sur un ton de reproche. Il y avait pourtant moins de puces à Hajiwali que la nuit d'avant au *dâk-bungalow* !

— Cela a été compensé par le fait que j'ai dû dormir recroquevillée dans un lit clos fait pour un enfant de deux ans ! Et puis là aussi ils m'appelaient *sister*. Je ne supporte plus ce mot.

— Cela va finir par vous donner la vocation ! »

Elle ne put s'empêcher de rire.

« Et vous, où avez-vous dormi ? » demanda-t-elle.

Il hésita.

« Dans ma réserve à matériel. Je l'avais aménagée

pour de courts séjours. Je vous la montrerai au retour si vous le voulez.

— Au retour de quoi ? s'écria-t-elle. On monte et vous ne me dites toujours pas où l'on va. Je trouve que je me laisse guider avec beaucoup d'inertie. »

La pente s'infléchissait désormais quelque peu, et leurs infatigables petites montures en paraissaient presque désorientées, trébuchant soudain sur des pierres anodines.

« Tenez, pour vous faire prendre patience », lui dit-il en se penchant vers elle.

Il lui tendait un bracelet rudimentaire qu'il avait confectionné avec un bout de cordelette. Elle le regarda, interloquée.

« Glissez-le à votre poignet, vous venez de franchir la courbe de niveau des douze mille pieds. Cela arrive à moins de femmes que le passage de la ligne, croyez-moi...

— Ce n'est pas pour cela que vous m'avez fait monter jusqu'ici, tout de même ? demanda-t-elle.

— Pas exactement. Vous l'avez mis ? »

Elle secoua le bras avec une soudaine gaieté puis examina avec curiosité le mince lien à son poignet.

« Je porterai votre bracelet en Irlande jusqu'au sommet du Carrantuo-hill ! lui promit-elle. C'est ce qu'on fait de mieux chez nous, au point de vue grimpette.

— Il y aura bien longtemps alors que vous ne penserez plus à moi, dit-il avec une soudaine mélancolie.

— Après tout, c'est votre faute ! s'exclama-t-elle. Nous aurions pu faire quelque chose ensemble, nous avions si bien commencé... Mais vous m'avez dissuadée d'engager toute action directe. Pas mal, sur ce plan, le choix de votre pandit ! Et votre petit couplet contre la violence, au risque de provoquer la sienne. Mais ne vous inquiétez pas, vous avez gagné, Carl. Lames effilées dans la nuit d'octobre, pouah ! Vous n'êtes pas pour moi. Je suis immunisée, maintenant. Vaccinée, vous aviez raison. Je ferais une terroriste exécrable. Mon tempérament est de m'attendrir devant les victimes et de m'évanouir devant le sang versé. Mieux valait s'en apercevoir à temps. Et si je ne pense pas à vous plus tard, c'est que je m'efforcerai d'effacer tout ce qui aurait pu avoir trait à une vie aventureuse. Peut-être même essaierai-je d'oublier notre petite escapade. Je

serai devenue une épouse soumise rivée à son ingénieur de mari, et je ne m'intéresserai plus à la cause
irlandaise qu'en lisant les journaux. Votre bracelet sera
dans ma boîte à bijoux, car j'aurai des bijoux, ajouta-
t-elle d'un ton désenchanté. Essayer de ne plus penser
à tout ce que je rêvais d'être il y a encore quelques
jours, cela va être mon problème désormais, mais je
suis certaine que j'y arriverai très bien. »

Il hocha la tête d'un air dubitatif.

« Jusqu'à la prochaine lettre de votre oncle...

— Je n'attends pas une lettre de lui, je vous l'ai dit,
mais sa présence en chair et en os. Beaucoup de chair
et beaucoup d'os, m'a-t-il prévenu. Berlin l'a fait grossir, apparemment ! »

Il haussa les épaules.

« J'ai un peu de mal, je dois vous l'avouer, à croire à
un revirement si total de votre part. Je suis payé pour
savoir que lorsqu'on a quelque chose dans la peau...

— Non, sincèrement, Carl. Ce que j'aurai appris à
Hajiwali, c'est qu'il ne faut pas penser, quand on se
lance dans l'action violente, aux innocents que l'on risque d'atteindre. C'est l'érysipèle et la gangrène, me
dites-vous, qui ont défiguré celle dont l'image me hante
désormais, mais cela aurait été une bombe que le résultat aurait été le même... Oh, reprit-elle avec dégoût
après un instant, vous avez entendu votre affreux bonhomme : " Son corps ne l'était pas, innocent... "

— Dois-je vous rappeler que le pandit n'était pas
mon choix ?

— Je sais. Mais dites-moi la vérité. Vous saviez qu'il
y avait un cas de cette maladie au village ?

— J'avais appris, sans savoir quelle en était la cause,
qu'il y avait un conflit entre le *saddhu* du temple et les
brahmanes d'Hajiwali, et que la communauté avait
demandé au pandit Uptalendu de tenter une concilia-
tion. N'oubliez pas que c'est l'un des rares villages où
je sois connu, et donc susceptible de recevoir quelques
informations précises. J'ai pensé qu'il y aurait peu d'autres occasions de rencontrer dans les délais que vous
m'aviez impartis l'un de ces chefs terroristes qui faisaient si peur à Greenshaw...

— Vous en profitez pour nous ajouter une sacrée
petite rallonge, dit-elle en regardant autour d'elle. A se

264

demander si vous ne me prenez pas pour votre Mrs. Ashley. »

Il se mit à rire.

« Vous ne risquez pas qu'on se méprenne, croyez-moi. »

Autour d'eux, il n'y avait maintenant plus d'arbres, et les pierres scintillaient au soleil avec un tel éclat qu'elle prit conscience pour la première fois de la nature différente de l'atmosphère qui l'entourait. « Est-ce cela, l'air *raréfié* ? » se demanda-t-elle avec une sorte de jubilation diffuse, comme si elle se sentait soudain immergée dans un fluide purifiant. Peu après, Carl s'arrêta en contrebas d'un petit décrochement, descendit de cheval et l'aida à en faire autant. Les bêtes haletaient un peu, et il accrocha leurs brides à des pierres plates. Le bleu du ciel paraissait plus foncé que d'ordinaire, à la fois saturé de lumière et de couleur.

« Si j'aimais les phrases grandiloquentes, je vous dirais qu'on a l'impression d'arriver sur le toit du monde », fit-elle.

Il lui jeta un bref regard amusé.

« Attendez un peu, pour dire ça », lui lança-t-il.

Se prolongeant interminablement devant eux, l'éperon le long duquel ils avaient progressé durant la matinée avait en effet masqué jusqu'au bout l'apparition du gigantesque pic, et elle éprouva une véritable impression de stupeur lorsque, parvenue au sommet, il fit irruption dans la totalité de son champ de vision, bouchant toute échappée vers le nord de sa paroi démesurée.

Celle-ci prenait naissance très loin au-dessous d'eux, apparemment posée sur l'herbe pimpante d'une vallée où quelques yaks isolés n'apparaissaient, vus d'ici, que comme d'infimes taches claires. Venus de la Kishenganga, quelques petits nuages s'y étaient infiltrés comme des courtisans venus humblement lui payer tribut. Passé la transition confuse d'une étroite zone de moraines, la paroi s'arrachait d'un seul élan, organisant sa structure autour d'un pilier vertigineux qui transperçait les strates successives des névés translucides et bleutés de sombres affleurements rocheux ramifiés comme d'immenses araignées accrochées à la glace. De petites avalanches s'en détachaient en traits ruisselants, soyeuses et fugaces comme des queues de comètes.

« Je ne pouvais rien imaginer de pareil, murmura Winifred après un moment de silence. De Gulmarg, il n'apparaît que si rarement..., et toujours si lointain et environné de brume...

— C'est vrai que nous avons de la chance, dit-il. C'est rare de le voir complètement dévoilé, surtout cette face sud. Il porte bien ce matin son nom de Montagne nue — Nanga Parbat. »

Le formidable entassement de la face ne pouvait être embrassé d'un seul regard, et elle tenta de se l'approprier en un lent mouvement ascensionnel.

« Il vous semble tout proche, mais il est encore à plus de vingt miles, reprit-il. La paroi mesure quatorze mille pieds d'une seule envolée. Le plus grand versant du monde. Oh, cela pouvait le tenter ! »

Elle se sentit soudain étrangement émue.

« " Cela pouvait le tenter. " Je comprends maintenant pourquoi vous vouliez m'emmener... C'est là où votre grand homme est mort n'est-ce pas ? »

Il hocha la tête.

« Ce pilier aura été le dernier rêve d'Albert Mummery, et jusqu'à l'obsession. Mais il avait fini par admettre que l'entreprise était impossible. Ses deux gurkhas et lui sont alors partis s'installer au pied de la paroi ouest, vous voyez, par cette petite vallée, dit-il en tendant le bras. Ils ont alors fait une tentative d'ascension et sont parvenus à dix-huit mille pieds dans la pente de glace. Nous savons cela par le major Bruce, qui l'accompagnait mais était resté en bas. Vous les imaginez tous les trois, avec leurs coins de bois et leurs chaussures à clous... Auraient-ils pu réussir ? On ne saura jamais. L'un des porteurs s'est mis à souffrir du mal des montagnes. Mummery a dû l'aider à redescendre... Cela ne vous ennuie pas que je vous raconte cela ? » demanda-t-il tout à coup.

Elle le regarda.

« Mais non, pourquoi ?

— C'est un Anglais...

— Petite fille, j'admirais Scott, vous savez. Je l'admire toujours. »

Il parut soulagé.

« Les jours suivants, il s'est mis à neiger, poursuivit-il. Il a voulu profiter d'une éclaircie pour gagner la paroi nord par une brèche, toujours avec les gurkhas. A un mois près, c'était il y a dix-neuf ans, le 24 août 1895. On ne les a jamais revus. »

Elle eut l'impression à l'écouter que le drame venait de se produire et que, dans une hallucination semblable à celle qu'elle avait éprouvée la veille, elle allait finir par voir dans ce dédale de couloirs, d'éperons, de séracs et de barres rocheuses quelques points minuscules en train de grimper.

« Et vous, Carl, demanda-t-elle avec une pointe d'ironie, auriez-vous ramené le gurkha malade ?

— Tout dépend de la distance à laquelle se trouvait le sommet, répondit-il avec un bref sourire. Mais tout porte à croire, en ce qui concerne Mummery, qu'il en était beaucoup plus loin qu'il ne le croyait. Je préfère cela, dans un sens. Cela aurait été trop injuste qu'il rate un pareil exploit pour quelques centaines de pieds.

— Et... quelqu'un y parviendra un jour, à votre avis ? »

Examinant la paroi avec ses jumelles, il resta quelques instants silencieux.

« Par ce pilier sud-est, je suis de son avis, je doute qu'on y parvienne jamais, finit-il par répondre. Quant aux autres faces... Le docteur Kellas et Mr. Candler à qui j'en ai parlé et qui connaissent bien le massif pensent qu'un autre Mummery y parviendra peut-être un jour, à la tête d'une bonne expédition, en passant par le nord-est. Mais... des Mummery, vous savez..., il n'y en a pas beaucoup par siècle... »

Elle s'était assise et suivait maintenant des yeux la longue arête qui à l'est du sommet se prolongeait dans l'atmosphère pâle du matin jusqu'à s'y dissoudre.

« On dirait une traîne de mariée », murmura-t-elle.

Il se retourna vers elle.

« Vous vous souvenez... aux obsèques de Shoogam ? C'était justement cette partie de la cime qu'on avait vue apparaître. »

Entraînée vers l'aurore des dieux dans ce voile léger, Vijay. Peut-être y avait-il rencontré le grand Anglais poursuivant son rêve et montant sans fin, sans fin, jusqu'à devenir lui-même, cristallisé pour l'éternité, l'ultime barre de glace défendant le sommet. Eprouvant le besoin d'être seule, elle partit faire quelques pas.

Il n'y avait pas de vent. Le sol était d'un rocher gris-bleu recouvert de maigres mousses dorées en plaques irrégulières. Vers le sud, les cimes enneigées du Pir Panjal émergeaient du moutonnement des sommets recouverts de forêts. Dans l'un de ces creux, invisible, se nichait Gulmarg. Dans un de ces sillons, Mrs. Greenshaw achevait le septième tome de *Behind the Bungalow*. Cela lui parut encore plus irréel que cocasse. Vers le nord-ouest, au contraire, les ondulations ressemblaient à des vagues inertes, ocres et désertiques, dans une atmosphère d'une transparence presque abstraite. Elle avait soudain l'impression de se trouver sur l'exacte ligne de partage entre l'aride Asie des steppes et la Péninsule immense aux inextricables lacis végétaux, et d'arpenter là..., quoi ? l'étroit et fragile tremplin d'où jaillirait son destin ? Elle sentait cette ligne de partage se fondre en elle, la scinder en deux, la rendre évanescente, et légère, et multiple. Une rafale de vent s'engouffra soudain dans sa cape comme une voile, la faisant pivoter contre son gré face au levant. Qu'importait ce qu'elle avait dit à Carl tout à l'heure si elle pouvait s'emplir l'instant d'après d'un tel souffle ? Elle eut le sentiment que cette éclaircie parfaite lui était accordée comme une sorte de privilège insigne pour lui faire oublier les fétides miasmes de la veille. Une brusque exaltation lui fit esquisser un pas de danse avant de fermer les yeux et de se mettre à rire toute seule silencieusement. Au loin, massif et statique dans sa *dungaree* sombre, Carl semblait abîmé dans sa contemplation. Une petite nuée s'était levée sur la cime du grand sommet, semblable à l'haleine cristallisée de quelque volcan légendaire de l'ère glaciaire. D'un geste du bras, large et lent, elle le salua. « Reste inviolé », murmura-t-elle.

A demi enfouie dans la pente, la petite construction émergeait à peine de la prairie. Elle le suivit en se baissant après qu'il en eut ouvert la porte exiguë et resta quelques instants à s'accoutumer à l'extravagant capharnaüm au milieu duquel elle se trouvait soudain transportée. La pièce était beaucoup plus grande qu'il ne semblait à l'extérieur et tenait à la fois du refuge de montagne (du moins de l'idée qu'elle s'en faisait) à cause du nombre de toiles de tente, piolets de toutes dimensions et rouleaux de cordes qui s'entassaient au bas des murs, et de l'observatoire abandonné, telle était la quantité des instruments de mesure qui y étaient rassemblés. Entassés les uns contre les autres, perchés sur de hauts trépieds de bois, leur partie supérieure protégée par des housses d'où s'échappait parfois un reflet de cuivre assourdi, ils ressemblaient à un troupeau d'échassiers assoupis, et elle se sentit soudain intruse au milieu de leur profusion désordonnée. Son exaltation du sommet s'était évanouie et elle s'assit lourdement sur une caisse, le regardant de dos ranimer les braises du feu dans une petite cheminée, après qu'il se fut faufilé entre les instruments sans en faire bouger un seul.

« C'est là où vous avez dormi cette nuit ? demanda-t-elle.

— Oui », répondit-il sans autre commentaire.

Elle regarda sa montre : il était une heure de l'après-midi. La poussière qui s'était échappée des housses après les allées et venues de Carl restait suspendue dans les rayons de soleil provenant de la minuscule fenêtre en un poudroiement lumineux d'une densité presque palpable. Autour d'elle, épinglées au mur, ce n'était que longues colonnes de relevés et cartes que l'humidité avait soulevées par endroits en cloques qui semblaient épouser le relief tourmenté du terrain. A son côté était épinglée une liste qui paraissait plus récente. Elle s'efforça de prendre posément le temps de la lire.

Matériel : Goniomètre : 1. Graphomètres : 2 (descendu 2). Jalons : 16.

Mires : 4. Niveaux, planchettes, théodolites : descendu.

Dossiers pour *Survey* 25.8.13 : Arpentage, levées, canevas, nivellement, planimétrie.

« Et voilà, je n'ignore plus rien de vos activités, lui lança-t-elle. Et avec les termes techniques qui conviennent, en plus ! »

Il se retourna.

« Vous remarquerez que l'on ne trouve sur la liste ni

"espionnage" ni "relations avec le consul d'Allemagne à Bombay". »

Elle le dévisagea avec consternation, sans trop savoir s'il plaisantait ou non.

« Vous ! s'écria-t-elle avec un ton de reproche. C'est peu de dire que vous n'oubliez rien ! »

Il ne répondit pas. Elle vit qu'il regardait les chevaux à travers la fenêtre et eut l'impression qu'il avait hâte de repartir. Elle se résolut pourtant à faire un effort.

« Et où avez-vous dormi ? demanda-t-elle. Je ne vois qu'un seul espace libre, devant la cheminée !

— Non, j'ai un *charpoy*, là, dit-il en désignant du menton un coin obscur de la pièce.

— Au-dessous de la photo du caniche ?

— Où voyez-vous un caniche ? » demanda-t-il avec stupeur.

Elle montra un cadre qui surmontait un rouleau de cordes.

« Oh, vous n'avez pas honte ! s'exclama-t-il d'un air offusqué. Vous êtes comme Branjee. C'est Mrs. Ashley-Lawrence, la grande exploratrice ! »

Elle se leva et alla examiner le cadre.

« Quoi, cette espèce de dragon avec sa pièce montée sur la tête ! C'est cela votre Marco Polo en jupons ? Merci de m'avoir dit que je ne lui ressemblais pas !

— Des jupons qui vont tenter ces jours-ci l'ascension du Nun-Kun !

— Ecoutez, répliqua-t-elle, s'il s'agit pour cela de hisser ses corsets sur une mule, moi j'en fais autant. Et à côté le barbu au nez busqué, qui est-ce ? »

Elle avisait toute une série de photographies qu'elle n'avait pas remarquées car elles étaient masquées par l'avancée de la cheminée. La plupart étaient gondolées et si passées que leurs sujets paraissaient être vus à travers un épais brouillard, ce qui ajoutait en un sens, trouva-t-elle, à leur véracité.

« C'est le duc des Abruzzes, répondit Carl. L'un des pionniers du Karakoram. Je l'admire beaucoup. D'ailleurs, tous ceux que vous verrez ici sont dans ce cas.

— Ah, s'écria-t-elle, en voilà un que j'admire moi aussi ! Au moins il ressemble vraiment à un aventurier, avec son grand chapeau !

— C'est Freshfield, expliqua-t-il avec une satisfaction

visible. Avec Garwood, il a dressé du massif du Kangchenjunga une carte que je rêve d'égaler pour ici.

— Et quelle allure martiale ! Je lui ferais bien un
brin de conduite ! Ce n'est pas comme le petit employé
de bureau à côté. »

Il prit un air atterré.

« Oh, Winifred, je vais finir par croire que vous le
faites exprès...

— Qui est-ce ?

— Mais lui..., *Lui !* »

Elle mit ses mains devant sa bouche comme une
gamine ayant commis une bévue.

« Ah ! Oh... sincèrement, Carl, je suis très déçue. Il est
beaucoup moins bien que Scott. A vrai dire, avec ses
lorgnons, il ressemble au caissier de la banque où allait
mon père, au coin de Sackville Street. En plus, vous ne
le mettez vraiment pas en valeur ! Là, juste dans l'ombre... Il n'y en a sur ce mur que pour le Tamerlan de la
mule, dit-elle en désignant Mrs. Ashley.

— Comment, je ne le mets pas en valeur ! protesta-
t-il. Venez donc voir. »

Il l'entraîna à l'extérieur. Le plein soleil de la mi-
journée chauffait les pierres plates devant le seuil et
elle dut cligner des yeux.

« Regardez ! »

Il y avait au-dessus de la porte une pancarte de bois
qu'elle n'avait pas remarquée en entrant. Il y était
inscrit en lettres gravées au feu :

MUMMERY LODGE
9300 ft
In memoriam
Albert-Frederick Mummery
Dover 1855 — Nanga Parbat 1895
Ad augusta per angusta

« Vers des résultats magnifiques par des voies étroites, traduisit-il avec un peu d'emphase. Comment trouvez-vous ? lui demanda-t-il en se retournant.

— La devise ? Un peu... un peu tarte, non ? »

Il eut un haut-le-corps, et elle eut conscience de
l'avoir blessé.

« J'ai le droit de préférer Freshfield, tout de même !

Je me sentirais flattée d'être vue à côté d'un homme qui a tant d'allure.

— Au moins, lui, vous vous êtes rappelé son nom du premier coup !...

— Quand un homme me plaît, c'est toujours le cas. »

Elle avait parlé avec un tel élan qu'il se sentit soudain rougir.

« Et moi, par exemple..., bredouilla-t-il. Si les... circonstances vous avaient donné le choix, m'auriez-vous accordé un brin de conduite, comme vous le dites ? »

Elle se mit à rire.

« Vous ne trouvez pas qu'il a déjà été suffisamment long comme cela ? demanda-t-elle.

— Vous ne répondez pas à ma question... », dit-il d'un ton déçu.

Elle s'était accroupie le dos au mur de pierres sèches et avait retiré son casque, laissant le soleil jouer librement sur son visage et une légère brise rafraîchir ses cheveux encore aplatis et trempés de sueur. Il se pencha sur eux et les caressa minutieusement, presque rêveusement, mèche après mèche. Elle se laissa faire, puis le regarda à la dérobée.

« Carl, dit-elle soudain, je peux vous confier quelque chose ? Vous avez bien fait de me conduire là-haut. »

Il eut une petite moue.

« Je n'en suis vraiment pas très sûr ! dit-il.

— Carl ! Ne soyez pas *dummkopf.*

— Pardon ?

— C'est de cela que vous aviez traité ce pauvre Angdawa quand il n'a pu m'empêcher de vous rejoindre... Je me souviens très bien. »

Il eut un sourire fugitif.

« J'avais raison, non ? dit-il avec une sorte de mélancolie.

— Ce matin, c'était la première fois que j'allais vraiment en montagne, vous savez, reprit-elle. Eh bien, làhaut, quand je me suis retrouvée seule, j'ai éprouvé une réaction profonde, violente, prolongée. Je serais avec une femme que j'utiliserais un autre mot », ajouta-t-elle après une hésitation.

Il la regarda en silence avec une expression presque douloureuse. Les traits de Winifred semblaient encore aiguisés par la limpidité de l'air.

« Vous dites vous-même : " Quand je me suis retrouvée seule. " Et moi, qu'est-ce que je viens faire, mais qu'est-ce que je viens faire là-dedans ?

— Vous y êtes sans doute pour quelque chose puisque vous m'y avez emmenée ! »

Il haussa les épaules sans répondre.

« Carl, dit-elle, voulez-vous que je vous dise quelque chose que je ne confierais même pas à mon mari ? Les hommes ne peuvent pas imaginer une minute qu'ils ne sont absolument pour rien dans la plupart des cas où les femmes sont *vraiment* troublées.

— C'est un comble ! Vous venez de parler vous-même d'un bel aventurier !

— Peut-être, Carl, peut-être... Il n'empêche qu'il me suffira, moi, je ne sais pas... par exemple d'un lichen s'agrippant sur un rocher, d'un poisson s'enfuyant dans un torrent..., de lentes rides à la surface du lac Wular... pour que je me sente remuée. Tout dépend du lieu, de la pensée..., de l'humeur ou de la réceptivité du moment...

— C'est ce que vous avez ressenti ce matin ?

— Et l'autre jour aussi, dans les profondeurs de ce pont, quand j'avais l'impression de prendre par défaut cette énorme structure effondrée. Et encore là peut-être était-ce une façon comme une autre de m'unir à mon mari..., reprit-elle d'une voix plus sourde.

— Ce matin, vous n'avez pas pensé à votre mari ?

— Ah, fichtre non ! » s'écria-t-elle.

Il ne put dissimuler une brève mimique de satisfaction, puis une bouffée d'amertume vint l'envahir à nouveau. Elle pouffa d'un rire cristallin.

« Je vous en supplie, Carl, ne prenez pas cette tête-là, vous avez l'air aussi chagrin que votre grand homme.

— Je suis content que vous ayez éprouvé cela là-haut..., balbutia-t-il. Pour moi, c'est mieux que rien. »

Des mouches ou des taons devaient importuner les chevaux, car on les entendait encenser violemment. C'était le seul bruit dans tout ce silence. Il se leva pour leur tapoter l'encolure, puis alla chercher les *chapatis* sur le feu et vint la rejoindre. Ils mangèrent sans dire mot.

« Je n'avais pas compris que vous gardiez tant de matériel ici, finit-elle par murmurer pour rompre le silence.

— C'était ma base arrière lorsque je triangulais le

massif, expliqua-t-il. J'y suis resté deux mois l'année dernière. Comme je dois bientôt reprendre ma campagne, je trouve plus simple de garder les instruments ici plutôt que de les transporter depuis la vallée sur des chevaux de bât. »

Il semblait avoir l'esprit loin de ce qu'il disait.

« Vous m'expliquerez un jour ce que c'est que la triangulation ? demanda-t-elle.

— Oh, c'est un procédé efficace, mais assez compliqué, qui demande beaucoup de précision et qui est donc assez lent... », commença-t-il. Il s'interrompit net comme si une évidence venait de l'aveugler.

« Un jour, dites-vous ! Mais, Winifred, vous ne comprenez donc pas que... ? »

Il avait l'air soudain accablé.

« ... Nous ne serons plus jamais seuls tous les deux. Seuls comme nous sommes en ce moment... Seuls autant qu'on peut l'être... »

Il eut un geste vague vers la petite combe isolée, entourée de forêt comme une vaste clairière, d'où l'on ne voyait aucune des agglomérations qui formaient Hajiwali. Elle hocha la tête.

« Je sais, dit-elle.

— Même si vous restez encore quelque temps à Gulmarg, je ne pourrai plus revenir vous voir. Nous ne serons plus jamais tranquilles, sans témoins. »

Elle garda les yeux fixés dans le lointain, les traits soudain figés. Il hésita puis reprit.

« Winifred, vous ne pouvez pas vous contenter de l'extase apportée par le spectacle de la mousse sur le rocher, ou d'un poisson dans un torrent...

— Moquez-vous de moi ! l'interrompit-elle avec violence. Vous, ce serait tellement mieux, n'est-ce pas ? »

Carl tressaillit et son visage se rembrunit.

« Bon, dit-il d'une voix sans timbre. Vous avez terminé les boulettes ? On va devoir repartir. C'est sans doute préférable, d'ailleurs. Après trois jours, je dois commencer à sentir le vieux yak. »

Elle ne put s'empêcher de rire.

« Sur ce plan, nous devons nous neutraliser ! »

Sa repartie eut peu d'écho. Il semblait triste et boudeur, et cela le faisait ressembler, pensa-t-elle, à un adolescent un peu fripé.

« Carl, reprit-elle avec une soudaine gravité, en

274

dehors du fait que je vois mal où nous pourrions nous étendre dans votre " lodge " avec la place que tiennent tous vos bizarres instruments, vous venez de poser tout le problème. Il sera désormais difficile en effet de nous voir seuls, je le crains. Et ce que vous voudriez que nous fassions ne nous apporterait de la joie que si nous pouvions recommencer tout à loisir. Sinon, à quoi bon se lancer dans ce qui ne peut être qu'une source de frustrations et de désillusions...

— Mais pourquoi présenter les choses comme cela ! s'exclama-t-il avec un accent éperdu qu'elle ne lui avait pas encore entendu. Le temps et l'espace se chargeront vite de nous faire savoir s'ils sont nos alliés ! En attendant, pourquoi nous priver d'une occasion unique, Winifred ? Pourquoi ne pas faire de ce refuge le lieu d'un si beau souvenir ?... »

Elle secoua la tête.

« Carl, vous êtes en train de vous monter le bourrichon. Vous savez bien quelle est ma situation.

— Vous étiez tout de même assez libre, protesta-t-il avec véhémence, pour me proposer de continuer à vous voir sur un autre sol !

— Peut-être avez-vous su me faire changer d'avis », dit-elle avec un sourire ingénu.

Il haussa les épaules.

« Maintenant, uniquement dans l'espoir de vous retrouver, j'en arriverais presque à essayer de vous persuader que cette histoire de filières d'armes entre l'Allemagne et l'Irlande avait quelque chance de voir le jour, dit-il. Mais êtes-vous encore irlandaise, seulement ? Je ne dis pas terroriste : pandit ou non, je n'avais pas pensé sérieusement que vous puissiez être tentée par l'action violente. Mais irlandaise... »

Elle eut un geste las.

« Christopher reste et que voulez-vous que je fasse, dit-elle. Dans les premiers moments, j'ai songé à partir seule. Mais vous-même m'avez dit que je ne pourrais lui mettre des bâtons dans les roues à ce point. Vous verrez qu'oncle Reginald sera de cet avis lorsqu'il apprendra tout ce qui s'est passé. Le plus difficile sera de supporter la communauté...

— Ce sera plus dur pour moi que si vous étiez partie », soupira-t-il.

Elle eut un geste vers les instruments.

« Vous avez tant à faire, de toute façon...

— Ne jouez pas avec moi, je vous en supplie », fit-il.

Elle sentit que sa main passait rêveusement le long de son nez et de ses lèvres, puis descendait le long de son cou avant de s'insinuer presque timidement sous son cardigan et son chemisier de surah et de suivre à même la peau la ligne de ses épaules. Elle lui saisit doucement la main, la retira, la garda quelques instants dans la sienne avant de s'en séparer.

« Il fait doux à l'intérieur, Winifred, murmura-t-il. Je repousserai les instruments, pour vous faire de la place. Je vous ferai un vrai nid avec les housses. »

En pensant à l'espace douillet qui pouvait l'accueillir, elle eut un instant la vision de l'aire hostile et vide qui isolait la petite silhouette de la nuit précédente, et elle frissonna. En même temps lui venait un désir soudain d'être réconfortée, apaisée. Elle regarda vers l'intérieur et hésita. Pour la première fois depuis leur descente, elle pensait à lui avec tendresse ; elle passa sa main au creux de ses épaules à l'endroit même où il avait mis la sienne, et il lui sembla retrouver un peu de l'ivresse du matin. Attendrie, elle regarda la petite inscription : Mummery Lodge 9300 ft. *Ad augusta per angusta.* Elle fut prise d'un fou rire soudain. Il la regarda avec stupeur.

« Pourquoi riez-vous ? » demanda-t-il d'un air effaré.

Elle secoua la tête, s'efforça de se contenir, puis repiqua de plus belle.

« Si je vous disais... », souffla-t-elle.

Elle vit qu'il avait soudain pâli et ne l'écoutait pas. Elle se retourna.

« Il y a un cavalier qui arrive, Carl », s'écria-t-elle.

Il s'était levé. Elle ne sut trop si ce qu'elle éprouvait était de la déception ou du soulagement.

« Le maître ne m'a pas emmené, marmonnait le grand Kashmiri derrière lui. Et pourtant il sait que les villageois ne m'aiment pas. Il m'a dit : " Reste ici, reste ici. Ne rentre pas dans le temple. " Mais je n'ai rien, sahib, pas une roupie. Je veux manger le reste du *wazwan* si les rats en ont laissé quelque chose. Et maintenant le maître est parti. Le maître est parti sans moi. »

Carl se retourna. Sa grande robe de lin et son turban

semblaient gris sous le soleil, et ses traits et sa silhouette en paraissaient encore plus accusés.

« Il te semblait dans un état normal ?

— C'était encore la nuit, sahib. Je dormais dehors. J'ai voulu me lever et le suivre. Il m'a repoussé.

— Tu n'es pas allé dans le temple ?

— Le maître l'avait défendu, sahib. Mais il faut finir le *wazwan*. C'est pour ça que je suis venu, sahib. C'était toi qui l'avais fait porter en offrande. J'ai attendu le jour et je suis allé vers ta maison, mais je n'ai pas vu les chevaux.

— Tu es de quel village ? demanda Carl.

— Dudhnial. J'ai tout perdu l'autre jour : ma maison, mes bêtes... Comment veux-tu que je trouve une femme maintenant. »

Ils étaient entrés dans la langue de forêt. Le sous-bois était frais et tranquille, et la mousse étouffait leurs pas. Bientôt il discerna le toit conique du petit édifice. Carl s'arrêta brusquement, et les deux montures faillirent se heurter.

« Tu ne sais pas si la petite malade d'hier soir est descendue ? demanda-t-il avec effort.

— Je ne suis pas allé au village, sahib. Mais j'ai vu de loin qu'il y avait eu du mouvement sur la piste de Naja-wali. »

Il descendit de cheval et fit signe au Kashmiri d'attendre. A l'approche du terre-plein dallé, il s'immobilisa un instant et écouta. C'était le grand silence de l'été, simplement troublé par un bourdonnement d'abeilles dans les fougères. A quelques pas de là, les faces grimaçantes sculptées dans le linteau le regardaient de leurs yeux vides. Il franchit en courant l'espace qui l'en séparait et remarqua que la porte du petit sanctuaire bâillait légèrement. « La chauve-souris a dû s'enfuir », se dit-il de façon presque détachée. Il la poussa et s'avança dans cette pénombre moisie qui lui était devenue si familière après tant de visites qu'il avait appris à ne jamais heurter du pied les offrandes qui jonchaient le sol. Cela datait de ses deux mois de séjour de l'an dernier. Aller voir le renonçant avec les reliefs de son dîner, écouter les marmottements inarticulés par lesquels il manifestait sa satisfaction lui créait une petite diversion avant la solitude des soirs, et il avait fini par aimer ces visites presque quotidiennes.

Le vieil homme était étendu le front contre le petit tapis où, tel un stylite en haut de sa colonne, il avait passé la plus grande partie de sa vie. Une flaque de sang noir déjà épais où s'étaient engluées des myriades de mouches était répandue autour de lui dans une odeur âcre. Debout contre le battant vermoulu de la porte, il s'aperçut dans un étrange dédoublement qu'il se bornait à constater sans surprise et presque sans répulsion quelque chose qu'il savait inévitable. De l'animation au village... Il allait traduire cela ainsi à Winifred : votre petite recluse est sauvée. Oui, il allait lui dire cela, et sans qu'il soit nécessaire de lui décrire ce qu'il avait sous les yeux qui, il le savait bien, en était le prix. Le lui annoncer serait presque son cadeau d'adieu — et à cette idée le poids de tristesse qu'il ressentait en lui se fit plus lourd encore. Il regarda dans l'encadrement la silhouette du Kashmiri qui, soudain pusillanime devant ce qu'il pressentait, s'était immobilisé en lisière. « Ne pouvais-tu me laisser en paix, pensa-t-il avec colère. Ne pouvais-tu pas comprendre que j'avais mis vingt-neuf ans à la trouver et qu'elle va m'être arrachée. Imagine ce vers quoi mon cœur, mon corps, mon esprit tendaient au moment où tu es arrivé, et regarde ce que tu m'apportes, toi, la nouvelle d'un meurtre dont je savais obscurément... »

Il jeta un regard vers le cadavre du vieillard. Cela devait remonter à la nuit dernière, peut-être juste après leur départ du temple. Une chose était certaine : il leur fallait lever le camp, et vite. Les villageois allaient sans doute venir l'enterrer subrepticement à la nuit tombée, et il était impératif qu'aucun témoin ne fût mêlé à cela — surtout pas eux. Il ne leva même pas les yeux vers le visage de la déesse et préféra ne pas se rendre dans la pièce attenante chercher ce que les rats et les musaraignes avaient pu laisser du festin de la veille. Alors qu'il se dirigeait déjà vers la porte, une tache claire attira pourtant son attention. Sur un linge immaculé déployé à même le sol entre le cadavre et les pieds de la statue, était disposé avec netteté un cercle de graines de cardamome.

Il les considéra pensivement, commença à les compter, puis haussa les épaules et s'interrompit. Il y en avait bien plus de neuf, en tout cas.

11

« ... MAIS je m'en souviens parfaitement de ce bal,
Denis ! Ce devait être chez la comtesse Schwalewa vers
1900... peut-être 1901... en tout cas au cours de mon
séjour comme deuxième attaché à Saint-Pétersbourg.
La plupart des femmes étaient d'une beauté à couper le
souffle. Beaucoup portaient des perruques de Léo
Bakst... Malheureusement, je ne pouvais guère les
admirer car j'avais pour mission de surveiller étroitement je ne sais plus quel prince afghan... C'était l'époque où nous tentions d'entraîner cette aride contrée
hors de la zone d'influence des Russes.

— Comme vous avez dû souffrir, mon pauvre Reginald ! s'exclama Mary. Je veux dire, de ne pouvoir vous
attacher à ces beautés que j'imagine toutes, bien que la
fête eût lieu à Pétersbourg, sous les traits de Natacha
Rostov.

— Je suis inquiet, Reggie, qu'elle ne vous voie désormais sous les traits du prince André, gloussa le Résident. Elle a tellement d'imagination. »

Reginald ne releva pas.

« Pour revenir à mon Afghan, poursuivit-il impassible, bien entendu je n'avais jamais pratiqué ce genre de
filature digne de l'agence Pinkerton et m'y sentais fort
mal à l'aise.

— Question de corpulence, mon cher, l'interrompit
Greenshaw. Il faut savoir se dissimuler, ou plutôt pouvoir le faire !

— Il faut dire que sur ce plan vous avez raté votre carrière, Denis, répliqua Reginald. En cette occasion, par exemple, un pli de rideau aurait suffi à vous camoufler entièrement. »

Winifred s'aperçut qu'elle retrouvait avec émotion le grand nombre d'octaves sur lequel la voix de Reginald jouait à volonté, selon qu'il pratiquait l'ironie, la condescendance, la persuasion ou le simple récit. Toute petite, cette variété de voix la frappait et la fascinait déjà. Elle ne put réprimer un sourire que Greenshaw surprit au passage.

« Moi qui pensais que cinq années dans les landes du Brandebourg auraient rendu votre oncle plus *gemütlich,* lui lança-t-il avec un regard dénué d'aménité.

— Vous me permettrez de vous dire, Excellence, que vous l'avez quelque peu cherché ! » répliqua-t-elle.

Le Résident pinça les lèvres.

« Quoi qu'il en soit, reprit hâtivement Reginald, je m'efforçais de suivre mon homme des yeux, ce qui n'était pas simple car, loin d'avoir les apartés politiques que j'espérais, il passait son temps à valser jusqu'à m'en donner le tournis. Mon regard le quittait parfois pour admirer dans le parc les massifs de rhododendrons qu'on avait dû acclimater à grands frais et qui descendaient jusqu'à la Baltique. Dans la nuit blanche, c'était féerique...

— Des rhododendrons jusqu'à la mer Blanche ! s'exclama Mary. C'est bien simple, je les vois. J'imagine une jeune femme s'approchant lentement de la plage de sable...

— C'est la *nuit* qui était blanche, Mary, pas la mer, l'interrompit le Résident.

— J'ai assez vagabondé dans les environs de Pétersbourg, mon cher ami, pour vous dire que ciel et mer ne se distinguent plus guère là-bas dans la blancheur livide des nuits d'été. »

Mary adressa à Reginald un regard de reconnaissance.

« " La blancheur livide des nuits d'été ! " Quel bel écrivain vous auriez fait, Reggie. C'est une praticienne qui vous le dit.

— Je n'en suis hélas ! pas si sûr, Mary, dit-il avec une moue dubitative.

— Oncle Reggie est davantage qu'un écrivain, intervint Winifred. C'est un merveilleux épistolier. »

Christopher abandonna son air taciturne pour lui adresser un bref coup d'œil au-dessus du somptueux bouquet de liliums qui décorait le milieu de la table.

« À vrai dire, je dois avouer que Reginald m'écrit trop peu pour que je puisse juger », dit Mary d'un air soudain pincé.

Reginald se tourna vers Winifred qui était à sa droite et lui fit une petite pression sur la main. Sanglé dans son spencer blanc, elle le trouva rajeuni par rapport à la veille. Il avait fait irruption à Gulmarg après un long voyage de deux jours depuis Delhi au terme duquel il lui était apparu fatigué et un peu bougon alors qu'elle l'espérait joyeux et disert — après tant d'années... Ils étaient partis dans la *tonga* faire une de leurs anciennes promenades sur la route circulaire (pendant qu'une Mrs. Milburn, infirmière de son état, s'occupait de la séance quotidienne de rééducation de Christopher) et peu à peu il s'était détendu. Vieilli, oui certes, plus massif que lourd, entrecoupant la conversation de longs silences pesants où elle se perdait et qu'elle avait du mal à interrompre ; mais le vieux charme avait pourtant fini par agir, et elle sentait maintenant un réel bien-être à le voir dialoguer avec le Diwân autour de cette table de retrouvailles dans la douce quiétude du Pavillon Moghol. Par la vaste baie à colonnettes, elle voyait des martins-pêcheurs frôler la surface du Dal avant de se perdre sous les grands platanes séculaires. Au bord de l'eau aussi ils avaient tellement marché, l'année de ses dix-huit ans.

« Que tu es jolie avec ton boa de plume ! lui murmura-t-il à l'oreille.

— Hier, vous ne m'aviez pas dit comment vous m'aviez trouvée après un si long moment... », répondit-elle à mi-voix sur un ton de badinage et de reproche mêlés.

Pour toute réponse, elle sentit la main de Reginald emprisonner son genou. Elle crut d'abord qu'il allait la retirer aussitôt après, ce qui pouvait passer venant de lui comme un geste de secrète entente, mais, lourde et insistante, elle restait. Elle se contracta et le regarda, suppliante.

« Ne gâchez pas ce beau moment », murmura-t-elle.

Il retira sa main aussitôt. Elle s'efforça de se raccrocher à la conversation, mais c'était comme si un charme s'était rompu. Elle avait l'impression que toute la table avait surpris leur aparté et que le regard du Diwân s'était posé sur elle avec sévérité. Heureusement les *khitmutgars* en livrée et turban grenat firent diversion en apportant en somptueux cortège un curry d'agneau entouré de cassolettes contenant des sauces d'une grande variété de consistances et de couleurs.

« De toute façon, poursuivait le Résident en se penchant vers Branjee, la beauté du parc auquel Reginald fait allusion ne pourrait dépasser celle de Shalimar en cette saison. »

Le Diwân inclina la tête avec une onction indifférente et hautaine.

« Je vous l'accorde, Denis ! s'exclama Reginald. Chacun connaît et apprécie le soin que prend Son Excellence à faire entretenir ces jardins merveilleux. Et le parc de la comtesse Schwalewa à Pétersbourg pouvait d'autant moins dépasser Shalimar ou Nishat que des gaillards à favoris, bâtis comme devaient l'être les *opritchniks* d'Ivan le Terrible, ne cessaient de me demander sur le ton de la querelle pourquoi nous ne les aimions pas. Je n'ai jamais vu une réception où le ressentiment se soit affiché avec tant d'insolence à l'égard de tout ce qui ressemblait peu ou prou à un Britannique !

— Sur ce plan les choses ont quelque peu changé, du moins officiellement, fit remarquer Branjee.

— Oui, constata Reginald. De courtisés indifférents nous sommes devenus courtisans irresponsables. Un collègue de Pétersbourg porte paraît-il un rembourrage sur les épaules pour les protéger des tapes d'amitié qu'il reçoit désormais !

— Avec tout cela nous avons perdu votre Afghan dans les rhododendrons, oncle Reggie », dit Winifred d'une petite voix.

« Tu vois, je passe pour cette fois, semblait-elle lui dire. Mais n'y reviens pas. »

Il se tourna vers elle avec un bon sourire.

« N'aie crainte, ma chérie ! Je ne l'oublie pas, car je m'en voudrais de faire rater à Denis une occasion facile de me ridiculiser. Sachez donc, mes amis, qu'il n'y avait rien d'étonnant à ce que mon homme n'eût pas les apartés politiques que j'attendais de lui. Je m'étais tout simplement trompé sur l'identité de mon Seigneur du Désert.

— Connaîtrons-nous jamais le mystère du bel inconnu ? » susurra Mary.

Reginald se tourna vers Branjee.

« Ce bourreau des cœurs était en fait notre vieille connaissance Mulk Raj Bhagat, prince de Kolhapour.

— Vous m'en direz tant ! s'exclama Branjee avec amusement. Je comprends mieux à présent l'histoire des jolies femmes ! Il avait en effet la réputation d'un fieffé séducteur, et il n'y a pas de bal princier qu'il n'ait écumé à cette époque. A vrai dire, Sa Majesté dont, comme vous ne l'ignorez pas, il est le cousin, ne l'apprécie que modérément. Disons qu'elle le trouve (il chercha son épithète)... un peu vain.

— Je crois que Sa Majesté n'avait surtout pas apprécié que l'on donnât à son falot parent l'insigne honneur d'escorter à cheval le carrosse royal d'Edouard VII le jour de son couronnement, fit remarquer Greenshaw.

— Question de prestance, sans doute », dit Mary.

Une légion d'anges envahit la somptueuse salle à manger. Denis lança à son épouse un regard noir. Consciente de sa gaffe, Mary pâlit et implora silencieusement Reginald de lui porter un secours qui cette fois ne vint pas. Winifred s'attacha aux motifs de son gobelet de vermeil pour essayer de maîtriser un fou rire qu'elle sentait poindre.

« Selon bien des témoins dignes de foi, Sa Majesté n'a pas moins de prestance que le petit Bhagat, remarqua malicieusement Branjee.

— Mais cela tombe sous le sens, Excellence..., bredouilla le Résident. C'est une évidence. Sa Majesté a fort grand air et Mary qui n'est pas myope est la première à en convenir.

— Bien sûr, souffla l'intéressée d'une voix éteinte.

— A propos de prestance, Mrs. Greenshaw, demanda Branjee d'un ton guilleret afin de la remettre à l'aise, où en est votre jeune héros hindou ? Il semblait avoir des traits fort agréables, si je me souviens des premiers tomes...

— Il a souffert, depuis, répondit sombrement Mary.

— N'entraînez pas mon épouse sur ce sujet, Excellence, je vous en conjure, s'écria Greenshaw. Son œuvre prend de telles proportions que c'est bientôt tout le sous-continent qui se trouvera *Derrière le Bungalow.*

— Reggie avait commencé à nous raconter un vrai roman, lui, insista Winifred. J'aurais aimé savoir ce qu'il était advenu de cet Afghan qui n'en était pas un...

— Parce que *Behind the Bungalow* n'est pas un vrai roman, peut-être ? demanda Mrs. Greenshaw d'un ton aigre-doux.

— Mais si, Mary ! Je me suis mal exprimée.

— Cela vous arrive suffisamment souvent, ma chère, pour ne pas vous en offusquer lorsque cela advient chez quelqu'un d'autre », dit le Résident d'un ton abrupt.

Mrs. Greenshaw parut chercher de l'air comme un poisson hors de l'eau.

« Eh bien, voici le fin mot de l'énigme, cher public haletant », dit précipitamment Reginald pour conjurer l'orage qui s'annonçait. « Quatorze ans après cette mémorable soirée, c'est lui la première personne de ma connaissance que j'aie rencontrée à mon arrivée à Bombay. Voilà. »

Il y eut un silence déçu. Winifred constata avec déplaisir que Christopher, étrangement indifférent jusque-là, réprimait un haussement d'épaules.

« Quoi, oncle Reggie ! Toute cette histoire de bal pour en arriver là ? demanda-t-elle.

— Je vois en tout cas que tu n'as pas été long à retrouver l'abreuvoir du Club, glissa Greenshaw. A mon avis, mis au courant de l'arrivée en ville de Sir Reginald Nettlecombe, le gérant a dû laisser traîner sur le quai un poisson pilote.

— Quelle mauvaise langue tu fais, Denis ! s'exclama ce dernier avec pour la première fois un peu d'irritation dans la voix. Cela ne me surprend pas de toi, d'ailleurs. Eh bien, c'est en effet au bar du Club, alors que, tout réjoui à l'idée de la retrouver, j'écrivais à ma petite Winnie, que Mulk Raj Baghat est venu vers moi et m'a raconté ce qui s'était passé — le cataclysme, l'effondrement de l'ouvrage, le cauchemar que vous avez tous vécu... Comme il connaît le *Debrett's* par cœur, il savait bien sûr que tu étais ma nièce, précisa-t-il à Winifred.

— Il existe aux carrefours de toutes nos vies, tapis

dans l'ombre, de ces oiseaux de mauvais augure ravis de colporter le plus vite possible les plus mauvaises nouvelles possibles..., chevrota Mary d'une voix de pythonisse. Quoi, Denis, cessez de me regarder ! J'ai encore dit quelque chose qui ne convenait pas ? Serais-je à ce point dans un mauvais jour ?

— Mais non, ma chère amie, vous êtes parfaite, soupira Greenshaw.

— Le Résident voulait peut-être simplement faire remarquer que l'écroulement de l'ouvrage, en ce qui le concerne, n'était pas une si mauvaise nouvelle que cela », commenta Christopher d'un ton imperturbable à l'intention de Reginald.

La pomme d'Adam de Greenshaw s'agita frénétiquement, comme à chaque fois qu'il était en proie à une vive émotion. Mary regarda l'ingénieur avec reproche, et le Résident se penchait déjà pour lui répondre vertement lorsque Branjee s'entremit d'une voix douce.

« Quelle que soit la façon dont vous avez appris nos malheurs, votre dépêche m'a ému et je vous en sais gré, dit-il à Reginald. Mais sachez en effet qu'ici même, certaines afflictions ont été éprouvées de façons beaucoup plus modérées que d'autres et que d'aucuns déguisaient à peine leur satisfaction. »

Branjee hocha pensivement la tête.

« Qu'importent désormais nos conflits passés, reprit Christopher en s'animant brusquement. Maintenant que la décision est prise, je ne souhaite plus qu'une seule chose, c'est de dégager la gorge le plus vite possible et de reconstruire dans les délais les plus brefs. »

Il fixa Winifred qui lui refusa la mimique d'acquiescement qu'il lui quémandait de tout son regard. « Je reste, voilà. Tu as ce que tu voulais. Mais ne m'en demande pas plus », semblait-elle dire de sa mine boudeuse.

« Fasse le ciel que l'assassinat de ce jeune archiduc vous en laisse le temps, soupira Reginald d'un air sombre.

— *Keep your fingers crossed !* lança Mary.

— Il faut faire vite, c'est mon seul impératif, dit Christopher. Mon plâtre une fois retiré, je me sens plein d'énergie. Mais jamais je n'ai tant regretté le major.

— Vous disposerez d'un bon chef de travaux, mon

cher Howard. Banerjea vient de terminer le pont à piles d'Ashreet sur le Gange avec l'ingénieur Birnes qui m'en a dit le plus grand bien.

— Et les délais d'acheminement ? questionna Reginald.

— Les chantiers Harland and Wolff s'engagent à fabriquer et acheminer les longerons dans la moitié du temps qu'il avait fallu la première fois, répondit Christopher.

— Ce sera encore trop pour l'intransigeance autrichienne ! s'exclama Reginald. Elle nous conduit tout droit au désastre...

— Oh, non, pas ce mot, supplia Christopher.

— Vous êtes trop pessimiste, Reginald, dit Greenshaw. Il n'y aura pas la guerre, si vous voulez mon avis. Le pacifisme du cabinet britannique me paraît tel que ses membres feront certainement tout pour l'éviter, et vous donneront par la même occasion, Excellence, le temps nécessaire pour reconstruire votre fichu ouvrage.

— Pour une fois, je suis d'accord avec vous, mon cher Denis, dit le Diwân ; et cela motive ma confiance pour l'avenir. Le roi et l'aristocratie semblent montrer dans cette affaire un gros faible pour l'Autriche.

— Aveuglement manifeste ! s'écria Reginald. Mais peut-être après tout pensent-ils avant tout à vous sauver la mise sur la Kishenganga ! »

Branjee se mit à rire.

« D'autant que j'ai l'impression, reprit Denis, et peut-être votre collègue aux épaules rembourrées ne s'en est-il pas aperçu, que la Cité, sans doute à cause de ses origines israélites, continue à détester la Russie tsariste au moins autant que jadis.

— Ce qui ne l'empêche pas de souscrire à ses emprunts, remarqua Reginald à mi-voix.

— Mais si l'Angleterre est si pacifiste que cela, demanda Mary, pourquoi est-ce qu'elle ne dit pas... je ne sais pas, moi, le mot qui pourrait empêcher tout ce que je sens arriver... Oh, vers quoi allons-nous, Denis...

— Vers mes roses de Cheltenham, ma chère. Et je trouverai bien entre deux séances de sécateur une petite revue *tory* pour publier mes proses désabusées sur l'attitude du cabinet.

— Il ne s'agit plus de faire de l'ironie, Denis ! dit

Reginald. J'étais en 1912 à Berlin lorsque Lord Haldane est venu à la tête d'une mission pour obtenir un accord sur la limitation des armements. Je leur ai concocté deux notes que j'estimais essentielles pour éviter qu'ils ne se fassent manœuvrer. Et regardez le beau résultat : l'Autriche et l'Allemagne sont devenues de gigantesques casernes. J'ai essayé de le faire savoir au cours de mon séjour à Londres. Mais personne ne veut croire à la guerre, vous avez raison sur ce point, Denis. Ah ! s'il s'était agi de la faire à la France, alors là, vous auriez vu le bel enthousiasme ! Mais à nos alliés de Waterloo, non, tout de même !... Et sachez que les Allemands connaissent parfaitement cette complaisance à leur égard... Au cas où ils l'oublieraient d'ailleurs, leur conseiller à Londres, M. de Kuhlmann, se chargerait de le leur rappeler en termes flatteurs !... Tout cela pour répondre à votre question, Mary. Si l'Angleterre ne dit rien, c'est par coupable aveuglement ou tragique irrésolution, vous avez le choix.

— Je sais que nous sommes entre nous, Reggie, protesta Greenshaw, mais n'allez tout de même pas trop fort, ne serait-ce que pour l'image que nous pouvons donner de notre pays devant notre ami.

— *Right or wrong, my country...*, je veux bien, mon cher Denis, répliqua-t-il. Mais vous savez comme moi que le chancelier Bechtold envoie en ce moment même une mission à la Wilhelmstrasse. Eh bien, je suis prêt à vous parier cent guinées que l'Autriche obtiendra... »

Greenshaw pinça les lèvres.

« Le plein appui du Kaiser ?

— Rien de moins. Le pire, c'est que nous en serons ravis, bons apôtres que nous sommes. »

La nouvelle attaque de Reginald parut irriter vivement le Résident.

« Ecoutez le grand spécialiste des affaires d'Allemagne qui parle ! s'écria-t-il. En rupture d'ambassadeur pour cette raison même, je suppose ! »

La remarque de Greenshaw porta brusquement sur les nerfs de Winifred. Reginald était de taille à se défendre tout seul, Dieu sait. Elle éprouva pourtant le besoin d'intervenir à ses côtés sur-le-champ.

« Ce n'est pas à cause de cela mais à cause de l'Irlande, et vous le savez bien ! lança-t-elle soudain. Pourquoi d'ailleurs l'Angleterre entrerait-elle en guerre au sujet de la Serbie, c'est-à-dire, si je ne me trompe, pour sauvegarder un principe de moralité internationale, alors que ce même principe elle le viole chez nous depuis toujours !

— Ah, fit Greenshaw en retournant vers elle son expression courroucée. " Chez nous ! " Cela m'aurait étonné aussi que vous ne lanciez pas l'une de vos allusions qui vous ont fait tant de bien dans la vallée, n'est-ce pas ? »

Winifred tressaillit. Au lieu de voler à son secours, Reginald avait de nouveau emprisonné son genou comme pour l'empêcher de répliquer.

« Retirez cela, voulez-vous, murmura-t-elle.

— Que se passe-t-il, ma chère amie ? demanda Christopher soudain attentif en face d'elle.

— Oncle Reggie fait à chaque fois tomber ma serviette en s'agitant. Je ne peux tout de même pas avoir trois aides de camp à mes pieds pendant tout le repas uniquement pour surveiller ce qui se passe sous la nappe ! »

Reginald retira vivement sa main.

« Tout enfant elle avait déjà cette charmante impertinence, expliqua-t-il avec un bon sourire.

— Cela n'a fait que croître et embellir, dit Mary.

— Pardon, Mary ?

— Je dis que vous n'avez fait que croître et embellir, depuis. »

Greenshaw eut son petit rire sarcastique en cascade de grelots qu'elle n'avait jamais pu supporter. Elle lui en voulut soudain d'interposer la maussade silhouette de son habit noir entre elle et la sublime perspective de la butte de Sankaracharya émergeant de sa buée d'or. Elle avait brusquement envie de prétexter un malaise et de quitter la table. Cette table autour de laquelle elle avait l'impression de n'avoir aucun allié. Si Reginald devenait sénile, c'était gai ! Il n'avait donc pas compris, la première fois ? Que croyait-il ? Que sa main baladeuse dans la pénombre des corridors d'Amneth House faisait partie de ses heureux souvenirs d'enfance et qu'elle était satisfaite de la retrouver aussi alerte que naguère ? O dérision !... Et Christopher, était-il intervenu après la fielleuse attaque de Mary ? Elle se sentit abandonnée et désenchantée. Le bruit des conversations qui l'étourdissait depuis un moment n'était plus qu'un murmure de fond qui ne la concernait plus. Ils pouvaient refaire le monde, essayer de conjurer les bruits de bottes de ce qu'ils appelaient (cela lui semblait si risible) les Puissances, qu'en avait-elle à faire ? Ils ne pourraient pas répondre de toute façon à la seule question qui comptait pour elle : la guerre, si elle devait avoir lieu, allait-elle lui retirer ce qui venait à peine de lui être donné... Donné ? Evanoui aussitôt qu'entrevu ! Le reflet de cuivre des cassolettes lui rappela soudain l'éclat verdi des instruments de Mummery Lodge et elle se sentit défaillir. Depuis plus de deux semaines, Carl n'avait plus donné signe de vie. Plus un mot. Plus un indice. Elle regrettait de lui avoir dit à quel point il serait difficile de la joindre. Car depuis plus de deux semaines aussi l'évocation de leur équipée, de leur libre et brève errance, lui inspirait à tout moment des souvenirs d'une précision et d'un rayonnement tels qu'ils tenaient de la vision et de la rêverie tout autant que de la mémoire. Hier soir encore, en quittant Gulmarg pour Srinagar, elle avait l'impression que derrière chaque arbre et chaque rocher allait surgir la silhouette qu'elle avait rattrapée un soir sur la route du Club et dont elle se dit qu'elle n'avait au fond entendu la voix lente et un peu rauque à cause de son accent que pendant un temps si court.

Le Diwân devait pourtant savoir où il se trouvait et ce qu'il faisait. Mais comment déceler ce que cachait ce visage énigmatique qui se posait parfois sur elle et dont certains regards la transperçaient d'une flèche dont elle ne savait trop si elle était ou non empoisonnée ? Savait-il quelque chose de leur escapade ? Si oui, il avait certainement trop besoin de Christopher pour évoquer le sujet. Elle se sentit piégée, et d'autant plus mal à l'aise que tout semblait réuni ce soir dans le ciel tiède et pur de Srinagar — joie qu'elle s'était faite d'être à côté de Reginald, soulagement de voir les Greenshaw s'en aller, splendeur du cadre et de la table — pour que ce dîner fût un point d'orgue, l'un des rares moments (qu'elle sentait avoir galvaudés les uns après les autres) où elle aurait pu vivre quelque peu ses noces avec l'Orient fabuleux. Elle croisa le regard de Christopher qui l'observait, apparemment anxieux du désarroi qui devait se lire sur ses traits, et garda la mine indifférente. « Je pourrais être si heureuse », pensa-t-elle.

Elle avait à la fois espéré et redouté qu'à l'occasion de cette conversation concernant l'Allemagne quelqu'un finirait par faire allusion à Carl. Dans l'espoir d'obtenir un renseignement le concernant elle avait même songé à mettre le sujet sur le tapis, au risque de devenir aussi écarlate que les sauges du parterre. Mais maintenant elle ne s'en sentait plus la force.

« Pas plus qu'il ne manquera un seul Hindou derrière l'Union Jack au cas où celui-ci serait attaqué, je suis persuadé, ma chère tante — puisqu'il semble que pour votre oncle vous le soyez toujours restée — qu'il n'y manquera pas non plus un Irlandais. »

Winifred tressaillit. C'était à elle que s'adressait Greenshaw. Elle resta un instant sans réplique, au point qu'en face d'elle Christopher se méprit.

« Winnie, fit-il doucement, Son Excellence te parle...

— Si les Hindous croient ainsi acheter leur liberté future, grand bien leur fasse, rétorqua-t-elle. Mais en ce qui nous concerne, je ne vois pas pourquoi nous, Irlandais et Irlandaises, devrions nous sentir forcés de tirer sur des hommes pour la seule et unique raison qu'ils sont en guerre avec nos persécuteurs. »

Greenshaw pâlit.

« Vos persécuteurs, répéta-t-il d'une voix sans timbre. Mais je... je ne saurais tolérer pareils propos...

— Ma nièce vous explique qu'elle ne voit pas pourquoi elle irait considérer l'Allemagne comme une ennemie, intervint Reginald. Et moi je ne vois pas non plus pourquoi, ajouta-t-il avec une ironie appuyée, vous vous mettez dans cet état devant quelqu'un qui partage si exactement les vues du cabinet britannique.

— Un peuple a toujours le droit de se choisir ses ennemis, que diable ! renchérit Christopher.

— Propos de libéral sur lesquels vous serez amené à revenir bien vite ! tonna Greenshaw. Nous sommes tenus par des alliances, mon cher ! D'ailleurs, entre les Irlandais et les Anglais il ne s'agit pas, et vous le savez, d'alliance, mais d'union ! Persécuteurs ! C'est... je... »

Il s'étrangla et se mit à tousser.

« Buvez, mon ami, dit Mary. C'est à croire qu'ils ne veulent pas vous voir passer la nuit. »

Les yeux de Branjee brillèrent d'ironie.

« Pour ce qui est de nous, mon cher Résident, n'en prenez-vous pas un peu à votre aise ? Vous dites que pas un Hindou ne manquerait pour défendre l'Union Jack. Qu'en savez-vous ? Après tout, Mrs. Howard n'a peut-être pas tort... Pourquoi l'Inde serait-elle en guerre avec l'Allemagne ?

— Il est malheureusement évident, dit Greenshaw en s'efforçant de reprendre son calme, que l'Allemagne, poussant l'Autriche devant elle, joue en ce moment avec la paix en Europe...

— Nous en sommes justement fort éloignés, mon cher ami !

— Mais je vous supplie de ne pas oublier, Excellence, que c'est dans tout l'Orient que l'Allemagne se comporte comme si elle était déjà notre adversaire ! Rappelez-vous les marques d'amitié données à la Turquie ! Rappelez-vous le chemin de fer de Bagdad. Souvenez-vous des droits qu'elle s'arroge sur la route des Indes, de la visite du Kronprinz, de tant d'autres incursions qui n'avaient d'autre justification que de...

— Oh, l'interrompit Branjee, c'était une visite officielle comme il y en a eu beaucoup. Plusieurs fois des princes allemands ont traversé la péninsule, si je ne m'abuse.

— Je me souviens à tout le moins pendant ma mission des visites du prince de Bavière et du grand-duc de Hesse, précisa Reginald. Cela dit, je ne crois pas qu'il faille s'exagérer l'influence de l'Allemagne en Inde. Voulez-vous une anecdote à ce sujet ? Je me souviens d'un receveur de postes brahmane, à Dehra Dun, je crois, un jour que je venais remettre un télégramme à destination de GERMANY. Il regarda son registre et finit par me demander : " *Is it a British colony ?* " »

Tout le monde se mit à rire, et l'atmosphère se détendit quelque peu.

« Tout de même, rappela le Diwân d'un air nostalgique, quelle belle journée ce fut que cette arrivée du prince impérial à la passe de Khyber, parcourant le front des troupes déployées devant les formidables défenses de l'empire. Toute l'Inde en parlait ! Essayez de faire croire aux Hindous que seul un intérêt militaire ou historique avait conduit le futur empereur d'Allemagne... " Que peut-il avoir en tête ? " Voilà ce qu'ils se demandaient tous.

— Peut-être n'avait-il comme intention que de laisser derrière lui cet excellent cartographe que l'on dit être l'émule de Garwood... », dit Greenshaw d'un ton égal.

Branjee lui jeta un regard aigu. Winifred s'efforça de réprimer un brusque tremblement de ses mains en serrant sa serviette de toutes ses forces.

« Quoi, ce jeune Allemand qui vous a retrouvé, Christopher ? s'enquit Reginald.

— Oh, elle vous a raconté, fit Christopher avec une moue. Pas si jeune que ça, en fait. Mon âge ou peu s'en faut.

— Il t'a retrouvé, oui ou non ? » demanda Winifred avec vivacité.

Le Diwân la regarda pensivement, puis à son vif soulagement reprit la parole d'un ton calme et posé.

« Sir George Evans, le directeur du *Survey*, me l'avait recommandé, expliqua-t-il à Reginald. Et il est certain que ses cartes sont remarquables et qu'elles ont été jusqu'à modifier parfois l'idée que je me faisais de mon propre territoire. Elles ont d'autre part beaucoup contribué au choix d'un itinéraire judicieux pour la passe.

— Vous m'en voyez ravi, Excellence ! s'exclama Greenshaw avec un enjouement factice. Souhaitons tout de même qu'en cas d'ouverture des hostilités ces fameuses cartes ne se retrouvent pas, dûment annotées, sur un bureau de la Chancellerie. »

Branjee prit un air narquois.

« Vous me faites beaucoup d'honneur de penser que Berlin puisse s'intéresser de telle façon à nos lointaines vallées !

— Vous êtes l'un des seuils de l'empire, Excellence ; et cette malheureuse passe ne fera qu'accroître tout à la fois le rôle stratégique du Cachemire et sa vulnérabilité ! Ce garçon a travaillé deux ans sur le chemin de fer de Bagdad que nous n'avons cessé de combattre, et vous savez bien en croupe de qui il est arrivé ici ! »

À mesure que Greenshaw s'animait, se fermait le visage du Diwân, remarqua Reginald.

« Je n'ai aucune raison de suspecter le loyalisme de ce jeune homme à l'égard du royaume, répliqua Branjee d'une voix coupante. J'ai été jusqu'à solliciter ses conseils sur maints sujets et j'ai toujours eu à me féliciter de son jugement. Il a ma confiance et il le sait. De

toute façon, je n'ai aucune raison d'être plus germano-
phobe que mon éminent collègue Mr. Asquith dont ce
ne semble pas être, d'après vos dires, la vertu cardi-
nale ! Quant au professeur Burgsmüller, dont le sort
semble vous préoccuper, il fait depuis quinze jours des
relevés dans la vallée du Rupal et le massif du Nanga ;
si vous voulez le fond de ma pensée, l'irruption d'une
guerre en Europe doit être le cadet de ses soucis !

— A ce propos, demanda Greenshaw de sa voix nasillarde, n'y a-t-il pas eu une drôle d'affaire dans cette
région il y a peu de temps ? »

Branjee parut soudain avoir quelque mal à masquer
une irritation grandissante.

« A quoi faites-vous allusion, mon cher Résident ?
demanda-t-il.

— Un vieux *saddhu* assassiné par les Thugs, ou quelque chose de cet ordre, si j'en crois Dhakki... »

Le Diwân se tourna ostensiblement vers Reginald.

« A votre époque, Reggie, Dhakki Singh était déjà la
commère du royaume ; mais je crains qu'entre-temps il
n'en soit devenu la fosse à purin. Ce sera sans doute,
hélas ! ajouta-t-il avec amertume, l'instrument de sa
réussite. »

Winifred s'efforçait de ne rencontrer ni le regard de
Branjee, ni celui de son mari. Les mots qu'elle venait
d'entendre trottaient dans sa tête. Vallée du Rupal.
Quinze jours dans la vallée du Rupal. C'était sans doute
celle où s'accrochaient des petits nuages vagabonds.

« A quoi rêves-tu ? » lui demanda Reginald à voix
presque basse.

Il avait posé sur son poignet une main protectrice et
chaleureuse dont la pression lui fut cette fois un réconfort.

« C'est comme cela que j'aime vous retrouver, murmura-t-elle. Pas comme...

— Je ne peux m'empêcher de repenser à ma Winnie
de treize ans », lui souffla-t-il avec mélancolie.

Le sourire de connivence qu'elle voulait lui adresser
en retour se figea sur ses lèvres. Un aide de camp
venait de se pencher sur le Diwân en lui tendant un
message sur un plateau. Au bref regard impénétrable
qu'il lui adressa, elle reconnut la physionomie d'Angdawa sous son vaste *puggaree* blanc. Elle ne l'avait pas
revu depuis le matin où il attendait son réveil accroupi

près de sa tente de fortune, tenant la feuille de carnet de Carl toute mouillée de rosée où elle avait à peine pu lire les mots inscrits. A la mine surprise de Greenshaw, elle mesura tout de suite combien la procédure était imprévue, et une boule se forma au fond de sa gorge. Le vieil homme ajusta lentement ses lunettes de corne, puis lut le message. Il leva un instant le regard du feuillet puis parut le relire avec une attention incrédule, comme s'il ne pouvait en croire la teneur. A son côté Reginald, qui n'avait rien remarqué, continuait à discourir dans une langue dont elle ne saisissait plus les termes. Enfin, il s'aperçut du silence qui régnait autour de la table et s'interrompit brusquement.

« Mais que... que se passe-t-il ? demanda-t-il au Diwân. Que se passe-t-il, mon cher ami ? »

Branjee gardait les yeux fixés sur le papier.

« Le fou, marmonna-t-il. Les dieux n'ont peut-être pas été suffisamment provoqués ? Le fou. »

Il leva enfin les yeux, évitant le regard interrogateur de Greenshaw. Son expression était défaite.

« Notre jeune cartographe allemand. Celui dont nous parlions, Reginald. Oh, je n'arrive pas à le croire. Il avait emmené deux gurkhas avec lui.

— Et qu'est-ce qui lui... qu'est-ce qui est arrivé ? » demanda Winifred dans un souffle.

Branjee lui adressa un vif coup d'œil.

« Disparus, dit-il d'une voix sourde. Lui, est parvenu à revenir à Arkasi et à donner l'alerte. Il a les doigts d'une main gelés. Le chef du village m'a prévenu. La population est très montée contre lui. Oh, le fou, le fou. Kellas m'avait toujours dit : c'est impossible et Mummery s'est fourré le doigt dans l'œil de belle manière.

— Quoi, s'écria Greenshaw. Il a essayé de grimper sur le Nanga ?

— Et puis Mummery n'engageait que lui-même, poursuivit Branjee sans lui répondre. Il n'avait pas... trahi ma confiance et mon... mon... »

Il ne trouva pas son mot. Son teint paraissait gris à force d'être soudain exsangue.

« La paroi du Rupal. L'éperon sud-est. C'est...C'est insensé, continua-t-il à soliloquer. Quelle mouche l'a donc piqué. Quel venin l'a fait délirer. Deux gurkhas, dont Da Mathi, qui était très aimé à Shardi. Le Rupal ! Kellas... me l'avait dit. On ne grimpera jamais sur cette montagne, et surtout par cette face. Les petits-fils de nos fils n'y parviendront même pas. Les dieux l'avaient choisie comme territoire et... regardaient la nuit le royaume endormi à leurs pieds. Maintenant... »

Il s'interrompit. Il paraissait accablé, et Winifred remarqua qu'il serrait son sceau de stéatite à s'en meurtrir les jointures. Elle-même luttait contre l'impression de suffoquer.

« Ce jeune homme n'est pas parvenu à son affaire, apparemment, dit Reginald pour tenter de le calmer. Les dieux n'ont donc pas à en prendre ombrage. »

Branjee fit signe à Angdawa de venir l'aider à se lever.

« Je vous demande l'autorisation de me retirer », dit-il.

Il avait une voix éteinte. Soutenu par l'aide de camp, il se redressa avec peine.

« Je pense à tout le bien que je vous avais dit de lui, marmotta-t-il quand il passa devant le Résident.

— Je comprends, répondit Greenshaw. Je comprends parfaitement ce que vous ressentez. La seule chose que je puisse rappeler à Votre Excellence est que je n'avais eu de cesse que je ne l'eusse mise en garde contre cet... aventurier... »

Branjee se tourna vers lui.

« Je ne sais pas contre quoi et contre qui vous ne m'avez pas mis en garde, mon cher Résident ! s'écriat-il avec une expression d'exaspération. Mais vous aviez justement oublié cette folie-là, que je sache ! Grimper là-haut ! M'y tuer des hommes, comme si nous n'avions pas eu assez de désastres ! Oh, reprit-il après un instant de silence, il paiera cher de m'avoir abusé. »

Il parut se rengorger comme un cobra qui va frapper.

« Le régent Wali Khan n'avait pas hésité à faire décapiter Schlagintweit ici même pour bien moins que cela ! » s'écria-t-il.

Les jambes flageolantes, Winifred craignit de ne pouvoir se lever. Elle vacilla et sentit soudain la poigne vigoureuse de son oncle la soutenir.

« Ça va, ma petite fille ? » souffla-t-il d'un ton inquiet.

Elle secoua la tête sans répondre. Suivi par Angdawa, le Diwân fit quelques pas hésitants en direction de la porte.

« Le grand Léonard de Vinci remarquait que celui qui n'a jamais confiance en personne ne sera jamais déçu, reprit Reginald. La déception ne peut donc atteindre en ce domaine que de nobles natures. »

La phrase resta sans effet. Lorsque Branjee passa devant Winifred, elle tenta d'esquisser une révérence. D'un geste brusque, comme s'il voulait la relever, il la prit par le bras et l'entraîna avec lui hors de la pièce. Pensant qu'il désirait donner le change en faisant un frais aimable aux deux seules femmes présentes avant de quitter les appartements de réception, les autres convives demeurèrent à distance, et Mary se prépara à venir à son tour minauder son compliment. Branjee semblait s'être remis avec peine de son trouble. Il s'arrêta net et Winifred ne vit plus que ses yeux sombres qui la fixaient intensément.

« Je sais où vous étiez, murmura-t-il d'une voix sans timbre en lui agrippant l'avant-bras. Et avec qui. Votre mari l'ignore, mais pas moi. Vous avez de la chance que j'éprouve le besoin vital que cet ouvrage soit reconstruit. Sans quoi... Mais lui ! Oh, oui ! Il me paiera le prix de son inconscience et de ma confiance trahie. »

Il la lâcha brusquement et quitta la pièce. Elle dut s'appuyer sur l'un des guéridons pour ne pas vaciller, et vit dans un brouillard que Christopher et Reginald s'approchaient d'elle, chacun de leur côté, et que Mary, son compliment rentré, la regardait avec ce qui lui parut être du ressentiment.

12

RECOUVERTE d'une immense nappe blanche décorée de corbeilles de fleurs et ponctuée du vert pâle des assiettes de concombres sans lesquelles une réception à la Résidence n'aurait pas eu, selon Mary, sa *touche finale*, une longue table avait été disposée devant la pelouse au pied de la façade contournée de la vieille bâtisse. Entouré de l'équipe au grand complet des *khitmugars* en livrée garance, son crâne dégarni protégé de l'ardeur du soleil par le dais de toile festonnée qui dominait l'ensemble du buffet, Bates officiait avec la majesté et la componction d'une divinité bouffie immobile dans la pénombre. Entre deux services de porto ou de cocktails, son regard se perdait avec une discrète mélancolie sur le moutonnement des capelines.

« La prochaine fois que je verrai une assemblée si élégante, ce sera sans doute lors de quelque extra du côté de Belgravia, confia-t-il au colonel Compton-Mackenzie venu faire renouveler sa ration de punch aux fraises.

— Ce ne sera plus du porto que vous servirez, mon vieux, mais du bovril ou quelque chose de ce genre que vous distribuerez. Vous saisissez la nuance, répliqua le colonel d'un ton désabusé. Je crains que des temps difficiles ne se préparent. »

Bates regarda son interlocuteur avec une once de réprobation. Il n'était pas dans les habitudes du colonel, pas dans ses habitudes du tout, de l'appeler *mon vieux*. Etait-ce sa couperose plus visible au grand air, mais il paraissait légèrement parti. C'était peut-être une explication. Avec une réserve toute professionnelle, Bates opina du chef.

« Remarquez, mon colonel..., on grossit toujours les nouvelles quand on est loin... »

Mackenzie grogna quelque chose, puis s'éloigna.

« Que vous demandait cette vieille baderne ? » s'enquit Mary en s'approchant avec curiosité dès qu'il fut hors de sa vue.

Le chapeau en bataille, elle paraissait nerveuse et agitée.

« Du punch aux fraises, Mrs. Greenshaw. Son cinquième verre, ajouta Bates *mezza voce*.

— Il ferait mieux de faire seller les chevaux des dames que de piller la cave de la Résidence ! Le *point to point* part à seize heures, et si un colonel, même en retraite, n'est pas capable de faire respecter ce semblant de programme, alors je comprends que nous hésitions à déclarer la guerre à qui que ce soit ! »

Avec diplomatie, le vieux majordome essaya de la calmer.

« Nous n'avons jamais eu tant de monde dans une réunion de la colonie anglaise, Mrs. Greenshaw. Il y a des gens qui sont venus de Simla, de Dehra Dun, de partout.

— Le Résident était un homme fort apprécié, Bates. On le mesure mieux un jour comme aujourd'hui ; mais peut-être faudra-t-il son départ pour que certains s'en aperçoivent enfin. »

Il se pencha au-dessus de la table.

« Le nouveau Résident ne lui arrive pas à la cheville, Mrs. Greenshaw. Il était temps que je parte moi aussi. »

Mary regarda autour d'elle si personne n'avait entendu.

« Ne dites pas de bêtises, Bates. Ce sont des choses qui se pensent mais ne se disent pas. »

Un petit groupe de jaquettes grises et de robes à fleurs l'écarta du buffet. A quelques pas de là, Winifred entendit son rire de gorge planer sur le bruit confus des conversations. « Qu'elle glousse aussi fort, lui avait dit un jour Christopher en manière de boutade, permet au moins de situer l'ennemi et d'être dûment averti. »

Elle s'éloigna et chercha son mari des yeux. La haute taille de Christopher lui permettait, les rares fois où il leur était arrivé de se rendre dans un *burra khana*, de le retrouver aisément au milieu des invités. Mais ce n'était pas si facile aujourd'hui. Elle n'avait jamais vu une telle animation à la Résidence, même au bal de l'année dernière où Mackenzie lui avait servi de chaperon. C'était comme si la petite colonie avait voulu se compter une dernière fois, ou profiter d'un ultime sursis, avant de plonger dans des lendemains incertains. Elle le découvrit soudain près de la lisse qui bordait le terrain de golf, parlant avec Ethel. Bien choisi ! La fille qu'elle avait giflée ! Bien qu'elles se fussent en principe réconciliées, elle hésita à venir les rejoindre. Ethel parlait avec de grands gestes, son profil accusé se détachant sur l'herbe, et Christopher semblait l'écouter avec attention. Mais que pouvait bien lui raconter cette sale petite *tory* ? Elle détourna son regard. Au loin, vers le nord, le Nanga apparaissait dans une trouée de collines, immensément lointain et translucide, et elle le scruta avec une sorte d'incrédulité.

« Ah, mais voilà ma petite révolutionnaire toute seulette... », entendit-elle minauder derrière elle.

Elle se retourna d'une pièce.

« Oh, Mrs. Greenshaw, fit-elle, quelle jolie journée. »

A l'attention avec laquelle elle se sentit dévisagée, elle se dit que Mary avait dû la suivre — et peut-être même l'observer pendant qu'elle-même regardait Christopher parler avec Ethel —, et un rouge de confusion lui monta au visage à l'idée de s'être mise dans une telle situation.

« Cela me fait plaisir en tout cas de constater que vous avez meilleure mine que l'autre jour, ma petite fille. J'ai bien cru que chez le Diwân vous alliez avoir un malaise. Savez-vous ce que j'ai dit au Résident dans la calèche, au retour ? "Je me demande si la jeune Mrs. Howard n'est pas en train de nous fabriquer un petit *roumi...* " »

Winifred fronça les sourcils.

« Un petit quoi ?

— Cela veut dire : chrétien, pour les mahométans, expliqua Mary. C'est un mot qui nous vient de nos années égyptiennes... Denis et moi nous avons comme cela un petit vocabulaire à nous, qui nous rappelle notre vie errante !

— Eh bien... Sur ce point précis je crains fort de vous décevoir, Mary. Mon malaise était probablement dû à la chaleur qu'il faisait ce soir-là, d'autant que le curry ne me réussit guère d'ordinaire...

— Il ne faisait pourtant pas si chaud... », murmura Mary.

Winifred se força à fixer à son tour son interlocutrice. Cette question qui la taraudait. La lui poser ? Directement, au risque d'éveiller sa suspicion ? Et sinon, par quel biais ?

« Dommage, avait repris d'un ton désinvolte Mary qui suivait son idée. Il n'y a pas eu de naissance à Gulmarg depuis 1902.

— A vrai dire, le Premier ministre paraissait bien plus incommodé que je ne l'étais, fit remarquer Winifred.

— Il avait quelque raison d'être bouleversé !

— Ah bon ? »

Mary se pencha vers elle dans une attitude de conspiratrice.

« Il avait pour ce téméraire jeune homme une affection trop exclusive, lui chuchota-t-elle à l'oreille. Il ne cessait de solliciter ses opinions, au point qu'on se demandait par moments qui gouvernait le royaume. C'est un avis personnel, évidemment. Denis avait pourtant tout fait pour l'en dissuader. Et comment va votre cher oncle ? demanda-t-elle un ton plus haut en voyant quelqu'un s'approcher. Je l'ai trouvé fort peu changé, malgré les années et les qu'en-dira-t-on. Il semblait désolé de ne pouvoir assister à notre petite fête.

— C'était bien le cas, Mary, répondit Winifred avec effort. Il m'a écrit deux jours après son retour du Cachemire. Il semblait très satisfait de la maison qu'on lui avait affectée à Delhi. Mais a-t-on des nouvelles de ce malheureux garçon ?

— Qui, Reg... ? Ah, le jeune cartographe ! Denis ne veut pas s'en mêler. On sait trop ici ce qui l'oppose au Diwân — qui, vous le remarquerez, s'est fait excuser aujourd'hui ; ce n'est pas très *sport*, vous en conviendrez —, et le Résident ne voulait pas donner l'impression, surtout au moment de son départ, d'avoir le triomphe trop facile. Bien, je vous laisse, dit-elle avec un geste affecté de la main. Je me dois à mes ouailles en général, si je peux m'exprimer ainsi, et à Mr. Hawthorne, le nouveau Résident, en particulier. »

Elle s'éloigna dans un crissement de taffetas. Winifred se sentit secrètement rassérénée. Il lui semblait que si l'on avait mis la main sur Carl, Mary n'aurait pu s'empêcher de le lui faire savoir. Elle fit quelques pas à la recherche de Christopher qu'avait abandonné Ethel et vit qu'il parlait cette fois avec Campton-Mackenzie qui devait officier comme chef de piste lors des deux courses à venir (les *steeplechases* féminin et masculin) et avec Elizabeth Bowers, une petite Galloise bien plantée et rieuse qui était arrivée peu de temps auparavant avec son agronome de mari, et avec qui elle sentait qu'à une autre époque elle aurait pu s'entendre. Christopher lui fit signe de les rejoindre, et elle se dirigea vers la longue table, évitant pour cela un groupe compact qui s'était agglutiné autour de Greenshaw et de son successeur, un grand homme un peu voûté qui venait de la Sierra Leone et dont la rumeur publique disait — était-ce son lymphatisme un peu lunaire — qu'il ne s'était pas encore remis de son long voyage.

Elle ne vit l'homme qui venait vers elle qu'au moment où elle s'était déjà engagée dans l'étroite allée le long du massif et où il était trop tard pour l'éviter. Il s'effaça le plus qu'il put afin de lui laisser le passage. Elle fut un instant tentée de le dépasser sans le voir, le profil imperturbable sous la capeline protectrice ou même, suprême coquetterie, de le remercier d'un sourire lointain avant de passer outre. Elle s'arrêta pourtant.

« Tiens, lieutenant, s'adressa-t-elle à lui sur un ton mondain, je vous croyais retiré dans vos cantonnements, et enfin décidé à ne plus empêcher le pauvre monde de se déplacer en paix... »

A sa perplexité, elle vit qu'il ne l'avait pas reconnue dans son élégante robe d'été. Il s'inclina néanmoins avec affabilité. Il portait un uniforme vierge de décorations qui donnait de la prestance à sa blondeur un peu fade.

« Vos traits me disent bien quelque chose, madame, mais à vrai dire j'ai vu tant de monde dans mes différentes garnisons que...

— Si mes souvenirs sont bons, votre permission

dans le comté d'Antrim ne devrait pas tarder désormais.

— Ah, vous ai-je parlé de cela ?

— A moins, bien entendu, poursuivit-elle, que les choses n'empirent par trop sur le vieux continent...

— Peut-être faudra-t-il en effet que les choses tournent comme vous le dites pour que nous soyons enfin amenés à exercer notre véritable métier et à retrouver nos vieux réflexes de combattants ! Et non plus ceux de terrassiers ou d'agents recenseurs !

— Y compris sans doute ceux qui consistent à vous opposer aux civils et à refuser de les croire, Mr. Partridge.

— Et vous connaissez mon nom ! s'écria-t-il avec une confusion grandissante.

— A ce propos, s'enquit-elle sur le même ton urbain, puis-je prendre des nouvelles de votre ordonnance ? »

L'expression de l'officier changea. Il la regarda, parut ne pas en croire ses yeux, se raidit et recula d'un pas.

« Je vous retrouve, s'exclama-t-il d'une voix sans timbre. Depuis quelques instants, je me disais aussi... Ça y est, je vous revois. Bon Dieu, oui... C'était donc vous. »

Il regardait avec incrédulité la capeline de Winifred, les drapés de sa robe et ses longs gants blancs.

« Je... Enfin vous ne ressemblez plus tellement à la... J'espère que vous me pardonnerez... A la furie que j'ai rencontrée sur mon chemin ce jour-là. »

Le regard de Winifred se durcit.

« Navrée de vous avoir bousculé, lieutenant. C'était une question de vie ou de mort. Vous ne sembliez pas tellement décidé à l'admettre. »

Il ne savait trop quelle contenance adopter, et devant un embarras si manifeste, elle ne put s'empêcher d'éprouver de la commisération.

« Heureusement, ça ne s'est pas trop mal terminé, dit-elle. Nous avons finalement pu retrouver mon mari vivant...

— Je suis ravi de l'apprendre, dit-il en s'inclinant gauchement. Tant mieux si le séjour ici se termine mieux pour votre mari que pour votre guide. »

Il semblait y avoir dans sa voix un soudain ressentiment. Elle fronça les sourcils.

« Je ne comprends pas, fit-elle.

— Le petit Allemand qui vous accompagnait... La vie a de ces étrangetés... En tentant de l'empêcher de passer, en cette fameuse occasion, je ne faisais qu'anticiper sur l'ordre que je devais recevoir par la suite. »

Elle s'efforça de garder son expression lointaine.

« Quel sorte d'ordre ? » demanda-t-elle d'un ton dégagé.

Elle l'avait entraîné un peu à l'écart et pria le ciel que l'on ne vînt pas les déranger.

« Eh bien, ce mandat d'arrêt qui a été lancé contre lui ! Vous devez être au courant.

— En effet, bluffa-t-elle. Mais je ne savais pas que c'était vous qui en étiez chargé !

— Pas moi particulièrement. Mais le ministre Dhakki Singh nous a bien recommandé, mes camarades officiers du deuxième régiment de guides et moi, d'essayer de le retrouver par tous les moyens. Il doit être jugé pour homicide et cela peut le mener loin ! Bien entendu, l'oiseau n'était plus au nid dans sa *doonga* du Nagin. Et comme j'ai une sacrée dent contre lui, j'ai l'intention de m'intéresser de fort près à cette affaire.

— Comment cela, une sacrée dent contre lui, lieutenant ? »

Il parut un instant désorienté par la froideur distante de Winifred.

« En dehors du fait... que je n'aime pas beaucoup trouver d'Allemands sur ma route dans les circonstances actuelles... je souhaiterais pouvoir lui dire deux mots, justement, au sujet de la blessure à laquelle vous faisiez allusion. Métacarpe fracturé, ce n'est pas rien !

— Partridge, répliqua Winifred avec sécheresse, c'est *moi* qui ai frappé ce butor qui s'était permis de saisir mes rênes avec, laissez-moi vous le dire, une inqualifiable brutalité. »

Le jeune officier plissa les lèvres et regarda Winifred avec stupeur.

« Je ne parviens pas à le croire, Mrs...

— Howard. Que ne parvenez-vous pas à croire, lieutenant ? Que votre ordonnance ait agi avec brutalité ?

— Non, Mrs. Howard. Que vous ayez, vous, ainsi réagi.

— Ecoutez-moi, mon cher. Ce garçon s'est mal comporté à mon égard et je n'ai fait que me défendre. Je n'ai pas témoigné jusqu'ici devant les instances de

303

votre régiment, mais je pourrais changer d'avis. Je vous rappelle que j'avais toutes les autorisations nécessaires pour me rendre à Danyarbani. C'est une affaire que je pourrais très bien faire monter jusqu'au général Stubbs. Vous dépendez du deuxième corps, à Rawalpindi, n'est-ce pas ? »

Il pâlit.

« Je ne vois pas ce que...

— Vous ne voyez pas, dit-elle d'une voix coupante. Eh bien, vous allez voir, ou plutôt entendre la chose suivante : pas de zèle, Partridge. Vous êtes ambitieux, m'a-t-on dit. Il n'est jamais bon de se faire d'une femme de son milieu et de sa génération une ennemie personnelle. Votre avancement pourrait en souffrir si j'avais à témoigner au cours d'un éventuel procès du Dr Burgs müller. Est-ce assez clair ? »

Apparemment médusé, l'officier resta sans répondre. Elle lui tendit la main.

« Je crois que nous nous sommes compris, mon cher ami », dit-elle en le regardant.

Il claqua les talons et s'inclina avec raideur avant de faire volte-face. Se demandant si elle ne s'était pas engagée inconsidérément, elle demeura un instant immobile à le regarder s'éloigner.

« Winnie », entendit-elle.

Elle tourna la tête. Christopher approchait à grandes enjambées.

« Ma chérie. Je ne savais pas que tu fréquentais les officiers des *Blues*. Félicitations. »

Elle chercha autour d'elle le lieutenant, se disant qu'après tout il pouvait être cocasse de le présenter à son mari. Il avait disparu dans la foule.

« C'était celui qui nous avait arrêtés lorsque nous étions à ta recherche..., lui expliqua-t-elle.

— Je n'apprécie guère ce *nous*, dit-il avec brusquerie. Lorsque *tu* étais à ma recherche.

— Qu'importe ! J'aurais voulu que tu puisses apprécier la morgue de ce petit arrogant.

— Je m'en passe fort bien.

— Je l'ai douché, j'espère. Il en faisait une question de prestige personnel.

— De faire quoi ?

— Arrêter Carl ! »

Il s'immobilisa.

« Je n'aime pas non plus que tu l'appelles par son prénom.

— Il s'agit bien de cela ! s'écria-t-elle. Un mandat d'arrêt...

— Parle moins fort, je t'en supplie. Hello, Mr. Bowers. »

Il inclina la tête en saluant, puis entraîna Winifred le long de la lice, là où il y avait fort peu de monde.

« Un mandat d'arrêt a été délivré contre lui, reprit-elle avec emportement. S'ils le retrouvent, ils vont sûrement le condamner. Surtout, tu l'imagines, si la guerre vient interférer...

— Winnie. Je sais que tu es tout indulgence à son égard. Mais *même* des trésors de mansuétude n'empêcheront pas que deux hommes sont morts à cause de cette folie.

— On oublie les centaines qu'il a sauvés quand il a prévenu que le barrage allait s'effondrer ! Des hommes l'ont entendu prévenir Maddanjeet lorsqu'il est revenu de la butte, et des survivants ont dit que beaucoup s'étaient écartés à temps à cause de cela. Et tu as tendance à oublier que si tu es toi-même en vie... »

Christopher réfléchit.

« Je pourrais peut-être intervenir auprès de Branjee, dit-il. Il ne peut rien me refuser, en ce moment.

— Ah non, surtout pas ! » s'écria-t-elle.

Il la regarda, surpris.

« Tu as bien vu, ajouta-t-elle précipitamment, avec quelle colère il a réagi, l'autre jour.

— Je peux parler à ce Partridge, si tu veux, suggéra-t-il.

— Je crois que ce petit imbécile a compris, dit-elle. Et, apparemment, il a filé. »

Elle passa nerveusement sa main dans ses cheveux.

« Ce n'était pas absolument nécessaire que tu t'affiches avec cette fille qui a été un poison pour moi, dit-elle sur un ton de reproche.

— Ethel ? On avait l'impression qu'elle tenait à parachever la réconciliation. Tu sais, j'ai pensé à... toute cette période pendant laquelle nous allons devoir rester ici. Je n'ai pas envie que tu retrouves autour de toi la même hostilité qu'auparavant. Je... »

Il s'interrompit net, en la voyant hausser les épaules comme si cela n'avait plus d'importance.

« Tu as fait ton petit pèlerinage ? demanda-t-il.

— Où ? »

D'un geste gauche, il désigna en contrebas les rhododendrons autour du tennis.

« Je n'ai pas la tête à ça, aujourd'hui », dit-elle.

Ils restèrent silencieux à observer les allées et venues
des invités. A l'écart de la petite foule, ils voyaient
onduler doucement les capelines vers un point où, sup-
posaient-ils, se trouvaient les Greenshaw et les Hawthorne.

« Je viens de voir Elizabeth Bowers en tenue, dit-elle
soudain. Il est temps que j'aille me changer. »

Il la prit timidement par le bras.

« Tu sais, je préférerais que tu ne montes pas dans
cette course. Je te regardais tout à l'heure pendant que
tu parlais avec ce Partridge, et je te trouve un peu
pâlotte et maigrichonne. N'oublie pas que tu as eu un
malaise l'autre jour...

— Ah, ne me parle pas comme Mary !

— Non, mais je peux en parler au colonel. Je lui dirai
que tu ne te sens pas bien. Il comprendra parfaitement.

— Le fait est que j'ai envie de courir cette course
comme de me pendre, avoua-t-elle.

— Tu vois bien...

— C'est difficile. Il a été l'une des rares personnes
qui ait été bienveillante avec moi et m'ait défendue au
cours de ces derniers mois. Il m'a dit qu'avec la pouliche que je monte je pouvais gagner. »

Christopher eut un geste d'impuissance.

« Alors, si tu peux gagner... », murmura-t-il.

Il sortit de sa poche le programme ronéotypé, décoré
par Mary de la maladroite copie d'une gravure de
chasse.

« Tu montes *Ooty girl,* dossard numéro deux. Vous
êtes huit au départ.

— Au moins il n'y aura pas de bousculade », dit-elle.

Elle vit que Jessica Cardeby et Flora Birnes se dirigeaient vers le vestiaire installé dans le petit salon de
teck du rez-de-chaussée.

« Bon, j'y vais », dit-elle.

Elle le quitta brusquement, et il la suivit des yeux
pendant qu'elle les rejoignait.

Ayant troqué capelines et robes contre casques et

jodhpurs, elles réapparurent bientôt en tenue et, formant un groupe allègre et coloré que les hommes applaudirent bruyamment, se rassemblèrent au bas des marches de la grande entrée. Les chevaux attendaient déjà au bord de la lice, chacun étant tenu en bride par un jeune *ghora wallah*. Winifred marchait légèrement à l'écart et paraissait songeuse. Le colonel Mackenzie s'approcha d'elle.

« C'est une jolie pouliche, cette *Ooty girl*, vous savez, lui dit-il. Elle est née à Ootacamund, dans le Sud, d'où son nom. Vous imaginez le voyage pour venir ici — chemin de fer jusqu'à Jammu, puis la piste... On a l'impression qu'elle y a pris conscience de la dimension de notre vaste monde : elle a une grande action, vous verrez, et elle avale les obstacles plus qu'elle ne les saute. Je suis content que vous la montiez, ma petite Winifred ; je crois que je vais miser sur vous.

— Surtout pas, colonel. Je ne voudrais pas vous faire perdre ne serait-ce qu'une roupie. »

Il sourit et d'un geste paternel rassembla les jeunes femmes autour de lui.

« Mesdames, mesdemoiselles, je vous demande de vous arracher à vos admirateurs et de m'accorder quelques instants d'attention. Je vous rappelle l'itinéraire : vous partez le long du golf en suivant la lice. Virage à main gauche pour entrer dans la forêt. Là vous attend un fossé en travers, puis le raidillon qui vous conduit au bas du rocher que vous connaissez bien. Ensuite, il y a une courte ligne droite où sont disposés des troncs d'arbres et un petit oxer, puis un nouveau virage à gauche et une montée en pente douce jusqu'au rond-point où l'on pique-nique d'habitude. Là-bas, vous retrouvez l'allée qui descend sur les communs du club et vous regagnez la piste en suivant cette fois la lice à main droite. Vous ne pouvez vous tromper, l'itinéraire est balisé de flammes blanches tous les cinquante yards. »

Christopher accompagna Winifred jusqu'à sa monture. C'était en effet une pouliche bien découplée et qui semblait calme. Il se sentit rassuré.

« Attention, tu as ton dossard mal accroché », dit-il. Elle se retourna docilement.

« Je te le serre un peu pour que tu ne te prennes pas aux branches », la prévint Christopher.

Il se rapprocha d'elle et retira délicatement une petite plume qui avait voleté sur son épaule.

« Mackenzie m'a suggéré de te conseiller de suivre tranquillement le train et de venir dans la dernière ligne droite, lui dit-il à mi-voix. A son avis, tu gagneras dans un fauteuil. Il t'a d'ailleurs jouée une guinée contre Barnfield qui, lui, voit Elizabeth à l'arrivée.

— Et nous, qu'est-ce qu'on gagne ? » demanda-t-elle.

Il consulta le programme.

« *Behind the Bungalow* dans une édition reliée, et une liseuse tricotée par Miss Nedwin entre deux dépêches. »

Elle fit la moue.

« Ça ne donne pas envie de faire de gros efforts ! »

Aidée par le jeune lad, elle était déjà à cheval. Il lui tapota la cuisse.

« Mais si, ça t'ira bien », lui dit-il.

Elle eut un vif regard vers lui, puis ébaucha un geste qu'elle ne poursuivit pas et gagna en trottinant la ligne de départ. Elle se plaça tout à fait à l'extérieur, et il le regretta car elle ne pourrait voir ainsi le petit signe de complicité qu'il s'était promis de lui faire — celui-là même qu'il aimerait recevoir d'elle tout à l'heure lorsqu'il serait lui-même en piste. Toute la *party* s'était rangée derrière la lice dans une animation froufroutante égayée par l'éclat soyeux des éventails et des ombrelles que la chaleur semblait rendre plus claires et plus légères encore qu'à l'ordinaire. Autour du Résident et de Mary, on continuait à prendre des paris, et de menus billets circulaient de main en main au milieu de petits cris excités d'écolières. Le colonel Mackenzie s'avança devant la ligne des huit cavalières, un fanion à la main.

« Mesdames, Mesdemoiselles, aux ordres... »

Il abaissa son fanion et elles s'élancèrent au milieu des acclamations et des encouragements. Très en avant sur sa selle comme si elle retenait sa monture, Winifred occupait la dernière place. Le peloton groupé galopa le long du golf puis disparut de leur vue en entrant sous les arbres. Les assistants abandonnèrent alors la ligne de départ pour gagner celle d'arrivée, à trois cents yards plus loin. « Jessica est partie beaucoup trop vite, vint lui murmurer Mackenzie. Votre petite Winifred a suivi la bonne tactique.

— C'est la vôtre, colonel. »

Trois longues minutes se passèrent. L'animation de tout à l'heure s'était transformée en murmure d'attente.

« Les voilà ! » s'écria Greenshaw.

La cavalière de tête venait d'émerger de la forêt.

« Jessica ! Jessica et *Hullyhoe* sont toujours en tête », s'écria Mackenzie avec surprise, les yeux rivés à ses jumelles.

Christopher mit ses mains en visière pour mieux se concentrer sur le champ de vision. Elles émergeaient une à une à moins d'un demi-mile, beaucoup plus éparpillées qu'il ne l'aurait pensé. Un, deux, trois..., sept : il ne vit pas Winifred. Il resta la bouche entrouverte, s'efforçant de maîtriser son émotion. Les cavalières se trouvaient maintenant à mi-ligne droite et elle n'était toujours pas apparue. Il sentit confusément que plusieurs personnes se retournaient vers lui.

« Elle a dû tomber, ce n'est pas possible autrement », dit Mackenzie.

Dans les clameurs, Jessica se faisait remonter. Christopher se sentait gagné par la stupeur, incapable de réagir. En bonne Irlandaise, elle le savait pourtant ce que c'était qu'une chute de cheval, et elle était tombée plus souvent qu'à son tour dans les courses en rase campagne ! Mais elle se remettait toujours en selle ! Elle allait à tout moment réapparaître à la lisière...

Elizabeth Bowers gagna facilement sous les applaudissements. Toutes passèrent ensuite la ligne avant de se rapprocher des assistants.

« Alors quoi, vous en semez en route ? » s'écria le colonel avec un entrain factice.

Greenshaw s'approcha.

« Vous devriez y aller, mon vieux, dit-il à Christopher. Je fais dire à Ganjuli de vous faire seller *Goodjar.* »

Christopher parut sortir de sa torpeur.

« Merci, Excellence, de votre obligeance, mais je crois que je vais prendre un cheval déjà sellé. Jessica ! appela-t-il en s'approchant de la jeune femme. Pouvez-vous me prêter votre pouliche ? »

Il s'efforçait de dissimuler son anxiété, car il savait que Winifred ne lui pardonnerait pas si elle apprenait qu'il avait manqué publiquement de sang-froid.

« Je n'y comprends rien, dit Elizabeth Bowers encore haletante de sa ligne droite victorieuse. Elle était derrière moi au raidillon. Après j'ai commencé à gagner des places et je ne m'en suis plus préoccupée...

— Elle a sauté l'oxer en dernière position, précisa Flora. Je le sais parce que je me suis retournée pour voir où j'en étais. Il n'y avait qu'elle derrière moi. »

Il entendait leurs voix émerger d'un brouhaha général. Tout cela semblait concerner quelqu'un d'autre, et pourtant c'est à lui que Jessica tendit les rênes de *Hullyhoe*. Machinalement il rallongea les étrivières et s'y prit mal, car il ne parvenait pas à surmonter sa fébrilité. Ramesh aurait fait cela en un tour de main. Enfin il sauta en selle et se mit aussitôt au galop.

Cela faisait près de cinq minutes de perdues. D'autant plus fâcheux que, bien qu'il eût demandé ce service à la cavalière qu'il connaissait le mieux, Jessica n'avait pas d'évidence, et de loin, la monture la plus fraîche. Épuisée par sa course en tête, *Hullyhoe* avait le souffle court et la foulée saccadée. Très vite pourtant il atteignit la lisière, soulagé de se sentir enfin à l'abri des regards et de pouvoir libérer l'angoisse qui le submergeait. Dès qu'il fut à couvert, il exhala une sorte de plainte qui fit faire un écart à la pouliche et faillit le désarçonner. Il se ressaisit et la poussa jusqu'à ses limites tout au long de l'itinéraire marqué par les jalons. Il n'aurait d'ailleurs eu nul besoin de signalisation, car les empreintes laissées par les sabots étaient parfaitement visibles. Parvenu à l'aire de pique-nique, il retint sa monture et s'arrêta.

« Winnie ! appela-t-il sans descendre de cheval. Winnie ! »

Personne ne lui répondit. Il réitéra son appel en criant le plus fort qu'il put, puis reprit sa marche au trot, cette fois jusqu'à la lisière. Il s'arrêta à nouveau, hésitant. Il n'allait pas se donner le ridicule de réapparaître de l'autre côté, devant la foule qui devait là-bas l'attendre. Il se décida à rebrousser chemin et à faire au pas, en sens inverse, le trajet de la course. Attentif au moindre indice, il chercha à déceler à quel endroit précis les empreintes des sabots de *Ooty girl* s'étaient écartées des autres. Ce ne pouvait être qu'après l'oxer puisqu'on l'avait vue le sauter. Il s'arrêta à nouveau, croyant entendre un lointain bruit de chevauchée. C'était le sang qui cognait à ses tempes.

« Winnie, je t'en supplie », dit-il très bas.

Il faisait tiède sous les arbres, et la forêt paraissait figée dans le silence et la touffeur de l'après-midi. A une centaine de yards de l'oxer, une tache claire attira son attention. Elle était peu visible et se fondait dans la trouée de lumière d'une petite clairière. Il sauta à terre et s'approcha. C'était le dossard. Il le ramassa et le serra contre lui dans un geste de conjuration. Pourvu que cette *Ooty girl* ne se soit pas emballée. Il découvrit en effet non loin une trace de sabot qui se dirigeait vers la pente. Hésitant sur le parti à prendre, il examina le dossard pour voir s'il était déchiré ou s'il s'était simplement détaché. Il s'aperçut alors que quelques mots avaient été écrits au verso d'une main hâtive à la mine grasse — comme inscrits au crayon à cils. Dans un premier temps infiniment bref de totale inertie, il les regarda sans les comprendre. Puis le sens du message lui sauta au visage de façon si douloureuse que sa main se mit à trembler. « Pas de recherches ; s.v.p. » C'était tout. Même pas adressé à lui.

Se sentant vaciller, il s'appuya sur l'encolure trempée de sueur de la pouliche puis, pris d'une impulsion irraisonnée, remonta en selle et, l'éperonnant avec violence, s'efforça de la lancer dans la pente à la suite de la trace découverte. Elle bondit en avant mais, épuisée, perdit l'équilibre à la première déclivité. Christopher sauta au dernier moment et se retrouva à terre à côté de *Hullyhoe* qui s'était redressée sur ses quatre membres. Lorsqu'il voulut la reprendre, elle se cabra, les yeux fous. Il resta un instant immobile, luttant contre l'affolement. Que faire ? Remonter à la Résidence ? Affronter cette foule inquiète ou curieuse ? Et puis, qui faire intervenir ?... Les sbires de Dhakki ? Partridge et ses *Blues,* à supposer que certains des uns ou des autres fussent cantonnés à Gulmarg ? Montrer à ces faces goguenardes ce message si blessant à son égard ?... Il flatta l'encolure luisante de la pouliche qui se laissa faire. Mais lorsqu'il voulut l'enfourcher à nouveau, elle essaya cette fois de le mordre. Alors il libéra l'animal inutile et se mit à descendre vers le Jhelum. A marche forcée, il pouvait toujours tenter de parvenir avant la nuit au pont de Baramula qui était son point de passage obligé si elle voulait éviter Srinagar. « Winnie. Winnie », répéta-t-il. Peut-être le regardait-elle s'engager dans la descente à cet instant même, immobile sur sa monture au plus profond du bois, avec sur son visage ce rire silencieux qu'elle avait parfois.

III

Vieux Cap de Kinsale

« ...But I tell you, mylord fool, out of this nettle, danger, we pluck that flower, safety *. »[1]

William SHAKESPEARE.
(Henri IV, IIe partie.)

---

*« ... Mais je vous dis, milord stupide, que sur cette épine, le danger, nous cueillerons cette fleur, la sûreté. »
(Trad. F.-V. Hugo.)

13

Vu à quelques pas, le cottage solitaire ressemblait sous la pluie à un tumulus noirâtre émergeant à peine de la terre gorgée d'eau. On discernait derrière les vitres la sourde lueur d'un feu de tourbe. Ils posèrent leurs bicyclettes contre l'enclos de bois, et elle pencha vers lui son visage ruisselant.

« Ce coup-ci, il s'agit de le réussir, dit-elle. Thomas a l'œil sur nous. Je veux pouvoir le rencontrer samedi avec cette affaire-là classée.

— Ne te monte pas la tête. Il ne s'agit après tout que de prendre livraison d'un message !

— Je te parle de *l'ensemble* de l'affaire. »

Les muscles raidis par le long trajet en selle, ils franchirent péniblement le cloaque qui séparait le cottage de la route. Elle considéra un instant la façade et se retourna vers Carl en faisant une grimace.

« Deux *pence* qu'ils ne nous offrent même pas un café », chuchota-t-elle.

— Tenu », fit-il.

Elle était sûre de gagner son pari. Elle avait frappé à tant de portes depuis quinze mois qu'il lui était venu à force un sixième sens qui lui permettait de pressentir à chacune de ses haltes l'accueil qu'elle allait y recevoir. Cela émanait de façon indéfinissable de l'air du temps, de l'aspect de la maison, de son isolement, et parfois du visage qui surgissait au seul bruit de ses pas derrière la fenêtre dont elle s'approchait.

Elle cogna discrètement contre la croisée. Il y eut un bruit de chaise déplacée, puis la porte s'ouvrit à demi, et un visage de vieille dame s'encadra dans l'intervalle, masquant l'intérieur de la masure où elle discerna vaguement un rang de tasses de grès sur une cheminée.

« On vient de la part de Sean Mac Ivor, dit Winifred.

— Qui ?

— Sean Mac Ivor. Janet ne vous a rien apporté ? Janet, de Carragh.

— Y a personne de ce nom qui est venu, répondit la femme d'un ton revêche. Ou plutôt si, Janet je connais, mais elle est pas passée. »

Ils se serraient contre le mur pour être protégés par l'avancée du toit.

« Vous pourriez au moins nous faire entrer, dit Winifred avec impatience.

— Je vous connais pas. J'veux pas qu'on salisse. Y a personne qu'est venu, je vous dis. »

Elle les repoussait déjà. Bloquant la porte du pied, Winifred fourragea dans sa poche et en sortit un papier qu'elle lui agita sous le nez.

« Enfin, vous êtes bien Mrs. Teresa Millicent, Sallins Road, Ballycannon, Carragh, County Kildare ?

— Ça se pourrait.

— Eh bien, à Donadea on nous a dit de venir ici, s'exclama-t-elle avec colère. Dix-huit miles à bicyclette et sous la flotte pour cet accueil, merci Sean ! Je vous préviens, ça va se savoir. Et puis comment les rattraper, maintenant. »

Se sentant gagnée par le découragement, elle allait rebrousser chemin lorsqu'une porte s'ouvrit au fond de la pièce, créant un violent courant d'air. La vieille se retourna.

« Qu'est-ce que c'est que ça, Eamon ! Je voulais pas que tu viennes. Je voulais pas que tu *bouges*. »

C'était sûrement son mari. Il s'approcha de Winifred et lui tendit une enveloppe sur laquelle aucun nom n'était inscrit.

« J'ai ça pour vous, dit-il d'une voix hésitante. Mais c'est la dernière fois. C'est plus d'son âge, Teresa, ces craintes. Elle est fatiguée. Y a des mouchards partout. Faut comprendre. »

Sous le regard désapprobateur de la vieille dame, Winifred déchira l'enveloppe et en sortit un feuillet recouvert d'une écriture hâtive qu'elle s'efforça de protéger de la pluie.

« Mardi 14 h, lut-elle. Pour 119. Les gars sont partis pour embarquer à Wexford. Tu n'as plus l'ombre d'une chance, j'ai essayé. Sincèrement désolé pour trajet inutile. A toi. S. »

Elle réprima l'envie de le chiffonner en boulette et de l'envoyer au loin.

« Qui vous a remis ce message ? demanda-t-elle avec brusquerie. Et quand ?

— T'as pas à y répondre, Eamon, intervint la vieille.

— Janet Carbury, ce matin, chez Havanagh, à Carragh, maugréa Eamon. Mais c'est la dernière fois, je vous dis. J'ai prévenu la môme. Mais je sais pas trop si elle a compris. Elle dit qu'elle sait même pas ce qu'elle transmet. On se sert de la naïveté de cette enfant. Elle imagine même pas qu'elle pourrait se retrouver à l'ombre pour moins que ça.

— Moi ces manigances ça me dit rien du tout, renchérit la vieille Teresa. Que ces gosses partent à l'armée, ça libère des bouches pour les autres. Tu le sais peut-être pas, que la terre d'Irlande est une mère qui a pas de lait pour ses petits ? Vous comprendrez donc jamais ça ?

— Il y a combien de temps qu'ils sont partis ? insista Winifred. Vous savez bien que nous les nourrissons, nos volontaires...

— Vous avez pas compris ce que j'ai dit ? fulmina le vieux. Nourriture mon œil, ne me faites pas rire. Vous vous faites saucer pour rien, ma petite ! Vous pédalez pour des clous ! Tout le monde est de notre avis.

— Vous ne l'avez pourtant pas toujours été..., remarqua-t-elle avec froideur.

— Cherche pas à lui expliquer, Eamon, lança Teresa. Qu'y foutent le camp.

— Vous ne voulez pas me dire il y a combien de temps ? répéta Winifred avec une nervosité grandissante. Elle ne vous a donc rien dit, Janet ? Elle va m'entendre ! »

Le regard de la femme se fit dur, et sans que Carl ait pu prévenir son geste elle leur claqua violemment la porte au nez. Un instant Winifred demeura interdite, le nez contre le battant, puis elle se mit à tambouriner contre celui-ci avec rage. Il ne se rouvrit pas.

« A quoi ça sert ? » dit Carl d'un ton apaisant en l'entraînant vers leurs vélos dégoulinants.

Elle tempêtait à voix basse tout en marchant comme si elle se jugeait responsable de ce nouvel échec.

« Tu racontes ça à une réunion de la Fraternité, s'écria-t-elle lorsqu'elle fut revenue sur la route, ils ne te croient pas. Ils s'imaginent que ce sont des promenades de santé que nous faisons. Ils ne veulent simplement pas *admettre* que si quelque chose se produit un jour, ce sera au milieu de l'indifférence, si ce n'est de l'hostilité générale ! »

Bien qu'elle se fût calfeutrée du mieux qu'elle pouvait, elle sentit l'eau glacée s'infiltrer sous les pans alourdis de sa cape lorsqu'elle appuya de nouveau sur les pédales. Au moment de la suivre, Carl se retourna. Les deux vieux avaient relevé leur rideau et les regardaient s'éloigner. Il la rejoignit et se rapprocha d'elle pour tenter de la dérider.

« J'ai perdu mon pari, viens le prendre à Ballycannon, ce café », lui dit-il.

Le petit village paraissait s'être recroquevillé sous la pluie diluvienne. Ils descendirent de bicyclette et décidèrent de s'abriter sous l'auvent d'une forge de maréchal-ferrant qui paraissait déserte. Au vu du relatif abandon des lieux, ils pensèrent que celui-ci était parti pour quelques jours en tournée.

« Ou au front », dit-elle.

Seule devant le foyer éteint se trouvait une enclume dont la forme bizarrement irrégulière ressemblait à celle d'un mégalithe rouillé tombé dans la cendre froide. Elle fit glisser sa capuche en arrière pour s'essuyer le visage de sa manche.

« Pas un seul pub ouvert, marmonna-t-elle. Mais quoi, ils enterrent quelqu'un ? »

Transis, ils restèrent quelques instants serrés l'un contre l'autre à regarder la morne lumière dans laquelle semblaient se dissoudre les quelques maisons basses qui longeaient la route.

« Le brouillard, les maisons décrépites, le petit enclos de pierre, ça ne te rappelle rien ? lui demanda-t-elle soudain. Et jusqu'à cette échoppe. Je cherche un peuplier pour parfaire l'illusion.

— Tu oublies les poules, dit-il en montrant une bas-

318

se-cour engourdie d'humidité de l'autre côté de la route. Le seul animal universel, décidément. »

Elle eut un sourire transi.

« Tu y penses quelquefois à... là-bas ? demanda-t-elle d'une voix douce après une hésitation. Je veux dire... souvent ? »

Elle avait baissé le ton en disant « là-bas » comme si elle craignait soudain sa réponse.

« Moins depuis que je passe mes journées avec toi, murmura-t-il. Mais tu sais, certains jours à Usher's Quay, quand je t'attendais des heures et des heures et que je me disais que je finirais par me noyer dans les eaux noires de cette maudite Liffey, alors là, oui, ça me prenait...

— Tu oublies que tu étais bien obligé de rester caché ! »

Il demeura silencieux.

« J'aimerais savoir s'ils ont cessé de me rechercher, demanda-t-il.

— De *nous* rechercher, tu veux dire », murmura-t-elle en lui prenant la main.

Elle le sentit se raidir et le regarda à la dérobée. Ses yeux semblaient perdus dans le vague.

« Ils viennent me hanter parfois comme des spectres dans le brouillard, dit-il d'une voix sourde.

— Ce n'était pas ta faute, dit-elle avec douceur. C'était la tempête, la fatalité...

— Facile à dire. Je connaissais les dangers. Je les ai néanmoins emmenés, et pourquoi, si ce n'est pour...

— Exorciser ton vieux sortilège, c'est cela ? »

Il eut un sursaut.

« Tu le sais, n'est-ce pas, que j'ai tout fait pour les sauver et pour les ramener en bas. Tu le sais, ce que ça m'a coûté. »

Elle lui mit la main sur ses genoux dans un geste de complicité.

« Je ne te reprocherai jamais ta tentative, dit-elle. Sans elle, ou plutôt sans son échec, je n'aurais pas eu le courage de prendre ma décision et je serais encore en train de me morfondre là-bas.

— Tu n'y serais plus ! Christopher a sûrement été rappelé.

— Peut-être a-t-on considéré en haut lieu que la reconstruction du pont était une mission spéciale d'ordre militaire. Ce serait bien de Branjee d'avoir obtenu cela. »

Ils restèrent songeurs à regarder la pluie qui redoublait.

« Tu veux que je te dise, ajouta-t-elle. Si tu n'étais pas là à l'heure qu'il est, je serais en train de me répandre par terre comme un lamentable petit tas de laine mouillée. »

Il la considéra, à demi affalée sur le sol de terre battue.

« Je constate avec plaisir qu'avec ma présence ce n'est pas le cas ! »

Elle eut à nouveau ce brusque rire qui éclairait totalement son visage comme une embellie et qui disparaissait aussi vite qu'il était venu, laissant ses traits figés et comme dépouillés un court instant de leur attrait. Il se rapprocha et déposa un baiser rapide sur ses lèvres glacées. Elle se détourna.

« Souviens-toi des recommandations de Sean et consorts, dit-elle.

— Elles sont continuellement présentes à mon corps et à mon esprit, *mein liebe.* »

Il embrassa cette fois longuement ses lèvres dont il eut l'impression qu'elles reprenaient vie sous les siennes et que, de froides et inertes, elles redevenaient tièdes et charnues ainsi qu'il les aimait. Elle s'écarta de nouveau brusquement.

« Mais ils ont raison, protesta-t-elle faiblement. Tu sais bien le pays de bigots que ça peut être... »

La pluie battante pénétrait maintenant sous leur précaire abri. Atteinte par les trombes d'eau, l'enclume ressemblait à une étrave de *dreadnought* dans la tempête. Il se leva et se dirigea vers la porte qui donnait sur la maison mitoyenne de l'appentis. Elle s'ouvrit facilement. Il y avait là une pièce inhabitée et complètement démeublée hormis la présence d'un grabat et d'une vieille horloge à balancier dont les aiguilles s'étaient arrêtées sur sept heures et quart.

« Viens, l'appela-t-il. On sera toujours mieux que dans cette niche. »

Elle le rejoignit, retira son chapeau trempé et l'accrocha à un clou derrière la porte.

« Même pas un poêle à tourbe, maugréa-t-il. J'aurais fait une flambée...

« — On aurait pu la voir de l'extérieur ! Ça ne fait rien, je n'ai pas froid, avec tout ce que j'ai sur le dos. »

Elle s'était assise sur le grabat, le buste droit, et fit des yeux le tour de la pièce. Les papiers peints étaient rongés de traces de salpêtre, et les emplacements de cadres disparus s'y décelaient encore. Dans un coin, une petite effigie de sainte Brigitte était demeurée là, oubliée, les mains jointes sur une cloque d'humidité. Elle eut l'impression soudaine que ses habitants avaient un jour quitté cette pièce lors d'un départ précipité, à l'aube, sous un ciel bas, pour une raison inconnue, et que le balancier du vieux cartel avait dès cette heure cessé de battre.

« C'est curieux, dit-elle à voix basse. Cela me rappelle... Tu veux savoir... Mummery Lodge... Le même isolement...

— Merci pour la comparaison », dit-il. Après un silence, il reprit : « Albert et cette pauvre Mrs. Ashley doivent y trouver le temps long, en ce moment, sous leurs six pieds de neige !

— Tu te souviens ! Tu m'avais dit... : " C'est la dernière fois que nous nous trouvons dans un lieu clos... "

— Je le pensais tellement. Ça n'avait d'ailleurs pas l'air de te bouleverser, ajouta-t-il.

— Je n'avais pas eu le temps de bien réaliser. Le cavalier est arrivé avant même que je sache si... »

Elle s'interrompit. Il attendit la suite sans qu'elle vînt.

« J'espère qu'on ne va pas assassiner le vieux couple à côté ! reprit-elle soudain. Je ne tiens pas à pousser la ressemblance avec Mummery Lodge jusque-là.

— Ils le mériteraient, ces deux-là ! s'écria-t-il. Mais on n'assassine pas encore chez les Irlandais. Tu t'en plains assez.

— Alors là ! Ne fais pas de moi une cynique, je t'en supplie !

— Ne proteste pas. Tu te lamentes assez sur leur atonie...

— Ce n'est pas ça qui te menace, en tout cas », dit-elle en le regardant.

Il parut un instant décontenancé.

« On dirait que ça t'étonne.

— En campagne, tu es fort sage, d'ordinaire...

— C'est notre première halte de ce genre. Cet isolement. Cette pluie. Toi si près de moi avec ton odeur de chevreau mouillé. Et même... ce lit. »

Elle eut un petit rire. Aux vitres de la minuscule fenêtre, l'eau remontait sous la violence des embruns, ne laissant passer qu'une lumière parcimonieuse.

« Ce lit recouvert de damas et de brocart, plaisanta-t-elle. Cette couche princière.

— Princière, je ne suis pas certain, mais tranquille, oui. J'ai bloqué la porte. »

Elle se mit à rire.

« Intéressant détail ! Avec quoi, une pancarte DO NOT DISTURB comme dans les hôtels ?

— Avec ce qui pousse le mieux dans ce foutu pays. Une pierre. »

Elle regarda autour d'elle.

« Un jour, sais-tu, on ira dans un vrai palace, dit-elle. A Dublin ou ailleurs. Au Métropole, sur Sackville Street, au Shelbourne... On s'inventera un nom de famille. On l'aura bien mérité, tu ne trouves pas ? Je finis par faire des rêves de baignoire, moi, de parfum et de peignoirs de soie...

— Ignore les murs, je t'offre l'infini », s'écria-t-il avec emphase en écartant les bras.

Elle hésita.

« Carl, je ne peux tout de même pas me déshabiller ici. Il fait trop froid et humide.

— Tu peux retirer tout de même ta cape... »

Il l'aida à en détacher la fermeture puis la laissa tomber à terre. Elle s'assit, les yeux dans le vague. Ses épaules semblaient emprisonnées sous la laine bleue de son chandail de marin. « C'est une robuste fille, maintenant, pensa-t-il. Comment ai-je pu la voir si efflanquée la première fois ? » D'un geste irréfléchi, il voulut lui enlever son jersey et le tira en arrière, mais la tête de la jeune femme demeura prise dans l'étroite ouverture du col, et son buste resta un instant cambré sous la torsion qui lui était imposée, faisant jaillir sa poitrine sous l'étoffe satinée de la brassière. D'un geste rageur elle lui échappa et rabaissa vivement les pans de son chandail.

« Ou tu es fou ou tu es un mufle », s'écria-t-elle.

Il demeura interloqué devant la violence de sa réaction et elle-même parut le regretter aussitôt. Elle le regarda avec une soudaine fixité.

« Bien. Puisque tu veux jouer, jouons », dit-elle d'une voix décidée.

Brusquement, elle l'entraîna en arrière avec une force surprenante et l'instant d'après il se sentit immobilisé, les épaules maintenues contre la toile pendant que les ressorts du sommier lui entraient dans les reins et que l'odeur de moisi du vieux grabat remontait à ses narines. Avant qu'il ait eu le loisir de se redresser, elle était déjà venue l'enjamber et avait défait prestement la boucle de son ceinturon. Tirant à elle son pantalon et son caleçon, elle lui découvrit le sexe, parut en examiner d'un doigt allègre la dureté et la tension puis fit glisser sa propre culotte de soie de sous sa longue jupe et l'introduisit en elle. Les yeux mi-clos, il se laissa faire, ressentant à la fois de la stupeur qu'elle eût pris l'initiative sur ce plan avec autant de détermination et de fougue (ce n'était jamais arrivé à ce point) et du ravissement à savourer la douceur soyeuse avec laquelle elle avait procédé à cette intromission. Elle ne semblait toutefois pas ressentir ce plaisir avec la même vivacité que lui et il ne décela sur son visage qui flottait loin, là-haut, comme suspendu au plafond, qu'une moue presque douloureuse d'intensité et d'attente. Telle une statue accroupie de la reine Maève, elle restait lourde et immobile, et seuls ses doigts frémissants qui venaient lui caresser le visage semblaient avoir une vie propre. Sous ce poids qui s'empalait sur son corps il chercha à s'étirer, à se faire long et ductile comme la coulée de boue du premier jour ou le soleil glissant sans fin sur le versant glacé du Rupal. Il avait l'impression soudaine qu'un très ancien tuf primordial remontait en lui à travers ces lambeaux de toile infects et que, uni à elle sur ce misérable réceptacle transmué en insigne tremplin vers des cieux inouïs, il pourrait mieux ainsi lui communiquer l'exaltation qu'il ressentait à cet instant — ô toi ma silhouette dansante assaillie un beau matin par tous les vents de l'Amou Daria.

« Tu as dit quelque chose ? » murmura-t-elle d'une voix noyée.

Elle se courba vers lui, et leurs visages se rapprochèrent.

« Je voudrais te faire bouger, ma petite cavale », répondit-il.

Elle exhala une plainte à peine audible, et ses hanches se modelèrent comme à regret au rythme lent qu'il leur imposait peu à peu. Bientôt pourtant, campée sur ses deux jambes repliées dont il sentait les cuisses dures et fuselées sous la laine de la jupe, elle se fit légère et ardente et, reprenant de nouveau l'initiative, accéléra elle-même le rythme. « Ainsi devais-tu chevaucher *Ooty girl* lorsque tu galopais vers moi et me rejoignais à Mummery Lodge au soir de ta longue fuite », pensa-t-il. Puis elle s'interrompit à nouveau brusquement. Avait-elle joui, il ne le savait pas. Elle gardait toujours cela en elle et ne criait pas, ne simulait pas — il avait simplement l'impression parfois qu'elle se détendait après s'être crispée et qu'un vague sourire flottait alors sur son visage pacifié. Ce qu'il savait en revanche à coup sûr c'est que *lui*, non — pas encore. Il chercha ses seins sous la laine et la soie et, les sentant tièdes et doux dans sa paume, les caressa. Le buste droit, elle souleva alors son chandail et mit ses mains sur les siennes dans une calme attitude d'offrande, la bouche entrouverte, le visage soudain nimbé d'un bien-être si profond — oh, pas sans moi cette fois. A grands coups de reins il l'entraîna dans un galop désordonné où elle semblait chevaucher un mustang emballé — bien soudée à lui jusque dans les écarts qui auraient pu le plus facilement les séparer. Lors d'une brusque trêve, il pensa : « Vois comme l'environnement hostile s'est effacé, comme tout est devenu beau et ardent à partir de nous », et il porta son regard vers la fenêtre pour la prendre à témoin de la nouvelle harmonie du monde autour de Ballycannon. Et là, malgré la buée, il vit distinctement, écrasé contre la vitre, le visage d'un gosse — et il y avait une chose certaine, c'est qu'il n'en perdait pas une miette.

Comme ils se le disaient à Munich dans leur langage d'étudiants, ça lui cassa son coup. Il cessa incontinent tout mouvement puis, sans trop savoir dans l'émotion s'il avait ou non éjaculé, prit brusquement Winifred par les hanches et la souleva hors de lui. Elle tressaillit et parut se réveiller d'un sommeil hypnotique.

« Quelqu'un... quelqu'un nous a vus ? gémit-elle.

— J'ai comme l'impression », grommela-t-il.

Il avait déjà remonté son pantalon, serré sa ceinture

et, pestant de sentir son sexe encore à demi durci coller contre ses cuisses, il se précipita au-dehors.

Il n'y avait personne. Il fit le tour de la maison puis revint, perplexe, dans l'appentis où se trouvait l'enclume. Il pleuvait toujours, et il s'aperçut qu'il avait oublié jusqu'à l'existence de cette pluie — c'était comme si elle était là depuis des siècles avec son ruissellement opiniâtre et qu'elle avait ainsi taillé dans un tendre calcaire le groupe qu'ils formaient encore à l'instant, Winifred et lui, soudés l'un à l'autre sur leur socle de granit. En attendant, il n'avait pourtant pas rêvé. Le gosse avait dû filer quelque part avec sa vision dans la rétine, et sans doute allait-il dans quelques instants rameuter les invisibles habitants du village pour la leur raconter. Si tel était le cas, combien elle était réussie leur tentative dans ce coin perdu du comté de Kildare ! C'était le vertueux Thomas qui allait être satisfait ! A ce moment, il entendit très distinctement un bruit métallique derrière le mur.

« Tu es là, môme, cria-t-il. Je t'ai vu. »

Il fit le tour de la maison en courant. L'enfant semblait tout juste sorti de la pluie, farfadet hâve et ruisselant. Il s'était approché des deux bicyclettes qu'il examinait avec une attention fascinée.

« TOUCHE pas, bonhomme », fit Carl.

Lorsqu'il l'entendit, il tressaillit et leva vers lui un petit visage creusé. A en juger par sa taille, il pouvait avoir dix ans.

« Une dynamo, dit-il avec de l'émerveillement dans la voix. Vous avez une dynamo...

— Il faut qu'on puisse rouler dans l'obscurité, expliqua Carl d'une voix radoucie. Notre travail s'arrête pas quand la nuit tombe, nous les colporteurs. Dis-moi, comment tu nous as vus ? Par la fenêtre ?

— J'ai vu une dame assise qui avait des puces », répondit l'enfant.

Il regardait Carl avec attention. Quelque chose, manifestement, le surprenait. Devant l'air apparemment soulagé de son interlocuteur, il finit par s'enhardir.

« Comment tu peux freiner si tu as plus de doigts », demanda-t-il.

Carl resta un instant décontenancé.

« D'abord, je peux freiner de l'autre main. Et puis il m'en reste quand même, bonhomme. »

Il lui écarta la main droite sous le nez. Il lui manquait les premières phalanges de l'index et du médium. L'enfant parut rassuré.

« Dis-moi, demanda-t-il pris d'une impulsion subite. Tu n'as pas vu un groupe de jeunes gens avec des rubans ou quelque chose de ce genre ?

— Ceux qui chantaient ? » demanda le gamin.

Son regard se dirigea vers la porte. Winifred venait de faire son apparition. Elle avait repris sa cape.

« Ils partaient en chantant ! s'exclama-t-elle. C'est le bouquet.

— Oui, c'est ça, ceux qui chantaient, précisa Carl.

— Ils allaient aux roulottes, répondit l'enfant. Il y a des roulottes qui doivent les emmener tous.

— Tu sais où elles sont ? » demanda Winifred.

L'insistance de la jeune femme parut l'effrayer. Il lâcha soudain le guidon nickelé qu'il caressait depuis le début comme un objet précieux.

« Patrick ! appela une voix féminine. Où es-tu donc ? Veux-tu revenir ! »

Winifred chercha des yeux d'où provenait l'appel, mais ne vit personne. L'enfant avait reculé.

« Dis-moi vite où elles sont, demanda-t-elle hâtivement. Si tu me le dis, je te donne... je te donne... »

Elle chercha désespérément quelque chose qui puisse le retenir.

« Un *phare* pour ton vélo.

— J'ai pas de vélo », dit-il d'une petite voix.

« Patrick ! » appela-t-on de nouveau. Cela semblait venir de la route.

« Dis-moi vite, le pressa Winifred. Il faut que je retrouve quelqu'un qui va faire une grosse bêtise si je ne viens pas. »

Il lui adressa un regard intense.

« Une grosse bêtise, répéta-t-il de façon gourmande, comme s'il soupesait en pensée l'étendue du méfait possible. Vraiment grosse ?

— Oui.

— L'auberge sur la route de Clane », lâcha-t-il avant de s'enfuir à toutes jambes.

Sur la petite cour stationnaient déjà les deux roulottes, avec leurs roues aux rayons d'un blanc éclatant qui émergeaient de la grisaille.

« Elles ne sont pas attelées, remarqua Winifred. Cela nous donne au moins un délai de grâce. »

Ils s'approchèrent et, descendant de bicyclette, jetèrent au passage un coup d'œil derrière les bâches battues par le vent : les banquettes étaient vides. Au moment où elle allait entrer, elle s'arrêta net.

« Mais je la reconnais ! s'écria-t-elle. J'ai déjeuné là avec Sean il y a six mois. Le tenancier s'appelle Martin quelque chose, et je crois me souvenir qu'il était plus ou moins avec nous. »

O'Donnoghue, c'était bien cela. Un soleil imprévu illuminait ce matin-là les prairies du Kildare. « L'endroit est vraiment isolé, ça pourrait servir un jour », s'était-elle dit pendant que Sean lui présentait quelques membres locaux de la Fraternité qu'elle ne devait jamais revoir. Elle se rappelait sa déception lorsque, leur relatant quelques-uns de ce qu'elle appelait ses « souvenirs exotiques » (en particulier la visite au pandit), elle avait paru autant les ennuyer que si elle leur avait récité la liste de ses emplettes de la veille à Celbridge. « On ne fera jamais rien avec de tels culs-terreux », avait-elle dit à Sean qui avait été choqué de sa remarque. « Tu verras qu'ils nous claqueront moins dans les mains que les beaux esprits de Dublin », avait-il rétorqué. Elle prit la main de Carl et la mit contre sa joue dans un geste de tendresse soudaine auquel il ne s'attendait pas.

« Désolé pour le *coitus interruptus* », murmura-t-il.

Elle eut un bref sourire.

« Pas si *interruptus* que ça, pour moi. C'était bon, surtout dans cet endroit. Cela me consolait rétrospectivement de... enfin là où on ne l'avait pas fait.

— Tu en parles comme si c'était la première fois depuis ! Mais je pense que tu n'aurais pas procédé comme cela, à l'époque. Je t'ai raconté ce qu'a dit l'enfant ? »

Elle se mit à rire.

« Et après tout, c'est peut-être grâce à lui que l'on va pouvoir tirer les marrons du feu ! »

L'entrée de l'établissement n'était surmontée d'aucune enseigne. Cette décoration eût été superflue, d'ailleurs. Il s'agissait d'une bâtisse sans grâce aux murs d'un blanc sale.

« Ce n'est pas une vraie auberge, en tout cas, dit-elle vaguement déçue. Pour moi, une auberge ça doit avoir des balcons, des petits carreaux qui renvoient la lumière, des lampes de cuivre, une enseigne en fer forgé...

— Comment veux-tu que ces gars puissent se payer un endroit de ce genre ? » lui fit-il remarquer.

Au moment d'entrer, elle se retourna.

« Tu as les papiers ? Tu as bien en tête...

— Mon identité, mes parents, d'où est ma mère, tout », récita-t-il d'un ton monocorde d'écolier.

Elle pénétra dans un vestibule exigu qui sentait le feu de tourbe et le caoutchouc mouillé et suspendit sa cape alourdie d'eau à une patère déjà encombrée de cirés, d'écharpes et de casquettes de tweed. Un sourd tumulte provenait de la grande salle. Elle ouvrit la porte et entra. Quelques tables seulement étaient occupées, et une vingtaine de jeunes gens buvaient leur stout autour de la plus vaste. Elle se dirigea vers eux et toutes leurs conversations s'arrêtèrent lorsqu'ils la virent. Carl à son habitude s'était installé seul dans un coin.

« Où est Barry ? » demanda-t-elle sans préambule.

Un grand gaillard bien découplé au visage un peu gras posa sa chope et se leva avec gaucherie.

« Je suis là, dit-il.

— Tu as vu Sean, j'ai appris ? »

Il ne répondit pas et baissa les yeux avec un geste d'impuissance puis, ne sachant quelle contenance prendre, se rassit. Winifred passa lentement la table en revue.

« Vingt miles à vélo pour voir ça, persifla-t-elle. Vingt miles pour revenir et avoir le temps d'y repenser. Félicitations les gars.

— J'avais rien promis, protesta le garçon.

— Si, tu avais promis de ne pas faire venir les roulottes tant que je ne serais pas venue moi-même.

— Il faut qu'on soit à Wexford le 7 février. Y aurait plus eu le temps. »

Elle hocha la tête avec une expression d'amertume et d'ironie mêlées.

328

« Plus eu le temps... Tellement pressés d'embarquer, hein ? »

Un silence lourd lui répondit.

« Remarquez, je comprends, dans un sens. Pour ce qui est de vous faire trouer le lard, si c'est ça que vous recherchez, vous n'avez jamais été plus sûrs de gagner ! C'est compris dans le prix du billet, n'ayez pas peur, si je peux vous dire ça dans ces circonstances...

— Qu'est-ce que tu veux qu'on fasse ? rétorqua le grand Barry. Les sergents recruteurs sont passés. On s'est fait enregistrer. Dis-le-nous donc ce qu'on pouvait faire d'autre, puisque t'es si maligne !

— ... et pas question de trouver un copain là-bas, poursuivit Winifred sans se soucier de l'interruption. Dès qu'ils voient leurs Irlandais ensemble, même s'ils sont aussi voisins que Meath et Westmeath, ils s'empressent de les changer de chambrée. Vous vous rendez compte, ils pourraient se parler du pays ! »

Un vieil homme s'était levé à une table du fond.

« Tu n'as pas le droit de dire cela à des garçons qui n'ont pas le *choix*, cria-t-il avec reproche.

— Non, en effet, vous n'avez même pas le choix d'avoir sur vos vareuses un écusson montrant que vous êtes irlandais ! s'exclama Winifred. Vous n'avez pas le choix de former des régiments irlandais et de faire hisser vos étendards sur les lieux de vos exploits ! Demandez aux Munster Fusiliers s'ils avaient leurs insignes lorsqu'on les a jetés sur les plages des Dardanelles farcies de câbles et de mines ! Il n'est pas question de brandir vos fanions et vos flammes afin de montrer à la face du monde la vaillance de l'Irlande ! Car il ne faudrait pas que ça vous donne des idées, de vous montrer trop braves ! Tiens, paie-moi une stout, Barry, tu me dois bien ça. »

Elle but lentement, puis s'assit et s'accouda à la grande table entre deux des jeunes recrutés dont l'un au visage taillé à coups de serpe entouré de favoris roux ne la quittait pas des yeux.

« Il faut que vous sachiez, reprit-elle d'une voix plus sourde, que dès que vous aurez franchi le canal Saint-Georges, vous deviendrez anglais et rien qu'anglais, ce qui est un comble, car le sang que vous verserez, ce sera justement autant de sang anglais qui n'aura pas à être versé. Après tout, si les unionistes de l'Ulster veulent se montrer plus britanniques que nature, libre à eux ! S'ils veulent faire du zèle sur les champs de bataille, grand bien leur fasse ! Après tout, ce sera autant de fauteurs de guerre que nous ne trouverons plus devant nous le jour où nous devrons en découdre avec eux pour rentrer en possession de notre sol. Mais que nous soyons, nous, amenés à lutter contre des pays dont on nous dit que ce sont nos ennemis uniquement parce que ce sont ceux de l'Angleterre, alors là je vous dis non et non. »

Elle s'était enflammée à mesure qu'elle parlait et dut s'interrompre pour reprendre sa respiration.

« Je vous le redis et mettez-vous bien ça dans la tête, tous autant que vous êtes, reprit-elle avec une véhémence accrue. Pourquoi iriez-vous vous battre ? Les ennemis de l'Angleterre ne sont pas les vôtres. Vous comprenez bien la portée de ce que je répète à longueur de journée, bande de soiffards ? Les ennemis de l'Angleterre ne sont pas les ennemis de l'Irlande, et jamais vous ne devriez tirer sur des hommes qui sont en guerre avec ceux qui vous oppriment !

— Tout le monde parle pas comme vous, l'interrompit l'un des garçons. D'abord, les Anglais sont pas si mal que vous dites. Ensuite, y en a qui disent que si on s'engageait pas on serait des traîtres.

— Ça c'est un comble ! s'écria-t-elle. C'est de la traîtrise de refuser un combat qu'on nous impose sans nous avoir le moins du monde demandé notre avis ? Ce serait de la traîtrise de dire que l'Irlande n'a aucun motif de querelle contre le peuple allemand, et qu'elle n'a donc aucune raison de marcher contre lui ? »

Le garçon paraissait souffreteux et la regardait de ses grands yeux enfoncés dans ses orbites.

« D'où es-tu ? demanda-t-elle à brûle-pourpoint.

— Old Kilcullen, répondit le garçon.

— Tu peux me dire où sont les Dardanelles ?

— J'en ai rien à foutre des Dardanelles, répondit le garçon d'un ton traînant. J'en ai même rien à foutre de l'Allemagne, je sais à peine où c'est. La chose que je sais, c'est qu'y a que des patates à bouffer à la maison. La ferme a dix-sept ares et on est cinq dessus. J'ai pas ma place. Quand les recruteurs sont venus, je me suis pas tiré.

— Il a raison, dit un homme qui se leva au fond de la

330

salle. Si tu veux embarquer les mômes dans ta cause, c'est trop tard. Fallait venir avant. »

Winifred se leva brusquement.

« Ma cause ! J'en suis pas propriétaire, vous savez ! C'est la nôtre à tous !

— Pas la mienne, en tout cas, répliqua l'homme. Je vote pour Redmond, ma petite. Lui au moins nous a toujours défendus. Il nous a obtenu le Home Rule pour après la guerre. Il vient pas comme toi à la dernière minute pour chambouler des pauvres gosses qui ne peuvent pas faire autre chose que ce qu'ils font ! Redmond, j'étais là pour l'écouter quand il est venu à Carragh. Et on était des milliers ! Et il nous a demandé de nous engager, et on le fera ! Et pas uniquement parce qu'on crève de faim ! C'est bien, les gars, ce que vous faites ! C'est l'Irlande future pour laquelle vous allez combattre, et au moins vous le faites dans l'honneur et la bravoure ! »

Elle distinguait mal, placé à contre-jour, le visage de son interlocuteur, dont le ton s'était enflammé à mesure qu'il parlait.

« Certains croient comme vous, répliqua-t-elle, qu'ils achètent leur liberté future au prix de leur sang. C'est une grave erreur, mes amis. Le destin de l'Irlande ne passe pas les tranchées de l'Argonne ! Et notre liberté, monsieur l'admirateur de Redmond, ne passe pas par cette loi de Home Rule ! Au contraire, il n'y a pas un Irlandais qui ne doive maudire l'autonomie qu'elle nous octroierait ! Et cela pour une raison simple, c'est que l'Ulster passerait à travers ! Ce que nous voulons, mes camarades et moi... » Elle se reprit. « Non, je vais vous dire d'abord ce dont nous ne voulons pas, dit-elle d'un ton soudain ardent. Nous ne voulons plus de l'union, bien entendu, qui n'est autre, comme disait Byron, que l'union de l'aigle et de sa proie ! Nous ne voulons pas de l'autonomie pour la raison que j'ai dite, et nous voulons moins encore de l'indépendance de l'île amputée de l'Ulster ! Ce que nous voulons, c'est arracher aux orangistes et aux Anglais l'indépendance pour l'île tout entière. C'est dans ce but que vous devriez vous soulever, mes amis, et c'est dans ce but que pas un homme ne devrait quitter ce pays ! »

De là où il se trouvait, Carl la voyait se pencher vers ceux qui l'écoutaient, comme si s'en rapprocher de quelques pouces pouvait encore augmenter son magnétique pouvoir de persuasion. Il y eut un flottement, et elle sentit qu'elle avait encore une carte dans son jeu.

« Je voudrais vraiment persuader le *gentleman* au fond que Redmond ne représente rien, mais rien ! Qu'il sera balayé dans peu de temps car il n'a pas compris que nous ne voulions pas mourir pour les Brits. Cette guerre, vous ai-je dit, est celle de l'Angleterre, pas celle de l'Irlande. Si l'Angleterre l'emporte, elle oubliera que c'est à la France qu'elle le doit et elle se croira la reine du monde. Quant à l'Irlande, elle continuera à saigner sous le vieux régime oppressif... Pour lutter contre cela, mes amis, cessez d'être des volontaires nationaux dont la volonté et le courage sont détournés contre leur propre pays, pour devenir de véritables volontaires de la Fraternité : les volontaires irlandais ! Je vous réponds que vous ne serez pas seuls ! Deux cents corps actifs sont en train d'être constitués en ce moment même. »

L'un des garçons eut un geste incrédule.

« Deux cents corps ! s'exclama-t-il. Tu nous fais rire ! Moi c'est des vraies armes que je vais toucher ! Vos volontaires, il paraît que c'est plutôt en ce moment le sabre de bois et la pique auxquels ils ont droit !

— Nous en trouverons, des armes, vous faites pas de bile pour cela », dit-elle d'une voix sourde.

Elle se retourna vers celui qui l'avait apostrophée tout à l'heure.

« Toi qui veux du beurre dans tes patates, je peux te dire que nous habillons les hommes d'un bel uniforme et que nous les nourrissons plutôt bien.

— Et ce type que tu as amené, lui rétorqua le garçon de Old Kilcullen. Pourquoi est-ce qu'il dit rien ? »

Pris au dépourvu, Carl se tourna vers Winifred.

« C'est lui qui s'occupera de votre incorporation si vous vous engagez aux volontaires irlandais. J'ai voulu qu'il m'accompagne, car son cas est exemplaire. Son père était allemand et sa mère irlandaise. Il est donc un témoin privilégié du fait que les deux peuples peuvent s'accorder. Vous voulez savoir pourquoi il est ici ? Dis-leur, Carl. »

C'était le moment qu'il détestait toujours. Il se leva et s'avança au centre de la pièce en se dandinant maladroitement.

« Elle est d'où ta mère ? demanda quelqu'un au fond.

« — Euh... ma mère... Oh, Dublin, Prussia Street. Vous voyez si elle était destinée à épouser un Allemand ! »

L'effet si fortement escompté par Winifred tomba totalement à plat. « Il faut trouver autre chose que cette plaisanterie stupide », se dit-il une fois de plus.

« Vivant donc... en Allemagne, comme vous pouvez l'entendre à mon accent, j'étais bien entendu soumis à la conscription. Autant dire que tôt ou tard, j'aurais eu un Irlandais...

— Tu pisses de la crème fraîche, vieux ? »

Surpris par l'interruption, Carl perdit son peu d'assurance.

« Nom de Dieu, pensa-t-il. Je dois avoir des traces sur ma braguette. »

Il croisa gauchement ses mains en avant.

« ... Un Irlandais... au bout de mon fusil, et dans l'impossibilité de le reconnaître, comme vous l'a dit...

— Il risquerait pas grand-chose ! T'appuierais sur la détente avec tes doigts de pied ? »

Il y eut un concert de gros rires.

« J'espère que t'as la biroute plus longue que tes doigts, hé, terroriste de mes deux ! »

Les rires reprirent. Carl essaya de scruter le fond de la salle qui était envahi de fumée et de pénombre, puis s'efforça de poursuivre dans le brouhaha.

« ... Cela m'a semblé insupportable de seulement l'envisager ! L'Irlande est la patrie de ma mère et j'aime l'Irlande. J'ai donc décidé de déserter.

— T'aimes la fille, oui ! s'exclama une voix avinée. Elle t'aide à te planquer, pas vrai ? Dis-nous donc ce que t'es exactement ? Terroriste, comme dit mon pote ? Ou mouchard ? »

Carl se retourna vers Winifred.

« J'ai la légère impression qu'il faudrait que je cogne, lui dit-il. J'en repère un.

— Ne bouge pas, lui intima-t-elle vivement. C'est tout ce qu'ils attendent.

— Ils sont arrivés juste avant vous », prévint le garçon aux favoris qui était en face de Winifred.

La table des conscrits oscillait entre le rire et une certaine réserve.

« Il est excommunié par la Sainte-Eglise le Teuton, en tout cas, reprit la voix avinée. Il vit dans le péché avec elle. Moi, c'est des choses que je sens.

« — C'est toi qui sens, Garret, vieux cochon », répliqua une voix près de la porte.

Winifred reconnut dans cet allié inattendu O'Donnoghue lui-même, le tenancier.

« Remarque, je l'envie même pas, répliqua l'homme. Ces grandes-là, c'est des endives, des planches, ça reste silencieux dans les meilleurs moments, et avec une main comme la sienne j'pourrais même pas t'la trifouiller, c'te pute. »

Carl se pencha vers Winifred.

« Ecoute, c'est pas que ça m'amuse, mais on peut pas laisser passer ça. Sans quoi les jeunes vont nous prendre pour des jean-foutre !

— Je ne te le fais pas dire, murmura-t-elle, en lui faisant signe de rester sur place. Laisse-moi m'en occuper. »

Elle se leva et se dirigea vers ceux qui étaient attablés au fond, qui parurent d'un seul coup figés de stupeur.

« Laisse tomber, intervint O'Donnoghue. Ce sont les pochards du Parti parlementaire qui viennent convoyer les gars. Plus habiles à écluser qu'à autre chose, alors, il faut bien qu'ils éructent.

— Que je voie au moins leurs trognes enluminées pour le jour où on sera arrivés à nos fins, dit-elle avec un flegme apparent.

— C'est pas demain la veille », s'écria l'homme.

C'était bien sa voix. Il avait un large visage rubicond aux yeux enfoncés et au menton perdu dans un début de goitre. Elle se planta devant lui.

« C'est vous qui m'avez injuriée ?

— Mais comment donc », plastronna-t-il.

D'un geste vif, elle empoigna la chope de stout qu'il avait devant lui et lui en lança le contenu au visage.

« De la part de la Fraternité, et la mousse en prime c'est mon cadeau ! » dit-elle.

Dégoulinant de liquide jusque dans sa barbe, l'homme s'essuya lentement avec sa manche.

« De toute façon, tu te trompes de méthode, ma petite, siffla-t-il d'une voix hargneuse ; faudra trouver autre chose. Les gars on les embarque bel et bien, ils ont signé et c'est pas toi et ton estropié qui pourrez y changer quoi que ce soit. »

Winifred se retourna vers la table des engagés.

« Vous entendez ça, les gars ? On vous embarque et je n'y peux rien. Et c'est vrai. Je ne peux pas vous donner des couilles si de ce côté-là c'est le grand vide. »

Stupéfiés par sa phrase, les hommes se turent.

« Mais enfin, qu'est-ce que tu veux qu'on fasse ? demanda une voix exaspérée rompant le lourd silence. Qu'est-ce que tu veux qu'on fasse *maintenant*. Il ne fallait pas que tu attendes le dernier moment...

— Ce que vous pouvez faire ? s'écria Winifred d'une voix intense. Ne pas abdiquer. Désobéir. Détacher les chevaux.

— Ils n'y sont pas, hé ! Tu vois p't-être pas la différence ? railla l'un des jeunes.

— Alors, refusez d'atteler », dit-elle.

Carl vit avec inquiétude que l'homme qu'elle avait arrosé s'était levé lentement et se dirigeait vers elle. Elle était restée au milieu de la salle, en pleine lumière, penchée sur la table qu'elle voulait convaincre, presque suppliante dans son admonestation.

« Arrêtes-là, le gars de chez Redmond, lança-t-il brusquement. Sans quoi tu reçois mon demi-poing dans ton quart de menton. »

Quelques rires fusèrent de nouveau à la grande table. Menaçant, l'homme s'arrêta devant eux.

« Vous, la bleusaille, je vous conseille pas d'en remettre, cria-t-il. Quant à toi, freluquet, montre-moi tes papiers, dit-il en sortant de sa poche un carton crasseux sur lequel Carl crut reconnaître l'écusson de la Police métropolitaine dublinoise.

— Vous vous oubliez, constable, intervint Winifred. Personne n'est obligé d'avoir ses papiers sur soi, et chez Martin on est encore libre, que je sache !

— C'est exact, Garret, dit le tenancier. Si la dame dit que c'est un fief libre, c'est que c'en est un, par saint Brendan ! Surtout que t'es pas plus casque à pointe que je suis archevêque !

— Je ne le suis peut-être pas mais je sais bien ce que c'est que l'ordre public ! rétorqua l'homme. Et je sais bien aussi qu'on peut faire fermer ta cantine pour moins que ça. Ce gars est de ceux qui descendent les nôtres sur le continent. Regarde, il a plus de phalanges, qu'est-ce qui te dit que c'est pas lui la bombe de Portadown en septembre ?

— J'ai les papiers dans le sac de ma bicyclette, si ça peut égayer votre soirée, dit Carl.

— Tu n'as pas à les montrer ! » hurla Winifred.

Un autre homme, courtaud et râblé, qu'elle n'avait pas remarqué jusqu'alors, se rapprocha de la table des conscrits.

« Quant à vous, garçons, cria-t-il à la cantonade, assez tardé. Aux carrosses ! »

Subjuguée par sa voix énergique, la tablée se leva dans un lourd silence.

« Au nom du ciel, les exhorta Winifred pour la dernière fois, si vous vous sentez les uns ou les autres une vocation de martyr, gardez-la donc pour la libération de votre propre sol et pas pour ces choléras d'Angliches ! Et si... »

Une main s'était brusquement posée sur sa bouche pour la bâillonner.

« Tu vas voir ça, s'il est fini, Redmond », entendit-elle derrière elle.

Deux nouveaux venus l'avaient entourée et cherchaient à l'entraîner. Elle se débattit, mordit la main qui l'étouffait et voulut crier pour prévenir Carl qui à l'autre bout de la salle devait se défendre à la fois contre l'homme qui l'avait injurié et contre un ivrogne échevelé qui, surgi de derrière la cheminée, glapissait des propos incohérents. Elle parvint à échapper à ses propres agresseurs et chercha à le rejoindre, mais soudain elle ne le vit plus. Il paraissait avoir glissé à terre dans la bousculade. « Carl ! » cria-t-elle. Elle vit vaguement dans le brouhaha que le petit homme énergique s'efforçait de faire sortir les conscrits, mais que leur groupe indécis n'obtempérait pas. « Eté sans fleurs, bétail sans lait, femmes sans pudeur, voilà ce qui vous attend », vaticinait l'ivrogne.

« Fermez sa grande gueule au vieux », dit quelqu'un.

« C'est tout de même pas toi qui vas faire la loi chez moi ! » entendit-elle crier Martin. Elle sentit que l'on essayait à nouveau de se saisir d'elle. Les silhouettes semblaient s'être multipliées et il y eut une nouvelle bousculade. Elle se débattit, se retrouva au sol puis se redressa et vit que l'on faisait sortir un à un les engagés dans la direction des roulottes. Une terrible impression d'impuissance la fit vaciller et elle eut envie de ramasser l'une des chaises qui étaient tombées à terre, de s'y asseoir et de se mettre à pleurer. Soudain, un jeune homme surgit à son côté dans le désordre et la fumée, cependant qu'elle sentait derrière elle un courant d'air froid. A ses favoris roux et à ses gestes presque mesurés dans l'agitation générale, elle reconnut le jeune homme qui était en face d'elle.

« Avec moi, souffla-t-il. Vite !

— Mais où est Carl ! s'écria-t-elle avec un désespoir subit. Je ne vais pas partir sans Carl ! »

Une porte s'était ouverte, et elle fut entraînée en arrière. « Carl », appela-t-elle encore. « Mais il vient », dit une voix qu'elle ne reconnut pas. Elle se retrouva avec le garçon aux favoris dans un petit office où un évier de zinc reflétait la lumière pluvieuse d'un soupirail. Presque aussitôt, poussée lui sembla-t-il par un des jeunes gens qui ne le suivit pas, une autre porte s'ouvrit et Carl la rejoignit. Il était un peu haletant et portait une estafilade à la joue. De là ils s'engouffrèrent dans un étroit corridor qui ouvrait sur la porte de derrière, franchirent une cour exiguë, « encore des poules », pensa-t-elle en suivant sans réfléchir le garçon qui courait le long d'une mare fangeuse ; puis ils gagnèrent une prairie.

Parvenus à la maigre haie qui la délimitait, ils s'arrêtèrent hors d'haleine et s'accroupirent dans l'herbe. Il ne pleuvait plus. On n'entendait plus aucun bruit venant du pub dont les murs se fondaient déjà dans la grisaille.

« C'était qui, tous ces forcenés au fond de la pièce ? demanda Carl.

— Des auxiliaires du Parti parlementaire qui devaient nous convoyer à Wexford, dit le jeune homme. Ne craignez rien, ils ne vous suivront pas. Ils ont leur chair à canon, ils ne vont pas tout risquer pour un seul. »

Winifred le regarda. De son maigre visage résolu semblait émaner une profonde satisfaction.

« Parce que toi t'y retournes pas ? » demanda-t-elle.

Il fit signe que non.

« De toute façon, je me sentais mal dans ma peau depuis quelques jours. Les autres disaient que tu allais peut-être venir. Je crois que Sean avait dit que tu essaierais. Tout le monde parle de toi dans les campagnes. Que tu viennes, ça a tout changé pour moi », ajouta-t-il d'un ton rêveur.

Elle eut un sourire triste.

« Moi aussi, dit-elle, ça me change de ne pas rentrer tout à fait bredouille. Comment t'appelles-tu ?

— Kevin O'Dwyer. »

Elle sortit un papier de sa vareuse, griffonna quelques mots et le lui tendit.

« Maintenant, écoute-moi. Tu vas voir Sean et tu lui donnes cela. 6, Kildangan Road, Monasterevin. Tu te souviendras ? »

Il répéta mentalement l'adresse.

« C'est le groupe de volontaires le mieux structuré de tout le Kildare », précisa Winifred.

Il lut le papier. Elle avait écrit : « Pour 53, de 119. Confiance au porteur. »

« C'est toi, 119 ?

— Oui. L'autre numéro, c'est Sean. Tu seras habillé, nourri. Peut-être pas armé, encore. »

Il la regarda avec stupeur.

« C'était donc vrai, leurs blagues ? »

Elle esquissa une moue désabusée qui surprit même Carl.

« Il faut y croire, tu sais.

— J'y crois, dit le garçon avec élan. Je crois à ces secondes où on choisit pour toute une vie. Cela a dépendu de toi. Mais tu as pu voir, ce sera pas facile. Si en plus il n'y a pas d'armes...

— Je sais », dit Winifred en secouant la tête.

Le garçon parut pendant quelques instants rester perplexe.

« Ils me feront pas raser mes favoris, au moins ? » demanda-t-il encore.

Elle se mit à rire.

« Pas de danger. Et si on n'a pas de fusils, on a de superbes chapeaux. Cela t'ira très bien. »

Il la regarda avec étonnement. Le bruit des roulottes se fit entendre au même moment sur la route, puis décrut et s'effaça.

« Au moins ils ne chantent plus », murmura-t-elle.

14

IL y avait longtemps qu'elle n'était pas venue à Mount Street. La légèreté des frondaisons d'avril permettait encore de saisir d'un seul regard la sévère ordonnance des maisons qui bordaient Merrion Square, et il lui sembla que leur austère alignement de briques satinées par l'humidité n'était plus égayé comme jadis par les taches vives des portes géorgiennes aux pimpants portiques. Leurs teintes vives qui la charmaient tant autrefois — ocre jaune, lilas, garance — s'étaient transformées en bleu de nuit et en noir. Peut-être était-ce à cause de la guerre. De quels désastres à venir portaient-ils déjà le deuil, pensa-t-elle en se dirigeant vers les grilles du square pour prendre un peu de recul et tenter de retrouver quelques-uns des anciens sortilèges. Mais elle ne put les franchir ; comme jadis, la clef en était la propriété des riverains. « Cela aussi, il faudra le changer », pensa-t-elle en rebroussant chemin.

Seuls les heurtoirs de cuivre à tête de lion sur les portes restaient eux fidèles à ses souvenirs d'enfant, et elle se souvenait encore du regard réprobateur de la vieille Angela lorsqu'elle allait subrepticement leur caresser le museau en se haussant sur la pointe des pieds. « Et si la porte s'ouvre et que quelqu'un te demande ce que tu fais là ? » lui disait Angela d'un air fâché. Qu'eût pensé la vieille dame, se dit-elle, si elle avait prévu la raison pour laquelle elle sonnerait un jour.

lut-elle sur une discrète plaque de cuivre.

Une jeune fille qu'elle ne connaissait pas vint lui ouvrir. Elle paraissait maigre et souffreteuse et, avant que Winifred eût dit quoi que ce soit, lui fit signe de la suivre. Alors qu'elle la guidait le long d'un vaste corridor, elle remarqua que ses omoplates saillaient de façon presque anormale sous son châle. Le parquet était soigneusement ciré et cela sentait, se dit Winifred, une odeur quiète de vieux couvent dont la jeune fille aurait été la sœur converse silencieuse et affairée. Lorsque, parvenue devant un haut vantail de chêne, elle s'effaça devant elle, Winifred eut pourtant l'impression qu'elle l'avait regardée avec un mélange d'envie et de sournoise hostilité, avant de s'éclipser sans un mot. « Cesse de te faire des idées sur tout et sur tous », lui avait dit Carl il y a peu. Elle resta quelques instants immobile derrière la porte à tenter de réprimer son émotion, puis frappa doucement.

« Entre », entendit-elle.

Elle n'avait jamais vu Thomas que dans les arrière-boutiques des *Liberties* et, ainsi revêtu d'une vieille redingote d'intérieur, son abondante chevelure ébouriffée paraissant presque blanche dans la lumière blafarde de la pièce, elle le reconnut à peine. Il leva les yeux de la table pleine de livres devant laquelle il travaillait.

« Assieds-toi », dit-il d'un ton affable en la voyant soudain hésitante.

Elle retira son écharpe d'un geste juvénile de collégienne et s'approcha de lui.

« C'est le seul endroit de Dublin où il fasse un peu chaud ! s'exclama-t-elle.

— Heureusement que j'ai ce vieux poêle de faïence, remarqua-t-il. A mesurer son potentiel calorifique, on se rend compte qu'autrefois il faisait beaucoup plus froid que de nos jours. D'ailleurs, je me souviens, on patinait chaque année sur le canal le long de Dolphin Road. »

Elle s'était assise sans mot dire, soudain paralysée de timidité. Derrière lui, sur une étagère, des photos dédicacées de O'Donovan Rossa et de Charles Parnell paraissaient surgir de l'ombre uniquement pour lui rappeler qu'elle s'adressait à leur égal. « Il me reçoit, le grand Duneggan..., le président des Volontaires... Il me reçoit chez lui seul à seule... », pensa-t-elle avec une sorte d'incrédulité.

« Je suis content de te revoir, ma petite fille, reprit-il avec bienveillance. On m'a beaucoup parlé de toi. Je te fais préparer un peu de thé ?

— Volontiers, professeur Duneggan, merci », parvint-elle à répondre.

Il la dévisageait comme s'il cherchait à déceler une quelconque ressemblance.

« On ne peut toujours pas aller sur les pelouses de Merrion Square si on n'a pas la clef », dit-elle pour rompre le silence.

Il se mit à rire.

« Je crois sentir un reproche dans ta voix. Il est vrai que rien n'a changé depuis le temps de ta grand-mère. Je la rencontrais quand elle allait faire sa promenade au grand orme, avec ton oncle Reggie et ta mère. Peut-être t'ai-je vue toute petite, alors... »

Il pressa sur une petite poire de porcelaine. Elle s'attendait à voir réapparaître la jeune fille aux yeux sournois, mais à sa surprise ce fut un adolescent dégingandé qui apparut à la porte.

« Louis, dit-il, veux-tu demander à Tracy de nous faire un peu de thé ? »

Le jeune homme resta un instant sans réagir, regardant Winifred avec autant de surprise qu'elle avait éprouvé à le voir apparaître.

« Tu entends ? répéta Thomas d'une voix douce.

— Oui... oui, monsieur. »

Il se retira. Bien qu'il eût fermé la porte derrière lui, Thomas parut le suivre des yeux d'un air songeur.

« Tu connais son histoire ? dit-il avec une expression amusée.

— Il a un petit accent, en tout cas...

— C'était le jeune pilote qu'on nous avait confié pour descendre la Seine en pleine nuit après l'opération *Black Eagle* à Rouen. Quelle aventure ! Nous avions voulu Joseph et moi profiter du jusant, mais on s'était trompés sur les heures de marée, et tu ne sauras jamais ce qu'on a pu embarquer d'eau sur cette coque de noix lorsqu'on a trouvé le flot montant à la sortie de l'estuaire ! Sans ce gosse qui, grâce à Dieu, connaissait parfaitement le bassin et ses courants, on laissait au fond de l'eau nos mille fusils et nos modestes personnes de surcroît. Mais lorsqu'il a fallu le persuader de débarquer comme prévu au Havre, alors là, plus question ! Le grand jeu des supplications : " Je reste avec vous, tout plutôt que de revenir mousse sur les terre-neuvas de Fécamp, laissez-moi vous suivre, j'apprendrai l'anglais, je vous aiderai ", etc.

— Il avait peut-être simplement envie de déserter ?

— Même pas, il a seize ans ! Il paraît plus, mais j'ai vu ses papiers. Bien sûr, si j'ai accepté qu'il reste finalement à bord, c'est que j'avais une idée derrière la tête. Tu ne vois pas ? » demanda-t-il après s'être interrompu.

Elle connaissait les bruits qui couraient sur lui et le fixa avec circonspection.

« A vrai dire..., fit-elle.

— Ce n'est pas avec mille fusils, tu le comprends bien, que l'on peut tenter quoi que ce soit. Même si j'y ajoute les quelque neuf cents mausers qu'Erskine Childers a été chercher en Allemagne l'année dernière sur son propre bateau...

— Je vois, vous espériez réitérer l'opération ! » s'écria-t-elle, au fond satisfaite que l'équivoque concernant le jeune homme fût si vite levée.

« Absolument. Et je trouvais bien commode d'avoir sous la main à la fois mon pilote et mon interprète...

— Mais vous parlez couramment français, Thomas ! » « Pourquoi ce besoin de le flatter ? se dit-elle tout aussitôt avec agacement. Je n'en suis tout de même pas là. »

« Je le comprends juste assez pour traduire le cher vieil Hugo en gaélique comme je le fais en ce moment, répondit-il avec un petit accent de coquetterie. Hugo ! En voilà un qui a su dire non ! Voilà un vrai Celte ! Mais tu m'imagines sur les quais de Rouen en train de marchander trente caisses de cartouches ? Enfin, qu'importe désormais, reprit-il après un silence.

— Comment cela ? demanda-t-elle avec inquiétude.

— Tu n'es pas au courant ? On nous a volé le *Black Eagle* par une nuit de septembre à son port d'attache de Howth. Un véritable acte de piraterie. Je donnerais cher pour savoir qui a fait le coup. J'ai quelques soupçons pourtant, qui ne mènent pas forcément chez les unionistes. Bon, enfin le gosse est tout de même resté, et il est tout vibrant des combats à venir ; mais en attendant c'est une bouche de plus à nourrir. »

On frappa discrètement à la porte.

« Entre », dit Thomas.

Le plateau était apporté par le jeune homme, ce qui indisposa obscurément Winifred.

« Je te présente Louis Soucheleau qui est venu de Rouen partager un peu nos espoirs et nos luttes », dit Thomas dès qu'il eut posé le plateau sur la table.

L'adolescent rougit et baissa les yeux. Devant tant de gaucherie, elle sentit fondre sa prévention.

« Dites-moi quelques mots en français, Louis, lui demanda-t-elle avec douceur. Quand j'entends parler votre langue, c'est comme si du miel me coulait dans l'oreille. »

Il passa d'une extrême pâleur à un rouge qui fit gonfler toutes les veines de son front.

« Je... ps... ne me se... phh, parvint-il à articuler.

— *Bon, eh bien, merci, Louis* », dit Thomas en français.

Décontenancé, le jeune homme resta quelques instants la bouche ouverte, puis brusquement fit volte-face et sortit.

« J'ai dû l'intimider, dit Winifred.

— Je lui ai un peu raconté ton odyssée, expliqua Thomas. Après tout, il n'y a pas tellement de destinées qui soient susceptibles de les exalter, ces jeunes qui viennent vers nous...

— J'espère que vous n'avez pas fait de moi je ne sais trop quelle héroïne avec auréole, Thomas. Il me regardait d'une drôle de manière, ce garçon.

— Ne t'inquiète pas. Je lui ai brièvement raconté ta décision de rejoindre ton pays et la façon dont cela s'était passé pour ton compagnon et pour toi. A ce propos... », dit-il, puis il s'interrompit net.

Son regard s'était perdu vers la petite cour plantée d'arbres qu'elle voyait de la fenêtre.

« J'ai hésité avant de t'en parler, reprit-il. Mais depuis quelque temps les gens ne se contentent plus de parler à mots couverts... On reçoit des lettres. Même Mac Neill en a reçu. Il m'a suggéré d'avoir une petite conversation avec toi. »

Elle fut surprise elle-même de se sentir à ce point

fébrile et inquiète, comme si elle s'était jetée dans un piège. Elle s'en doutait, pourtant, Dieu sait.

« Mais... quel genre de lettres..., bafouilla-t-elle.

— Pas signées, dit-il d'un ton embarrassé. Tu vois le genre. Et quand elles le sont, ce n'est guère mieux.

— Thomas, dit-elle en se ressaisissant. Montrez-m'en au moins une. »

Il hésita, puis haussa les épaules et lui tendit un feuillet quadrillé écrit de façon posée et maladroite comme s'il s'agissait d'une page de cahier d'écolier.

« Tiens, fit-il. Voilà le dernier poulet, reçu hier. »

« Sainte Brigitte ! lut-elle. Prophétesse du Christ ! Reine du Sud ! Vierge des Gaëls ! Priez pour l'Irlande. Priez pour nous. Priez pour celle qui se recommande de vous et vient néanmoins sur vos paroisses en état de péché. L'Irlande nouvelle ne se créera pas au milieu des turpitudes de celle qui ose parler en votre nom.

« Clonmacnoise, ce 10 avril 1916.
« Fergus O'Malley. »

Toute pâle, elle reposa le papier.

« J'étais en effet à Clonmacnoise ce jour-là, dit-elle d'une voix altérée. Vous ne voyez pas de qui cela peut venir ?

— Non, dit Thomas. Nous savons simplement que les quelques prêtres qui nous avaient rejoints repartent peu à peu chez Redmond ; et tu sais comment ils tiennent leurs ouailles... Mais il n'y a aucun membre du clergé de ce nom à Clonmacnoise. »

Winifred restait songeuse.

« Je ne leur parle jamais de sainte Brigitte, dit-elle. J'évite dans mes propos tout ce qui peut évoquer une guerre de religion...

— Je sais ce que tu vaux sur le terrain », dit-il avec conviction.

Elle le regarda du coin de l'œil. Elle savait, elle, que sa bienveillance pouvait cacher parfois de coups de griffes imprévisibles, et se décida à prendre les devants.

« Bien. Alors parlons de Carl, dit-elle avec réticence. C'est donc pour cela que vous m'avez fait venir ? »

Il passa sa main dans ses cheveux embroussaillés.

« Pas uniquement, dit-il. Mais voyons les choses en face, ma petite fille. Sa situation n'est nette à aucun point de vue. »

Elle entendit de façon assourdie une pendule sonner cinq heures dans une pièce contiguë, lui rappelant soudain de façon oppressante la présence autour d'elle d'une vaste maison vide et froide. Thomas lui semblait soudain hostile, et elle regretta l'image tonique et chaleureuse qu'elle avait gardée de lui, un soir dans l'arrière-boutique de Tom Clarke à Parnell Street alors qu'il racontait à un jeune public tout acquis à sa cause des attentats vieux d'un demi-siècle qu'il avait perpétrés contre la prison de Clerkenwell.

« Je ne comprends pas bien, dit-elle.

— Écoute-moi, fit-il. Tu nous es arrivée un beau matin, il y a maintenant près de deux ans...

— Dix-huit mois, précisa-t-elle.

— ... Avec toute l'ardeur de la néophyte, ce qui était une bonne chose, bien que je craignais que tu te sois fait une idée un peu... comment te dire... déformée par la distance de ce que nous tentions de créer ici. Tu t'es mise avec énergie et, ce qui est mieux encore, avec humilité, au service de notre cause ; tu t'es intégrée à notre organisation sans rechigner ; tu as fait des centaines de miles à vélo pour quadriller les comtés de Kildare, de Meath et de Wicklow, porter les messages de la Fraternité et des Volontaires, empêcher les enrôlements chez Redmond, distribuer *United Irishmen,* organiser peu à peu les groupes de nouveaux arrivants. Peu l'ont fait avec tant de fougue, d'opiniâtreté, d'efficacité que toi et cela s'est su. Il était donc absolument normal que l'on cherche à t'atteindre par tous les moyens, ma petite fille. Mais ces moyens, justement, il fallait éviter de les leur donner...

— Mais vous étiez au courant de l'existence de Carl ! » s'écria-t-elle.

Il eut une moue brève et dubitative.

« Oui et non.

— Sans lui je ne serais simplement jamais parvenue jusqu'à vous, vous le savez bien ! »

Il hocha la tête.

« Tu m'avais raconté, bien sûr, dans quelles circonstances tu t'étais enfuie du Cachemire avec lui, mais je n'avais pas imaginé dans un premier temps qu'il reviendrait avec toi en ville. Après tout, il était retourné à Berlin...

— Vous savez bien qu'il était recherché par la police britannique !

— Je me souviens en outre parfaitement, dit Thomas sur un ton apaisant, de l'entretien que nous avions eu tous les deux, au cours duquel tu avais estimé pouvoir compenser les relations d'amitié que Carson prétendait avoir avec le Kaiser. Je ne sais d'ailleurs plus très bien ce qu'il en est désormais, maintenant que ce salopard a obtenu illégalement ces milliers d'armes qui lui permettent de jouer les fiers-à-bras et les provocateurs...

— Carl aurait pu obtenir une cargaison d'armes du même ordre ! l'interrompit Winifred avec vivacité. A Berlin, il avait déjà repris dans ce but ses relations avec le prince impérial Wilhelm qui avait compris tout l'intérêt qu'il y aurait à créer des troubles sur les arrières anglais. Mais vous savez que l'on n'a pas laissé à Carl le temps d'agir et que l'autorisation ne lui est jamais parvenue de pousser plus avant ses pourparlers !

— Et toi aussi, tu sais bien pourquoi... »

Elle eut un geste d'impatience.

« Nous ne pouvions pas nous permettre de doubler Reginald, c'est cela ? demanda-t-elle.

— Certes, il me semble t'avoir dit à l'époque qu'une telle filière ne me semblait guère pouvoir être envisagée de notre côté de façon raisonnable, à partir du moment où ton oncle s'était réintroduit clandestinement en Allemagne dans le but, justement, de nous procurer des armes. »

Elle soupira.

« Carl est donc revenu de Berlin avec ce statut de détachement signé du prince impérial qui nous donne la possibilité — lui dirait : l'espoir — de pouvoir un jour recourir à ses services. En attendant ce jour, on l'a laissé pendant un an se morfondre dans la mansarde de Usher's Quay avec pour toute obligation celle d'envoyer à la Wilhelmstrasse son bulletin de renseignement mensuel concernant le Sinn Fein et la Fraternité...

— Messages toujours fort brefs, il faut en convenir.

— Les Allemands aussi doivent les trouver trop brefs ! Evidemment, il ne se passe rien ! Et comment en

346

serait-il autrement alors que mes camarades des *Irish Volunteers* et moi n'avons fait depuis seize mois que lutter contre l'apathie générale ! Et pourtant Carl apportait dans notre jeu une carte autrement efficace que celle que représente oncle Reggie avec ses filières éculées et ses agents doubles qui ne cessent de le doubler, lui ! »

À son bref froncement de sourcils, elle fut consciente d'avoir commis une maladresse mais se sentit néanmoins plus déterminée que jamais à crever l'abcès, puisque l'occasion lui en était enfin donnée.

« Quant à cette fameuse cargaison d'armes qu'il nous annonce de mois en mois, on l'attend toujours, Thomas ! reprit-elle d'une voix véhémente. Ce qui n'empêche pas la Fraternité de lui faire aveuglément confiance, alors qu'elle avait montré plus que de la réticence à l'égard de l'initiative de Carl ! Mieux encore, pour le remercier de ses efforts on a laissé se développer cette odieuse campagne contre lui ! C'est ce que vous rappelez en une phrase : " Sa situation n'est pas nette ". Mais il n'avait tout de même pas fait tant de milliers de miles ni passé par tout ce qu'il a passé pour venir croupir dans une mansarde de Usher's Quay ! Oh, Thomas, vous savez, j'en ai sur le cœur...

— Calme-toi, ma petite fille.

— Vous me parliez tout à l'heure de mon humilité, reprit-elle après un silence. Mais ce n'était qu'un pis-aller, pour lui comme pour moi, que de pédaler sans fin sur les routes pour dissuader quelques pauvres gosses d'aller se faire trouer la paillasse dans les tranchées de Flandre ou piéger dans les barbelés des Dardanelles ! Surtout pour si peu de résultats... Mais cela ne nous empêche pas tous les deux de nous faire une idée ambitieuse, presque présomptueuse de ce que nous pourrions entreprendre et tenter dans un autre domaine... »

Thomas resta quelques instants muet, penché sur ses livres.

« Tu aurais tout de même pu m'en parler avant d'entreprendre ces tournées avec lui », reprit-il.

Elle secoua la tête.

« Vous n'auriez pas accepté », dit-elle d'un ton sans illusion.

Thomas reprit du bout des doigts la lettre qu'il lui avait fait lire.

« Cela aurait sans doute été le cas dans la mesure où, même s'ils ne l'écrivent pas, les gens *pensent* comme dans ces lettres, marmonna-t-il.

— Pourtant nous nous étions efforcés de composer à Carl, avec faux papiers à l'appui, un personnage qui soit susceptible de toucher notre auditoire — quand il y en avait un. De mère irlandaise, il aurait déserté de l'armée allemande pour ne pas risquer d'avoir un jour un Irlandais au bout de son fusil. Ça portait, je vous prie de le croire ! »

Thomas eut un geste d'agacement.

« Tu ne comprends donc pas, Winifred, que nos adversaires — et tu sais bien qu'il y en a parmi ceux qui t'écoutent — se fichent des relations entre l'Allemagne et l'Irlande ! Ils se placent sur un plan beaucoup plus viscéral et instinctif... Bon sang, tu connais pourtant l'empire que tu exerces sur les gens, et l'envie haineuse qui en est parfois la contrepartie ! C'est forcé que s'ils te voient arriver avec lui, repartir avec lui, ils sentent là le défaut de la cuirasse et cherchent à te nuire, et à la cause de l'indépendance par la même occasion... »

Sans se retourner, il désigna derrière lui la photo de Parnell.

« Tu sais pourtant que, ayant tout essayé pour l'abattre et cela sans résultat, ses ennemis ont fini par dévoiler sa liaison avec Mrs. O'Shea. Tu connais le résultat. »

Elle regarda à la dérobée l'effigie du grand homme qui paraissait se morfondre dans la pénombre et se demanda un instant à quoi pouvait ressembler le corps du délit.

« Il suffirait de quelques vérifications pour que la couverture de Carl s'effondre et la tienne par la même occasion, reprit Thomas. N'oublie pas que le Parti parlementaire a facilement accès aux registres d'état civil et qu'il commence à y avoir des commérages concernant ton mariage avec un Anglais.

— Je ne me suis pourtant pas mariée ici !...

— Souviens-toi que les bans ont été publiés à Sainte-Marie, dont le clergé ne nous est pas favorable. Et combien de temps ton pseudonyme pourra-t-il tromper les gens ? Ou alors, reprit-il tout à coup après un bref silence, cela viendrait de... »

Il se tourna vers elle.

« Tu n'as aucune nouvelle de Reginald, bien entendu ? »

Winifred secoua la tête.

« Je ne vois pas comment il pourrait m'en donner de là où il est ! Et puis, tel que je le connais, je suis certaine qu'il a été furieux que j'aie abandonné mon mari, surtout dans les circonstances dans lesquelles cela s'est passé. Il n'avait pourtant guère d'affinités avec Christopher, c'est le moins qu'on puisse dire. Mais il a dû se sentir abandonné lui aussi, floué lui aussi, alors que nous venions juste de nous revoir... »

Thomas eut une moue pensive et se leva pour faire quelques pas le long de la bibliothèque.

« Tiens, murmura-t-il en s'immobilisant, où sont donc mes *Contemplations* ? »

Il regarda autour de lui, souleva quelques ouvrages d'un air perplexe, puis abandonna sa recherche et se tourna vers Winifred.

« Je peux compter sur ton... extrême discrétion ? demanda-t-il.

— Au sujet du livre que vous cherchez ? » demanda-t-elle interloquée.

Il haussa les épaules.

« Au sujet de Reginald. »

Elle fut saisie par son intonation.

« Mais, Thomas, souffla-t-elle. Est-ce que j'ai l'habitude... de divulguer... ?

— Je sais, dit-il. Mais cela te concerne personnellement. »

Il se tut, parut hésiter, puis reprit.

« Je crains que nous n'ayons en effet quelques problèmes avec ton oncle, soupira-t-il. C'est vrai que nous sommes toujours en attente de la cargaison annoncée. Il nous a fait savoir dans un récent message que les Allemands n'exportent plus d'armes depuis le début de la guerre et qu'il sera dès lors bien difficile d'en obtenir ! Ces platitudes lui ressemblent peu et je crains qu'elles ne laissent présager un échec complet de sa mission.

— C'était bien la peine de prendre tant de risques !

— J'ai la plus grande admiration pour le courage de Reginald et sa façon de mettre ses actes en accord avec ses convictions, dit Thomas. D'avoir quitté l'Inde quelques semaines après qu'il y fut revenu, d'être retourné clandestinement dans cette Allemagne qu'il avait abandonnée huit mois auparavant dans les conditions que tu sais, lui vaudra d'être considéré par les Anglais comme un traître et d'être recherché par toutes les polices du Royaume-Uni.

— Peut-être est-il parti parce que j'étais moi-même partie », murmura Winifred.

Thomas leva un sourcil. Elle eut l'impression d'avoir pensé tout haut et le regretta.

« D'être revenu pour tenter de nous trouver des armes, cela pouvait se concevoir, reprit-il. Souhaiter publiquement depuis Berlin la victoire de l'Allemagne me semblait déjà une maladresse de taille. Mais militer comme il semble devoir le faire maintenant pour la création d'une brigade irlandaise qui pourrait combattre contre l'Angleterre me paraît être une maladresse pire encore, car c'est nous tous qui passons aux yeux du monde entier pour des traîtres, et non plus lui tout seul. Nous, c'est-à-dire ceux du Sinn Fein, de la Fraternité, des Volontaires... Or, nous avons besoin des opinions publiques pour nous soutenir, et cela plus que jamais !

— Il me parlait toujours de la brigade irlandaise qui combattait contre l'Angleterre pendant la guerre des Boers », remarqua Winifred.

Thomas eut une moue de désapprobation.

« Former une telle brigade était une idée qui aurait peut-être pu, en d'autres circonstances, se concevoir, dit-il ; encore que je n'aie jamais pensé qu'un tel corps puisse devenir une monnaie d'échange pour obtenir des armes. En plus, il était évident qu'il se poserait dans ce cas la question de son recrutement, puisque comme tu le sais nous donnons la priorité à la recherche de volontaires pour un soulèvement ici même. »

Il se leva et fit le tour de la table un peu courbé en avant, les mains derrière le dos en une attitude qui lui semblait déjà familière, sa silhouette flottant dans sa redingote antédiluvienne.

« Aussi, devant l'échec prévisible de son recrutement, avoir l'idée saugrenue d'aller porter la bonne parole dans les camps de prisonniers pour tenter d'incorporer à son unité fantôme des soldats irlandais capturés, c'est vraiment le bouquet ! C'est pourtant ce que nous apprend son dernier message que nous venons de décoder. »

Sa voix s'était troublée, et il semblait soudain en proie à une vive agitation.

« Nous qui lui avions demandé avant tout d'être *discret* ! s'exclama-t-il avec une brusque colère. Il n'a pas compris — il avait pourtant vécu suffisamment en Allemagne, que diable ! — qu'en opérant ainsi il risquait de heurter de front une sorte de respectabilité dans le code de la guerre dont les Allemands n'accepteront jamais de s'écarter, du moins officiellement. Conclusion, ma petite Winifred : Reginald, notre grand patriote Reginald, était inefficace ; cela, nous le savions. Voilà qu'il devient de plus encombrant. C'est un fait nouveau qui va nous amener à revoir toute notre politique. »

La jeune femme resta coite. C'était donc pour *cela* qu'il l'avait fait venir. La cloche lointaine d'un tram se fit entendre. Winifred pressentait vaguement qu'une perspective nouvelle venait de s'ouvrir mais que ce n'était pas à elle de s'y aventurer. Elle reprit pourtant espoir.

« Puis-je vous donner le point de vue de quelqu'un qui est plus souvent sur le terrain à renifler la tourbe et la stout que dans les réunions de la Fraternité ? demanda-t-elle sur le ton modeste et effacé qu'elle savait apprécié par Thomas.

Vas-y, ma petite fille.

— Je me rends compte qu'il est chaque jour plus difficile de recruter des volontaires, car les jeunes qu'on va voir chez eux, ou dans leurs pubs, savent que nous ne pouvons par les armer. Ils se moquent de ce qu'ils appellent, selon les cas, nos fusils de bois ou nos lance-pierres, mais en même temps cela les conforte dans leur bonne conscience et leur apathie que de se dire que *nous* ne pourrons rien réussir de bon. C'est arrivé à un point tel que... Je sais qu'il nous faut des armes, Thomas, bien sûr ; mais je ne sais plus maintenant si cela suffira à trouver des volontaires et à les galvaniser le moment venu.

— Tu es bien pessimiste et cela semble pourtant te ressembler si peu...

— Je suis lucide, Thomas... Je pense que si nous parvenions à organiser un soulèvement avec les quelque deux mille fusils que nous possédons, il se produirait certes dans l'incrédulité et l'hostilité, mais qu'il faut le tenter néanmoins, car sans cela personne ne nous croira jamais capables de faire quoi que ce soit. Ni les volontaires qui pourraient venir vers nous, ni les Allemands qui pourraient nous aider. »

Thomas l'avait écoutée avec attention, puis revint s'asseoir à côté d'elle.

« J'ai en effet la conviction qu'à la Chancellerie ils ne nous vendront pas d'armes tant qu'ils ne seront pas eux-mêmes certains de l'imminence d'un soulèvement. Seulement voilà, Winifred, contrairement à toi j'estime que nous ne pouvons prendre la décision d'organiser quelque chose si nous ne sommes pas suffisamment armés. Je n'ai que faire d'un groupe trop inférieur en armes et en nombre qui serait écrasé dès la première heure.

— Alors, on peut bluffer, Thomas ! Si Carl arrivait à Berlin en disant que la décision de principe d'un soulèvement a été prise, les Allemands auraient dès lors tout intérêt à ce que nous ayons le plus d'atouts possibles, et ils feraient peut-être alors le geste que nous attendons d'eux. N'oubliez pas que leur but dans cette affaire est de créer un nouveau front pour que leur ennemi soit pris à revers !

— L'ennui, c'est que cette décision ne peut être prise, dit Thomas. Et tu comprends bien pourquoi : Plunkett, Clarke et Mac Donagh continuent à faire confiance à Reginald. C'est aussi simple que ça. »

Winifred le regarda. Elle se sentait soudain plus forte.

« Si vous m'avez fait venir, Thomas, c'est que vous avez l'intention de les faire changer d'avis. »

Il fit lentement le tour de la pièce des yeux avant que son regard ne revînt se poser sur elle.

« Carl a donc toujours son contact privilégié avec la Wilhelmstrasse ? lui demanda-t-il brusquement.

— Privilégié peut-être, mais surtout régulier ! Ils ne l'ont pas laissé repartir de Berlin sans être certains qu'il garde un lien avec eux, et ils s'en tiennent là. Carl apporte donc chaque mois son message sur la jetée de Howth, à une heure qui lui est donnée dans un petit pub de Clontarf qui appartient à des gens de chez nous, et...

352

— Au bout de la jetée, toujours le même chalutier danois ?

— Depuis treize mois », dit-elle.

Il parut réfléchir.

« Il y a réunion mercredi en ville du comité de la Fraternité, dit-il. Plunkett et Mac Donagh y seront. Après tout, s'ils se font de Carl une idée fausse et s'ils doutent à ce point, c'est peut-être parce qu'ils ne connaissent que ce que leur en a dit Reginald. Je vais essayer de leur parler de lui et de ce qu'il peut nous apporter...

— Si quelque chose était décidé, il faudrait le savoir avant samedi ; ça nous gagnerait un mois. »

Il leva les yeux.

« Pourquoi, le bateau appareille samedi ? »

Elle fit oui de la tête.

« Peut-être comprendront-ils que Reggie est semble-t-il définitivement brûlé et que nous n'avons pas désormais trente-six solutions pour nous retourner... Cela aurait au moins ceci de bon que l'on ne pourrait plus dire de mal de ton camarade, ajouta-t-il.

— Et moi, je me retrouverais à pédaler seule comme avant, dit-elle avec un sourire triste. Quant à vous, vous ne recevriez plus de lettres...

— Tu es trop exposée désormais pour que je te laisse en campagne, dit Thomas. J'ai l'intention, je ne te le cache pas, de te faire revenir ici pour t'occuper du club féminin à *Cumann na Gaedhal,* ou peut-être pour nous aider à gérer tout cet argent qui vient d'Amérique... »

Elle fit une grimace à cette perspective qui ne l'enchantait guère. Thomas avait repris son air méditatif.

« Il y aurait de toute façon la susceptibilité de Reginald à ménager, dit-il comme s'il se parlait tout haut. Carl et lui ne pourraient pas cohabiter à Berlin...

— Bien sûr que non ! s'exclama Winifred. D'autant qu'oncle Reggie doit penser que Carl est responsable de ma fuite !

— Ce n'est pas entièrement faux, d'après ce que tu m'as raconté.

— Quoi qu'il en soit, si Reggie apprenait que Carl vient le remplacer dans sa mission..., vous le connaissez, Thomas. Je ne sais pas ce qui pourrait se passer. Ça, c'est un risque qu'il ne faut pas courir.

— Nous pourrions le faire revenir à Dublin sous prétexte de responsabilités nouvelles, dit Thomas. Après tout, il jouit chez les volontaires d'un prestige presque égal à celui de Pearse et de Plunkett, et, je peux dire... de moi-même ! Si nous prenons notre décision il saura les galvaniser... »

Winifred fronça les sourcils.

« Comment cela, Thomas : " Si nous prenons notre décision " ?...

— Malgré toute ma persuasion, peut-être Pearse et les autres trouveront-ils prématurée une décision de soulèvement, Winnie. Ce qui serait après tout normal à partir du moment où ils ne croient pas en Carl, et donc à la possibilité d'obtenir des armes par la filière qu'il préconise. J'essaierai de lutter contre cette tendance. Crois bien qu'ils sont aussi sensibles que toi, surtout Pearse, à l'apathie qu'ils sentent régner autour d'eux. Mais même si Carl obtenait l'autorisation de la Fraternité de retourner à Berlin, encore faudrait-il savoir ce qu'il peut recueillir, et comment et quand cela nous parviendra. N'oublie pas que nous sommes redevables de vos vies, Winifred. Il ne s'agit pas de vous envoyer à l'abattoir, et je n'ai que faire de jeunes martyrs. Mon rôle est aussi dans ce genre de débat de garder la prudente circonspection de l'homme de science et d'expérience que je prétends être...

— C'est peut-être avec de la prudence, éclata brusquement Winifred, que vous avez attaqué à la dynamite la prison de Clerkenwell alors que vous aviez tout juste vingt ans ! C'est avec de la prudence que dix ans après, en 79, au moment de la Ligue agraire, vous souteniez le terrorisme des *Moonlighters*... C'est avec de la prudence que vous avez fondé en 86 cet *Irish World* qui soutenait à fond les Invincibles lorsqu'ils assassinaient le secrétaire d'Etat Lord Cavendish à Phœnix Park ! C'est avec...

— Arrête, je te prie ! l'interrompit Thomas. Tu ne vas tout de même pas me raconter tous les événements de ma propre vie sur ce ton de pythie frénétique !

— Mais, Thomas, ce sont justement ces faits et gestes qui me donnent l'impression de me trouver devant une légende vivante ! Lorsque je suis entrée dans la pièce tout à l'heure, j'ai dû me pincer pour être certaine que c'était bien moi qui allais me trouver seule avec l'illustre Thomas Duneggan ! Tous ces événements de votre vie, mes camarades en savent le déroulement par cœur ! Ce sont eux qui leur donnent envie de vous imiter... Sans des hommes comme Pearse ou comme vous-même, je serais encore avec mon mari dans mon chalet de Gulmarg, ou bien à Portsmouth en train de jouer au loto avec d'autres " veuves de conscrits " !... Si nous sommes quelques-uns, trop rares encore, à avoir choisi la rupture et la révolte, c'est parce que la flamme que vous avez allumée il y a plus de cinquante ans continue à... brûler en nous... »

Thomas parut d'abord quelque peu surpris et embarrassé par ce brusque accès de ferveur.

« Tu ressembles à une torche enflammée, en effet », constata-t-il avec un soupçon d'ironie.

Elle fronça les sourcils. Il se reprit et lui sourit d'un air ému.

« Ma petite Winnie, lui dit-il, j'aurai donc connu cela. J'aurai vécu assez vieux pour transmettre le relais à cette nouvelle génération que tu représentes avec tant de ferveur. Mais comprends-moi quand je parle de prudence ! L'armée anglaise prendrait position en quelques heures autour du Château et des Four Courts en cas de soulèvement des nôtres... Ce serait un massacre, Winifred, et qu'il se passe au son de *Molly Malone* ne me consolerait aucunement.

— Mais nous *aurons* des armes, Thomas ! Vous saurez faire partager aux dirigeants de la Fraternité et du Sinn Fein la confiance que j'ai mise en Carl, n'est-ce pas. Puis-je vous dire quelque chose ?... »

Sa physionomie avait soudain changé.

« Bien sûr, mon petit, fit-il avec un ton à la fois protecteur et indulgent de vieux confesseur.

Pourquoi est-ce que vous ne profiteriez pas de votre prestige pour dire bien haut, bien net, dans une déclaration solennelle : " L'Irlande tout entière sera une nation, et peu importe le prix à payer pour cela puisque nous sommes de toute façon décidés à le payer. " C'est ce que nous aimerions entendre en ce moment, Thomas, et venant de quelqu'un comme vous. Il nous faut des gestes désespérés, fous, irradiants. Il nous faudrait, oui, porter le danger chez les unionistes, les provoquer, à la limite leur faire savoir ce que c'est que la peur ! Ils se croient invulnérables ! Et nous, c'est ce qui nous sauverait de l'apathie, nous galvaniserait et nous donnerait une lueur d'espoir pour nous permettre de passer ce long hiver. »

Elle avait un ton presque suppliant.

« Ne te méprends pas, répondit-il. Nous n'obtiendrons pas tout par la violence et par le terrorisme. Le grand Parnell lui-même était un homme de compromis, et c'est par le compromis qu'il avait fait accepter à Gladstone l'idée de Home Rule à laquelle ce dernier était pourtant si étranger. »

Elle se leva avec vivacité.

« Mais qu'est-ce que c'est ?... Mais qu'est-ce que c'est que ça ? s'enflamma-t-elle en phrases hachées. Nous n'avons rien à faire avec cette saleté de loi ! Elle ne nous apportera qu'une autonomie au rabais ! Nous deviendrons au mieux une sorte de royaume rattaché à l'Angleterre par la Couronne comme la Hongrie à l'Autriche, et au pire une sorte de dominion amoindri...

— J'apprécierais que tu ne me donnes pas, à moi, des leçons de patriotisme, dit-il avec une soudaine irritation. Je le sais bien que nous ne pourrons nous contenter de l'autonomie après la guerre ! Mais que crois-tu ? Que nous arracherons notre indépendance sans négociation ? Sans étape préliminaire ? »

Tendue et fébrile, elle se leva pour marcher de long en large dans la pièce.

« Nous ne retrouverons jamais une occasion pareille, Thomas. Le contingent anglais et les unionistes sont occupés sur le continent. Les Allemands ne nous ont peut-être pas envoyé d'armes, mais ils nous servent au moins à fixer nos adversaires, et cela pour quelques mois au moins. C'est le moment ou jamais de libérer l'île tout entière, comme nous le promettons à nos volontaires. »

Il haussa les épaules.

« Tu confonds soulèvement et guerre civile, Winifred. Ne comprends-tu donc pas que les unionistes ne quitteront jamais l'Ulster ? »

Elle le regarda avec stupeur.

« Mais, Thomas, s'écria-t-elle après un bref silence, c'est pour libérer de la domination britannique l'île *tout entière* que les gars que nous parvenons à débaucher veulent se battre et se promettent d'agir ! C'est l'idée de reconquérir notre sol en le débarrassant de cette chienlit d'orangistes, c'est cette idée-*là* qui leur fait abandonner leur famille, leurs fermes, leurs champs, leurs pubs ! C'est en pensant que l'île serait un jour prochain indépendante dans sa totalité que j'ai songé, à des milliers de miles d'ici, à la filière que pourrait organiser Carl... C'est avec la même idée, j'en suis certaine, que Reginald voulait lever sa brigade. Les moyens étaient peut-être différents, mais les buts étaient bien les mêmes... »

Elle s'arrêta devant la fenêtre où le petit arbre dressait sa silhouette désolée. Elle n'avait désormais plus qu'une idée : quitter cette pièce et cette maison où elle se sentait piégée. Une bouffée de révolte lui fit serrer les dents. Pourquoi leur grand élan était-il ainsi confisqué par ces érudits septuagénaires qui s'arrogeaient le droit, normal après tout à leur âge, de temporiser — uniquement parce qu'ils savaient le gaélique et qu'ils avaient une fois dans le temps croisé Parnell ou Rossa dans un tramway de Sackville Street...

« Ecoute-moi au lieu de t'enflammer à tout propos comme de l'amadou ! reprit Thomas en s'efforçant au calme. J'apprécierais, si tu prends un jour des responsabilités à *Cumann na Gaedhal* ou à la Fraternité, que tu ne cèdes pas à la démagogie et que tu ne te leurres pas toi-même avant de tromper les autres. C'est cela qui a perdu Reginald ! Figure-toi que j'ai assisté avant la guerre à la parade des milices unionistes à Craigavon pour célébrer le serment d'union à la Couronne. Mêlé à la foule (et quelle foule !), après avoir sacrifié ma barbe pour ne pas être reconnu, je les ai vus défiler pendant des heures, les orangistes, derrière leurs oriflammes et leurs horribles tambours, ivres de leur puissance et de leur intolérance, hurlant les slogans que tu ne connais que trop : " No surrender, Not an inch... " J'ai vu Carson comme je te vois, ses yeux fixes et froids sous ses épais sourcils, la raie de ses cheveux à peine moins soignée que d'habitude, hurler des paroles de haine à ces descendants des plus bigots d'entre les puritains, en s'opposant par avance à toute solution qui les détacherait de l'Angleterre...

— La guerre a éclairci leurs rangs, justement !

— Crois-moi, il en reste suffisamment pour que nous ne puissions pas songer en ce moment à les chasser de l'Ulster. Commençons par être les maîtres chez nous, si tu veux bien. »

Elle eut un geste de désespoir.

« Si c'est pour reprendre le Château et les Courts, on n'a pas besoin de trente mille fusils et de vingt mitrailleuses. A quoi bon désormais envoyer Carl en Allemagne ? Les deux mille fusils que nous avons en ville suffiront bien...

— Détrompe-toi. Tu n'imagines pas ce que c'est qu'une bataille de rue !

— Oh, et puis qu'importe désormais ! murmura-t-elle d'un ton désabusé. Moi c'était l'espoir de libérer l'intégralité du territoire qui me faisait marcher. Les Français font bien la guerre pour récupérer l'Alsace et la Lorraine...

— Qui ne rêvent que de redevenir françaises. Dois-je te rappeler que ce n'est pas tout à fait le cas chez nous ?

— Et les catholiques de l'Ulster, ils ne rêvent pas de nous revenir ? s'écria-t-elle. Ceux pour lesquels mon père se battait lorsqu'on refusait de les embaucher dans les docks et au chantier naval... »

Elle sentait des larmes d'amertume et de rage lui monter aux yeux, et elle se retourna pour qu'il ne les vît pas couler.

« L'île tout entière..., murmura-t-elle. C'était une idée si simple... On pouvait jouer avec... s'endormir avec... Comment est-ce que je vais *durer,* moi, maintenant ? Que vais-je faire à présent, pour trouver le sommeil ? Que vais-je faire pour tenter d'arracher à Redmond ses volontaires à lui, qui partent combattre avec inconscience pour une guerre qui n'est pas la leur ?

— Je t'ai dit que de toute façon tu n'irais plus désormais sur les routes. »

Elle traversa lentement la pièce.

« Je sors d'ici avec l'impression d'être amputée d'un bras ou d'une jambe », dit-elle d'une voix blanche.

Il leva vivement la tête.

« Tu as tort ! s'écria-t-il. Peut-être un jour le Nord nous reviendra-t-il. Peut-être trouverons-nous un statut qui permettra d'associer les deux communautés. Je sais que ce sera long. Il n'en demeure pas moins que cette république d'Irlande naît sous chacun de tes pas, oui, et que tu la verras naître un jour au terme de notre long effort. Tu penseras alors au vieux Duneggan qui ne voulait pas faire verser trop de sang. Tu m'as

entendu ? reprit-il d'un ton soudain lointain. Sous chacun de tes pas...

— Oui, fit-elle avec une moue désenchantée. Le blé
qui lève, tout ça. »

Il la raccompagna jusqu'à la porte.

Le garçon se tenait dans la pénombre du vestibule, et,
le regard perdu, elle ne le vit pas.

« Mais... qu'est-ce qu'il se passe ? Qu'est-ce que vous
avez ? » demanda-t-il.

Elle sursauta en le découvrant et s'arrêta net.

« Oh, c'est vous, fit-elle. Non, ce n'est rien, ce n'est
rien.

— Je peux... vous refaire un peu de thé, proposa-t-il.
Ça vous fera du bien. »

Elle sécha furtivement ses larmes.

« Il faut que j'en fasse infuser à nouveau, dit-il. Le
professeur doit recevoir Mr. Mac Neill. Mr. Mac Neill
passe toujours par la porte de derrière et prend toujours du thé. »

Son accent prononcé ajoutait encore à son élocution
saccadée et embarrassée.

« Mais n'est-ce pas la jeune fille que j'ai vue qui s'occupe de cela ? demanda Winifred.

— Tracy introduit les visiteurs. Mais je n'ai pas le
droit d'aller au-delà du corridor, sauf quand le professeur m'appelle. Tracy, elle peut. Et moi, comme j'ai
rien à faire sauf à lire les livres du professeur, j'ai
appris un peu l'anglais, et puis à faire le thé, à me
rendre un peu utile, quoi.

— C'est bien, fit-elle en se dirigeant vers la porte
d'entrée.

— En tout cas, c'est pas ce que je pensais faire quand
je suis venu, dit-il. Pourquoi vous étiez si triste ?... »

Il lui barrait la sortie de sa silhouette dégingandée.

« En une conversation, j'apprends que je perds... Et
puis non, ce n'est rien.

— J'ai pas su quoi vous répondre tout à l'heure en
français, ajouta-t-il précipitamment. Je m'y attendais
pas... C'est vrai ce que vous disiez que c'est une belle

langue, mais on s'en rend pas compte à bord des chalutiers, vraiment pas compte. Moi, c'est ici en parlant avec le professeur que j'ai su qu'il y avait pas que des gros mots. »

Il la fixait avec une sorte de crainte qu'elle ne s'échappât soudain.

« Je peux vous dire une phrase ou deux cette fois ? demanda-t-il avec une inquiétude mal dissimulée. Je vous ai appris quelque chose.

— Vous savez, je n'ai pas beaucoup la tête à ça, aujourd'hui...

— Oh, c'est court... Voilà... *Demain dès l'aube à l'heure où blanchit la campagne je partirai,* commença-t-il précipitamment ; *vois-tu je sais que tu m'attends j'irai par la forêt j'irai par la montagne je ne peux rester loin de toi plus longtemps.* C'est vrai que j'attendais que vous repassiez dans le couloir. »

Il reprit son souffle. Winifred resta un instant interloquée.

« C'est bien, finit-elle par dire. Je n'ai pas tout compris. » Prise d'un doute, elle ajouta : « C'est de vous ?

— Pas... pas tout, hésita-t-il en avalant sa salive. La dernière phrase est de moi.

— Bon, c'est... Bon, enfin, il faut que je me sauve.

— Vous ne voulez vraiment pas de thé ? demanda-t-il d'un air déçu.

— Non, sans façon, merci », dit-elle en avançant vers la porte, le faisant reculer devant elle comme à regret.

« Le professeur m'a raconté vos aventures », dit-il brusquement.

Elle s'arrêta net.

« Ah bon ?

— Il devait sentir que j'étais déçu qu'il m'arrive rien, à moi, alors il m'a raconté ses aventures et puis, quand il a su que vous alliez venir, un peu des vôtres.

— Mais lesquelles, Seigneur ? »

Il énuméra en comptant sur ses doigts.

« Le glissement de terrain, le pont qui s'écroule, votre mari que vous retrouvez plus, la course de chevaux, la partie de cache-cache avec la police et l'armée...

— Il vous a parlé de mon mari ? demanda-t-elle avec stupeur.

— Ben... oui. »

« Et il s'étonne qu'il y ait des bruits qui courent », pensa-t-elle.

Il y eut un bruit de porte ouverte.

« Louis ! Tu ne dois parler à personne, tu sais bien ! » dit une voix féminine.

Le jeune homme ne sembla pas avoir entendu.

« A vous au moins il est arrivé tellement de choses », dit-il d'un air à la fois émerveillé et désabusé.

La fille maigre fit son apparition, une bassinoire de cuivre à la main.

« Tu la récures, faut que j'puisse me mirer d'dans, t'entends ? »

Elle se retira sans avoir adressé à Winifred un seul regard.

« C'est pas ça qui t'améliorera le portrait », siffla-t-il entre ses dents.

Il se retourna vers Winifred.

« Vous voyez ce que je fais depuis que je suis là... Toujours cette planche à pain après moi... Je peux vous demander une dernière chose que j'ai pas comprise ?

— Louis ! répéta la voix venant du corridor. T'as compris c'que j'ai dit ? »

Il se retourna.

« Va bouffer tes patates au lieu de m'emmerder ! cria-t-il.

— Il vaut mieux que je parte », dit Winifred.

Il la suivit jusqu'à la porte. Elle l'ouvrit et sentit une odeur de terreau mouillé venue de Merrion Square lui monter aux narines.

« La chose que j'ai pas comprise... Enfin, que j'ai pas sue... Le professeur avait oublié... C'est comment que vous leur avez échappé... »

Elle fronça les sourcils.

« A qui ?

— Mais... à la police du Maharadjah... »

Il avait prononcé ces trois derniers mots avec l'air gourmand d'un adolescent découvrant *Les Mille et Une Nuits*. Elle eut un sursaut. Tout cela semblait tellement lointain et irréel. Et pour quoi, désormais. Pour quoi.

« Eh bien..., on s'est enfuis par le pont, répondit-elle.

— Je croyais qu'il était tombé dans le ravin ! »

Elle se força à sourire.

« Il l'était, dit-elle. Attention, elle revient ! »

Des pas se faisaient entendre. Il se fit pressant,

comme si l'histoire — celle qu'il s'était recomposée dans ses longues heures d'ennui ? — devait de toute urgence être pourvue de sa conclusion.

« Je ne vois pas, dit-il.

— Ils nous cherchaient partout, mais ils ne pensaient certainement pas que l'on pourrait prendre ce passage-là, précisa-t-elle.

— Pourquoi ?

— Ils le trouvaient sans doute infranchissable, puisqu'ils ne l'avaient pas gardé ! Pourtant il y avait quelque chose qu'ils ignoraient.

— Dites-moi », demanda-t-il avec une sorte d'avidité.

Ce gamin allait finir par faire resurgir en elle des images qu'elle y avait enfouies depuis bien longtemps.

« On était déjà passés une fois », dit-elle.

La porte lui fut brusquement claquée au visage et elle se retrouva nez à nez avec l'éclat cuivré du heurtoir à tête de lion, mais sans courage pour lui gratter le museau comme elle se l'était promis.

15

AINSI elle se trouvait désormais en territoire ennemi. Elle en aurait presque souhaité une preuve tangible, à tout le moins aisément perceptible, et n'eût pas craint pour cela une certaine outrance caricaturale — quelque incident propre à raviver son nationalisme, par exemple, ou bien une attitude déplaisante des passants dans la rue qui lui aurait fait penser : « C'est bien normal, venant d'*eux* » ; ou encore la découverte d'une effigie propre à lui échauffer les sangs : Cromwell ou Guillaume III, prince d'Orange, sur son cheval blanc. Il lui fallait bien reconnaître pourtant que rien de tel ne se produisait et que, à la seule différence de ses couvre-chefs d'un type plus britannique qu'à Dublin (moins de casquettes), la foule clairsemée qui allait et venait le long de High Street ressemblait fort à celle qu'elle côtoyait chaque jour sur les bords de la Liffey.

Comme elle levait les yeux pour tenter de trouver l'immeuble qu'elle cherchait, une jeune femme s'arrêta pour lui demander aimablement si elle pouvait la renseigner. « Non, je vous remercie », répondit Winifred d'un ton quelque peu acerbe qui parut surprendre son interlocutrice. Se sentant contrariée, elle fit encore quelques pas et découvrit soudain au coin de Victoria Street l'interlocuteur qu'elle désirait. C'était un vieil homme qui jouait sur un orgue de Barbarie le thème des *Rakes of Mellow*. Elle l'écouta quelques instants, puis lorsqu'il eut lâché la manivelle lui demanda :

« Mais n'est-ce pas une chanson du Sud ?

— C'est de partout », bougonna le vieux dans sa barbe.

Elle versa un penny dans son escarcelle et s'enhardit.

« Et aussi... Sauriez-vous où est l'agence de la *White Star Line* ? On m'a dit que c'était dans Queen's Square...

— Là qu'est le pavillon », répondit-il avec un vague geste du bras.

De drapeau elle ne vit nulle trace mais s'aperçut que plus bas sur la droite l'entrée d'un immeuble de brique était surmontée d'une hampe oblique. Elle s'en approcha. A côté de la porte une inscription indiquait :

WHITE STAR LINE
Liverpool
BELFAST BRANCH

Elle poussa la lourde porte vitrée et entra. A l'intérieur, il n'y avait personne. N'eussent été, au-dessus des austères comptoirs d'acajou qui ressemblaient à ceux d'une banque, la maquette du paquebot *Majestic* et une affiche solitaire et jaunie vantant les charmes de Madère, rien n'aurait paru devoir inciter un éventuel amateur à succomber au charme des voyages et croisières. Elle regarda rêveusement le panorama ensoleillé de Funchal et repensa à la lettre que lui en avait envoyée Reginald lors de son passage, il y avait deux ans de cela. Elle eut un fugitif sourire. Reggie. Dans l'éventualité, bien improbable désormais, d'une rencontre entre eux, qu'aurait-il pensé de sa démarche en cette matinée d'avril ? Elle haussa les épaules comme devant une incongruité.

« Que puis-je pour vous ? » s'entendit-elle demander d'un ton affable.

Elle tressauta. Un employé de la compagnie s'était approché d'elle à pas silencieux et elle s'inquiéta d'avoir été surprise à marmonner toute seule. Interloquée, elle le dévisagea un instant sans lui répondre. C'était un petit homme grisonnant à la mine modeste qui fixait sur elle un lorgnon d'or. Son col dur paraissait jauni, mais peut-être était-ce dû à la lumière livide provenant des vitres dépolies.

« Je suis Cynthia Mac Allister, du *Glasgow Inquirer* », se présenta-t-elle.

Une discrète réserve se peignit sur son visage lorsqu'il l'eut entendue prononcer le nom d'un journal.

« Enchanté, Miss Mac Allister », dit-il avec un bref signe de tête.

Elle avait pris un sourire contraint.

« Ne devinez-vous pas... le motif de ma visite ? » demanda-t-elle.

Il lui sembla qu'il réprimait un froncement de sourcils.

« A vrai dire..., commença-t-il avec embarras.

— Ce n'est pourtant pas tous les jours qu'un steamer à quatre cheminées est lancé à Queen's Island ! » s'exclama-t-elle.

Il ouvrit les bras comme s'il voulait compenser par un geste affable la déception qu'il n'allait pas manquer de lui occasionner.

« Oh... Je vois... Ecoutez, Miss Mac Allister... Vous devriez savoir, et votre journal aussi, que le lancement de l'*Oceanic* est une opération strictement militaire..., qu'elle est donc couverte par le secret opérationnel... et ne concerne donc pas... ces messieurs de la presse... Ces messieurs et dames de la presse », rectifia-t-il hâtivement.

Il avait pris un air navré, mais paraissait désormais pressé de mettre un terme à cette conversation.

« Drôle de secret, s'insurgea Winifred, que celui que Reuter diffuse jusque dans notre lointaine cité ! Je ne me place pas du tout sur le plan militaire. Mais Belfast et Glasgow sont de vieilles cités maritimes quasi jumelles dont les liens séculaires justifient, il nous avait semblé... »

La porte du bureau du fond s'ouvrit.

« Que se passe-t-il, Stepney ? entendit-elle.

— J'essayais de protéger l'*Oceanic* d'une dangereuse incursion de la presse écossaise, Sir.

— Charmante incursion, quoi qu'il en soit ! »

Winifred se tourna vers le nouvel arrivant. Vêtu d'une redingote à l'ancienne, une chaîne d'or au gilet, il avait un visage austère et émacié qui paraissait démentir ce que sa réflexion pouvait avoir de plaisant pour elle. C'était certainement le directeur de l'agence, pensa-t-elle.

« Cette jeune dame ne semble pas être de mon avis, dit Stepney.

— Une femme, à la rédaction du *Glasgow Inquirer* ? s'étonna l'homme à la redingote.

— Je suis chargée de la rubrique mondaine, expliqua-t-elle. Cette rubrique a été tenue pendant vingt-cinq ans par Valentine Turnbull qui m'a choisie pour lui succéder. Vous voyez que cela n'a rien à voir avec la marine ou les transports de troupes... Ce qui nous a intéressés, à vrai dire, ajouta-t-elle, ce n'est pas le lancement du bateau, c'est son baptême.

— Aucune cérémonie n'est prévue, que je sache ! s'exclama le directeur. Stepney, il me semble qu'il est inutile de... Enfin, vous pourriez raccompagner cette charmante jeune dame à la porte d'entrée. »

Elle sentit qu'elle devait réagir dans l'instant.

« Mais comment cela... les dépêches..., protesta-t-elle. Comment voulez-vous que je revienne sans mon article ? Mrs. Turnbull...

— Je n'ai pas le plaisir de connaître Mrs. Turnbull, dit-il d'une voix plus conciliante devant son désarroi, mais montrez-moi exactement ce que vous avez reçu qui pourrait justifier cinq heures de mer. »

Elle sortit de son sac une petite liasse de dépêches qu'elle éparpilla sur le comptoir d'acajou et sur lesquelles il se pencha avec un intérêt non dissimulé.

Reuter 234	12.4.16. H.M.S. *Oceanic* lancé 14.4. aux chantiers Harland and Wolff, Queen's Island, Belfast.
Reuter 235	12.4.16. Pour inform. Transformé en transport de troupes alors qu'il était en construction pour la White Star Line, H.M.S. *Oceanic* paquebot de (blanc) tonnes pourra transporter (blanc) hommes de troupe dans meilleures conditions. Seuls autorisés à assister lancement personnel chantier et leur famille.
Reuter 249	13.4.16. Corresp. Dublin. Viceregal Lodge communique : H.M.S. *Oceanic* baptisé par Lady Wimborne, épouse de S.E. le Vice-Roi.

Il lui rendit les papiers d'un air songeur.

« Vous voyez qu'il est bien précisé que le lancement n'est pas public, fit-il remarquer.

— Mais seule la dernière dépêche m'intéresse ! s'exclama-t-elle. Vous connaissez la fascination du public pour les grands *liners*... C'est une belle réussite pour le chantier et pour vous-même...

— Hélas ! Comme vous pouvez le constater, nous n'en sommes momentanément plus les armateurs, dit-il avec un accent d'amertume vite réprimé. Non, écoutez, je suis navré que vous ayez fait la traversée pour rien...

— Je constate néanmoins, insista-t-elle hâtivement, que le seul fait que Lady Wimborne vienne baptiser le navire montre que l'on désire tout de même entourer la cérémonie d'un certain lustre... C'est un *social event*. de première importance qui pourrait représenter un rayon de soleil et d'espoir en pleine guerre pour nos lecteurs... Ils se soucient fort peu, vous le devinez, de la puissance du bateau et de sa contenance qui sont d'ailleurs occultées sur les dépêches, mais veulent savoir quelle fourrure et quel chapeau porte Lady Wimborne, si le Vice-Roi est coiffé ou non de son casque à plume...

— Charitablement, je dois vous prévenir que les chapeaux de Lady Wimborne sont plutôt... de l'espèce dévastatrice.

— Tant mieux ! Nos lecteurs ont la nostalgie de l'apparat d'avant-guerre... Ils voudraient retrouver un peu de rêve. C'est pourquoi mon reportage sur le baptême de l'*Atlantic* sur la Clyde par la duchesse de Gloucester avait eu tant d'audience ! Mais pour cela, il faut que je puisse m'approcher du bateau... »

Elle avait l'impression d'avoir mis dans sa supplique autant de persuasion que, deux mois auparavant devant les jeunes gens de l'auberge de la route de Clane. Le directeur regarda son clerc d'un air songeur. Tirant, puis remettant son lorgnon, Stepney paraissait se garder d'émettre une opinion.

« Ecoutez, dit-il. Pour vous être agréable et pour cela uniquement — quand je pense que les journaux de Belfast ne seront même pas représentés... — je m'en vais téléphoner pour demander avis à qui de droit. »

Elle pâlit.

« Téléphoner ?

— Au contre-amiral O'Dalley, chef de la région maritime. C'est tout ce que je peux tenter.

— Je ne veux pas... abuser, murmura-t-elle. L'amiral a sans doute mieux à faire actuellement que de s'occuper de ma petite affaire...

— Je veux bien le croire. Mais au moins pourrez-vous revenir en disant que vous avez fait ce que vous avez pu. »

Il se dirigea vers son bureau et ferma la porte. Winifred s'assit dans un fauteuil de moleskine en mesurant du regard la distance qui la séparait de la porte dans le cas où il lui faudrait s'enfuir à toutes jambes. On entendit une lointaine sonnerie et un écho étouffé de conversation téléphonique dont elle ne put comprendre les termes. Paraissant rasséréné par l'attitude bienveillante de son supérieur, Stepney allait et venait devant elle, les mains derrière le dos. Soudain, il s'approcha.

« Il y a une chose certaine, c'est que vous n'avez pas l'accent écossais », lui fit-il remarquer.

Prise de court, elle eut une petite moue.

« J'ai vécu en Ecosse, murmura-t-elle. Orpheline. Une vraie histoire à la Dickens. Obligée de venir à Londres chez un oncle...

— Écoutez, souffla-t-il en glissant un regard vers la porte close du bureau directorial. Je sais bien quelle va être sa réponse. Mais après tout vous êtes une femme, c'est courageux de travailler dans un bureau ; toujours avoir à prouver sa valeur devant les hommes... »

Il regarda de nouveau vers la porte fermée.

« Ma vieille mère admirait les suffragettes, reprit-il. Alors, en souvenir d'elle, je peux... je me dois... de vous glisser un renseignement qui pourrait vous être utile... Je ne vous ai bien entendu rien dit. »

Il chuintait un peu en parlant, comme si son inquiétude augmentait à mesure qu'il mesurait la portée de son initiative.

« Et puis je suis d'origine écossaise, ajouta-t-il comme s'il voulait se justifier. Ma vieille mère était d'Edimbourg...

— Oui, dites-moi ce que je dois faire », l'adjura-t-elle.

Il parut hésiter.

« Vite, il va revenir...

— Je sais que les ouvriers du chantier naval et leurs familles doivent se rendre en cortège à la cérémonie.

Beaucoup sont, comme vous ne l'ignorez pas, d'origine écossaise, et j'ai d'ailleurs appris cette nouvelle par la Fraternité d'Orange en Ecosse à laquelle j'appartiens. Peut-être... Mais c'est juste une suggestion... pourriez-vous vous glisser...

— Vous savez d'où part ce cortège, le pressa-t-elle. Et à quelle heure ?... »

La physionomie de Stepney redevint brusquement de marbre. Elle vit du coin de l'œil la porte du bureau se rouvrir. Le directeur réapparut et s'approcha d'elle, le visage impénétrable.

« Je suis navré, Miss Mac Allister. Je ne peux que vous confirmer ce que je vous laissais prévoir. Lady Wimborne ne baptise le vaisseau qu'à titre personnel, et toute tentative de pénétrer sur le chantier serait refoulée par la *Constabulary*.

— Oh, dit-elle négligemment, si le Vice-Roi n'est pas là, c'est moins ennuyeux pour moi.

— Je n'ai pas dit cela », fit-il.

Elle lui jeta un regard à la dérobée puis parut prendre son parti de l'échec de son reportage.

« Après tout, c'était à mon rédacteur en chef de prendre ses renseignements, dit-elle avec un apparent détachement.

— Cela me paraît évident. »

On lui signifiait son congé. D'un geste machinal, elle assura son chapeau et se leva.

« Quoi qu'il en soit, je vous suis reconnaissante d'être intervenu, dit-elle en lui tendant la main. Je vous aurais bien pris un billet pour Funchal afin de vous remercier, ajouta-t-elle en manière de boutade. Cela paraît ressembler à tout ce qui nous manque actuellement. »

Le directeur s'inclina.

« Ces temps-là reviendront, et plus vite qu'on ne le croit, Miss Mac Allister, dit-il. N'oubliez pas votre sac. »

Elle s'efforça de sourire.

« Ne craignez rien. »

Elle espéra un instant qu'il laisserait son adjoint la raccompagner seul. Il n'en fut rien et le trio se dirigea lentement vers la porte de sortie.

« Si je peux me permettre de vous suggérer quelque chose, intervint soudain Stepney en la fixant derrière son lorgnon, c'est de visiter notre nouveau City Hall dont nous sommes très fiers. Il paraît que l'architecte s'est inspiré pour la coupole de celle de Saint-Pierre de Rome.

— Mon Dieu, fit-elle avec une ironie qu'elle regretta tout aussitôt. N'est-ce pas un peu étrange... ici ?

— Quoi qu'il en soit, répliqua-t-il d'un air pincé, il n'y a apparemment rien de semblable à Glasgow. Ainsi ne vous serez-vous pas déplacée pour rien. Vous avez une station de cabs au pied de l'Albert Memorial. »

Elle le regarda. Son visage était impénétrable.

« Je vous remercie, je vais essayer d'y passer », dit-elle.

Lorsqu'elle vit se dessiner dans l'encadrement de la vitre de devant du cab, au-delà de la vieille jument trottinante, l'énorme et pompeux quadrilatère de pierre grise, les abords de celui-ci semblaient totalement déserts. Devant la grande porte, deux ou trois silhouettes s'abritaient sous un monumental portique qui semblait les écraser. La pluie qui ruisselait sur sa façade démesurée rendait celle-ci d'une tristesse si accablante qu'elle en conçut une brusque angoisse. De plus, elle ne comprenait pas. La dernière phrase de Stepney était une invite, à tout le moins une suggestion... Une voix enrouée d'*ale* et de brouillard s'immisça soudain dans l'étroit habitacle par le cornet acoustique.

« Je vous dépose sous le porche, ma'âm ? Avec ce temps...

— Non, *coachman*... Je..., hésita-t-elle devant la bouche noire du cornet. Faites donc le tour du bâtiment.

— Bien, ma'âm. Je vais faire le tour de Donegal Square. »

Le cab repartit au trot le long des grands arbres et des statues qui se détachaient sur les bossages démesurés du rez-de-chaussée. Une vaste cour déserte s'ouvrait sur la façade opposée à celle du portique, parsemée de flaques dans lesquelles se reflétaient le dôme et les lanternons baroques comme s'ils avaient été les éléments de quelque palais désincarné et composite apparu à marée basse, flottant comme un mirage sur la brume d'eau qui émanait du pavé.

« C'est beau, hein, ma'âm, reprit la voix du cocher. Ça fait riche, hein ? Tout neuf. Ils ont travaillé des années et des années à construire ça. Même à Londres y paraît qu'il y a pas plus beau. »

Malgré la pluie, elle baissa la vitre et se pencha par la fenêtre. Il fallait qu'elle donne un visage à cette voix suspendue entre ciel et terre.

« Dites-moi..., risqua-t-elle. Oui, c'est beau. Mais on ne peut pas dire qu'il y ait grand monde. »

Elle voyait de profil sa barbe foisonnante et le bord dégoulinant d'eau de son vieux gibus. Il se pencha vers elle.

« Y a jamais beaucoup de monde ici, ma'âm. Peut-être quand la fin de la guerre sera venue...

— Il n'y avait pas... un peu de monde... plus tôt dans la matinée ? », risqua-t-elle.

D'un claquement de langue, il arrêta son véhicule.

« Y a eu du monde une seule fois dans cet endroit, le jour de l'acte d'Alliance avec la Couronne, mais là il y en avait, de la foule ! Il y a trois ans de cela maintenant, et je m'en souviens comme d'hier. »

L'inflexion de la voix était devenue soudain plus mordante.

« Ah, il fallait le voir, le père Carson, ce jour-là, et les centaines de milliers de gens autour de lui ! Le Square arrivait pas à les contenir tous. Ce jour-là, ils ont enfin compris, ma'âm, ces sales papistes, qu'on se laisserait pas prendre un pouce de terrain ; hein, ma'âm, qu'on s'laissera pas faire !

— Mais, *coachman*, s'écria-t-elle, il y a des papistes en ville ! Et ils sont comme vous ! Pas plus riches que vous ! Alors que les autres...

— Moi j'ai qu'ce cab, ma'âm. Et c'te haridelle. Mais j'suis avec eux, pourtant. Je fête le 12 juillet, je porte les bannières, tout ça. Si on laisse les papistes nous gouverner après la guerre, c'en sera fini de nous, ma'âm. Y nous f'ront dix enfants qu'on aura même pas le temps d'en élever un. Y sont comme ça, y forniquent comme des bêtes, si j'peux m'permettre. Bon, c'est pas le tout, où c'est que j'vous dépose ? »

Voyant à qui elle avait affaire, elle s'enhardit.

« Enfin, vous n'avez pas entendu parler d'un rassemblement, d'un cortège, là... Vos amis unionistes ne vous ont pas dit... pour le lancement de l'*Oceanic* ? »

Il se pencha jusqu'à la vitre de la portière.

« Ah, mais fallait le dire, ma'âm. Oui, ils sont partis de Donegal Square tout à l'heure avec la Fraternité écossaise. Mais c'est juste pour les gens du chantier. »

De joie, elle en descendit la vitre.

« Est-ce qu'on ne peut pas rattraper le cortège ? » demanda-t-elle.

Là-haut, il y eut un silence.

« Il doit être près de la rivière maintenant, mais c'est pas des quartiers pour une dame de vot' condition, ma'âm.

— Vous m'y menez au trot », dit-elle avec détermination.

A la tension lâche des rênes sur l'encolure, elle vit qu'il hésitait.

« Et si on trouve pas ? C'est une ville dangereuse, pour une femme seule, vous savez pas ça ? Surtout vers le port ! Et d'abord, qu'est-ce que vous y voulez à ce bateau ?

— Je travaillais à Derry pour le chantier, dit-elle. Je suis invitée au lancement et je suis venue rien que pour cela, mais le train avait du retard. Je veux arriver avec le cortège. Je paie bien. Si on ne trouve rien, vous me ramènerez.

— On ne verra peut-être rien, mais on entendra, ça faites-moi confiance », dit-il.

Le cab ne dépassait plus maintenant que de rares cyclistes et piétons. Une seule fois une automobile les avait doublés, et elle avait entendu le cocher pousser un juron. Les habitations avaient laissé la place à des entrepôts de brique noirâtre dont les rares fenêtres en arc de cercle étaient grillagées comme celles des prisons. De temps à autre brillait la lumière précocement allumée d'un pub où le gaz découpait des silhouettes indécises derrière les vitres dépolies et gravées. Soudain il s'arrêta.

« Je vois rien et, pis, j'entends rien, ma'âm, dit-il dans le cornet. Il vaut mieux que je vous ramène.

— Attendez », s'écria-t-elle.

Elle ouvrit la porte et sauta à terre. Il faisait doux,

car la pluie avait fait tomber la brise de mer. Sur sa droite, la longue théorie des grues paraissait traverser la rivière en un faisceau hostile comme une lice de fer barbelé. Devant elle, des rails de wagonnets encadraient de longues et profondes flaques oblongues où se reflétait le haut des réverbères bordant la morne perspective. Ceux-ci étaient étrangement ouvragés, comme si l'avenue avait jadis connu des jours meilleurs. Elle resta quelques instants indécise, l'une de ses bottines encore sur le marchepied. Le cocher la regardait du coin de l'œil.

« Ecoutez, chuchota-t-il soudain au moment où elle allait remonter pour se faire emmener plus loin. Tchh, Connie, veux-tu ? »

La jument cessa de faire bouger son mors et le silence revint. Et pourtant une lointaine et sourde trépidation semblait faire vibrer les pavés de bois qu'elle foulait.

« Ce sont eux, dit le cocher avec un éclat de fierté dans la voix. Les tambours de Lambeg. Ils ont dû faire le détour par Larne Street, c'est pas possible autrement. »

Il se pencha vers elle, l'air presque espiègle.

« Montez, je vais vous faire gagner un peu de temps. »

L'obsédant roulement semblait s'être rapproché, comme si tout le pouls de la ville se réfugiait soudain dans cette chamade lointaine, menaçante et lugubre qui réduisait à néant sur son passage les couleurs, les odeurs et les sons d'alentour. Elle réprima un frisson, claqua la portière, et le cab reprit sa route.

« Qu'est-ce que c'est que ce tintamarre ? demanda-t-elle.

— Hé, hé ! ricana le cocher par le cornet. Vous ne connaissez pas les tambours de Lambeg ? Eh bé, faites-moi confiance, les papistes les connaissent, eux ! Et quand ils les entendent les jours anniversaires de la Boyne ou de l'Alliance, ils sortent pas de Shankhill, je vous en réponds, et on en voit pas beaucoup traîner dans les rues leurs trognes de pochards ! »

Winifred eut l'impression que l'étroit habitacle s'était refermé sur elle avec son odeur de vieux tapis et de cendre froide comme l'intérieur capitonné de la *Vierge de Nuremberg* qui l'horrifiait tant jadis dans ses livres d'histoire, et qu'elle était percée de toutes parts des flèches empoisonnées que son virulent accompagnateur lui adressait sans le savoir. En même temps, elle se rendait compte que cette voix âpre et haineuse, au-dessus d'elle, permettait à sa froide résolution, quelque peu affaiblie par l'anxiété et l'incertitude depuis son arrivée à Belfast, de resurgir plus forte que jamais — et de cela au moins elle se trouva secrètement satisfaite.

Le cab avait quitté la perspective déserte des quais pour une ruelle emplie d'ornières qui s'insinuait entre les hauts murs des entrepôts. Malgré le bruit de roulement de leur propre attelage, elle entendait maintenant très distinctement les batteries de tambour — au point qu'elle eut un instant l'impression de se rendre sur le front d'une proche bataille. Le cab cahota encore pendant une centaine de yards puis s'immobilisa. Contrairement à ce qu'il avait fait quelques instants plus tôt, le cocher quitta son siège et lui ouvrit aimablement la portière pour l'aider à descendre du marchepied.

« Au moins je n'ai pas l'impression de vous laisser seule, grimaça-t-il. Ils vont déboucher venant de Larne Street, là, dans la direction de Cave Hill, dit-il en montrant une colline à l'horizon. Vous n'aurez qu'à vous infiltrer au passage. Ça fait un shilling et neuf pence. »

Elle sortit les pièces de sa poche et les lui donna sans le regarder. Il remercia en soulevant son gibus puis resta un instant indécis, comme si malgré l'arrivée imminente du cortège il paraissait avoir quelque scrupule à l'abandonner là dans cette ruelle inhospitalière.

« Bien, merci, *coachman*, lui dit-elle pour qu'il s'en retourne.

— N'oubliez pas votre sac, dit-il.

— Non, fit-elle la voix soudain étranglée.

— Allez, au revoir, ma'âm. Tchh, Coonie. »

Sur un claquement de langue, la vieille jument rebroussa chemin.

Elle tomba sur le cortège au moment où il débouchait d'une large rue bordée de hauts murs, et elle dut faire effort pour ne pas porter ses mains à ses oreilles, si intense était le vacarme produit par la batterie des huit grosses caisses qui le précédaient. Celles-ci étaient tellement volumineuses que leurs porteurs étaient obli-

gés de se tenir les bras écartés, le buste cassé en
arrière, paraissant désarticulés comme de grotesques
pantins. Un détail la frappa : les bracelets de cuir par
lesquels étaient fixées les longues cannes de bambou
avaient mis en sang leurs poignets ; et, plus encore que
le fracas qu'ils produisaient, plus encore que les paroles de haine du cocher qu'elle avait encore en mémoire,
ces blessures exhibées en tête du cortège lui parurent
être les stigmates mêmes du fanatisme qu'elle était
venue combattre et dont elle se sentait elle-même
atteinte, maintenant. Tout cela datait de sa conversation avec Thomas. Oh, celui-là ! En qui elle avait cru.

Derrière les tambours suivaient une trentaine d'hommes âgés, bardés d'étoles chamarrées et brandissant
des bannières immenses surchargées de broderies, de
portraits, d'arabesques et de slogans. A mesure qu'elle
voyait ces derniers s'inscrire dans son champ de vision,
elle les entendait scandés et hurlés par la foule qui
suivait, et cela avec tant d'ardeur qu'ils en venaient à
recouvrir le son des grosses caisses. *God save Ulster. In
glorious remembrance. Not an inch. No surrender*,
entendit-elle repris tour à tour en chœur. Plaquée
contre le mur par le déferlement de tout ce qu'elle
haïssait, son sac étroitement serré contre elle, elle
s'aperçut qu'il n'y avait pas un des participants qui eût
un regard pour elle, bien qu'elle fût seule dans la rue à
les regarder passer. Quoi, fallait-il vraiment les rejoindre, fallait-il vraiment passer par cela ? Elle se
demanda un instant si elle ne s'était pas trompée de
manifestation et s'il ne s'agissait pas d'une commémo-
ration inconnue que le cocher lui aurait indiquée à tort.
Presque aussitôt, comme pour la dissuader de chercher
une échappatoire, elle vit passer devant elle une ban-
nière sur laquelle était brodée l'inscription :

CORP. ST GARMOYLE
H.M.S. *Oceanic*
For God, King, Ulster and Victory

Pas de méprise possible. D'une sèche impulsion, avec
la sensation de se jeter dans les eaux froides de la
Lagan, elle se joignit à eux.

Elle regarda d'abord avec discrétion qui l'entourait.

C'était surtout, à l'image des porteurs de drapeau, des hommes âgés (les autres devaient être sous d'autres drapeaux, pensa-t-elle, ou peut-être les attendaient-ils au chantier) et des femmes, elles plutôt jeunes, la plupart endimanchées, certaines accompagnées d'enfants. Tous et toutes avaient l'œil fixé droit devant eux, la bouche ouverte sur leurs lents cantiques ambulatoires, et ne paraissaient pas avoir remarqué qu'une nouvelle venue les avait rejoints. Oh, s'ils avaient su quelle *impureté* ils entraînaient désormais dans leur hautain cheminement... A se sentir ainsi frôlée de tous côtés par ses ennemis irréductibles, elle sentit lui monter dans les jambes un tremblement semblable à celui qu'elle avait éprouvé lorsque Carl l'avait emmenée découvrir la paroi du pic géant. Elle s'en voulut et pour détourner sa pensée s'efforça de regarder à la dérobée qui marchait à côté d'elle. C'était une jeune femme au profil sévère qui ne chantait pas mais semblait murmurer pour elle-même avec une intensité presque mystique les paroles d'un hymne qu'elle ne put saisir que parce que en tête les tambours venaient de marquer une pause.

*Poor Croppies ye know that your sentence was come
When you heard the dread sound of the Protestant drum...*

« Tu es d'où ? » entendit-elle soudain murmurer. Elle tressaillit. La fille avait dû remarquer qu'elle l'observait.

« Londonderry. On se connaît pas, hein ?

— Je croyais qu'il y avait que le chantier », dit la femme d'un ton vaguement surpris, comme s'il lui semblait étrange qu'une habitante d'une aussi lointaine bourgade puisse se joindre à eux.

« Mon mari travaille pour eux, expliqua Winifred. Il est là-bas à m'attendre. »

Elle craignit soudain de s'être trop avancée et qu'elle ne lui demandât son nom.

« Et toi, ton gars ? s'enquit-elle hâtivement.

— Appelé. En France. Mais je voulais pas rater de voir sur quoi il avait riveté pendant deux ans ; je le lui écrirai.

— Sans compter qu'on nous donne un bon ragoût

376

après, dit sa voisine. Ça compte, dis donc, en ce moment !

— Bon Dieu, j'sais pas si c'est à cause de ça, mais y a du bobby en vue ! » s'écria la femme.

Le vaste castelet d'entrée de style pseudo-médiéval venait de surgir de la brume. Elle s'en souvenait parfaitement. Elle chercha sur la droite, à l'orée de la longue trouée de Queen's Embankment, l'enseigne de chez Callaghan. Voilà. Elle reconnaissait la petite maison blanche. Elle n'avait pas changé depuis que son père l'avait surnommée le pub de la Désolation. Elle le revoyait encore — quel âge pouvait-elle avoir, dix ans, onze ans ? — sortant de l'établissement, haute silhouette glabre entourée d'un groupe de travailleurs qui venaient d'être éconduits sans ménagement superflu par le chantier naval, et montrant aux journalistes catholiques les contrats d'apprentissage tamponnés de la mention d'infamie NO PAPIST HERE. L'injustice était par trop flagrante, et c'est ce jour-là qu'il avait décidé pour la première fois de les défendre. Lui aussi, c'était un homme de dialogue, pensa-t-elle avec une brusque mélancolie, mais au moins c'était son métier — pas comme toi, Thomas, pas comme toi.

Elle remarqua que sa voisine avait vu juste et qu'un important peloton de la *Constabulary* avait pris place de part et d'autre de la grille. Elle essaya de se fondre au plus profond de son rang, reprenant à pleine voix la strophe en cours.

...in memory of William we hoisted his flag
And soon the bright Orange put down the green rag

A écouter ces mots sortir de sa bouche, elle se sentit prise d'un fou rire nerveux qu'elle eut bien du mal à réprimer. « Et à qui demander pardon pour ce blasphème, maintenant ? A qui ?... », se dit-elle. En tête, la batterie avait repris son obsédant martèlement, imposant à nouveau au rang tout entier le rythme de marche à la fois lent et cadencé qu'il avait tout à l'heure. Elle ne refusa certes pas cette fois de s'y unir, se disant amèrement qu'elle trompait son monde à chaque pas davantage. Elle sentit néanmoins peser comme une chape de plomb sur ses épaules le regard pénétrant des *constables* qui fouillaient leur groupe au passage, et son soulagement en fut d'autant plus vif lorsqu'elle se retrouva, la grille passée, sous le vaste portique d'entrée que dominaient à plus de vingt pieds de haut, entrelacées en plein ciel en une confuse arabesque, les deux initiales H et W. A les voir aussi orgueilleusement suspendues au-dessus d'elle, Winifred se souvint de leur découverte là-bas sur la plaque ovale au pied du pylône. Etait-ce d'ailleurs la cacophonie familière des bruits du chantier, heurts de tôle, grincements de treuils, sirènes, mais tout lui rappela l'ouvrage de son mari lorsque le cortège déboucha sur la vaste esplanade embrumée ; et il lui sembla presque entendre la voix de Shoogam s'élever au-dessus du fracas des poutrelles comme lorsqu'elle avait arpenté la travée pour la première fois. Elle eut une réaction d'agacement à l'idée que le passé venait encore de resurgir en elle avec force, alors même qu'elle aurait dû être toute à son action présente. Elle se morigéna intérieurement. Sois à ce que tu fais, à ce que tu *vas* faire — c'est le moment où jamais, bon sang ! Elle se retourna pour voir le portique disparaître dans la brume, et à sa stupeur ce furent cette fois, comme une ironique réponse à ce qu'elle venait de se dire, ses propres initiales qui lui sautèrent au visage. W H. Inversée par rapport à celle de ses adversaires, sa marque personnelle semblait inscrite à l'orée du chantier comme une signature prémonitoire — le sceau apposé sur ce qu'elle allait tenter. Oh, daddy ! Qu'aurais-tu pensé de tout cela, toi qui répugnais à toute action terroriste et dont la seule violence avait été un jour de t'opposer vivement à Reggie sur ce sujet précis (c'était lui qui le lui avait raconté). Dad, je suis dans la place. Je suis là où ils avaient toujours refusé de te laisser aller.

« Tous ces *bobbies* ! chuchota-t-elle à sa voisine à un moment où celle-ci reprenait haleine entre deux strophes. Il y aura sûrement le Vice-Roi. »

La jeune femme n'eut pas la réaction qu'elle escomptait.

« Si tu savais comme je m'en tamponne, qu'y ait du beau linge ou pas ! Ce que je viens voir, moi je te dis, c'est ce que mon gars a riveté. »

« Ce que son gars avait riveté » n'allait pas tarder à apparaître, se dit Winifred. Tout autour d'eux de vastes docks à la brique noircie et comme culottée par les

intempéries et les embruns délimitaient successivement des terre-pleins encombrés de matériel et des
bassins d'eau morte entourés de pontons et de grues.
Le cortège semblait se retrouver parfaitement dans ce
labyrinthe d'où surgissaient parfois, indécises dans le
brouillard, des coques géantes piquetées de l'éclair
bleu des lampes à souder, et dont chacun des étais lui
semblait haut comme les pylônes de Danyarbani. L'obsédant martèlement des tambours avait maintenant
fait place à une cornemuse solitaire, nostalgique et
grêle, qui paraissait guider et entraîner le groupe des
porteurs de bannières à la façon du joueur de flûte de
Hamlin, lui aurait dit Carl. Carl, qui devait à l'heure
qu'il était avoir quitté Hambourg, si tout s'était bien
passé. (Au moins Thomas avait-il réussi à emporter le
morceau sur ce point capital auprès du Conseil
suprême de la Fraternité — elle ne devait pas lui retirer ça, tout de même !) Carl, qui lui faisait cadeau de
cette liberté d'agir... Elle savait bien en effet que, lui
présent, elle n'aurait jamais pris une telle décision. Elle
frissonna dans les rafales de vent qui s'engouffraient
entre les hauts murs, plus violemment à mesure qu'ils
s'approchaient de l'estuaire. Et puis soudain, après un
nouveau virage, au coin d'un vaste entrepôt, dominant
les grues, les quais et les bâtiments adventices, surgit
la proue gigantesque de l'*Oceanic.* Saisi, le cortège s'approcha en silence et se déploya avec discipline derrière
les bannières disposées en arc de cercle. Même la cornemuse s'était tue. La verticale de l'étrave qui les écra-
sait était d'autant plus impressionnante qu'elle jaillis-
sait de la brume comme d'une toile de fond sans profondeur qui masquait l'immense coque jusqu'à faire
douter de son existence. Elle n'était interrompue dans
son élan que par la saillie des bossoirs d'où pendaient
encore des câbles et des bâches, ce qui les faisait ressembler à d'énormes yeux chassieux observant la petite
foule. Winifred regarda autour d'elle : ils pouvaient
être trois ou quatre cents à s'être rassemblés autour
d'une tribune provisoire installée au bord de la cale
sèche et qu'une longue passerelle sur pilotis reliait à
l'entrepôt voisin.
    Ce n'était pas en effet un baptême de parade. Nul
grand pavois n'avait été hissé, et, seul au milieu de la
grisaille environnante, l'Union Jack flottant dans le

vent apportait une tache de quelque gaieté. Elle remarqua qu'au bas de la passerelle était stationnée une luxueuse automobile sans flamme au capot qui était néanmoins entourée d'un petit peloton monté dans lequel elle crut reconnaître des Cameron Guards. Cela affermit sa conviction que le Vice-Roi accompagnerait son épouse. Elle chercha discrètement à se faufiler pour se rapprocher de la tribune afin de se faire une idée plus juste de son champ d'action.

Les porteurs de bannières s'étaient rangés derrière les grosses caisses, délimitant tout autour du praticable un espace vide chamarré de draperies comme jadis l'une de ces salles médiévales aux murs nus où l'on pendait hâtivement des tapisseries avant l'arrivée du prince. Sur la droite, la foule était moins dense ; se séparant de sa voisine de cortège, elle s'y glissa.

Il y eut presque aussitôt un remous venu des premiers rangs. La porte de l'entrepôt qui permettait tout là-bas d'accéder à la passerelle venait de s'ouvrir, et un petit groupe d'uniformes entourant une silhouette féminine déboucha à l'air libre. Elle les distingua malaisément, car ils étaient encore à une centaine de yards ; mais alors qu'ils approchaient lentement de la tribune, elle put distinguer au premier rang Lady Wimborne qui tenait son chapeau de sa main gantée de blanc et qui, tout en marchant, regardait en l'air comme pour tenter de discerner malgré la brume les superstructures de l'*Oceanic,* pendant que l'aide de camp paraissait lui murmurer qu'il y avait peu de chance qu'elle les découvrît aujourd'hui. Elle vit aussi ce que lui avait laissé supposer la présence des Cameron Guards : la silhouette fluette de Lord Wimborne suivait son épouse. Elle fut surprise de les voir s'avancer côte à côte sans qu'elle éprouvât de fébrilité ni d'animosité particulière à leur encontre et se sentit presque attendrie lorsqu'elle le vit s'assurer d'un geste discret que son bicorne ne risquait pas de s'envoler. Même avec l'apparat de son couvre-chef, il lui manquait les quelques pouces qui eussent fait des deux époux un couple bien assorti, d'autant que l'édifice complexe de velours et de fausses fleurs que portait son épouse ne pouvait qu'accroître son handicap.

« His Lordship ! hurla un officier au moment où ils accédèrent à la tribune. Her Ladyship ! »

Les bannières se dressèrent d'un seul mouvement en une muraille frémissante agitée avec ferveur, puis se baissèrent à nouveau. « Long live the viceroy ! » cria la petite foule avec chaleur. Lord Wimborne répondit d'un geste embarrassé. « Ce ne doit pas être un tribun », pensa Winifred en se dégageant discrètement de la bousculade qui avait accompagné leur arrivée. Tout de suite après, il y eut un roulement continu des tambours qui l'arracha à l'étrange état de détachement dans lequel elle se sentait s'enliser, et qui fit de nouveau monter en elle une onde froide de résolution. Puis, joué par une fanfare dont elle ne pouvait découvrir que le haut des cuivres, retentit le *God Save the King*. Le couple vice-royal s'était figé à l'entrée de la tribune en deçà des fauteuils qu'ils devaient l'un et l'autre occuper, et tout à fait en dehors de sa portée. Elle examina sur la droite sa voie de retraite à l'opposé du peloton des Cameron Guards. Quelques rangs clairsemés à traverser, puis trente yards de grandes dalles glissantes parcourues de rails avant le coin de l'entrepôt et puis... disparaître dans le brouillard. Ah, çà, il allait falloir courir ! Elle tenta d'imaginer l'environnement sonore de sa fuite. Allait-il y avoir des cris aigus, ou bien un grand silence étonné ? L'hymne n'en finissait pas, d'autant que la fanfare avait pris un tempo d'une accablante lenteur. L'exaltation nerveuse qu'elle venait de ressentir au moment de la batterie de tambour lui avait mis les paumes en sueur — mon Dieu, j'espère que cela ne va pas *coller* au départ. Elle se dit que ce qu'elle ressentait maintenant était peut-être ce qu'avait dû éprouver Carl au pied de la paroi du Nanga, à l'aube de sa folle aventure. Oh, moi aussi, au moins je suis logique avec ce que j'entreprends. Si tu ramènes trente mille fusils — et tu les ramèneras — ce n'est pas pour attaquer uniquement le Château de Dublin ! C'est pour nous permettre de regagner tout le territoire de notre île. Au diable, Thomas ! Porter le danger chez eux. Qu'ils en perdent un peu leur superbe. Qu'ils fassent dans leur froc, enfin.

Dès l'hymne achevé, profitant du moment où le groupe s'ébrouait tout autour d'elle, elle retira ses gants, plongea ses mains dans son sac et saisit le petit œuf de fonte de la Royal Ordnance Factory. Elle le sentit au creux de sa paume tiède et lisse, et le serra convulsivement. Seule sa partie métallique froide et aiguë pouvait donner l'illusion au toucher d'une possible violence. Elle fixa le but à atteindre jusqu'à s'en imprégner et mesura une dernière fois du regard la courbe de la trajectoire. Les Wimborne s'étaient installés dans leurs vastes sièges et se trouvaient maintenant à sa portée. Derrière eux se trouvait un groupe composite qui semblait — autant qu'elle puisse le voir car la plupart lui étaient dissimulés par les barrières — formé surtout de civils et d'officiers de marine, l'escorte étant demeurée au niveau du quai. Elle ne vit d'autre part rien qui ressemblât de près ou de loin à une bouteille de champagne susceptible d'être fracassée contre l'étrave. Le moment était venu, elle le sentait dans toutes les fibres de son être. Elle se pencha en avant pour dégoupiller à l'abri des plis de son manteau. A cela elle s'était entraînée depuis deux jours, et ce n'était que l'instant d'après que commençait l'inconnu. Plus encore qu'elle ne l'imaginait : au moment précis où elle se redressait pour amorcer l'ample geste du bras qui lui était nécessaire, surgirent de l'escalier qui menait à l'esplanade les premiers éléments d'une chorale enfantine.

Elle se sentit devenir exsangue et arrêta net son geste. Ils avaient dû arriver masqués par la fanfare, car elle ne les avait pas remarqués. Vêtus de petits spencers noirs et de pantalons gris, ils se placèrent sagement sur trois rangs face au couple vice-royal dont une dizaine de pieds seulement les séparaient. Elle sentit sa main se crisper, telle était sa tension pour garder la cuiller contre le corps de la grenade. Faisant semblant d'avoir un problème à une bottine, elle s'agenouilla et parvint à réintroduire prestement la goupille.

Sans chef de chorale apparent, les enfants venaient d'entonner le *Rule Britannia*. « *Oceanic rules the waves* », crut-elle entendre comme si leurs voix claires formaient déjà une écume légère au pied de l'étrave. « *So sweet* », murmura sa nouvelle voisine en se tournant vers elle. Winifred grimaça un sourire en retour. « Mais qu'ils se dépêchent, pensa-t-elle, combien ce fichu hymne a-t-il de strophes ? » Ils s'interrompirent après la troisième et la foule les acclama. Le Vice-Roi se leva et alla féliciter le premier rang en tapotant quelques tignasses blondes et rousses pendant que le couvre-chef de Lady Wimborne oscillait de plaisir. Puis, sur l'ordre d'un *headmaster* dégingandé qui surgit du groupe des officiels, les gamins se retirèrent en bon ordre, empruntant rang après rang l'escalier avec une lenteur qui lui parut insupportable. Elle pensa de nouveau à la trajectoire de la grenade dans l'espace mais eut l'impression que cette fois sa main tremblait et qu'elle ne pourrait plus mesurer son impulsion avec la même précision que tout à l'heure — d'autant qu'avec l'écran des bannières flottant au vent elle ne pouvait juger si les enfants avaient tous quitté le praticable. Mais, avant même qu'elle eût le temps de prendre une décision, elle sentit qu'un regard la fixait du haut de la tribune.

C'était une sensation étrange qu'elle n'avait jamais ressentie auparavant, celle d'un rayon perçant qui se jouait de la grisaille, de la brume et du faste désuet de la cérémonie pour mieux l'isoler dans la foule, lui donnant l'impression qu'elle était soudain seule sur la vaste esplanade déserte avec le mortel galet dans la poche de son manteau, face à l'étrave démesurée, chef-d'œuvre de ce chantier de malheur. N'osant trop lever les yeux pour juger de quoi il retournait, elle vit néanmoins que le Vice-Roi venait de tirer un papier de sa poche. « En cette glorieuse année, commença-t-il à lire d'une voix inexpressive, où notre flotte, forçant les Dardanelles, a barré avec héroïsme à l'ennemi la route vitale de la Méditerranée... » Elle n'écouta pas plus longtemps. Un léger mouvement venait de se produire à la tribune derrière l'orateur, et elle ne put s'empêcher sous l'avancée de son chapeau de suivre ce qui se passait. L'un des civils s'était penché sur la rambarde et s'entretenait avec un officier placé plus bas et dont elle ne voyait que la casquette, la désignant du doigt avec précision, *elle* — et ce faisant elle le reconnut. Le directeur de l'agence de la White Star. C'était bien le sien, ce regard insistant qui la fixait depuis quelques instants. Vite lancer la grenade pour suspendre à jamais le geste qui l'isolait de la foule et la dénonçait... Les enfants, où étaient les enfants... Sa main se crispa sur la grenade mais elle la sentit paralysée. Ce gel soudain en elle. Etait-ce le temps qui s'était interminablement dilaté jusqu'à se cristalliser dans ce geste qu'elle avait cent fois accompli en pensée et qu'elle ne pouvait soudain plus réaliser ? Peut-être tout était-il simplement suspendu autour d'elle ? Mais non, le vice-roi continuait à pérorer, et la casquette progressait maintenant dans sa direction — et la foule s'ouvrait comme un fruit mûr sur son passage. De là-haut l'homme continuait à la suivre des yeux. Elle hésita un dixième de seconde pendant lequel il lui sembla distinctement entendre le bruit de l'explosion dans un espace sans profondeur et comme assourdi — et, pendant que les lèvres de Lord Wimborne continuaient à prononcer dans le vide des mots que plus personne n'écoutait, le feuillet lui était arraché des mains et son visage prenait soudain une expression effarée, ses yeux regardaient sans comprendre les corps des jeunes chanteurs que le souffle soulevait puis précipitait les uns contre les autres et la silhouette altière de son épouse soudain pliée en deux — son chapeau fleuri — tombé à terre — alors que, venue de très loin, parvenait à Winifred la voix affolée de leur *ayiah*, il y avait des années de cela à Dehra Dun *Lord Hardinge Lord Hardinge ! — Qui, Romola ? Le Vice-Roi ? — Oui, la memsahib ne devinera jamais, oh, faire ça un soir de Noël.*

« Écartez-vous », entendit-elle s'écrier l'officier à mesure qu'il progressait au cœur de la foule. Elle devina à ses remous qu'il s'approchait d'elle. Sur une brusque impulsion, elle déserta le champ de bataille.

C'en est fini il était à ma portée c'en est fini fuir maintenant fuir oh tous ces gens qui tout à coup me regardent sans comprendre ces cris derrière moi et ce grand espace à franchir ces pavés humides avant d'atteindre le mur de briques de l'entrepôt — heureusement ces bottines sans talons que j'ai pensé à les mettre —

Déjà hors d'haleine, elle tourna au coin du bâtiment. Devant elle s'étendait un étroit passage entre un haut mur aveugle et une voie ferrée où étaient immobilisés de loin en loin des wagonnets. Haletante, elle se dissimula derrière l'un d'eux et entendit des pas qui se rapprochaient.

« Où êtes-vous ? appelait-on. Arrêtez, vous n'irez pas loin. »

Elle ne bougea pas. La voix était à quelque distance,

et elle ne pouvait discerner la silhouette de son pour-suivant. Puis un autre appel retentit — plus éloigné encore, grâce au ciel. Apparemment l'homme avait suivi la façade du bâtiment opposée à celle où elle se trouvait.

Se redressant silencieusement, elle reprit la fuite, mais presque aussitôt, butant soudain contre un pavé, s'étala de tout son long et laissa échapper la grenade. Celle-ci roula à terre et alla percuter avec violence l'un des rails. *Oh, my goodness,* murmura-t-elle. Dans un réflexe, elle se baissa pour la ramasser, vérifiant du doigt que la goupille n'était pas sortie de son logement. Les jambes flageolantes elle fit encore quelques pas, mais s'aperçut que le môle sur lequel elle se trouvait s'interrompait brusquement devant un vaste bassin où elle ne distingua que la silhouette obsolète d'un vieux clipper. Elle fit demi-tour et revint vers l'entrepôt qu'elle venait de longer.

Un surprenant silence semblait tombé sur le chan-tier. Aucun appel même lointain ne se faisait plus entendre. Peut-être la visibilité réduite l'avait-elle sau-vée. Elle ne pouvait imaginer que l'immense coque se trouvât à quelques centaines de pas d'elle, aussi engloutie dans cette atmosphère de limbes grisâtres que l'avait été son prédécesseur sous les eaux glacées de Terre-Neuve. Sans doute la même fanfare et sur le même quai les mêmes personnalités avaient-elles salué moins de quatre ans auparavant le départ du *Titanic* pour son voyage inaugural. Une chose était certaine, en attendant. Le destin avait pris cette fois le masque gra-cile de ces voix d'enfants et elle avait raté son coup.

La cherchait-on, seulement. Avec circonspection, elle rasa le mur dont elle sentit sous la paume les briques poisseuses d'humidité puis, franchissant les rails qui miroitaient faiblement, prêtant l'oreille à tout bruit qui pourrait survenir, progressa jusqu'à une petite porte en fer. Elle tourna précautionneusement la poignée et tira le battant, inquiète qu'il ne grinçât. Ce fut le cas, mais si modérément qu'elle pensa être la seule à l'avoir entendu. « Pourvu qu'il y ait une issue non gardée de l'autre côté », se dit-elle en se glissant dans le bâtiment.

Provenant de fenêtres en demi-cercle qui perçaient une haute voûte de salle d'armes, une lumière livide et froide régnait dans l'entrepôt. Elle ne vit d'abord autour d'elle que des montagnes de caisses rassemblées en lots rectangulaires surmontés de pancartes chiffrées. C'était devant le numéro 5 qu'elle avait débouché. Elle nota la position de la porte, puis s'immobilisa pour tenter de s'orienter. Une lancinante impression d'échec lui retirait soudain tout ressort et la força à s'asseoir à même le sol, les jambes flageolantes de lassitude et de déception. Le sang faisait à ses tempes le même sourd battement que produisaient tout à l'heure les tambours de Lambeg, et elle avait l'impression que leur lugubre chamade ne pouvait plus la conduire que vers une issue de cauchemar. Oh, Carl, je le savais depuis Hajiwali que je n'étais pas une terroriste. Mais il fallait faire quelque chose, il fallait échapper à cette lente atonie. Elle se demanda brièvement si le pandit l'aurait, lui, lancé la grenade sur les gamins. Peu à peu pourtant, dans l'ombre d'un réduit fermé par les murailles de caisses, elle tenta de se calmer et même de réfléchir. D'abord s'en débarrasser, de ce fichu engin qui n'avait servi à rien. Au moins si l'entrepôt devait être investi par les gardes de l'escorte, elle ne serait pas prise en flagrant délit et promise à... L'une des chansons braillées tout à l'heure dans le cortège lui revint en mémoire :

> A rope, a rope
> To hang the pope
> A penny worth o'cheese
> To choke him...

voilà quel serait son sort. Elle chercha des yeux sans la trouver une anfractuosité pour y déposer la grenade, puis sortit de sa cachette et fit en silence quelques pas dans le dédale des matériaux entreposés. Dans le carré suivant, se trouvaient empilées sous la pancarte n° 6 des poutrelles de fer qui se prêtaient davantage à son dessein. Sortant la grenade de sa poche elle décida de la placer au hasard entre deux piles. Ecrite au pochoir en lettres blanches, l'inscription sur l'une des poutrelles lui sauta au visage :

H&W
KINGDOM OF KASHMIR AND JAMMU

La date sans doute tracée à la craie avait été effacée. Bouche bée, elle relut l'inscription, puis regarda autour d'elle l'amoncellement des poutrelles. Il y en avait au moins trois travées, et elle crut discerner dans la pénombre, à leur suite, des bobines de câbles placées les unes à côté des autres. Ainsi c'était pour *cela*. Il n'avait donc pas été reconstruit. Le tablier effondré devait servir en ce moment de jungle pétrifiée aux petits *mârkhors* bondisseurs du Pir. Au moment de déposer la grenade entre deux piles, elle eut un mouvement de recul. C'était impossible de la cacher ici. C'était replacer l'ouvrage sous de mauvais auspices, le vouer de nouveau à la destruction, le livrer par avance aux forces maléfiques de Kâli. Lassée de sa propre sensiblerie, elle hésita puis plaça résolument la grenade dans l'anfractuosité qu'elle avait choisie, avant de l'en retirer à nouveau hâtivement comme si elle avait touché un métal brûlant. « Ailleurs », se décida-t-elle. Elle venait de contourner le bloc des poutrelles avec l'idée soudaine de la déposer dans les orifices de gouttières qu'elle voyait affleurer au sol lorsqu'elle entendit le pas. Elle n'eut pas cette fois le temps de se dissimuler : une silhouette à contre-jour avait surgi à l'autre bout du passage.

« Arrêtez, cette fois ! » s'écria l'homme, qui ajouta, avec une apparente satisfaction, « je le savais bien, que vous ne pouviez être que là. »

Elle se remit à fuir au milieu du dédale des marchandises entreposées. Au moins retrouver la porte par laquelle elle était entrée. La voix résonna derrière elle, et la réverbération lui donna l'impression qu'une escouade entière était à ses trousses.

« Mais arrêtez donc ! » criait-il.

Elle ne cessait de tourner à angle droit et sentait qu'elle s'était désormais totalement perdue dans le labyrinthe. Cette porte... Elle était pourtant bien sous la voûte percée de fenêtres ! Depuis quelques instants, elle n'entendait plus personne courir derrière elle. Elle s'immobilisa brusquement, craignant soudain que son poursuivant n'ait pris au plus court et ne lui barrât le chemin ; silencieusement, elle s'avança pour s'assurer que ce n'était pas le cas. Plaquée contre ce qui lui semblait être de nouveaux amas de poutrelles, elle s'aperçut qu'elle était revenue dans la zone par laquelle elle était arrivée et vit enfin apparaître au loin la pancarte n° 5. La porte était là. Elle risqua auparavant un bref coup d'œil vers le passage transversal et se recula aussitôt. Trop tard, il l'avait vue. Sa silhouette se détachait là, à moins de trente yards, bien visible sur la verrière qui éclairait le fond de l'entrepôt.

« Je vous vois, miss Mac Allister, ne bougez pas ! » lui lança-t-il.

Il s'adressait à elle tout en marchant, d'une voix impassible qui la paralysa.

« Pourquoi fuir ! entendit-elle. Après tout, ce n'est pas si grave ! Tout le monde peut avoir envie d'assister au lancement d'un grand *liner*. »

Elle recula lentement vers l'allée sans perdre de vue l'endroit où il allait apparaître.

« Tout cela n'aurait d'ailleurs aucune importance si nous n'étions pas en guerre, ajouta-t-il sans hâte. Et si miss Mac Allister n'était pas en ce moment même au marbre du *Glasgow Inquirer*. »

Il apparut au coin des deux allées.

« Restez où vous êtes, intima-t-elle d'une voix sèche en se plaquant contre la muraille.

— Mais, by George, qu'avez-vous à la main ? s'écria-t-il avec un accent subit de stupeur.

— J'ai dit : restez où vous êtes ! » répéta-t-elle.

Surpris par son intonation menaçante, il obtempéra cette fois et s'arrêta.

« Vous êtes folle ! Vous n'imaginez pas ce que vous risquez... Nous sommes en guerre !

— Vous risquez de l'apprendre à vos dépens ! » s'écria-t-elle.

Il eut un ricanement de mépris et fonça en avant. D'une traction sèche elle dégoupilla la cuiller puis lança la grenade avant de se reculer vivement derrière la pile de ferraille. L'explosion produisit une secousse et un fracas tels qu'elle sentit vibrer longuement les poutrelles qui tintinnabulèrent au-dessus d'elle et lui donnèrent l'impression qu'elles allaient l'ensevelir comme si, avant même que ses nouveaux éléments eussent été assemblés, le pont s'effondrait cette fois sur elle. Aussitôt après le silence revint, bientôt troublé par une petite plainte enfantine. Elle sentit que le bout des doigts la picotait comme si elle avait des fourmis et se mit à trembler nerveusement. En même temps elle avait l'impression que sa curiosité était enfin assouvie. Ainsi c'était *cela* qui se serait produit sur la tribune. Puis elle parvint à se maîtriser et quitta son abri.

Tenant son ventre à deux mains comme pour le protéger, il se tenait couché sur le côté. Elle vit qu'une bouillie visqueuse et sanglante avait maculé sa veste d'uniforme et glissait entre ses doigts crispés ; il paraissait étouffer, proférant un râle à peine audible entrecoupé des lambeaux de cette plainte qu'elle venait d'entendre. Hébétée, elle s'immobilisa à quelques pas.

« Je vous avais dit... de ne pas avancer », balbutia-t-elle.

La bouche largement ouverte comme s'il cherchait de l'air, il se tourna vers elle. Sa casquette avait roulé à plusieurs pieds de là, et elle vit qu'il avait le front mouillé de sueur. Sans trop savoir ce qu'elle faisait, elle s'approcha de lui. Le regard du mourant devint soudain exorbité.

« Vous », murmura-t-il.

Il eut un élan nerveux, proche de la convulsion, pour tenter de lui emprisonner la cheville. Elle poussa un cri strident et se recula vivement, puis le regarda et se sentit défaillir comme si lui aussi l'avait atteinte. Ce visage. Elle se ressaisit aussitôt.

« Un brillant officier comme vous, dans les transports de troupe ? » parut-elle s'étonner.

Le regard du blessé se voila.

« Je vous ai... laissés échapper... tous les deux... et le même jour... j'ai laissé... filer entre mes doigts... ma carrière..., dit-il dans un souffle. Vous me... Vous m'avez... »

Elle tressaillit. Il y avait un bruit de roulement à l'extérieur de l'entrepôt, comme si un véhicule s'arrêtait non loin de là. Elle se rapprocha de lui avec circonspection. Il avait à la fois une expression de souffrance et de déception, comme s'il ne pouvait admettre que ce visage-*là* serait le dernier qui lui apparaîtrait jamais.

« Saleté de bonne femme, murmura-t-il. Saloperie de vie. J'avais tout bien arrangé. Pourquoi. »

Un flot de sang sortit de sa gorge et vint maculer son col déjà souillé. Elle recula sans bruit et se glissa de nouveau dans le dédale des matériaux de chantier. En se retournant, elle vit qu'il essayait de lever la tête dans sa direction, en un dernier effort pour la regarder s'éloigner. Elle tourna machinalement plusieurs fois à droite puis à gauche, avant de se retrouver sans qu'elle sût très bien comment au milieu des énormes bobines de câbles qu'elle avait entrevues tout à l'heure. En même temps, elle se rendit compte que du monde était entré dans la vaste bâtisse.

« Partridge ! entendit-elle appeler. Etes-vous là, Partridge ? »

Puis il y eut un concert d'exclamations. Ils se trouvaient à l'autre bout de l'immense salle. Elle se rapprocha de l'une des bobines et vit qu'y étaient inscrites au pochoir les mêmes précisions qu'elle avait remarquées tout à l'heure, avec en surcroît les dates qu'elle enregistra machinalement.

Dep. Belfast : March 1916
Arr. Bombay : April 1916

Les voix devenaient plus proches et plus nombreuses. Elle prit droit devant elle le passage qui semblait s'en éloigner le plus. Il aboutissait devant le lot n° 24 derrière lequel se trouvait une petite porte semblable à celle de tout à l'heure. Elle l'entrouvrit avec des précautions infinies et se trouva nez à nez avec un soldat qui parut stupéfait de la voir surgir de la pénombre et demeura figé sur place. Elle le dévisagea.

« Vos camarades sont là, dit-elle avec calme. J'ai... j'ai cru que c'était mon mari qui avait été blessé. Oh, j'ai eu si peur ! »

Passant devant lui avec assurance, elle se glissa dehors, sans qu'il esquissât un geste. La brume était encore plus épaisse que tout à l'heure, et elle entendit des mouettes criardes qui devaient raser la rivière à quelques pas de là. Elle se força à ne pas courir et retrouva très vite les rives boueuses de la Lagan. Elle se retourna : la silhouette avait disparu et la muraille de l'entrepôt n'apparaissait déjà plus que comme une masse plus sombre. Devant elle, l'eau semblait agitée de violents remous qui venaient déferler sur les pieux de bois qui stabilisaient la berge. Elle se dit que c'était peut-être la coque de l'*Oceanic* qui venait de rejoindre les eaux de l'estuaire, emportant avec elle en un mince sillage les voix des enfants.

16

C'ÉTAIT elle ? C'était elle écartelée sur ce pilori d'infamie, exposée dans cette position offensante, jupe relevée jusqu'à la taille et culotte descendue aux mollets — ou bien allait-elle se réveiller d'un cauchemar ? Elle sentait l'arête de la table contre le haut de ses cuisses, elle voyait sous ses yeux les veines du bois humectées sans savoir si c'était de sueur ou de larmes. Jusqu'au dernier moment elle avait cru qu'ils blaguaient, que jamais ils ne mettraient à exécution ce dont ils l'avaient menacée, que jamais de compagnons ils ne se transformeraient ainsi en tourmenteurs. Viens t'expliquer, lui avait-on demandé *(On* : Sean. Même pas Thomas, qui avait refusé de la voir.) *On* sait que tu es allée dans l'armurerie sous le bureau de *Scissors and Paste. On* sait ce que tu y as pris ; nous ne possédons pas un tel nombre de grenades que nous ne puissions nous apercevoir très vite si l'une d'entre elles manque. Et voilà. Prise au piège, et maintenant courbée en deux, attendant fesses nues l'exécution de la sentence. Elle eut un dernier sursaut pour tenter d'éviter l'humiliation. C'est fini, oui, s'irrita au-dessus d'elle la voix de l'horrible petite mégère. Sitôt le sifflement de la canne, elle poussa un cri étranglé sous la fulgurante morsure et s'efforça de ruer pour tenter de leur échapper et de les atteindre à son tour avec ses talons — oh, vous me le paierez bande de chiens, vous le paierez cher, et pour la douleur et pour l'affront. Quelqu'un ramena violemment ses bras en arrière en faisant pression sur son dos, et elle fut plaquée contre le bois au moment même où après un bref miaulement la canne l'atteignait à nouveau. Elle bondit cette fois en arrière en hurlant et se retrouva à genoux, tremblante, son buste ayant glissé contre l'un des pieds de la table. Alors, vous la tenez oui ou non, glapit la voix de Tracy oh celle-là si je la retrouve sur ma route moi aussi je lui tanne le cuir elle ne risquera pas de l'oublier et voilà cela continuait sifflement un troisième coup un quatrième ce ne serait pas pire avec du fer rouge je ne vais pas supporter ça longtemps, je vais être marquée à vie je vais laisser échapper tout ce que j'ai en moi plus de contrôle sur rien mes cris mes cris de bête c'est ce qu'ils veulent entendre ces brutes et ils regardent ça même Sean pour qui j'ai tant travaillé. Comment oseront-ils s'adresser à moi sans avoir cette image sous les yeux quand je pense à ce que j'ai FAIT pour eux pour cette cause qui était la leur et voilà ce que je récolte — et tout à coup dans l'attente d'un autre coup sur l'écran de sa paupière comme un haillon douloureux la tremblante apparition de la *Vénus* de Reggie telle qu'il la lui avait décrite les fesses lacérées par une hystérique... Sifflement morsure cri. Elle se cambra violemment et dans l'écart se blessa au menton en rebondissant contre le bois. Oncle Reginald. Quand il apprendrait ça.

« Ça suffit », dit la voix brève de Thomas.

Elle entendit la garce protester avec véhémence.

« Je croyais qu'on devait lui donner une leçon ! Cinq coups de canne, moi j'appelle pas ça une correction !

— J'ai dit : ça suffit », répéta-t-il sèchement.

La pression sur son dos se desserra comme à regret. Le buste encore plaqué contre la table, elle essaya malaisément de relever sa culotte et de rabattre sa jupe dans le même mouvement. Elle grimaça lorsque l'étoffe toucha sa chair tuméfiée, parvint à se mettre debout, et là, vacillante, secouée de sanglots sans larmes, dut s'appuyer au mur le plus proche.

« Bien, dit Thomas d'un ton presque compatissant. C'est fini. Tu as payé comptant. »

Il posa la main sur son épaule. Comme touchée d'une décharge électrique, elle tressauta.

« Lâchez-moi ! hurla-t-elle en se retournant brusquement. C'est une honte ! Ah, le beau courage de faire subir ce traitement à une femme sans défense ! Alors que celui qui aurait pu l'assurer, justement, est parti pour tenter de vous trouver ce que vous n'avez même pas été capables d'obtenir vous-mêmes ! Cela va être du beau quand il va apprendre ce que vous m'avez fait ! Dans quelle position honteuse vous m'avez exposée ! Brutes ! Ignobles brutes ! Vous me faites horreur... Quand je pense que j'ai tant travaillé pour vous tous ! Et voilà ce que vous me faites... Vous ne me... Vous ne me reverrez jamais plus avec vous... Je... Je vous quitte... »

Elle était passée de la véhémence saccadée à la quasi-prostration, et ses derniers mots furent prononcés d'une voix presque inaudible.

« Tes vitupérations nous toucheraient un peu plus, dit Sean en s'approchant, si cette petite séance, aussi désagréable pour nous que pour toi, je te prie de le croire, t'avait fait comprendre la gravité de ce que tu as fait. Mais cela ne semble même pas être le cas !

— Sean a raison ! renchérit le petit Seamus O'Toole. Tu militais dans une organisation, la Fraternité, qui pour être secrète n'en possède pas moins sa hiérarchie, son organisation interne, sa doctrine. Tu sais parfaitement qu'elle ne reconnaît que les actions mûrement réfléchies et décidées collectivement par le Conseil suprême. Je te parle en tant que responsable des Volontaires pour Dublin-Nord. Tu savais parfaitement que nous n'en étions pas, ou pas encore, au stade du terrorisme. Tu as tout bouleversé avec une irresponsabilité que je juge moi aussi coupable, et crois bien que je pourrais utiliser des mots bien plus forts si j'en juge par les conséquences prévisibles de ton acte. »

Assis au fond de la cave au milieu du dédale des caisses de nourriture entreposées en cas de siège de l'un des points de la ville qu'ils pourraient devoir défendre, le visage las et creusé, Thomas était resté silencieux. Pour la première fois, Winifred leva son regard vers les trois hommes, puis chercha Tracy des yeux et ne la vit pas.

« Sean, dit-elle d'un ton triste et vaguement méprisant, toi plus encore que les autres n'aurais pas dû être présent. Tu sais pourtant ce que nous avons fait ensemble, et jusqu'à certaines affaires que tu avais laissées tomber et que j'ai essayé de rattraper au dernier moment ; le jeune O'Dwyer que je t'avais envoyé avant que tu ne viennes ici pourra te le confirmer. Lui, il aurait quitté la pièce.

— Le jeune O'Dwyer n'avait peut-être pas lu cela ! s'exclama Sean d'un ton exaspéré. Qu'en dis-tu ? »

Il lui brandit sous le nez le *Daily Mail*. Elle jeta un coup d'œil absent sur le gros titre qui barrait la première page, comme si cela ne la concernait pas.

ULSTER OFFICER SHOT TO DEATH, H.M.S. OCEANIC LAUNCHING, BELFAST

« Une terroriste de la Fraternité suspectée, lut-il. Peut-être le vice-roi était-il visé, estime le général Friend, commandant en chef des troupes anglaises en Irlande. »

« Et tous les journaux sont comme cela, renchérit Seamus. Et il n'y a pas que Fleet Street qui a réagi, je t'assure. Nos chers casques à pointe de la police métropolitaine aussi. Usher's Quay perquisitionné. Dominick Street, aussi, et va savoir ce qu'ils y ont trouvé. Nous avons dû aider Mac Dermott à déménager *Irish Freedom* à la cloche de bois ainsi que l'armurerie de Moore Street où tu t'es servie, et cela par les égouts, tu imagines comme cela a été facile. On a pu pourtant sauver de justesse les deux mille fusils. Mais pour combien de temps ? La garde est quadruplée autour du Château et des Four Courts. Autour de la prison de Mountjoy, ça grouille littéralement. Alors, tu peux faire toutes les scènes que tu voudras ! Le résultat est là, ma petite, et il n'est pas brillant.

— Et je ne te parle pas de Belfast, ajouta Sean. On commence pourtant à y parler de vengeance et d'expéditions punitives, tambours de Lambeg en tête, dans les quartiers catholiques. Ce serait intéressant de demander aux gens de Falls Road ce qu'ils pensent de ta brillante initiative !

— J'espère qu'au moins vous avez mis dix hommes dehors pour pouvoir me fesser tranquilles, répliqua Winifred d'un ton sarcastique.

— Oh, tu peux ricaner et être hors de toi parce qu'on a touché à ton précieux postérieur, reprit Seamus avec véhémence. Nous avons quelques raisons de l'être aussi, crois-moi ! Grâce à toi le règne de l'arbitraire et de la répression est de nouveau de saison, et c'est un effort collectif de plusieurs années que tu as ruiné en quelques secondes... »

Elle haussa les épaules, puis parut redécouvrir avec répulsion la table dont la nudité surprenait au milieu du capharnaüm qui régnait dans la cave.

« Tu nous parles de Carl, intervint soudain Thomas d'une voix sourde. A la suite de ta visite à Mount Street, j'avais comme tu le sais emporté la décision auprès du Conseil, et tu sais aussi parfaitement qu'en dépit de l'échec patent de Reginald, cela n'avait pas été facile. Mais te rends-tu compte que tu l'as quasi condamnée, la tentative de ton ami, et cela avant même qu'il ne conduise sa négociation à son terme ? Qu'est-ce qui t'as pris, enfin ? J'étais en train d'organiser une opération pour tenter de répartir avec le plus de rapidité possible les trente mille armes prévues. Comment veux-tu que ce soit désormais possible avec l'armée et la police métropolitaine sur le pied de guerre ! Alors que déjà pour les mille fusils du *Black Eagle* cela ne s'était pas passé sans anicroche ! C'est bien simple, si je pouvais joindre Carl, j'annulerais tout.

— Voilà ! Toujours le langage des vaincus ! s'exclama Winifred. Que nous puissions porter le danger chez l'ennemi et faire qu'ils se sentent *là-bas* en insécurité ne vous vient même pas à l'esprit ! Thomas, vous avez pourtant montré le chemin, jadis, et sans vous encombrer de dentelles et de discours d'abdication ! »

La porte s'ouvrit, et Tracy se glissa à nouveau dans la cave. Les traits de Winifred se durcirent ; elle s'interrompit et se dirigea vers elle avec une lenteur de serpent qui ne parut cependant guère hypnotiser la maigre fille qui, forte de la présence de Thomas, la regarda s'approcher avec un sourire narquois.

« Fiche-moi le camp, petite traînée, s'écria Winifred d'une voix menaçante. Et ne réapparais jamais devant moi. Compris ? Allez, du balai.

— Tu es complètement folle ; d'ailleurs moi j'aurais voulu t'en mettre dix de plus, tu l'aurais bien mérité ! » cria Tracy d'une voix stridente.

Winifred la prit brusquement par les cheveux, la tira en arrière et du revers de la main lui adressa une claque retentissante.

« Ce n'est qu'un petit acompte, pour t'être portée volontaire pour la besogne », lui dit-elle.

Seamus et Sean se précipitèrent et s'entremirent comme ils le purent.

« Cela suffit, Winifred, intervint Thomas. J'ai montré pour toi des trésors de mansuétude dans cette affaire et je suis le seul, je peux te dire, à avoir essayé non pas de te défendre, c'était impossible, mais au moins de te comprendre ! Et si c'est Tracy qui a tenu le bambou, c'est que nous ne voulions pas que ce soit un homme qui te frappe.

— Ça, c'est le bouquet ! Hypocrite ! Sale hypocrite ! cria-t-elle hors d'elle.

— Cesse tes injures, je te prie, lui dit Sean. Tu ne sais peut-être pas à qui tu parles ?

— Pas au grand Duneggan en tout cas ! Le grand Duneggan n'avait pas peur des titres des journaux !

— Comprendras-tu un jour, Winifred, rétorqua ce dernier, que tu t'es lancée dans une entreprise inconsidérée, et cela sans justification ni autorisation, et que nous allons tous en subir les conséquences ? Parce que enfin... »

Il avait baissé la voix d'un ton en prononçant ces derniers mots.

« ... A qui feras-tu croire que c'est cet officier que tu voulais abattre ? Parlons-en, des titres des journaux. Je n'ose penser à quoi nous avons échappé. C'est bien au Vice-Roi, n'est-ce pas, que tu en avais ?

— " Je n'ose penser à quoi nous avons échappé ", répéta-t-elle sur un ton d'ironie. Et en 82, Thomas, quand les Invincibles assassinaient le secrétaire et le sous-secrétaire d'Etat à l'Irlande, vous *osiez penser* ? »

Le vieil homme pâlit. Sans un regard pour lui, Winifred se tourna vers les deux garçons.

« Quant à l'homme que j'ai tué, il était pour moi le symbole de tout ce que je hais en Angleterre et en Ulster, dit-elle d'une voix blanche.

— Comment le sais-tu ? demanda Seamus.

— Je l'avais déjà trouvé... sur ma route, répondit-elle à mi-voix comme si elle regrettait d'avoir à leur faire une confidence.

Ne te fiche pas de moi, hurla soudain Seamus. Tu n'avais rien à foutre de ce lieutenant Partridge ! J'étais là quand tu as lu la dépêche concernant le lancement de l'*Oceanic*. »

Il se tourna vers Thomas.

« J'étais là, Tom, le prit-il à témoin. C'était à *Irish Freedom*. Elle a demandé si d'ordinaire Lord Wimborne accompagnait sa femme dans ce genre de cérémonies. La vérité, c'est qu'elle ment comme elle parle. »

Winifred se retourna vers lui, menaçante.

« Je t'interdis, Seamus ! » lança-t-elle.

Elle se dirigea brusquement vers la porte. Sean se mit en travers.

« Laisse-moi sortir, dit-elle avec animosité. Vous me dégoûtez, tous autant que vous êtes. Je ne fais plus partie de votre organisation.

— Tu t'imagines peut-être qu'on quitte la Fraternité comme ça ! répliqua-t-il avec humeur. Tu vas rester sous notre étroit contrôle, ma vieille. Ce n'est plus une punition, mais nous ne pouvons pas courir le risque de laisser quelqu'un comme toi folâtrer dans la nature ! Il en va d'abord, prends-le comme tu veux, de ta propre sécurité, car — toujours d'après les journaux — ton signalement a été donné avec beaucoup de précision par le dirigeant de l'agence de la White Star, son adjoint, un cocher de cab, une femme du chantier, je ne sais plus qui encore, c'est fou le nombre de gens que tu as pu rencontrer à Belfast ! Il en va de la nôtre ensuite, car va savoir ce que tu iras raconter si on te capture...

— Et qu'iras-tu encore tenter d'irresponsable si on ne te capture pas ? ajouta Seamus.

— Vous me dégoûtez, je vous le répète, dit-elle sans élever la voix. Laissez-moi passer.

— Non, dit Sean.

— Vous l'enfermerez dans un local sûr jusqu'au retour de Carl, intervint Thomas avec sécheresse. Après quoi, dès que je me serai mis d'accord à ce sujet avec Mac Donagh et Plunkett, nous la ferons expulser vers les Etats-Unis. Carl, lui, fera ce qu'il voudra, ou ce qu'il pourra. »

Il se tourna vers Winifred.

« De toute façon, je ne te reverrai plus, Winifred, dit-il. Tu as manqué à ma confiance, et la blessure ne se refermera pas. »

Ses yeux cillant légèrement, elle se planta devant lui.

« Puisqu'il en est ainsi, dit-elle d'un ton presque détaché, sachez quels sont mes derniers sentiments à votre égard. J'avais pour vous une telle estime, une telle admiration, Thomas. Dans ma solitude du Cachemire, c'était vous, plus encore que Mac Donagh ou Pearse, qui me faisiez tenir ensemble et garder l'espoir. Mais maintenant... Sachez que je vous méprise, Mr. Duneggan. Vous pouvez garder mon corps prisonnier, mon âme ne fait plus partie de la Fraternité. Moi aussi j'arrêterais Carl si j'en avais le pouvoir. Mais pas par trouille, comme vous. Parce que vous n'êtes pas dignes de vous soulever, et que les risques qu'il prend ne serviront à rien. Avec des méthodes comme les vôtres, dans cinquante ans vous n'aurez toujours pas récupéré le territoire perdu. Je vous méprise pour cela plus encore que pour m'avoir exposée dans cette position humiliante. »

Thomas devint très pâle. Elle le vit vaciller soudain et s'accrocher à un fauteuil. Les autres se précipitèrent vers lui.

« Thomas », gémit Tracy.

Brusquement, elle se précipita vers Winifred et lui envoya un coup de pied.

« Saleté ! Un si grand homme... Tu es un génie du mal. Et mariée avec un Anglais, on apprend. Ah, tu peux jouer les extrémistes ! C'est du joli tout ça. Baiseuse ! Je les ai lues les lettres qu'on recevait. »

Thomas s'était affaissé à terre, lentement, comme si sa haute silhouette n'avait eu soudain plus d'ossature pour la soutenir.

« De l'air, ouvrez un soupirail », demanda Seamus.

— Où est Louis ? appela Thomas faiblement.

— Tu veux que je l'envoie chercher ? » proposa Sean.

Winifred s'approcha. Le vieil homme haletait comme un poisson hors de l'eau.

« Crève, vieux pédé, lui lança-t-elle. On te fera des funérailles de faux héros et tu seras veillé par les fauxculs qui t'entourent. »

Elle sentit que quelqu'un la tirait en arrière et la giflait violemment — pas Tracy eut-elle le temps de se dire, car c'était à toute volée, puis ce fut une chute sans fin, et c'était comme si elle avait perdu l'équilibre entre les traverses rompues et qu'elle s'abîmait cette fois dans des eaux furieuses.

Elle s'assit en tailleur devant la porte mais tout aussitôt grimaça et dut se relever : elle avait toujours aussi mal dans cette position. Elle se rendit dans le cabinet de toilette attenant, qui comportait un lavabo et des *closets* également décatis et, relevant sa jupe, examina devant la glace les ecchymoses noirâtres qu'avaient laissées sur sa peau les coups de canne. Cela la faisait toujours souffrir lorsqu'elle s'asseyait ou s'étendait sur le dos. Depuis quatre jours, elle demeurait ainsi pelotonnée sur le canapé à attendre longuement le sommeil dès la tombée de la nuit, faute de lampe.

Une cloche lointaine sonna quatre heures. Les premiers temps, elle avait cru reconnaître le tintement grêle et comme fendu de l'église Sainte-Catherine. Mais maintenant elle avait la sensation très nette que cette maison isolée ne pouvait se trouver que dans un faubourg déjà éloigné, car elle avait roulé trop longtemps dans cette carriole bâchée pour ne plus être en ville, et pas assez — une demi-heure tout au plus — pour atteindre la campagne. La banlieue nord de Dublin, alors ? Le fief du petit Seamus ? Comment savoir alors qu'on lui avait bandé les yeux pour le voyage et qu'elle était encore à demi assommée du coup qu'elle avait reçu. Pour la centième fois peut-être elle regarda la vieille roulotte de *tinker* qui achevait de pourrir dans la cour sur laquelle donnait sa fenêtre. Parfois s'en échappait avec un cri rauque un chat famélique, et c'était le seul bruit qu'elle eût entendu depuis qu'elle était enfermée dans cette pièce.

Les vrais bruits, elle les entendait dans son sommeil chargé d'hallucinations et de cauchemars, au cours desquels elle voyait parfois surgir, les traits empreints d'un reproche presque enfantin, le visage de Partridge. Elle se réveillait alors en sueur et tentait de reprendre sa position en chien de fusil sur le canapé. Elle n'avait pas connu une telle impression d'abattement depuis certains après-midi à Gulmarg pendant lesquels le cours du temps semblait à jamais englué dans un cloaque d'incertitude et de tristesse. Elle comprenait mieux maintenant dans quel état elle retrouvait Carl à la fin de ses journées de réclusion à Usher's Quay. C'était lui maintenant qui prenait le vent du large et elle l'envia, aspirant un souffle invisible derrière la vitre close.

Au tout début, encore brisée par les événements des

derniers jours, elle avait été sinon satisfaite du moins soulagée de se retrouver hors circuit. Sean et Seamus avaient raison, et il était certain que la police devait la rechercher activement en ville ; au moins sa protection serait-elle ainsi assurée. Mais sa claustrophobie avait vite pris le dessus, et elle ne songeait désormais qu'au moyen de s'enfuir. Ce ne serait pas facile. La fenêtre ? A dessein ou non, la guillotine ne fonctionnait pas ; et même si elle avait pu en fracturer les vitres et se suspendre dehors, la façade de briques ne semblait offrir aucun ressaut ni gouttière pour permettre de descendre depuis le deuxième étage où elle se trouvait. Il n'y avait qu'au moment où on lui apportait sa nourriture qu'elle pourrait peut-être tenter quelque chose. Cela se passait de façon presque irréelle : une fois par jour, jamais à la même heure, sans qu'elle ait rien entendu auparavant, la porte s'ouvrait silencieusement et on lui glissait une assiette de pommes de terre et du pain de seigle. On aurait voulu peu à peu l'affaiblir qu'on ne s'y serait pas pris autrement. Déjà elle sentait peu à peu l'abandonner avec son énergie la velléité de s'enfuir. Le matin même pourtant, elle avait cru un instant être la plus forte ; ayant eu la chance d'être à portée lorsque la porte s'était soudain ouverte, elle avait essayé d'agripper la main prestement apparue, mais celle-ci s'était défilée avec l'agilité d'un serpent dans les hautes herbes et la porte s'était brusquement refermée. Lui ramènerait-on maintenant de quoi subsister ? Sans doute avait-elle effarouché son énigmatique pourvoyeuse. Enigmatique ! Ce ne pouvait être que Tracy. Et sans doute cette petite morveuse savourait-elle sa vengeance, tapie derrière un invisible judas. Il lui faudrait utiliser ses dernières forces pour reprendre l'affût dès l'aube et essayer de la coincer, cette fois. Et si elle n'y parvenait pas ? Et si l'autre ne revenait pas ? Elle se vit soudain ensevelie dans cette retraite d'où personne ne viendrait la tirer, et des sanglots la disputèrent à de nouvelles crampes d'estomac. Et maintenant la nuit tombait, la cinquième.

Elle entendit soudain des petits coups réguliers contre la vitre. Elle crut d'abord que c'était l'un des innombrables bruits parasites dont étaient émaillés ses rêves ; puis, revenant lentement à la conscience, elle se dit qu'il avait dû se remettre à pleuvoir et que c'était le bruit des gouttes sur le chéneau. Insistants, les coups reprirent. Elle se leva péniblement et s'approcha de la fenêtre. Déformé par la buée, un visage fantomatique semblait suspendu entre ciel et terre comme un suaire hagard qui paraissait la fixer. Elle recula vivement, mais un nouveau coup, impérieux cette fois, lui rendit sa présence d'esprit. Elle fit signe qu'elle ne pouvait rien faire.

Le châssis de la fenêtre fut alors violemment secoué ; on essayait de faire jouer la guillotine de l'extérieur, sans y parvenir. Puis elle vit soudain une lourde botte de marin apparaître dans l'encadrement de la vitre ; et l'instant d'après celle-ci volait en éclats. Cela fit dans le silence un fracas terrifiant, et le souffle humide de la nuit pénétra d'un seul coup dans la pièce obscure. Subitement craintive, elle se réfugia le dos au mur opposé, une assiette à la main pour s'en servir éventuellement comme d'une arme. La botte paraissait douée d'une agilité souveraine, arrachant au châssis des débris de verre qui tombaient à mesure sur le plancher. Lorsque l'ouverture eut été dégagée de tout fragment acéré, une jambe apparut, puis deux, et avec une souplesse de félin une silhouette se coula dans l'ouverture.

« Vous avez été longue à répondre, dit la voix. J'ai cru que c'était pas la bonne fenêtre. »

Elle resta un instant sans en croire ses oreilles. Cet accent.

« Louis ! souffla-t-elle. Comment... ? Mais comment avez-vous fait ?

— Grimper en haut des mâts par tous les temps, vous savez, ça me connaît », dit-il.

Il paraissait pourtant avoir perdu soudain toute agilité et restait figé sur place, timide et gauche, et comme frappé d'étonnement d'être parvenu à ses fins. Enfin il se retourna pour accrocher au châssis l'extrémité d'une corde. « Intérêt à ce que ça tienne » l'entendit-elle murmurer.

Encore stupéfaite de son irruption, elle voyait vaguement ses cheveux plaqués par la pluie se détacher sur le gouffre d'ombre de la cour.

« Vous n'avez pas été vu ? chuchota-t-elle, en se ressaisissant.

— Je crois qu'il n'y a personne dans la maison, assura-t-il. Une fille est partie en vélo vers six heures du soir.

— Tracy ?

— Pas pu voir, marmonna-t-il. Quand je pense... Je vous le disais que c'était une peste. »

Elle marqua un temps de silence.

« Vous savez ce qui m'est arrivé, alors... », balbutia-t-elle.

A l'idée qu'il pût imaginer la scène de la cave, elle se sentit horriblement gênée.

« C'est bien pour ça que je suis là », dit-il avec un accent de ferveur presque éperdu. Et l'*Oceanic,* tout ça, j'ai su aussi. C'est formidable ! Quand je pense à ce qu'ils vous ont fait, ces brutes. Et moi qui étais venu pour eux. »

Il était devenu soudain expansif et prolixe.

« Le vieux Thomas, pas beau à voir en revenant ! Et la petite salope, la crise de nerfs ! Tout ça m'a mis la puce à l'oreille. Bon, c'est pas le tout, faut se tirer maintenant. Vous allez pouvoir y arriver, vous croyez ? » demanda-t-il en désignant l'extrémité de la corde.

Elle s'efforça de dominer son appréhension.

« Pour quitter cet endroit je ferais n'importe quoi, Louis. Je peux dire que vous tombez bien...

— Ça sera pas pire que le passage de votre pont ! »

Elle ne put s'empêcher de rire.

« Qu'est-ce que vous en savez ? » dit-elle.

S'approchant de la fenêtre, il modula un sifflement auquel on répondit aussitôt.

« Vous avez quelqu'un avec vous ? demanda-t-elle avec surprise.

— J'aurais pas su où vous étiez sans lui. On s'est complétés. »

Il se retourna vers elle.

« Encore un qui se souvient drôlement bien de vous », remarqua-t-il avec une sorte de gouaille.

Il vérifia le nœud en tirant dessus.

« Heureusement que le montant a l'air solide. Mais quand même on ne va pas y aller à deux, ce serait tenter le diable. Vous allez passer devant. Si ça n'allait pas, freinez avec vos pieds et vos genoux. Tant pis pour les écorchures.

— Au point où j'en suis », murmura-t-elle.

Il lui mit l'extrémité de la corde dans les mains et l'aida à se faufiler. Au moment où elle se baissait, elle eut une crainte presque instinctive de retomber à peine libre dans leurs mains.

« On a un endroit pour se cacher ? demanda-t-elle avec inquiétude.

— Mais oui, je vous ai dit qu'on se complétait, avec Kevin. Moi aussi ils doivent me chercher partout, vous savez. »

Elle se retourna.

« Kevin. Ça me dit quelque chose...

— Allons-y ! » la brusqua-t-il.

Elle chercha sans y parvenir à discerner une silhouette dans la cour, puis prêta l'oreille. Tout était calme. Elle se contorsionna pour franchir l'embrasure puis, enserrant la corde, commença à descendre. Il pleuvotait, mais à l'abri de l'avancée du toit le chanvre n'était pas glissant, et seules les briques de la façade plus bas semblaient humides, luisant d'une clarté miroitante. Entre ciel et terre elle esquissa un sourire de gratitude adressé à ses sauveteurs qui se transforma en une sorte de rire silencieux.

« Ça va ? l'entendit-elle demander au-dessus d'elle.

— Ça va, Louis.

— Voilà, vous y êtes presque », dit une voix.

Elle reprit contact avec le sol et fut satisfaite que quelqu'un l'aidât à faire quelques pas, car elle se sentait soudain chancelante. Elle chercha à retrouver le visage de celui qui la soutenait.

« On se connaît, Louis m'a dit, fit-elle.

— Mais oui, je suis Kevin O'Dwyer. Vous vous souvenez ? L'auberge de la route de Clane !

— Bien sûr !... s'exclama-t-elle.

— Jamais personne ne m'avait parlé comme cela, dit-il. Vous parliez à tout le monde, et j'avais pourtant l'impression que vous ne vous adressiez qu'à moi. D'ailleurs, cela a tout changé pour moi. »

Il regarda du coin de l'œil Louis franchir la fenêtre à son tour, puis reprit sur un ton de confidence :

« Ce n'est pas bien ce qu'ils vous ont fait. On est plusieurs chez les Volontaires à ne pas être du tout d'accord, et à voir au contraire dans votre coup de main de Belfast la véritable action d'éclat que nous attendions tous, et dont notre cause avait bigrement besoin... Les orangistes ont marqué le coup, si vous voulez mon avis.

— Quand je pense que Sean était là, et c'est chez lui que je vous avais envoyé », soupira-t-elle. Elle ajouta : « Merci d'être là, en tout cas.

— Je vous dis, je suis content de vous rendre un peu de ce que vous m'avez apporté...

— Comment avez-vous pu trouver l'adresse ? Et d'abord, où sommes-nous ?

— A Santry, au nord de la ville. J'avais entendu Sean, justement, en parler avec Seamus lorsqu'il y a eu la réunion de Fontenoy Street pour Dublin-Nord, le lendemain. Alors hier on a suivi Tracy en lui pédalant au train et elle nous a menés tout droit ici. On s'en doutait d'ailleurs, Louis savait que c'était là où était la maison de sa mère. Mais on s'est dit qu'ils risquaient de vous changer de casemate, et on a décidé d'intervenir dès cette nuit, en tentant notre chance au second étage tout de suite car on pensait avoir vu une silhouette. »

Louis sauta avec légèreté à leur côté.

« Si vous l'aviez vu grimper comme un chat le long de la façade ! s'écria Kevin.

— Je ne savais pas que vous vous connaissiez ! s'étonna-t-elle.

— C'est à cause de vous, dit Kevin. A une réunion de Fontenoy Street, justement. Il avait raconté comment vous aviez fait pour revenir nous rejoindre en Irlande. En retour, je lui avais raconté ce fameux après-midi qui avait changé ma vie. On avait sympathisé et quand il a su comment les choses tournaient, il est venu me chercher...

— Le plus difficile a été de trouver la corde, dit Louis. Un Brit sur le port m'a demandé à quoi cela allait me servir. J'ai dit que c'était pour un bateau et qu'on était en escale.

— Dommage de la laisser derrière nous », dit Kevin.

Trois bicyclettes les attendaient, posées contre la roulotte que la nuit semblait agrandir aux dimensions d'une maisonnette. Elle ne put s'empêcher de pousser un léger soupir en enfourchant la sienne.

« Prenez ma veste pour rembourrer la selle, lui chuchota Louis.

— Ça va, dit Winifred en commençant à pédaler. Il y a une trotte à faire ?

— Moins de huit miles. On va à Swords. »

Il se rapprocha.

« Si on devait par hasard se séparer, dit-il, c'est la petite rue après la tour que l'on voit dès l'entrée dans le village. Balbriggan Lane. La deuxième porte sur la gauche. »

Ils se mirent en route. Il faisait doux et il ne pleuvotait plus. Bien qu'elle se fût mise sur le devant de sa selle pour être le plus à son aise possible, elle se rendit vite compte qu'elle n'avait pas retrouvé le coup de pédale de ses randonnées avec Carl. Elle qui quelques heures plus tôt l'enviait pour les embruns qu'il devait affronter, frissonnait maintenant dans les bourrasques salées qui prenaient la route par le travers et dont elle essayait de se protéger en s'abritant derrière Louis. Elle crut voir à un moment donné les petites maisons d'un village surgir de la nuit, mais elles paraissaient irréelles et tremblées comme leur reflet dans un étang. Elle fit une embardée et manqua de renverser Kevin qui roulait à côté d'elle.

« Qu'est-ce qu'il se passe ? demanda-t-il. Vous ne vous sentez pas bien ? »

Elle mit quelques instants avant de répondre.

« C'est peut-être simplement que je meurs de faim, murmura-t-elle. Je suis aux patates depuis quatre jours.

— On aurait dû penser à vous apporter quelque chose, dit Kevin. Le jeûne du Vendredi saint, ce n'est que demain ! Courage, on a fait plus de la moitié. »

Elle descendit de sa machine et fit quelques pas sur la route puis remonta en selle. Les deux garçons l'avaient attendue. Etait-ce le fait de leur sollicitude, mais elle se sentit soudain plus alerte et comme en proie à une légère ivresse. Qu'était-elle, maintenant, pourtant... Une silhouette à peine visible dans la nuit venteuse, son mari évanoui, son compagnon au loin pour tenter d'aider une cause qu'elle ne servirait plus, et elle-même en fuite poursuivant toujours plus loin son éternelle errance. Où celle-ci avait-elle commencé ? se demanda-t-elle. Par un chaud après-midi d'été, lorsqu'elle avait pris tout droit après l'*oxer* ? Ou peut-être était-ce bien avant, lorsqu'un beau matin dans son blazer rayé elle avait franchi une dernière fois le porche de l'institution Sainte-Brigitte au bras de son oncle... Que serait-il arrivé dans sa vie, sans cela ? Habiterait-elle une de ces maisons du village qu'ils traversaient à présent — selon son souvenir ce devait être Cloghran — avec un mari qui aurait été jouer chaque samedi aux courses de Fairyhouse ? Le faisceau de deux phares à acétylène perça la nuit, loin devant ; sans se donner le mot, ils plongèrent dans une ruelle obscure sur la droite et entendirent derrière eux le véhicule continuer sa route. Ils s'arrêtèrent net.

« Dis donc, il venait de Swords ! s'exclama Louis avec inquiétude.

— Je sais qu'on n'est pas en France, mais il y a tout de même quelques automobiles dans ce pays, répliqua Kevin.

— Au beau milieu de la nuit, ça ne te semble pas bizarre ? »

Kevin haussa les épaules.

« Personne n'est au courant de notre arrivée, je t'en réponds. C'est une maison qui appartient à mon frère qui a émigré aux Etats-Unis. Elle était louée jusqu'à la fin de l'été à une famille qui tenait une buvette sur le *Velvet Strand* à Portmarnock, et maintenant il n'y a personne dedans.

— Fallait bien aller quelque part de toute façon, dit Louis.

— La seule chose qui ait pu arriver, c'est que les voisins aient remarqué que j'avais acheté du ravitaillement, ajouta Kevin.

— Comme ce mot de ravitaillement sonne bien à mes oreilles ! s'écria Winifred. Allez, venez, Louis a raison, il fallait bien aller quelque part. »

Ils repartirent. Elle avait la vision hivernale de petits tas de tourbe se détachant sur le ciel livide — et pourtant l'impression que le vent lui apportait à l'improviste les effluves d'un printemps longtemps désiré. Louis pédalait en tête, paraissant soudain taciturne. Elle appuya sur les pédales pour venir les rejoindre.

« On s'est aperçu de ton départ, à l'heure qu'il est, tu penses ? lui demanda-t-elle.

— Avec la fouine qu'on a à la maison, ça ne sera pas long ! Alors là, Thomas mettra le paquet pour me retrouver !

« — Tu crois qu'il pensera tout de suite que tu m'as rejointe ?

— Oh, oui », fit-il.

Elle le regarda.

« Tu peux l'avoir quitté uniquement... je ne sais pas... par dégoût... »

Il resta un instant silencieux, puis reprit :

« Il verra bien ce que j'ai emporté avec moi. »

Elle regarda son porte-bagages qui était vide.

« Qu'as-tu pris avec toi, Seigneur ?

— Tu ferais mieux d'attendre qu'on soit à Swords », intervint brusquement Kevin.

Inconsciemment, Louis avait augmenté l'allure comme s'il voulait lui échapper. Elle s'efforça malaisément de le suivre, soudain anxieuse.

« Pourquoi ? insista-t-elle. Ce que tu as emmené, cela a quelque chose à voir avec moi ? Des nouvelles de Carl ? »

D'un coup d'œil, il s'assura que Kevin était distancé.

« Non, c'est pas ça », murmura-t-il.

Soulagée, elle n'en eut pas moins la sensation lorsqu'elle fut parvenue à sa hauteur qu'il était mal à l'aise. Il frôla soudain de ses doigts le dos de sa main avant de les retirer aussitôt, comme s'il avait fait ce geste par inadvertance.

« Vous avez pas l'air d'avoir chaud, murmura-t-il. J'aurais dû penser aussi... à prendre des gants de laine...

— Je ne suis pas une fillette. »

Il la regarda à la dérobée.

« Vous... Enfin, je sais de quoi vous avez traité Thomas, dit-il avec embarras. Quand il a demandé si j'étais là. La fouine me l'a dit. »

Elle resta quelques instants sans réaction.

« Il ne faut pas que tu m'en veuilles, finit-elle par bredouiller. J'étais hors de moi, tu comprends. Je cherchais ce qui pouvait à son tour le blesser.

— Je ne vous en veux pas. C'est vrai qu'il me faisait faire..., enfin des trucs pas de mon rayon, pas vraiment de mon rayon.

— Ne parlons pas de ça », dit-elle doucement.

Il secoua la tête d'un air entêté.

« Il s'imaginait que parce que j'avais été mousse... Tu sais, ce n'était pas drôle la vie de mousse sur les terre-neuvas. On servait vraiment à tout. Alors pour retrouver ça ici... moi j'acceptais ça parce que je croyais que c'était un vrai héros et qu'avec lui il y aurait de l'aventure...

— Il avait été un véritable héros pour nous tous, dit Winifred.

— Mais pour moi, en guise d'aventure, j'avais Tracy sur le poil, toujours à m'épier, et jalouse de lui, en plus. Celle-là, je suis plutôt content de lui avoir échappé et de lui avoir joué un tour à ma façon ; je trouvais que ce n'était pas normal qu'il veuille pas te le dire.

— Mais me dire quoi ? » demanda-t-elle avec nervosité.

Il regarda derrière lui.

« Kevin préfère qu'on attende l'arrivée, chuchota-t-il. De toute façon, on y est. »

De la nuit avait surgi une haute tour ronde et, au-delà, la masse obscure d'un donjon. Quelques lumignons piquetaient l'obscurité de part en part. Ils longèrent ce qui lui parut être un rempart, et elle grimaça en tressautant sur les pavés disjoints. Elle avait l'impression étrange d'entrer dans une ville médiévale désertée par une épidémie. Un étroit passage s'entrouvrait sur leur gauche vers lequel Kevin se dirigea sans hésitation, et très vite la maison apparut, ses murs bas à peine visibles.

« Attendez un instant, recommanda Kevin. On ne sait jamais. »

La clef à la main, il s'avança, ouvrit la porte, puis disparut dans l'obscurité. Appuyé contre le mur d'en face, Winifred et Louis attendirent en silence. Quelques instants après, il réapparaissait sur le seuil.

« Tout va bien. Rentrez les vélos. »

Louis s'exécuta et elle le suivit machinalement, poussant sa machine qu'elle laissa contre le mur du vestibule. Puis elle entra dans la pièce de séjour. Kevin avait déjà allumé une lampe à pétrole. Elle était meublée de quelques sièges, tapissée d'un chintz passé sur lequel les précédents locataires avaient laissé des traces indistinctes. Elle se laissa tomber dans un fauteuil.

« Alors, demanda-t-elle nerveusement à Louis. Qu'est-ce qu'ils ne voulaient *pas* me faire savoir ? »

Louis regarda Kevin qui haussa les épaules. Toute sa

physionomie semblait dire : « Tu aurais pu la laisser dormir tranquille. »

« Que ton mari te cherchait en ville », répondit Louis.

Malgré sa fatigue, elle se redressa vivement.

« Qu'est-ce que tu racontes ? »

Elle avait presque crié.

« Tu vois, fit Kevin d'un ton de reproche.

— Dormir, je n'ai fait que ça ! s'exclama-t-elle, comme si elle pressentait la raison de son irritation. Je préfère connaître les choses, tu sais bien. »

Louis paraissait consterné.

« Depuis combien de temps ? demanda-t-elle.

— Tiens », dit-il.

Il ouvrit sa veste et lui tendit une enveloppe ouverte sur laquelle était inscrit, d'une écriture qu'elle reconnut aussitôt bien qu'elle fût tachée par la pluie : « Mrs. Gulmarg. »

« Un jour que j'apportais le thé et que je passais dans le couloir, lui expliqua-t-il, j'ai entendu Tracy dire à Thomas qu'une jeune femme était venue sonner et apporter une lettre qu'un homme lui avait remise dans la rue après lui avoir montré ta photo. Elle avait raconté à Tracy qu'elle avait accepté de la transmettre pour une raison que j'ai pas comprise, car ils se sont tus dès que je suis arrivé. Mais j'ai eu le temps d'entendre : surtout qu'on ne lui en parle pas. Je me suis alors douté qu'il s'agissait de ton mari.

— C'était avant que je sois allée à Belfast ?

— Deux ou trois jours avant, je crois.

— Ils n'avaient même pas cette raison de ne pas te la donner, dit Kevin.

— Quelle confiance en moi ! » murmura-t-elle.

Elle se retourna vers Louis.

« Mais comment savais-tu où Thomas l'avait cachée ?

— Je sais où il met son courrier. C'est quelqu'un qui ne déchire jamais rien. J'ai profité de ce que Tracy était partie t'apporter tes patates hier matin et que Thomas était à l'*Irish Independant*. Je l'ai tout de suite trouvée... Mais il fallait que je quitte la maison aussitôt, car il pouvait revenir à tout moment... Comme on avait déjà décidé de faire quelque chose avec Kevin, j'ai préféré me cacher en ville en attendant de le rejoindre. »

Elle avait extrait de l'enveloppe six grands feuillets

recouverts d'une écriture qui paraissait de plus en plus hâtive à chaque page, comme si le temps lui avait manqué en cours de rédaction.

« Bon, on va s'occuper de l'intendance », dit Kevin.

Winifred le regarda soudain comme si elle le voyait pour la première fois.

« Mais... tes favoris ! » s'exclama-t-elle.

Il passa la main sur ses joues imberbes.

« J'ai dû m'y résoudre hier, dit-il avec un petit rire. Vraiment trop reconnaissables. »

Elle ne parut pas avoir entendu sa réponse. Ils s'éclipsèrent, et pendant quelques instants elle resta immobile les yeux dans le vague, sans ouvrir les feuillets.

« Moi aussi je dois m'y résoudre », soupira-t-elle.

14-4-16
devant le 35 Sackville St
16h30

« Où que tu sois.

« Où que tu sois, Winnie, je voulais te dire que je ne savais pas que le temps nous serait à ce point compté. A cette minute présente, il me manque plus que jamais.

« Si tu me voyais. Je t'écris dans la rue, debout, à demi protégé de la pluie par l'auvent d'une bijouterie de Sackville Street (à l'enseigne de *Happy Ring House*!!) devant les passants qui me regardent avec surprise, mais je n'ose même pas aller dans un pub de peur que la dame qui tient le magasin ne s'en aille avant mon retour. Oui, la bijoutière. Elle était peut-être la millième à qui je montrais ta photo depuis dix jours — le plus discrètement que je le pouvais. Si tu savais comme j'ai marché, de Trinity à Christchurch, de Marrowbone Lane à Mountjoy Square, dans « Dublin's Fair City », et tout cela pour ne recueillir que des gestes de regret et des protestations d'ignorance... Et puis soudain, ce miracle. Cette jeune femme te reconnaissait, elle t'avait connue à Sainte-Brigitte, elle savait ce que tu faisais, elle y avait des sympathies et acceptait de *tenter* de te faire parvenir ce mot — sans me dire comment. Elle ferme le magasin à 17 heures. Il me reste

411

une demi-heure. C'était mon dernier jour, mon ultime tentative, car demain ma permission se termine.

« Je n'ai pas vu arriver le coup, Winnie, et donc pas pu le parer. Je croyais pourtant que tout s'ouvrait à nouveau pour nous. Tu semblais avoir admis le projet de reconstruction de pas trop mauvais cœur. Pourquoi avoir tout ruiné, et cela sans rien me laisser prévoir ni deviner, sans me donner l'ombre d'une chance... Je pensais avoir des siècles devant moi pour te reconquérir, et c'était des secondes. J'aurais pu essayer de trouver les mots d'urgence, les mots des mourants, les mots des grands adieux — et je me préoccupais de savoir si ton dossard était bien accroché.

« Je souffre de toutes ces paroles que je n'entendrai plus jamais de ta bouche, que je ne lirai plus sur tes lèvres et que d'autres doivent écouter désormais sans se douter peut-être de leur inconcevable privilège. Une seule d'entre elles pour moi serait la vie. Parfois ta voix revient me visiter, si nette, si précise, que je dialogue avec elle tout haut, et les gens me prennent pour un fou. Ils ne peuvent pas entendre cette musique venue me frôler dans le vent pour me faire sentir plus encore ma détresse et ma solitude, et ce grand vide où je me perds depuis que tu n'es plus là, où je ne trouve plus qu'engourdissement, jalousie et stupeur.

« Je ne trouve plus la suite de mes idées, Winnie, on vient de me bousculer, la lettre est tombée par terre — et je n'arrive pas à imaginer qu'il y ait une chance, même infime, que tes mains puissent un jour toucher ce papier maculé ; pourtant, si cela pouvait arriver..., c'est dans cet espoir que je te donne maintenant quelques précisions, si Mrs. *Happy Ring* m'en laisse la possibilité.

« J'ai rejoint mon arme d'origine, Winnie, et suis de nouveau sous les bannières de l'Amirauté. J'avais d'abord été rappelé à Portsmouth devant ma planche à dessin, mais je ne souhaite à aucun marin de mettre un jour les pieds sur ce que j'ai pu dessiner entre octobre 14 et janvier 15, tellement ma main était devenue tremblante et malhabile. Il fallait que je change, il fallait que l'effort, la discipline et la hiérarchie me tiennent désormais lieu de pensée. Et là — pour la première fois depuis quand ? — j'ai eu l'impression que les dieux se penchaient un peu sur moi.

« En 1906, en tant qu'ingénieur du génie maritime, j'avais fait la connaissance du conseiller naval au Conseil supérieur de la Guerre, le contre-amiral Beatty. Il m'avait demandé mon avis sur différents points techniques et devant mes réponses m'avait assuré de sa bienveillance. Visitant à nouveau en décembre 1914 nos bureaux d'études et devenu commandant de la 1re escadre de croiseurs de bataille, il me reconnut et me dit en manière de boutade : " Il n'est plus temps de dessiner de nouvelles unités, Mr. Howard, nous en avons plus qu'il ne nous en faut. Ce qui nous serait en revanche profitable, c'est que vous puissiez juger si vos conceptions sont efficaces dans le cas où toutes ces belles coques neuves en viendraient à se frotter à la *Hochseeflotte.* " Je le pris au mot et lui confiai mon désenchantement. Et il me comprit, cet homme qui ne veut si souvent pas comprendre. Transféré comme un vulgaire joueur de cricket, je devins quasi sur-le-champ aide de camp de l'amiral avec le grade d'enseigne de vaisseau. C'est ainsi qu'en janvier de l'année dernière, je posai mon sac à bord du *Lion.* Deux semaines plus tard, c'était la fameuse poursuite du Dogger Bank, le naufrage du *Blücher,* nos propres blessures. J'ai vu sous mes yeux cette immense folie se saisir de notre escadre prête à en découdre. J'ai senti, à près de trente nœuds, des trépidations si fortes faire vibrer notre coque que j'avais l'impression que le bâtiment allait à tout moment se disloquer sous mes pieds, comme l'avait fait dix-huit mois auparavant mon malheureux ouvrage. J'ai entendu le fracas des pièces de 340 se mêler aux rugissements de la tempête. Eh bien, au milieu de toute cette furie, je voyais ton visage surgir des flots ou de la fumée des cheminées et jeter sur notre agitation frénétique ce regard lointain et grave que tu avais parfois. Sans doute te modifiais-je à mon idée... Mais peux-tu néanmoins comprendre cela : au milieu de cet infini désordre, tu étais l'unique permanence et l'unique douceur, et j'en oubliais que tu m'étais devenue hostile à jamais. Et puis cela *me revenait* ; ce qui pouvait advenir de l'empire ne me concernait alors plus, et seule l'idée de revoir un jour ce visage me soutenait encore. *Que Troie soit emportée plutôt que Cressida.*

« Voilà. Le temps presse une fois de plus, mais cette

fois je le sais. Cela m'aura au moins valu de t'écrire pour la première fois de ma vie une lettre, et plus longue encore que celles que t'adressait Reginald. Pourras-tu la lire ? C'est une autre histoire, et je ne parviens pas à croire que cette fille au regard indifférent qui me regarde derrière la vitre puisse être la messagère que j'attendais depuis si longtemps.

« A propos de Reginald, puisqu'il semble que j'aie encore une minute, figure-toi que j'ai eu la surprise de le voir débarquer il y a dix jours à Rosyth, là où est la base de la 1re escadre, sur le Firth of Forth. C'était la veille de mon départ en permission. Il venait me voir, *moi !*, profitant, m'assurait-il, d'un voyage à Edimbourg. J'ai vite compris qu'il était venu pour savoir si j'avais des nouvelles de toi — ce qui m'apparut au vrai tout à fait normal. Il n'avait guère plus compris ta fuite que moi et m'a paru à ton égard plein d'amertume. Apparemment, il t'en voulait de ne pas lui avoir soufflé mot de tes projets lorsqu'il était monté te voir à Gulmarg. J'ai essayé de le convaincre, sans que ce fût très facile, que tu n'en avais alors *pas.* Apprenant ainsi que j'étais moi aussi sans nouvelles, il a semblé compatissant, et notre commune infortune nous a rapprochés. Oui ! Tu auras au moins réussi cela. Il m'a dit qu'il avait juste remarqué ton trouble lors du dîner de Srinagar au moment de l'annonce de la folle tentative du petit cartographe allemand, dont il n'a pas plus admis que moi-même, là aussi, l'attitude par la suite. Oh, j'en veux à cet homme. Puisse le hasard des armes ne jamais le mettre sur mon chemin, car la dernière possibilité que tu aurais de me revenir s'évanouirait alors à jamais. Ton oncle m'a aussi appris, ce qui avait dû m'échapper à la lecture des journaux, que Branjee avait été assassiné, un soir qu'il sortait du Pavillon Moghol. L'attentat aurait été perpétré par l'un des chefs de la communauté marathe chez qui j'avais été retrouvé, pour une histoire de somme d'argent non versée. Cela s'est produit au moment où il avait obtenu que le matériel prévu pour la reconstruction du pont fût acheminé dans les meilleurs délais... Peut-être Reginald avait-il appris tout cela par sa princière pipelette de Pétersbourg si avide de tristes nouvelles...

« M'étant également ouvert auprès de ton oncle de ma résolution de venir ici, il me l'avait déconseillé, me disant que, vu les circonstances, je ne trouverais certainement aucun moyen de prendre contact avec toi. C'était bien le cas. Mais non ! *On* ferme le magasin, on n'a pas le temps d'attendre, on paraît soudain nerveuse et l'on me prend la feuille des mains...

« Si tu voulais m'écrire par miracle, j'habite Rosyth, à la base même, SP 300/26114.

« A jamais ton
« Chris. »

Les dernières lignes étaient écrites de façon presque illisible. Elle se dit en regardant la date que c'était le jour du lancement de l'*Oceanic* et qu'à l'heure même où il écrivait fébrilement sa lettre, elle se trouvait au milieu des futurs éléments du pont et qu'elle allait y rencontrer pour la dernière fois celui qui avait vainement tenté un jour de lui en barrer la route. Tout se mêlait de façon inextricable. Elle replia lentement les feuillets. Louis la retrouva assise dans la pénombre, la lampe charbonnant à côté d'elle.

« Kevin a préparé le dîner, dit-il. Œufs au bacon. »

Elle ne parut pas avoir entendu.

« C'était bien ton mari, n'est-ce pas ? insista-t-il.

— Oui...

— Tu aurais pu tomber sur lui ? »

Elle repensa à ses itinéraires.

« Dix fois », répondit-elle.

Louis la fixait avec une mélancolie indéfinissable.

« Quelle chance, mais quelle chance de t'avoir retrouvée », dit-il très bas.

Elle le regarda avec tendresse.

« Merci pour tout ce que tu as fait, Louis. Tu me réciteras encore du Victor Hugo ? »

Il la regarda avec surprise.

« Comment sais-tu... ? »

Elle eut un petit rire.

« Il avait perdu son livre. Je n'y ai pensé qu'après...

— Je n'ai pas eu le temps d'en apprendre d'autres, dit-il. Ici, je pourrai.

— Il faudra aussi prévenir Carl que je suis ici. Nous avions prévu une cachette pour les messages. Une boîte, au 14, Henrietta Street.

— Kevin pourra y aller, dit-il. Avec une casquette,

sans ses favoris, personne ne peut le reconnaître. Moi, je resterai là à veiller sur toi. Winifred... », demanda-t-il d'un ton soudain anxieux, avant de s'interrompre brusquement.

Elle le regarda d'un air interrogateur.

« J'ai eu raison de... de t'apporter cette lettre ?

— Bien sûr, dit-elle.

— Il ne faudrait pas que... ton mari et Carl se retrouvent en ville... »

Elle eut un bref sourire.

« C'est vrai », admit-elle.

Elle resta quelques instants pensive.

« A table ! cria Kevin.

— Mais je ne vois pas comment ils pourraient se rencontrer, désormais », dit-elle.

17

« MAIS qu'est-ce qu'il fout, cet imbécile ? » s'exclama Geissler.

A travers les vitres de la passerelle, on voyait un thonier se rapprocher sous trinquette en gîtant de façon dangereuse, prêt à couper leur trajectoire.

« Si vous voulez mon avis, il a l'air de vouloir nous rejoindre, dit Carl avec un accent d'inquiétude.

— Il n'était prévu aucun contact en cours de route, maugréa le commandant d'un ton contrarié. Par forte brise, en plus, ce ne serait guère le moment ! »

Il s'approcha lourdement de la barre.

« Timonier ! A droite, dix !

— La barre dix à droite, commandant », répéta le matelot.

Le caboteur remontait péniblement à la lame et roulait bord sur bord. Sitôt apparu, le thonier avait déjà quitté leur champ de visibilité.

« Qu'est-ce qu'il croyait ! fulmina Geissler. Qu'on peut manœuvrer comme ça, dans ce coin ? En plus, chargés comme on est... »

Il se pencha de nouveau sur le porte-voix.

« Reviens au cent trente-huit, petit.

— Cap au cent trente-huit, commandant.

— Il n'avait pas dû nous voir, intervint Carl d'un ton flegmatique. On est bas sur l'eau, vous savez.

— Qu'est-ce que vous voulez, moi ça me rend nerveux, cette approche, marmonna le marin ; le blocus anglais, nous ne parlons que de cela. »

Il reprit son observation par les vitres tribord. On ne voyait pas la terre, bien que vers le nord la vue fût dégagée. De fins cirrus surgissaient au ras de l'horizon, dentelés comme des chapelets d'îles lointaines, et aussitôt masqués par les creux dans lesquels ils plongeaient à grand fracas. L'espace exigu de la passerelle sentait le genièvre, le caoutchouc mouillé et le kummel.

« On va doubler le feu de Rosslare avant la nuit, marmonna Geissler, massif dans son habit de drap bleu aux boutons noirs. Après quoi, faudra faire plutôt attention.

— Allons donc ! Demain à l'heure qu'il est vous ne serez plus lestés que des deniers que vous aurez gagnés dans cette affaire ! s'efforça de plaisanter Carl pour le rasséréner. Avec cela, vous pourrez vous reposer à Bremerhaven pour le restant de vos jours. Ça valait le coup de porter le pavillon norvégien quelques jours, non ? »

Geissler haussa les épaules.

« Sans cela je ne l'aurais pas fait, dit-il d'un ton revêche.

— Et Weegens qui me disait à Hambourg que vous faisiez cela par idéalisme ! s'exclama Carl d'un ton ironique.

— Vous croyez que cela m'a amusé de transformer mon vieil *Elmshorn* en *Sätersdal* ! Changer tout ce qui était allemand à bord, jusqu'à nos marques de cigarettes et les boutons de nos culottes ! Nous faire tous pousser la barbe ! Regardez les têtes que nous avons... »

Lui-même se trouvait ainsi méconnaissable, et il se demanda ce qu'allait en penser Winifred.

« Je sais bien qu'il ne s'est pas agi uniquement de peindre le nom sur la coque, *Kaptejn*. »

Geissler marmotta quelque chose qu'il ne put comprendre. Depuis près de dix jours qu'ils étaient en mer, leurs rapports évoluaient entre une anxiété informulée et une connivence bourrue, surtout le soir lorsque dans le minuscule carré enfumé, autour d'une bouteille de genièvre achetée à Christiana, le commandant lui racontait les transformations qu'il avait fait subir au caboteur — et surtout en quels mirifiques projets se transformerait la pluie d'or (du Clan na Gaël) qui s'était répandue sur lui pour prix de la dangereuse traversée. Mais, en dehors de cela, Geissler était plutôt du genre taciturne et inquiet, et Carl s'était donné comme délicate mission d'entretenir le moral à bord.

Il aurait pourtant aimé à ce moment présent pouvoir ressentir par-devers lui la sérénité qu'il s'efforçait d'afficher avec tant d'opiniâtreté. Il remarqua que la crête des vagues n'était plus ourlée d'écume comme la veille encore dans le canal Saint-Georges, ce qui donnait à la mer un aspect glauque et lugubre qui aurait parfaitement répondu, n'eût-il pas été obligé de donner le change, à l'appréhension qu'il éprouvait.

« Le revoilà ! » s'écria Geissler avec un juron.

Le thonier venait de reparaître sur tribord, à moins d'un quart de mile.

Carl le prit dans le champ de ses jumelles.

« Il envoie une flamme, prévint-il.

— Ah, c'est quelque chose ! explosa Geissler. En plein jour, le blocus sur le dos ! C'est vraiment la peine de se déguiser !

— Il n'y a pas d'autre voile en vue, commandant.

— On voit que vous n'avez vu que des boutres ou des jonques pendant dix ans ! Vous avez oublié avec quelle vitesse un vapeur vous fond sur le poil ! rétorqua ce dernier avec irritation.

— Il n'allait pas nous envoyer un message en optique à dix milles de la côte !

— Je sais pas ce qu'il a à nous dire, mais en tout cas, c'est bien à nous qu'il en veut », dit Geissler en surveillant l'approche du thonier.

Il s'approcha du porte-voix.

« Droite à cent dix-huit ! commanda-t-il. Machine ?

— Oui, commandant.

— Réduis à cinq nœuds !

— La barre est à cent dix-huit, commandant. Thonier par tribord arrière, à deux encablures.

— Je vois bien, corniaud ! Pas au contact, hein. On n'a vu personne.

— C'est eux qui font des signes, commandant.

— A droite, dix ! intima Geissler. Ça leur gagnera du temps. Ne leur passe pas devant.

— A droite, dix. »

La bringuette gonflée à se rompre, le thonier gardait

son cap. A la jumelle, Carl put discerner son numéro de coque.

— HO 31, épela-t-il.

— Ça vient de Howth, dit Geissler. Qu'est-ce qu'ils peuvent bien vouloir si près de l'arrivée ? »

L'appréhension affleurait sous sa voix sourde.

« Flamme verte. C'est le Comité militaire ! précisa Carl.

— Réduis, bon Dieu ! cria Geissler. On les laisse sur place. Pas plus de cinq nœuds.

— On perd des tours, commandant. C'est à la limite. »

La voile apparaissait et disparaissait parfois complètement dans le creux.

« Vent ?

— Rafales à trente-cinq.

— Faut-il que ça soit grave pour qu'ils l'envoient par un temps pareil, dit Carl la main crispée sur la table des cartes.

— A droite, dix, je te dis !

— La barre est dix à droite, commandant, répondit le timonier avec calme.

— Flamme jaune à la drisse de grand-voile ! » cria la vigie.

Carl ouvrit son petit carnet.

« Envoi d'un message par paquet lesté », lut-il tout haut.

Geissler haussa les épaules.

« Il n'y arrivera jamais », assura-t-il.

Il se pencha.

« Ça va. Droite comme ça. Garde trente pieds. Ces gens-là, ça vous aborderait comme un rien. »

Le thonier arrivait par tribord, et fort près. A une dizaine de pieds au-dessous d'eux, son pont était balayé d'embruns et sa coque bleu pâle étoilée des éclats rouges d'anciens fonds mal repeints. Vêtu d'un ciré, un marin sortit du rouf, et avec un geste précis, digne d'un *bowler* d'Armagh, lança ce qui leur parut être un étui de toile. La trajectoire fut parfaite et le paquet s'écrasa sur la plage avant de *l'Elmshorn,* puis glissa et se bloqua contre un plat-bord. Le marin fit un signe puis disparut. Pour la première fois, Geissler ne put dissimuler son admiration.

« On dirait qu'ils ont fait ça toute leur vie », gromme-la-t-il.

Le thonier avait déjà viré de bord et filait mainte-nant plein sud-est sur leur arrière. Carl sortit aussitôt sur le pont. Il eut le temps d'apercevoir le nom du bateau de pêche sur sa poupe avant qu'il ne disparût : MARY-ANN, HOWTH. Etait-ce la proximité de la côte, mais il lui sembla que le vent avait une odeur de terre mouil-lée. Il se saisit du paquet et rentra aussitôt pour l'ou-vrir plus commodément sur la table des cartes.

C'était une gaine de caoutchouc pour lunette marine, lestée d'une tête de marteau. Il y avait à l'intérieur, plié en quatre, un message écrit au crayon en lettres majus-cules.

HO 31 à 209. Orig. 447
RV U 96 51º41' lat. N 12º34' lon. W
droit sémaphore I. Scariff S 1 mi

Carl le relut, abasourdi. « Le corps du message est en clair », se dit-il. Cela sentait l'improvisation. 209, c'était le numéro de code de l'*Elmshorn-Sätersdal*. 447, il le savait par la couleur de la flamme, mais feuilleta son carnet pour en être certain. Oui. Comité militaire des Volontaires. Duneggan.

« Il y aurait un changement de programme, on dirait », dit-il d'une voix mal assurée. Geissler s'empara du message et le lut à son tour.

« Qu'est-ce que c'est que cette histoire ? s'exclama-t-il en relevant vivement la tête. On aurait rendez-vous avec un submersible allemand ?

— Je ne comprends pas, murmura Carl.

— Il n'y a rien à comprendre, dit le commandant avec irritation. On ne change rien. J'ai signé pour le bassin de Wexford et c'est là où l'on va aller, foi de Geissler ! C'est un endroit que je connais comme ma poche, même de nuit. Tandis que Scariff ! Je vois où c'est. Qu'est-ce que j'irais faire dans ces foutus rivages du Sud-Ouest où il n'y a pas un mille sans un écueil qui affleure ? Qu'est-ce que j'irais faire planté face à ce cail-lou perdu ?

— Il a dû se passer quelque chose d'imprévu, com-mandant, dit Carl en cherchant à le calmer. Sans cela,

ils ne nous auraient pas envoyé ce bateau d'urgence !
Peut-être les Volontaires de Wexford ont-ils eu vent
d'un renforcement du blocus dans la passe...

— Ils l'auraient mis en code sur le message ! s'exclama-t-il. Et puis, écoutez, mon vieux, je suis maître à
bord, jusqu'à preuve du contraire. Qu'est-ce que j'ai à
foutre de l'argent reçu si je perds mon bateau ?... Et
que vient faire ce sous-marin ? Vous pouvez me l'expliquer ? Il n'a jamais été question de rendez-vous où que
ce soit, si ce n'est à quai. Allez, nous perdons du temps.
Je ne change rien. »

Il se rapprocha de la barre.

« Timonier ! Cap au 350 ! La machine en avant, à
demi !

— Cap au 350. »

Carl se planta résolument devant Geissler.

« Commandant, ce changement imprévu me déplaît
autant qu'à vous, croyez-le bien. J'ai préparé ce transfert des armes dans le moindre détail, et vous avez pu
constater que je déteste l'improvisation. Apparemment
Duneggan aussi. Ce n'est sûrement pas de gaieté de
cœur qu'il ne nous dévoile pas notre point de débarquement et qu'il nous envoie ainsi un émissaire en plein
coup de vent ! Il s'est sûrement passé quelque chose.

— Je suis maître à bord, répéta Geissler avec une
obstination hargneuse. Il y a plus de deux cents milles
en plus. Ce ne sera pas le même prix à l'arrivée, je vous
en réponds.

— Geissler ! Vous osez dire cela ! Avec tout ce que
vous avez gagné dans cette unique course ! Vous savez
pourtant à quel point nous avons raclé les fonds de
tiroirs. Quant à votre bateau, si vous ne voulez pas qu'il
soit pris dans un piège et nous avec, je vous conjure de
vous reporter aux nouvelles instructions. Le point de
débarquement nous sera très certainement communi-
qué par le sous-marin. Croyez bien que tout le monde a
intérêt dans cette affaire à ce que nous arrivions à bon
port. »

Le commandant hésita, regarda la carte, puis la mer.

« Je n'ai jamais passé le Vieux Cap de Kinsale, grommela-t-il.

— Enfin ! Ce n'est pas le cap Horn ! insista Carl.

— Au-delà du Vieux Cap, on ne peut plus prétendre
que nous allons à Bilbao », dit Geissler.

Il soupira, puis se tourna à contrecœur vers le matelot.

« Timonier ! J'annule l'ordre précédent. La barre à 132 !

— La barre à 132, commandant. »

Soulagé, Carl sortit de la passerelle et fit quelques pas sur le pont. Le ciel s'était dégagé vers l'ouest, laissant présager une mer plus calme pour la nuit, mais en attendant le caboteur roulait plus que jamais. Se faufilant le long de la rambarde jusqu'à la plage avant, il atteignit l'une des écoutilles et, profitant d'une montée à la lame, l'ouvrit rapidement et se coula dans l'échelle. Jamais il n'avait eu à ce point l'impression que les montagnards et les marins utilisaient les mêmes gestes et devaient composer avec le même sens de l'équilibre, et que rien ne ressemblait plus aux craquements d'un névé que ceux des membrures d'une coque par mer forte. Il atteignit le plancher de la cale, alluma la lampe tempête avec quelque peine et, d'un coup d'œil de routine, vérifia l'arrimage du chargement. Rien n'avait bougé malgré le coup de vent, et le rideau extérieur formé de bois de mine donnait parfaitement l'illusion d'une cargaison licite et inoffensive. Avec des gestes de funambule, il remonta l'étroite coursive, s'appuyant à droite ou à gauche selon les mouvements de roulis, encore incrédule qu'une telle quantité d'armes pût se cacher là sous ses yeux : trente mille fusils et carabines Mauser, douze mitrailleuses lourdes démontées, quinze cent mille cartouches. Il revoyait trois semaines auparavant la petite face grêlée du Kronprinz impérial dans la pénombre de son cabinet lui vantant les mérites des diplomaties parallèles, et sa mine si satisfaite de contribuer malgré le scepticisme de la Chancellerie et du secrétaire d'Etat Von Jagow à la disgrâce de Reginald. « Je n'ai pas confiance en lui, avait poursuivi Wilhelm. Il fréquente trop la baronne Blücher qui est anglaise d'origine, comme tu sais. Je me demande s'il n'est pas lui-même un espion anglais... J'ai mille fois plus confiance en notre amitié, Carl, qu'en celle que semble avoir notre homme pour le chef du Service anglais Von Wedel. » Il avait d'autre part appris par certaines indiscrétions l'amertume, voire la fureur avec lesquelles Reginald avait découvert son arrivée à Berlin. Le texte du message lui revint en pensée. Reginald serait-il parvenu en une semaine à faire valoir ses droits « historiques » et à se faire rapatrier à temps pour le soulèvement ? La date de celui-ci n'avait été transmise en code à Carl que lorsqu'il avait pu faire savoir à Dublin — au moyen des ondes courtes des services du sous-secrétaire aux Affaires étrangères Zimmermann — que la transaction avait abouti. Egalement codé et retransmis par le même moyen, le message en retour annonçait simplement : Pâques. Il était impossible que disposant de son propre réseau Reginald n'ait pas été mis au courant.

Carl sentit soudain que l'idée de le voir surgir à bord n'était pas invraisemblable, et que cette éventualité allait désormais peser de tout son poids sur lui en plus de ses soucis pour le reste du voyage. Il remonta sur le pont et pénétra dans la passerelle. Le dos massif de Geissler était penché sur les cartes marines.

« Vous avez été rendre visite à notre trésor de guerre ? lui demanda-t-il d'un ton vaguement goguenard. J'espère qu'il y aura du monde en tout cas pour nous aider au nouveau point de débarquement. Je n'ai pas l'intention d'y rester des semaines.

— Ça, c'est leur boulot, dit Carl avec une sorte de désinvolture qui le surprit lui-même. Ils ont assez rêvé de ce qu'on a en cale, après tout ! Dites-moi, commandant... »

Geissler se retourna d'un air interrogateur.

« Je crois avoir trouvé pourquoi on a été détournés », dit-il.

Carl comprit pourquoi le lieu de rendez-vous avait été ainsi choisi. Depuis qu'ils étaient passés sous le vent de l'île dont la silhouette se découpait devant eux avec une grande précision sur le ciel encore sombre, celle-ci formait écran aux grandes déferlantes du nord-ouest, qui avaient brusquement cessé de les secouer. Sur plus d'un mille la mer semblait d'un calme presque irréel, comme s'ils s'étaient appropriés là une aire circulaire au centre de laquelle l'eau assagie, profitant de la pénombre livide de l'aube, se préparait à l'émergence de quelque sortilège. Le sémaphore devenait parfaitement visible, et dès qu'ils l'eurent dépassé, le courant qui agitait le petit détroit entre l'île et son îlot satellite qu'il découvrit droit devant les fit rouler à nouveau bord sur bord.

« Restons donc dans notre jardin », suggéra-t-il.

Geissler se retourna d'un air interrogateur, puis parut comprendre, acquiesça d'un signe de tête et donna un ordre bref par le circuit intérieur. La relative quiétude du lieu de rendez-vous ne semblait pas l'avoir rasséréné.

« Il faudrait pas que ça dure toute la matinée, grommela-t-il. Avant une demi-heure, on nous verra comme une blague à tabac sur une toile cirée. »

Le bateau amorçait déjà un demi-tour lorsqu'il tendit soudain le bras d'un geste presque incrédule.

« Oh, mais voilà ! s'exclama-t-il. Pile à l'heure ! »

Il se pencha à nouveau sur le porte-voix.

« A gauche, dix ! Machine en avant, à demi !

— La barre à gauche, dix, commandant. »

Presque au centre de la zone de calme dans laquelle ils avaient à nouveau pénétré, le corps du submersible venait d'émerger au milieu d'un moutonnement d'écume qui disparut aussitôt, le laissant immobile, presque invisible, tapi sur le fond noir de l'île, paraissant les surveiller de ses yeux de nyctalope. Tous feux éteints, l'*Elmshorn* s'approcha à petite vitesse. La pulsation du diesel du sous-marin était si bruyante que Carl se demanda s'ils n'allaient pas mettre toute la côte en émoi de Cork à l'île Valencia.

« Les défenses sur tribord ! commanda Geissler.

— En place, commandant », cria une voix plus bas.

Carl serra nerveusement le haut du bastingage. A moins d'une encablure le long cigare noir roulait doucement sans qu'aucun signe de vie n'y apparût. On voyait distinctement sur le kiosque le numéro *U 96*. C'était la première fois que Carl voyait un sous-marin, et il semblait en émaner une hostilité si sournoise qu'il se tourna avec une appréhension mal dissimulée vers Geissler.

« Ne vous vient-il pas l'idée que ce pourrait être un piège ? lui demanda-t-il à brûle-pourpoint.

— Trop tard, de toute façon, répondit Geissler de son air taciturne.

— Et puis non, c'est idiot, reprit-il comme pour se rassurer lui-même. Les codes notés dans le message n'ont en principe été donnés qu'à moi et ne concernent que ma mission.

— Espérons-le », dit Geissler d'un ton cette fois presque guilleret qui le surprit.

Le bruit s'était encore accentué. On eût dit qu'un grand squale s'approchait lentement d'eux pour quelque accouplement monstrueux dans le petit jour. Les deux coques tossèrent brusquement l'une contre l'autre, et il entendit au-dessous de lui le craquement des énormes boules d'étoupe. Puis le moteur fut mis en sourdine, et dans un bruit sonore de clapet métallique on déverrouilla l'écoutille du sommet du kiosque. Ils descendirent sur le pont pour être à son niveau, juste à temps pour voir apparaître, émergeant de façon hésitante de l'ouverture béante, le haut d'un chapeau melon qui disparut tout aussitôt comme si le propriétaire du chapeau venait de manquer une marche de l'échelle de sortie. Des interjections confuses et étouffées se firent d'ailleurs entendre aussitôt.

« Que se passe-t-il ? demanda Carl.

— J'ai l'impression que l'on ne parvient pas à faire sortir votre ami, répondit Geissler.

— Qui vous a parlé d'amitié ? » s'exclama Carl.

« Mais poussez, bon Dieu ! entendait-on vociférer en allemand. Je ne vais pas rester coincé dans ce boyau jusqu'à Pâques !

— Je crois que Son Excellence devrait retirer sa pelisse, conseilla quelqu'un à l'intérieur du kiosque. Le tour de taille de Son Excellence...

— Un peu de respect, je vous prie ! glapit la voix. Je ne veux pas me retrouver tout nu sous le ciel de mes aïeux. Allez, poussez encore, bande de nouilles.

— Si Son Excellence a pu entrer, reprit une voix imperturbable, il n'y a aucune raison qu'elle ne puisse prendre le chemin inverse. »

Le chapeau resurgit, incliné cette fois légèrement sur bâbord.

« Enfin, mon vieux, faites attention ! cria la voix. Un melon de chez Lock ! »

Précédé d'un marin, Reginald apparut finalement à

l'air libre, vêtu d'une simple redingote, portant un col cassé et un gardénia à la boutonnière. Carl le vit prendre une profonde inspiration et, sans même jeter un regard sur le caboteur, enjamber l'écoutille avec une extrême circonspection. Des mains le guidèrent comme un aveugle sur l'échelle extérieure du kiosque, cependant que le marin l'aidait à en descendre les degrés abrupts et que deux autres suivaient, l'un avec la pelisse, l'autre portant avec peine un énorme sac de cuir. S'étant retrouvés sur le pont du sous-marin, ils ne furent en effet pas trop de trois pour lui faire franchir l'espace qui séparait les deux coques et le faire passer sur l'échelle de coupée du caboteur. Geissler se pencha sur Carl alors qu'ils le hissaient malaisément à bord.

« J'ai le sentiment qu'ils sont ravis de nous refiler le colis, dit-il.

— Vous osez appeler colis celui qui est le théoricien du soulèvement, à défaut d'être son organisateur ! s'écria Carl d'un ton faussement courroucé.

— Vous voulez le fond de ma pensée ? poursuivit Geissler. Moins cet ostrogoth passera de temps à bord et mieux on se portera. »

Il se tut. Reginald faisait son apparition à la coupée. Accédant à leur tour sur le pont, les trois marins déposèrent ses bagages et sa pelisse, saluèrent, puis sans un mot réintégrèrent le submersible dont ils escaladèrent le kiosque en quelques foulées agiles. Presque aussitôt le lourd verrouillage de l'écoutille se fit à nouveau entendre, suivi de la pulsation du diesel qui s'enfla encore une fois jusqu'au vacarme. Geissler ouvrit la bouche, mais le bruit couvrit sa phrase : l'*U 96* venait sans secousse de s'écarter de la coque de l'*Elmshorn*. Il n'avait pas parcouru une demi-encablure qu'il commença à s'enfoncer dans l'eau noire avec une oppressante rapidité. Le silence revint aussitôt.

« Quand je pense à la marine que j'ai connue et à celle qui va naître », murmura pensivement Geissler en fixant le moutonnement dans lequel le kiosque venait de disparaître. « Cap au 138, machine à demi ! » commanda-t-il. L'*Elmshorn* se remit doucement en marche. Debout devant eux dans l'atmosphère froide et humide de l'aube, Reginald demeurait la seule preuve que toute cette scène n'avait pas été une illusion.

« Eh bien, fût-ce pour ma bien-aimée patrie, jamais je

ne réutiliserai un engin pareil, s'écria-t-il. J'ai cru y mourir étouffé comme dans un cul-de-basse-fosse. Ah, l'air du large ! Commandant Geissler, je suppose ?

— Jacobsen, pour l'instant, si vous le voulez bien.

— Je suis Sir Reginald Nettlecombe. Merci de m'accueillir à votre bord, commandant. »

La pelisse gisait à ses pieds, à même le pont, faisant à Carl l'effet d'un animal foudroyé. « Winifred m'a trop dit qu'il était chasseur », pensa-t-il. Il fit l'effort de la lui ramasser et la lui tendit. Dévisageant Carl d'un air bon enfant, Reginald l'endossa avec une majestueuse simplicité. Ils avaient une bonne tête de différence.

« Professeur Burgsmüller, je crois savoir...

— Morton Munthe sur les papiers de bord, Excellence.

— " Excellence " vient d'un autre temps, répliqua Reginald. C'est un terme qui implique des responsabilités d'un autre ordre que celles auxquelles je prétends actuellement. Je ne dis pas qu'un jour je n'y goûterai pas de nouveau pour représenter de façon officielle notre nouvelle nation, mais le moment n'est pas encore venu. Quant à dire " Reginald " tout court, c'est aller un peu vite en besogne. Eh bien, mon cher ami..., ne nous appelons pas.

— A moins d'utiliser en ce qui vous concerne le patronyme norvégien que vous n'allez pas manquer de vous choisir, dit Carl avec une ironie distante.

— Bon, assez de chichis, maintenant décampons d'ici, dit Geissler avec impatience. Instructions, *mein Herr* ? »

Reginald se tourna lentement vers lui.

« Bien évidemment, répondit-il d'un ton suave. Si vous voulez me faire la grâce de m'accompagner à la passerelle... »

Carl remarqua qu'il parlait allemand sans accent. Pris de court par sa civilité affectée, Geissler bougonna quelque chose et se dirigea vers l'escalier. A cet endroit il hésita, puis s'effaça devant Reginald.

« Ce sera... plus facile pour vous de monter là que de sortir de ce..., navré, *mein Herr,* mais je suis de la vieille école, je ne veux pas appeler ça un bateau.

— Moi non plus, commandant, je vous l'ai dit. Je suppose que c'est simplement l'objet que vos compatriotes ont trouvé le plus approprié pour faire com-

428

prendre au monde ce qu'ils estiment être mon importance. »

Carl eut l'impression que l'ex-Résident avait glissé un regard vers lui en prononçant cette phrase emphatique. Lui-même ne savait trop quelle attitude adopter. Son unique préoccupation demeurait que la cargaison arrivât à bon port, mais encore lui fallait-il savoir duquel il s'agissait. Il se décida à suivre les deux hommes sur la passerelle. L'étroit local paraissait encore plus exigu avec l'encombrante présence du diplomate.

« Montrez-moi donc les papiers du bord, commandant », demanda Reginald.

Geissler fronça les sourcils et allongea pourtant la main vers un grand portefeuille de cuir.

« Attendez, commandant, intervint brusquement Carl. Vous pensez bien, sir, que je ne vous ai pas attendu pour tout vérifier. Nous sommes à bord du *Sätersdal*, de Stavanger, et nous transportons des barres à mine de Bergen à Bilbao. Je crois qu'il n'est nul besoin que vous en sachiez davantage. »

Reginald lui adressa un regard dénué de toute aménité puis se retourna vers Geissler.

« Et qu'arrivera-t-il si nous sommes arraisonnés, commandant ?

— Vous remarquerez que tout ce qui est allemand à bord a été soigneusement dissimulé, jusqu'aux plus petits détails. L'ennui, c'est que nous devions débarquer à Wexford et que nous avons une autorisation pour la route Est-Irlande. Un patrouilleur serait en droit de nous demander ce que nous faisons à l'ouest du Vieux Cap de Kinsale...

— Il serait encore plus en droit de nous demander ce que vous faites à bord ! De façon générale, je n'aime guère l'improvisation, et moins encore lorsqu'il s'agit d'opérations aussi délicates que celle-ci », renchérit Carl avec froideur.

Le diplomate parut piqué au vif.

« J'ai l'impression, jeune homme, répliqua-t-il, qu'il y a des clauses que vous ignorez, dans l'accord que vous avez prétendument signé !

— Cela me surprendrait beaucoup, répliqua Carl sur un ton sarcastique. Mais peut-être pourrais-je en avoir la primeur ? »

Reginald s'agita sur son minuscule tabouret.

« Comment pouvez-vous penser que la Wilhelm-strasse aurait pris les risques d'envoyer un sous-marin, fût-ce à la pointe sud-ouest de l'Irlande qui est l'endroit le plus propice à un transbordement comme celui que nous venons de faire, si elle n'avait pas eu le désir formel de me voir personnellement à la tête du soulèvement ? »

Carl ne put se contenir plus longtemps.

« Vous ne comprenez donc pas que ce rendez-vous et ce changement d'itinéraire décidés alors que l'opération était déjà engagée mettent gravement en danger la cargaison ! s'écria-t-il. Le Conseil militaire a certainement dû être mis devant le fait accompli ! Comment auront-ils pu changer les circuits d'acheminement des armes en quelques jours, alors que le temps presse à ce point ? La vérité est qu'il fallait pour soutenir vos ambitions futures que vous reveniez avec l'arsenal dans vos bagages, n'est-ce pas ? La vérité est que vous, qui n'avez pas été capable d'obtenir en un an une seule arme, venez vous mettre dans mes pattes pour une simple question de gloriole... Voilà, au moins saurez-vous ce que je pense de ce détournement que je qualifierai d'abusif.

— Ça, mon petit ami, vous ne l'emporterez pas au paradis, siffla Reginald.

— Il s'agit de l'unique chance que nous avons d'armer cette insurrection afin qu'elle réussisse, nom de Dieu !

— Alors, où allons-nous ? en profita pour demander Geissler avec irritation. Je ne voudrais pas moisir dans les parages !

— Je ne le dirai pas en présence de cet olibrius qui travaillait il n'y a pas si longtemps au Cachemire pour les Anglais et dont les Allemands craignaient à chaque instant qu'il ne les double ! » s'écria Reginald.

Carl se précipita en avant. Geissler s'interposa avec résolution puis se retourna vers Reginald, sa face déjà rubiconde encore plus rouge de colère.

« Ecoutez-moi, dit-il d'une voix tremblante d'indignation, cela commence à bien faire. Ce bateau m'appartient et j'ai en cale, comme vous ne le voyez *pas* sur ces documents, trente mille fusils et carabines ainsi que quinze cent mille cartouches et je ne sais combien de mitrailleuses. Jusqu'à preuve du contraire, je suis maître à bord. J'ai la responsabilité de tout faire pour protéger le contenu autant que le contenant. Pour ce qui est du contenu, j'ai signé avec quelqu'un et avec personne d'autre. C'est le professeur Burgsmüller qui m'a payé pour faire ce transport, *mein Herr*, et pas vous. Quant au contenant, c'est également avec le professeur que j'ai étudié le risque à prendre, et pas avec vous. Vous n'êtes venu, vous, que pour l'augmenter, ce risque, et dans des proportions considérables, sans que je voie bien l'avantage ni pour la cargaison, ni pour le bateau. En attendant, où allons-nous ? »

Paraissant un instant pris de court, Reginald ne répondit pas.

« QUELLE destination ? » répéta Geissler en tapant de son poing fermé sur la carte.

— Ne criez pas, commandant, je vous prie ! Si l'hystérie doit régner sur cette passerelle, personne n'aura rien à y gagner.

— Jamais vu ça ! hurla Geissler. Il n'y avait pas d'hystérie avant, *mein Herr*. Tout était organisé. Tout allait tranquillement vers son dénouement et les armes seraient déjà ventilées à l'heure qu'il est. Alors ? »

Reginald s'était penché sur la carte et son doigt suivait la côte. Il s'arrêta au fond de la baie de Ballinskelligs.

« Waterville, indiqua-t-il.

— Je m'en doutais, c'est le plus proche, constata Geissler. Mais au moins n'en avons-nous plus pour longtemps. Un couple d'heures, et cette plaisanterie sera terminée. Machine ?

— Commandant ?

— Remets-nous quelques tours.

— Le port dispose d'un quai spacieux, lui précisa Reginald dont l'arrogance semblait s'être modérée. Cinq cents véhicules d'origines diverses viendront disperser la cargaison dès son débarquement. Dublin s'occupe de faire prévenir les conducteurs.

— La marchandise une fois à quai, cela ne me concerne plus », dit Geissler.

Contrairement à Carl, il semblait quelque peu soulagé. *L'Elmshorn* avait maintenant quitté les abords de l'île, et la houle se faisait à nouveau sentir. A mesure qu'ils piquaient vers le nord, ils avaient l'impression de replonger dans la nuit. La mine taciturne, Reginald s'était installé d'autorité sur le fauteuil devant la table des cartes.

« Voulez-vous vous pousser, lui intima Geissler d'un ton excédé. Je ne peux ni faire mon point ni communiquer avec mon timonier. »

Reginald se leva de mauvaise grâce.

« Si vous suggériez à ce jeune homme de quitter la passerelle, cela nous donnerait un peu d'espace vital, répliqua-t-il au commandant.

— Je suis parfaitement capable de reconnaître qui je veux voir sur ma passerelle et *qui* je souhaiterais ne pas y voir », rétorqua ce dernier.

Reginald se rencogna et ne bougea plus. Il semblait dormir. Par moments une forte vague le faisait osciller et il poussait un petit grognement, puis il reprenait son équilibre et semblait de nouveau se laisser gagner par le sommeil. A travers les vitres voilées de traînées de sel, Carl voyait se profiler peu à peu sur l'horizon le long promontoire de Hog's Head comme l'un de ces monstres légendaires surgissant de façon incertaine à la surface des *loughs*. Au-delà, la côte s'évasait en un immense arc de cercle maintenant bien visible sous le bleu sombre et saturé de l'aube. En dépit de la pesante présence de Reginald à son côté, il éprouva le sentiment que la mission qui lui avait été confiée allait incessamment être accomplie, et repensa à la toute première fois où Winifred lui en avait parlé sur la route de Ningle Nallah. Il se souvint à quel point son projet lui avait alors semblé chimérique — plus encore que celui qu'il chérissait lui-même de partir à l'attaque du Nanga —, et pourtant il avait été mené à bien. A l'idée de la revoir bientôt après avoir accompli ce qui lui tenait tant au cœur et de s'être acquitté de ce qui entre eux était presque un pacte, une onde de plénitude et de joie vint le submerger. Reginald ouvrit un œil, et Carl craignit un instant d'avoir laissé échapper le prénom de son amie.

« Cahirciveen, marmonnait-il en sortant de son mutisme.

— Pardon ? »

Reginald tendit le bras vers la côte.

« Cahirciveen. C'est là qu'est né le grand O'Connell. Tout jeune, mon père s'était rendu au fameux meeting qu'il avait tenu à Tara devant une foule énorme. Il

432

avait découvert là ce qu'était un tribun et, le verbe de O'Connell aidant, avait contracté là la haine de l'union et des unionistes. Moi, cela m'est venu plus tard dans ma vie, après avoir servi le Foreign Office et représenté le Royaume-Uni pendant tant d'années. Mais un si bon sang ne pouvait décidément mentir éternellement. »

Ils ne répondirent pas. La houle semblait moins forte à mesure qu'ils s'avançaient sur les eaux protégées de Ballinskelligs Bay. Il faisait maintenant jour et la vaste rade paraissait déserte.

« Alors quoi, les pêcheurs ne sortent pas ? s'efforça de plaisanter Geissler.

— Il n'y en a guère par ici », dit Reginald.

Le commandant cherchait aux jumelles si l'on pouvait discerner un quelconque rassemblement de véhicules. Il les reposa avec un soupir.

« On est encore trop loin », dit-il.

Carl le regarda. Il le sentait à son ton de voix tendu et inquiet. Oscillant à l'autre extrémité de la passerelle sur le tabouret trop exigu pour lui, Reginald gardait de nouveau les yeux mi-clos.

« Il fait trop jour, grogna Geissler en faisant peser sur lui un regard lourd de ressentiment. Dire qu'à une demi-heure près, on approchait l'esprit tranquille. »

Il tressauta soudain. Le chuintement du porte-voix venait de faire irruption dans l'atmosphère humide et confinée du petit local.

« Vapeur en vue par bâbord arrière, grésilla la voix de la vigie. Je répète, vapeur en vue par bâbord arrière. »

« Nom de Dieu ! » s'écria le commandant.

Enfilant un ciré à la hâte, il se précipita dehors. Un instant abasourdi, Carl le suivit d'un pas mécanique, se raccrochant à l'idée qu'il s'agissait d'un autre caboteur. Alors qu'il gagnait la dunette, il s'aperçut que Reginald se trouvait derrière lui, et il fut tenté de le repousser avec violence mais parvint à se contenir. Le vent de l'aube était glacial et le fit frissonner alors qu'il rejoignait Geissler. Reginald s'était arrêté à quelques pas, se cramponnant à la paroi d'une manche à air. On distinguait malaisément dans l'ouest un petit bâtiment gris foncé qui les rattrapait rapidement. Il venait apparemment de doubler Bolus Head, à l'autre extrémité de la baie, et il lui avait donc été possible de les suivre dès qu'ils avaient quitté l'abri de l'île Scariff. Geissler reposa ses jumelles, le visage défait.

« Pas de doute, c'est un garde-côte, dit-il d'une voix étranglée. Et on est en plein dans le levant, pour lui.

— Essayez de lui échapper, commandant, s'écria Reginald en se rapprochant. Faites demi-tour, revenez sur Hog's Head et jouez à saute-mouton avec les îles, il vous perdra de vue ! »

Geissler le regarda avec une sorte de haine froide.

« Jamais entendu quelque chose de plus sot, jamais », murmura-t-il.

Pour la première fois pourtant, Carl eut envie d'abonder dans le sens de Reginald. Des phrases de révolte lui venaient en lambeaux, comme autant de sursauts devant l'inéluctable.

« Mais, Geissler, on ne peut pas se laisser faire comme cela, on ne peut pas », gémit-il d'un ton suppliant.

Le patrouilleur était encore à deux milles au moins et semblait se rapprocher, sans toutefois fondre sur eux. On ne voyait personne à bord, ni aucun pavillon comminatoire à la drisse. Un espoir déraisonnable l'envahit.

« Il ne se manifeste pas, dit-il dans un souffle. Peut-être après tout qu'il n'en a pas après nous... »

Il éprouva une sorte de vertige à imaginer les conséquences des minutes qui allaient suivre. Ces instants dont dépendait le sort de tout un peuple... Winifred se moquait toujours de Mary parce que ses personnages en proie aux grandes émotions « se tordaient les mains ». « Je lui dirai, pensa-t-il. Je l'ai fait. je l'ai fait. »

« Signal optique », annonça le marin de vigie.

On voyait distinctement le projecteur égrener des signaux rapides. « STOPPEZ », traduisit tout haut Geissler.

Déjà il se précipitait vers la passerelle. Sans un regard pour Reginald, Carl le suivit.

« Timonier, distance ? demanda Geissler par le porte-voix.

— Trois mille deux cents mètres, commandant.

— Stoppez ! » ordonna-t-il.

Carl sentit la sueur s'insinuer entre ses omoplates. Cela ne lui était pas arrivé depuis qu'il était tombé dans le trou sur le barrage de boue. Reginald arriva sur la passerelle sur ces entrefaites.

« Comment, vous obtempérez ? » s'écria-t-il.

Sans lui répondre, Geissler jeta un regard mélancolique vers l'ouest, vers la mer libre, puis s'approcha à nouveau du porte-voix.

« Hagenhoffer.

— Commandant.

— Amenez le pavillon norvégien. Hissez le pavillon allemand. A débarquer chaloupe sur bâbord.

— Quoi, mais qu'est-ce qu'il se passe ? demanda Reginald.

— Poussez-vous, vous me gênez. »

Il le bouscula et s'empara du mégaphone.

« Wilmann. Détruisez le condenseur.

— Bien, commandant. »

Geissler se tourna vers Carl.

« Navré, mon vieux. Pour le reste, je... j'exécute la consigne.

— Au moins, ils ne les auront pas... pour se battre contre nous... », bredouilla Carl d'une voix blanche. »

Il se rendit compte qu'il ne savait même plus dans son désarroi qui était ce *nous*. La cause de Winifred ? Celle de son propre pays ? Geissler sortit de la passerelle et revint presque aussitôt. Tout allait si vite désormais.

« Je vous ai fait envoyer le youyou par tribord. Filez par là, vous serez protégé par la coque. N'oubliez pas de jeter votre carnet de code.

— Et ma modeste personne ? s'enquit Reginald.

— S'il n'en tenait qu'à moi..., commença Geissler.

— Vous me suivez, puisque vous êtes si précieux », dit Carl.

Il regarda par la vitre. Le patrouilleur était à un mille et demi environ. Depuis que les machines étaient stoppées, ils roulaient bord sur bord de façon très pénible.

« Chaloupe à la mer et parée, commandant », vint annoncer le jeune Hagenhoffer.

— Aux postes d'abandon ! » ordonna Geissler.

Une sonnerie grêle s'était mise à résonner dans les coursives. Il se retourna vers Carl.

« Allez-y, mon vieux, c'est le moment, lui dit-il. Ce connard aura foutu la merde jusqu'au bout. » Il s'arrêta puis reprit d'une voix sourde : « Et perdu mon vieil *Elmshorn*.

— Et vous imaginez ce que je perds, moi », murmura Carl.

Geissler ne répondit pas. Ils se donnèrent une brève accolade, puis le commandant se dirigea vers l'échelle de coupée, passant sans un mot devant Reginald qui, à l'écart, paraissait absent. Lui faisant signe de le suivre, Carl sortit à son tour de la passerelle, longea la coursive tribord et déboucha sur le pont. Il se pencha. Douze pieds au-dessous d'eux, large et court, le youyou était attaché à une échelle de corde. Comme Carl enjambait la rambarde, Reginald le regarda avec effarement.

« Je ne suis pas équilibriste ! » s'écria-t-il.

Alors qu'il descendait déjà, Carl leva la tête et vit la corpulente silhouette se pencher avec anxiété au-dessus du bastingage.

« Vous avez deux minutes pour le devenir », lui lança-t-il.

— Mais mon bagage ! Mon nécessaire en vermeil. Ma pelisse de chez Poole...

— Décidez-vous ! cria Carl. Ou plongez, ça ira plus vite ! »

Il avait atteint le youyou qui dansait comme un bouchon, sorti les avirons, installé le gouvernail. Poids incertain et oscillant suspendu au-dessus de lui, Reginald avait à son tour enjambé la lisse et se cramponnait maladroitement aux premiers échelons. Parvenant à se tenir debout dans le canot, Carl s'efforça de lui maintenir l'échelle le plus rigide possible, au risque de faire chavirer la petite embarcation.

« Allons-y ! » cria-t-il de façon pressante en voyant que Reginald n'avait pas bougé.

Echelon après échelon, celui-ci se mit enfin à descendre et finit par toucher du bout du pied le plat-bord.

« Doucement, intima Carl. Ne vous laissez pas tomber, surtout. »

Se tenant toujours à l'échelle, Reginald se crispa, et Carl crut qu'il allait tomber à l'eau entre la coque et le youyou. Le prenant à bras-le-corps, il parvint à lui faire lâcher prise et le guida, vacillant, vers le siège de l'arrière.

« Prenez la barre, lui cria-t-il en détachant l'amarre.

Essayez en même temps d'écoper ce qu'on a embarqué comme eau à cause de vous. »

Il appuyait déjà sur les avirons, ce qui stabilisa aussitôt l'embarcation. Ils s'éloignèrent hâtivement de l'*Elmshorn.* Le petit caboteur désormais abandonné commençait à dériver. Carl détourna les yeux.

« Restez dans l'axe de la coque ! Que le patrouilleur ne nous repère pas, au moins...

— Mais pourquoi vous agitez-vous tellement, demanda Reginald. Nous avons tout le temps, à présent.

— Je ne le pense pas », dit Carl.

Le diplomate parut comprendre. Il passa fébrilement ses mains sur ses cheveux trempés. Était-ce l'étoffe de sa redingote qui collait à lui, mais il semblait dans l'affaire avoir perdu de sa corpulence.

« Je vous aiderais bien, dit-il, mais je n'ai pas touché un aviron depuis les régates de Henley en 1873. »

Carl ne répondit pas. Il ne ralentissait pas son rythme, presque satisfait au fond de lui-même d'être trop occupé pour pouvoir réfléchir.

« En fait, je n'étais que remplaçant, reprit Reginald.

— Pardon ?

— Vous ne m'écoutez pas ! A Henley, en 1873, pour Cambridge ! Je n'étais que remplaçant.

— J'ai bien l'impression que ça va continuer, murmura Carl.

— Que dites-vous ?

— Rien », grogna-t-il.

Haletant sous l'effort, le bois humide lui meurtrissant les paumes, il continuait à souquer. Il se dit qu'ils avaient dû parcourir deux encablures environ. Au-delà de l'étrave de l'*Elmshorn,* la chaloupe, petit point à peine visible au ras de l'eau, apparut soudain sous le ciel livide. Geissler allait entrer dans son nouveau statut de prisonnier de guerre.

« Dans l'axe de la coque, bon Dieu ! hurla Carl. Tant qu'elle peut servir à ça.

— Ne vous agitez pas comme cela, jeune homme ! rétorqua Reginald en donnant un coup de barre.

— On va se faire voir par le patrouilleur ; ça ne vous suffit pas, ce qui est arrivé ! »

Presque aussitôt pour lui répondre, il se produisit une détonation sourde à bord du caboteur. Reginald se détourna vivement. Aucune fumée n'apparaissait à

437

bord de l'*Elmshorn,* mais sa coque s'enfonçait avec la même régularité que tout à l'heure le sous-marin. Bientôt, seuls la passerelle, la dunette, la cheminée et les mâts du petit bâtiment restèrent visibles. Pendant quelques instants, sa coque parut flotter entre deux eaux, puis il sombra lentement. Reginald se retourna sans un mot. Mal rasé, taciturne, il paraissait livide et défait. « A peine à terre, je le quitte et je ne le revois jamais », se dit Carl. Il lui faudrait prévenir au plus tôt Thomas de ce qui s'était passé et pour cela gagner Dublin le plus rapidement possible. Faute de quoi, il prévoyait qu'il serait vite taxé de trahison par ceux qui au Comité n'étaient pas favorables à son expédition. Des larmes de rage lui montèrent aux yeux et se mélangèrent aux embruns pour l'aveugler. Il ne ralentissait pourtant pas son effort, car il sentait que c'était le seul moyen d'empêcher la désillusion de l'envahir de façon si insupportable que s'il n'avait pas eu ce bois dans les mains, il se serait laissé couler comme une loque, honteux et désespéré. Au loin, le patrouilleur anglais s'éloignait désormais. Entre eux se trouvait la partie de la baie où quelques minutes auparavant flottait encore l'*Elmshorn,* et il regarda la mer vide avec incrédulité. D'un coup d'œil derrière lui, il vit que la côte se rapprochait. Retrouver Winifred dans ces conditions. Lui raconter l'attitude de son oncle... Toute la joie qu'il en escomptait disparaissait derrière le tragique sentiment d'échec qui le submergeait.

« Tout l'or de l'Amérique, laissa échapper Reginald. Ils vont être contents, tiens, au Clan na Gaël, quand ils vont apprendre ça. »

Un brusque accès de fureur fit tressauter Carl.

« Ce qu'ils auraient dû apprendre à l'heure qu'il est, c'est que toute la cargaison était en route pour Dublin à travers d'innombrables véhicules. Simplement ce qui était prévu ! Ce sera le regret de toute ma vie d'avoir dû accepter ce changement.

— Bien sûr, c'est ma faute ! s'exclama Reginald avec hargne. Vous feriez mieux de souquer, au lieu de dire des bêtises. Vous ne voyez pas que nous dérivons ?

— Je ne dis pas que c'est votre faute, je dis que je n'aurais jamais dû tenir compte de vous, de votre sous-marin de malheur et de vos simagrées. Maintenant, c'est trop tard. Ils n'ont plus besoin de vous ! Ils avaient besoin *d'armes*, et ces armes je les avais obtenues, contrairement à vous ! C'est un immense espoir qui s'est englouti avec ce bateau, et ce n'est pas avec de belles paroles qu'il renaîtra... »

Reginald se dressa d'un seul coup au risque de faire chavirer l'embarcation.

« Je ne sais pas s'ils se passeront de moi ! hurla-t-il. Mais ils se passeront de *vous*, en tout cas ! »

Avant même que Carl eût pu esquisser un geste de défense, il s'était rué sur lui et lui avait arraché l'un des avirons des mains.

« Mais vous êtes cinglé, ou quoi ! s'écria le jeune homme. Voulez-vous... »

Il reçut un coup formidable en plein visage et sentit presque aussitôt le goût du sang se mêler à celui de l'eau de mer. C'était comme si une brume épaisse était descendue sur les vagues. Il s'aperçut à la saillie du tolet dans ses reins qu'il était tombé en arrière et que son buste était suspendu hors du plat-bord de l'embarcation. Par réflexe, il tenta de se redresser mais reçut un nouveau coup d'aviron derrière la tête qui le fit réagir cette fois comme un ressort qui se détend.

« Mais vous êtes... », commença-t-il.

Se détachant sur le ciel, paraissant, vu ainsi de bas en haut, d'une stature formidable, un pantin gesticulant le repoussait dans la mer avec une obstination hagarde. Il sentait contre sa clavicule la pression du plat de la rame qui le repoussait inexorablement hors du bateau, et dans son brouillard celui-ci n'était plus encore qu'une nacelle de plus en plus étroite sur laquelle il n'avait plus prise. Un instant, à demi sonné, il parvint à s'agripper et à retarder le moment où il passerait par-dessus bord, et il entendait pourtant les mots qu'éructait l'autre loin, loin au-dessus de lui.

« Ça vous apprendra... à prendre ce qui n'était pas à vous... »

Puis la phrase s'interrompit, et il sentit qu'il était tombé à l'eau. Il suffoqua et tenta de se raccrocher au gouvernail, mais il reçut de nouveaux coups sur la tête qui lui firent lâcher prise. A nouveau... venant de la silhouette gesticulante à contre-jour... des bordées d'imprécations...

« ... ce qui n'était pas à vous... Et je ne parle pas des armes ! Je ne parle pas des armes ! »

C'est la dernière phrase qu'il crut entendre avant que tout ne se dissolve dans un gouffre humide et glacé. Il eut un dernier éclair de conscience pour se dire qu'il les rejoignait, ces armes englouties, et que c'était mieux ainsi.

18

REGINALD resta un instant indécis au seuil de la cave. Derrière un amoncellement de caisses dont l'ombre se projetait sur la voûte à l'image d'une muraille crénelée, il devina la lueur d'une lampe.

« Tu es là ? appela-t-il.

— Oui », fit une voix lointaine et étouffée.

Guidé par la faible lumière, il s'avança dans le dédale des marchandises entreposées et déboucha sur une partie de la cave qui était dégagée. Les cheveux en bataille, Thomas se tenait derrière une table à tréteaux encombrée de papiers et de cartes. Reginald remarqua qu'il ne se levait pas pour l'accueillir.

« C'est vraiment la clandestinité ! s'écria-t-il. Oh, mais tu as encore maigri. Tu sais à qui tu me fais penser ? Le philosophe de Rembrandt, dans son cabinet toujours éclairé par on ne sait quel soupirail. »

Il sentit que cela sonnait faux. Thomas leva les yeux sans répondre.

« Enfin, reprit Reginald en montrant l'entassement des caisses. Tu ne risques pas de mourir de faim.

— A la condition d'aimer les biscuits », répliqua Thomas.

Reginald chercha où s'asseoir, hésita, puis finit par trouver dans l'ombre un fauteuil qu'il approcha et sur lequel il s'assit avec circonspection.

« Eh bien, me voilà, finit-il par dire. Et pas plus faraud que ça, je t'assure.

— Je suis au courant, dit Thomas d'une voix brève.
— Déjà !
— Nous avons reçu un premier message dès midi. Et puis une automobile est arrivée de Waterville en fin d'après-midi, une de celles que nous avions envoyées sur place, pour emmener les armes. Ils nous ont donné des détails, car ils ont tout vu. »

A mesure qu'il parlait, il semblait perdre le contrôle de sa voix.

« Tu imagines, quand les Volontaires vont apprendre cela ! s'écria-t-il d'un ton accablé. Ils avaient déjà reçu leur ordre de marche, avec les dates et les lieux d'intervention...

— Mais pourquoi, avant d'être sûrs que la cargaison soit parvenue à bon port... ?

— Tout nous annonce un accroissement des troupes britanniques, et je t'expliquerai pourquoi tout à l'heure ; il nous fallait les prendre de court et nous avions décidé depuis une semaine, tant à la Fraternité qu'au quartier général des Volontaires, de presser le mouvement. En fait, nous avions fixé la date du soulèvement pour le jour de Pâques, dès que nous avons su que l'*Elmshorn* avait quitté Hambourg.

— Nous sommes le Jeudi saint. C'était diablement court.

— Nous ne pouvions prendre le risque d'entreposer les armes plus de deux ou trois jours. »

Thomas pianota nerveusement sur les cartes et les papiers.

« Et puis qu'importe désormais, soupira-t-il. Tant d'efforts pour rien, pour parvenir à ce lamentable fiasco. Toutes nos économies par le fond. Tout ce que nous avait envoyé d'Amérique depuis trois ans le Clan na Gaël. Tous nos espoirs d'un soulèvement d'ampleur nationale anéantis... Il est près de minuit, Reggie. Comment pourrons-nous maîtriser la vague de déception et d'amertume qui va déferler sur la ville quand la masse des Volontaires va apprendre ce désastre demain matin ?

— Et quand les Allemands vont l'apprendre à leur tour, l'interrompit Reginald. Fallait-il qu'ils y croient dur comme fer pour mobiliser un sous-marin pour ma modeste personne ! Fallait-il qu'ils veuillent, en me donnant de tels moyens pour être sur place à temps, mettre tous les atouts dans notre jeu ! »

Thomas eut un geste d'irritation.

« Parlons-en, de ton fichu *U-Boot* ! s'écria-t-il. Il est venu tout bouleverser. Le débarquement des armes à Wexford était organisé de longue date. A cause des sables drainés par la Slaney, il y avait bien peu de risques qu'un patrouilleur s'aventurât dans le bassin, car ces bateaux rapides ont besoin de beaucoup de champ. Nous avions d'autre part prévu que les automobiles viennent à la fois de Cork et de Dublin, ce qui aurait permis de ventiler rapidement une telle masse d'armes et de munitions. Mais non ! Il a fallu que tu interfères ! Résultat, cette opération au fin fond de cette lointaine péninsule d'Iveragh, où mène une seule route... Veux-tu que je te dise, Reggie. Ce choix imposé par les Allemands et surtout ce changement de lieu en catastrophe ne m'ont jamais paru judicieux. Mac Neill et Plunkett étaient bien de mon avis. Dans ce genre d'affaire, tout doit être minuté, prévu à la seconde près, et l'improvisation ne peut mener qu'à l'échec. Malheureusement, nous n'étions plus en mesure de dicter notre choix et de te contacter.

— Crois-tu que nous aurions envoyé là un sous-marin si nous n'avions pas été sûrs du coin ? Jamais un garde-côte n'était venu effaroucher la flottille de pêche de Waterville. Pas un élément de l'armée britannique n'avait été vu depuis des lustres dans la péninsule d'Iveragh. Ce n'est pas pour rien que O'Connell avait choisi d'y naître ! »

Thomas haussa les épaules.

« Tu peux plaisanter. Si nous avions choisi l'endroit qui nous semblait le plus propice pour le débarquement et le transbordement des armes, c'est que nous avions nos raisons et il fallait s'y tenir ! Rien n'empêchait que tu nous rejoignes, toi, puisque tu y tenais tant, à bord d'un thonier ou d'un caboteur norvégien ; les armes seraient alors arrivées de leur côté comme prévu ! Mais non : tu as voulu arriver en libérateur, n'est-ce pas ? Accompagner les armes te permettait de dissimuler aux Volontaires le simple fait que tu avais été incapable une année durant de te les procurer.

— Je n'ai pas besoin de cela pour demeurer auprès d'eux une figure de stature nationale, rétorqua Reginald avec assurance. Je dirais même : une force morale, surtout depuis ma démission de l'ambassade à Berlin et mon départ pour Delhi. Ils savent que je suis celui qui a sacrifié pour eux sa carrière, celui qui met ses actes en accord avec ses convictions et qui plaide leur cause devant les opinions publiques du monde entier... Mais je trouve attristant de penser que les Allemands s'en rendent davantage compte que toi. Ils tenaient à ce que je participe au soulèvement et, quoi que tu puisses penser, ils n'auraient jamais laissé partir les armes s'ils n'avaient pas su que j'étais là pour les réceptionner.

— Ta fatuité n'a d'égale que ton inconséquence ! explosa Thomas. Et les deux à la fois nous auront cette fois perdu ! Je te rappelle que tu n'étais pour rien dans cette transaction que le jeune Burgsmüller avait menée avec une adresse à laquelle je rends hommage ! Je n'en dirai pas autant, puisque tu me parles d'opinion internationale, de la façon dont tu avais poursuivi le recrutement de ta brigade irlandaise fantôme... Aller prêcher la bonne parole dans les camps des prisonniers pour tenter d'y débaucher d'éventuels soldats irlandais, vraiment, quelle fichue idée ! D'abord tu te mettais à coup sûr les Allemands à dos, ensuite tout le monde nous prenait pour des traîtres ! Il a fallu rattraper dans toute l'Europe et jusqu'aux Etats-Unis l'effet fâcheux produit par tes discours !

— Tu n'as décidément rien compris, s'anima à son tour Reginald. Ce que je désirais, c'était montrer à la face du monde que l'Irlande ne liait pas son sort à celui de l'empire. Mais cela, au fond de toi-même, tu n'as jamais voulu l'admettre. Sauf quand cela venait de ce gringalet que tu m'as jeté dans les pattes. Alors là, il n'était plus question de traîtrise vis-à-vis de qui que ce soit ! Alors là, tu étais prêt à toutes les compromissions ! »

Thomas se pencha au travers de la table et en martela le bois.

« Il avait *réussi*, lui, au moins ! s'écria-t-il d'une voix blanche. Il y avait trente mille fusils et carabines, douze mitrailleuses et quinze cent mille cartouches à bord de l'*Elmshorn*, dois-je te le rappeler ?

— Et crois-tu peut-être que ton envoyé spécial n'aurait pas été l'otage de ses impériales protections et nous aussi, par ricochet ? rétorqua Reginald. On aurait exigé des rapports sur nos projets et sur le moindre de nos mouvements ! Tu veux savoir ? C'en était fait de notre liberté de décision et de notre autonomie ultérieures.

— Tu me ferais rire si j'avais cette nuit la tête à ça, Reggie ! D'abord, nous n'avions à accepter aucun regard sur cet armement puisque nous l'*achetions* — et nous tenions justement tous beaucoup à cela au Comité militaire. Et dois-je aussi te rappeler que c'est à partir du moment où tu es intervenu, *toi*, que nous n'avons plus été libres de notre décision et qu'il a fallu tenir compte du rendez-vous avec ce satané submersible ? Oh, je t'en veux d'avoir fait croire aux Allemands que ta présence était indispensable au point du débarquement des armes...

— Mais elle l'était, Tom ! s'écria Reginald. Aux yeux des Volontaires, comme à ceux de l'opinion internationale, un tel arrivage d'armes convoyé par un jeune Allemand aurait pris valeur de symbole ! Personne n'aurait su que vous aviez acheté les armes, mais tout le monde aurait su *qui* les apportait. Notre soulèvement aurait eu l'air d'être entièrement financé et dirigé de l'étranger, et, ce qui est pire, *par* un étranger. Autant dire qu'il était voué à l'échec dès le départ. »

Thomas leva les bras au ciel.

« Mais qu'allais-tu donc imaginer ? Carl serait rentré immédiatement dans le rang ! Nous avions sur place à Waterville Jim Coglough, qui est responsable des Volontaires pour tout le Munster, et qui n'est pas homme à laisser sa place à quiconque ! Hormis les membres du Conseil suprême de la Fraternité et du Comité militaire, personne n'aurait su par quelle filière nous avions obtenu tout cela... »

Reginald ne put réprimer une moue d'amertume.

« Tu avais tout de même oublié quelqu'un dans cette belle organisation... Moi ! Tu avais donné ton accord sans que j'en sois même informé ! Oh, je sais, simple détail... Mais agréable pour ma dignité lorsque je me suis senti soudain court-circuité à ce point ! Oh, l'afféterie convenue de Bethmann-Hollweg le jour où j'avais enfin réussi à l'approcher en grand secret ! Alors que six mois de pourparlers et des trésors d'énergie allaient aboutir... J'étais parvenu à circonscrire presque complètement l'influence de Carson à la Chancellerie et à faire comprendre à mes interlocuteurs où était leur intérêt. Ils avaient même admis que je n'étais pas un espion anglais ! Mes messages étaient pourtant suffisamment explicites quant à cette nouvelle efficacité !

— Oh, parlons-en ! lança Thomas avec une ironie amère. Pas même un lance-pierres obtenu en un an...

— Moque-toi de moi ! On ne m'a pas laissé le temps de poursuivre ! Et aucun de mes vieux compagnons de toujours, que ce soit toi, Tom, ou Mac Neill, ou Clarke que j'avais pourtant longuement revu après mon second retour des Indes et qui, soit dit en passant, n'était pas hostile à mon projet de recrutement d'une brigade irlandaise, oui, aucun de vous n'a jugé bon de m'avertir de ce qui se tramait...

— Enfin, Reggie, réfléchis une minute ! Pour que ce soit intercepté ? Nous nous dirions aujourd'hui que c'est parce qu'il y a eu des fuites que tout s'est passé ainsi. Bon, enfin, raconte-moi ce qui est arrivé, ajouta-t-il en soupirant.

— Heureux que tu me tiennes enfin pour un témoin de confiance, grommela Reginald.

— Je n'ai pas dit cela. »

Le visage soudain congestionné, Reginald se dressa.

« Je crois qu'il est inutile que nous poursuivions, dit-il d'une voix altérée.

— Je crains au contraire que ça ne soit absolument nécessaire », répliqua Thomas d'un ton flegmatique.

Reginald regarda autour de lui comme s'il se sentait pris au piège. Puis il se rassit pesamment.

« Bien. Le professeur Burgsmüller et moi nous nous sommes enfuis ensemble dans un minuscule youyou, pendant que le commandant Geissler faisait mettre une chaloupe à l'eau et se rendait avec son équipage au patrouilleur britannique. Nous n'étions pas à trois cents yards que le cargo s'est enfoncé dans l'eau avec notre cargaison d'armes et mon melon de chez Lock. Je crois avoir entendu une sourde explosion. Pour le reste, tu me pardonneras de ne pas utiliser de termes techniques pour expliquer nos manœuvres pour nous rapprocher de la côte, mais je n'ai jamais pu voir la mer, même du pont des premières classes d'un paquebot, sans ressentir un indicible sentiment d'hostilité — je veux dire d'elle à mon égard. La seule chose que j'ai trouvée agréable à bord de ce sous-marin était de ne pas la voir. »

Thomas eut un geste d'impatience.

« Essaie de développer un récit tant soit peu cohérent, si tu en es capable. »

Reginald s'agita.

« Ce sera difficile, et tu vas comprendre pourquoi. Ce garçon a donc ramé comme un perdu. Mais le courant nous menait vers un cap qui ferme la baie au sud. »

Thomas se pencha sur la carte.

« Hog's Head.

— Et pas n'importe quel courant, je te prie de le croire. Je revois les rochers nous arrivant dessus comme dans les gravures de *Treasure Island* : noirs, formidables. Fracas affreux. J'ai dû crier quelque chose, puis j'ai senti un choc — j'ai l'impression que c'était contre le coin de la coque et non pas contre les rochers. J'ai dû m'évanouir puis repartir à moitié sonné. Je me suis retrouvé pleinement conscient alors que je marchais le long du rivage, claquant des dents, mon pantalon déchiré et trempé. Une chose certaine : le jeune Allemand n'était plus à mes côtés. »

Thomas resta silencieux.

« J'oubliais, reprit Reginald : pendant la demi-heure environ qu'a duré le trajet dans la petite embarcation, nous avions décidé de nous séparer dès que nous aurions abordé, pour des raisons de sécurité. Ce jeune homme peut donc faire irruption à tout moment. »

Il regarda vers la porte comme si cela allait être le cas.

« Il ne t'a pas encore adressé de message à l'heure qu'il est ? demanda-t-il.

— Non », répondit Thomas.

Reginald se tassa dans son fauteuil.

« Quoi qu'il en soit, j'ai marché jusqu'à un petit hameau, à l'endroit où la route rejoint la côte. Là, une des automobiles qui s'étaient rendues à Waterville et en revenaient à vide s'est arrêtée. Le conducteur a tout de suite compris à qui il avait affaire. Il m'a arrêté à Ardkearagh, où une brave femme a pu repriser et repasser mon pantalon. Pendant ce temps-là, on faisait sécher ma pelisse devant le fournil d'un boulanger. Bien sûr, elle ne redeviendra jamais ce qu'elle était.

— Continue ! intima sèchement Thomas.

— Ecoute, cesse d'être aussi nerveux, je t'en *prie*. Je sais que tout cela n'est pas drôle, mais fais l'effort de ne pas te conduire à mon égard comme un procureur. D'abord, tu dois convenir que j'ai tout de même quelque raison d'être un peu fatigué. Ensuite, souviens-toi que notre action depuis trente ans est faite de plus de bas que de hauts. Bon, je continue. Mon chauffeur occasionnel, un Mr. Clough, de Kenmare, qui était fort marri de toute l'aventure soit dit en passant, m'a déposé à Killarney où j'ai pu prendre le train du soir.

— Tu ne t'es donc guère préoccupé de ton... compagnon de route, demanda Thomas.

— Je croyais t'avoir dit que nous avions décidé de... »

Le professeur hocha pensivement la tête.

« Il semble d'après les bonnes langues que tu ne lui avais guère pardonné le fait qu'il... (il chercha ses mots) partageât l'existence de ta nièce », dit-il d'une voix imperturbable.

Reginald le regarda.

« Je ne vois guère où tu veux en venir, mais il est vrai que j'en avais beaucoup voulu à ce garçon de l'avoir quasiment enlevée au Cachemire.

— Ne commettrais-tu pas une méprise sur l'identité de la victime de cet enlèvement ? Enfin, c'est une autre histoire. »

Reginald se redressa.

« Tu ne dirais pas cela si tu savais ce que je représentais pour Winifred. Elle ne serait jamais, tu m'entends, jamais partie de son propre chef, alors que je venais moi-même de revenir aux Indes. Elle s'était toujours montrée loyale et confiante à mon égard. S'il y avait eu quelque chose, elle m'en aurait parlé lorsque j'étais venu la voir à Gulmarg. J'étais à la fois son oncle et son tuteur, ne l'oublie pas. Or, depuis que ce jeune cartographe a fait irruption dans sa vie, elle n'a jamais cherché à me revoir, à m'écrire, à m'expliquer son comportement, rien. Tu n'imagines pas ce que j'ai pu me sentir trompé.

— C'est plutôt son mari qui aurait quelque raison de se trouver floué », remarqua Thomas.

Reginald eut un bref froncement de sourcil.

« Je n'éprouvais pas particulièrement d'amitié, à vrai dire, pour ce bon Christopher Howard. C'était pourtant sous mon toit, à la Résidence, qu'il avait connu ma

nièce. Oui, c'était moi qui les avais quasiment mariés...
Et je n'en avais éprouvé aucune satisfaction, je te prie
de le croire. Au point d'être soulagé lorsque était arrivée la fin de mon mandat pour mettre enfin six semaines de mer entre eux et moi, tellement la jalousie finissait par me tarauder. Donc je peux imaginer, ô combien ! la détresse qu'il doit ressentir en ce moment, et
cela me rapproche de lui, en un sens. Nous sommes
tous les deux désormais dans le camp des bafoués.
Mais cela ne me console pas. »

Il se méprit sur le silence que gardait Thomas.

« Je dis des choses que je devrais garder pour moi,
s'écria-t-il avec amertume, à quelqu'un qui ne peut de
toute façon pas les comprendre.

— Pourquoi ? répliqua vivement Thomas. Tu me
crois à ce point rebelle à tout sentiment ? Si tu... »

Il s'interrompit et réprima avec peine un tremblement de ses lèvres.

« Oh, Reggie, murmura-t-il, je pourrais souffrir le
martyre que, tout à tes propres afflictions, tu ne t'en
apercevrais même pas. »

Reginald haussa les épaules.

« Que se passe-t-il ? demanda-t-il sur un ton de raille-
rie. Quelque mousse de Don Laoghaire ou quelque
groom du Métropole t'aurait posé un lapin ! Allons,
Tom, du courage ! Tu as le génie de l'organisation dans
ce domaine comme dans bien d'autres et tu en retrou-
veras un semblable. Moi, je n'avais qu'elle.

— Tu es encore pire que ce dont je me souvenais, dit
Thomas en hochant la tête.

— Pardonne-moi, *old chap*. Mais... tu sais, moi aussi
je t'en voudrai toute ma vie de m'avoir lancé ce garçon
dans les pattes. Celui qui avait pris la seule femme que
j'aie jamais aimée, voilà qui tu trouves le moyen d'envoyer braconner sur mes terres !

— " Pris la seule femme "... Je te rappelle qu'elle
était mariée ! Ce n'est pas, Seigneur, que je ne respecte
pas la jalousie, mais la tienne fait un peu long feu... »

Reginald eut une moue d'amertume.

« C'est une résurgence, si tu veux, et que je partage
cette fois avec le pauvre Howard. Son mariage avec lui,
j'avais fini par m'y faire. J'écrivais à Winifred des lettres dans lesquelles je mettais toute mon âme, toute
mon expérience politique, à la fois mon scepticisme et

ma passion, enfin tu connais mes capricieux mélanges... Elle me répondait toujours. Plusieurs heures après lui avoir écrit, plusieurs jours après avoir reçu une réponse d'elle, j'avais l'impression qu'il y avait de l'élan dans ma médiocrité, de la grâce dans ma corpulence. Je me donnais l'illusion de la guider, mais sa ferveur continuait à m'illuminer. Et puis, plus rien, d'un seul coup. Plus rien. Oh, cet homme ! Tu imagines, s'il avait réussi... Il serait apparu vis-à-vis d'elle comme un archange tout auréolé de son exploit !

— Enfin, cela au moins n'aura pas lieu, dit Thomas sur un ton où l'amertume le disputait à l'ironie. Tu en parais presque satisfait.

— Non, mais ne me reproche pas de ne pas avoir été écumer les plages d'Iveragh pour me préoccuper de lui et le remettre sur ses petites jambes ! Alors, là, mon cher Tom, j'en aurais été incapable, fût-ce au prix du sort du soulèvement. Tu sais bien que je n'ai aucune grandeur d'âme ! Et s'est-il préoccupé de moi, lui ? S'il revient, eh bien, tant mieux. Sans quoi, il nous faudra bien nous passer de lui.

— Ce que tu ne sembles pas avoir encore compris, c'est qu'avec ou sans lui il n'y a plus rien à faire, dit Thomas. Nous n'avons pas deux mille fusils en ville. »

Il se leva et fit quelques pas le long des murs de caisses, le dos voûté, l'air accablé.

« Tellement... Tellement joué de malchance..., marmonna-t-il. Dis donc, poursuivit-il d'un ton soudain goguenard, tu as de sacrées belles pompes... »

Son brusque changement d'intonation fit tressaillir Reginald. Thomas s'était planté devant lui, et la lueur de sa lampe érodait sa silhouette jusqu'à lui donner la maigreur et l'étrangeté de quelque anachorète illuminé.

« Ce ne sont tout de même pas celles qui ont passé la matinée dans l'eau ?

— Celles-là viennent de chez Lobb, figure-toi, protesta Reginald surpris de son intérêt soudain pour sa tenue. Je n'allais pas me promener en ville avec des brodequins rongés par le sel...

— Ni avec une pelisse roussie au feu de la boulange ! » dit Thomas en passant le doigt sur le fin tissu de son pardessus de demi-saison.

Reginald eut un sourire crispé.

« Bon, je suis content de te retrouver un tout petit

peu plus détendu. Cela finit par être pesant à la fin, tu sais, ces manières d'inquisiteur.

— Tu n'as aucune raison de t'inquiéter, que je sache !... Ainsi, tu es passé à Wilton Terrace pour enfiler ces superbes bottines ? »

Reginald fronça les sourcils.

« J'ignorais que tu connaissais jusqu'à l'adresse de mes retraites les plus retirées, fit-il d'un ton surpris.

— Tu sais bien qu'il n'y a plus de vie privée dès lors que l'on fait partie d'une organisation secrète », répondit Thomas d'un geste évasif.

Reginald opina du chef, puis fixa à la dérobée son interlocuteur. Celui-ci paraissait maintenant détailler avec attention le plan de la ville de Dublin.

« A vrai dire, tu m'as donné à l'instant un faux espoir de détente, dit-il d'un ton las. Je me retrouve sous pression, tout en cherchant où tu veux en venir. Sensation fort désagréable, je ne te le cache pas. Tu oublies la journée que j'ai eue.

— Oh, c'est très simple, dit Thomas. Nous gardions un petit œil sur ton courrier, pensant que tu aurais peut-être l'occasion d'entrer en contact avec nous par ce moyen. Or, il était arrivé il y a une dizaine de jours une lettre un peu étrange adressée à un Mr. (il consulta une fiche) oui..., Desmond Mahoney. »

Il s'arrêta de nouveau devant lui.

« Tu ne t'appelais pas Desmond Mahoney, dans la clandestinité ?

— Pas que je sache...

— Dans ce cas, le mieux est que je te la montre. Après tout, c'est peut-être une erreur d'adresse. »

Il ouvrit un tiroir et en sortit un feuillet que Reginald prit du bout des doigts. La missive était dactylographiée, et il remarqua qu'elle n'avait pas d'en-tête.

Desmond Mahoney Esq.
16, Wilton Terrace
Dublin   Ce 2 avril 1916.

« Cher Monsieur,

« MV 329 me prie de vous renvoyer la gravure ci-jointe que vous lui aviez montrée, mais que vous avez malencontreusement oubliée sur place lors de votre visite. Il me charge de vous dire que les temps sont trop austères pour vous priver plus longtemps d'une si charmante image.

« Sincèrement à vous,

« ILLISIBLE. »

« Une photographie ! s'exclama-t-il. Serait-ce... ?
— Une *gravure* », rectifia Thomas.
Reginald examina le cachet sur l'enveloppe.
« Posté à Londres, murmura-t-il. Je ne vois vraiment pas.
— Vraiment pas, dit Thomas d'un ton peiné. Oh, Reggie. Quand je pense à tout ce que nous avons fait ensemble, moi sous le couvert de l'université, toi de la diplomatie. Quand je revois ton vieux père...
— J'évoquais sa mémoire pas plus tard que ce matin, dit Reginald d'un ton dégagé. Mais assez joué au chat et à la souris, Tom. Je ne connais ni ce 319, ni ce Mahoney, et je n'ai perdu aucune gravure, et...
— Si », dit Thomas avec une gravité soudaine.
Il se leva et s'approcha d'un semainier qui avait dû être descendu à la hâte, car il semblait placé de guingois par rapport aux pyramides de caisses. Il en ouvrit un tiroir surchargé de dossiers et de documents et en retira un petit carton.
« Tiens », dit-il.
Reginald fit effort pour ne pas s'en saisir avidement.
« Je me souviens encore de ton émotion, dit Thomas, lorsque tu m'avais écrit qu'une petite écervelée l'avait... »
Il s'interrompit brusquement, regardant la table au milieu de la pièce.
« Qu'est-ce qu'il se passe ?... Tu ne te sens pas bien ? demanda Reginald tout satisfait de la diversion.
— Non, ça va, répondit Thomas. J'espère que nous pourrons la revoir.
— Revoir la *Rokeby Vénus* ?... l'interrogea Reginald avec surprise. Je le souhaite vivement. Mais je ne savais pas que tu t'intéressais à la peinture... Cela dit, c'est vrai que c'est un tableau que j'aime tout particulièrement... »

Thomas semblait s'être repris.

« Et tu n'imagines pas... non... où tu aurais pu l'oublier ? Enfin, une telle effigie ne peut avoir disparu de ta mallette ou de ton portefeuille sans que tu aies... une petite idée sur la question, tout de même...

— Je ne vois vraiment pas », répondit Reginald d'une voix étranglée.

Il s'agita et passa la main sur sa gorge comme pour desserrer une poigne invisible.

« D'ailleurs, je ne peux plus répondre dans un local aussi confiné, dit-il. Si c'est comme je le crains, hélas, une instruction judiciaire que tu es en train de mener, nous pourrions peut-être la poursuivre dans un lieu plus aéré. Ou bien rendons-nous autour d'un vieux brandy à Wilton Terrace, puisque tu es si au courant ! La rue donne sur le canal, comme tu le sais. Je pourrai toujours te précipiter dedans. »

Thomas le fixait d'un air impassible.

« C'est une boutade, Tom ! précisa-t-il hâtivement.

— Merci, j'avais compris.

— Tu me regardais de telle façon... Ecoute, à supposer même que je *sois* ce Mahoney — après tout j'ai eu tellement de noms de guerre au cours de mon existence, ça doit être mon goût de la défroque, que je peux en oublier un — et que j'aie vraiment perdu cette gravure à Londres... Il me semble qu'il est normal qu'on me la renvoie ! Tu es en train d'en faire tout un plat alors que nous sommes en pleine tragédie avec ce naufrage... Tu mélanges tout. Je connais cela : ce sont des confusions dues à l'âge, mon vieux, et...

— Tu ne l'as pas perdue à Londres.

— Mais enfin, regarde le cachet de la poste.

— Cela ne veut rien dire, Reggie. *Nous* postons de Londres depuis ici même pour tromper les gens, au cas où tu l'ignorerais. Je vais te dire d'où l'on t'a posté cette missive, bien que tu le saches aussi bien que moi. De la base navale de Rosyth, en Ecosse. »

Reginald observa un long moment de silence.

« Mais qu'est-ce que... ? Qu'est-ce que j'aurais été faire à Rosyth, je te le demande ?... » finit-il par balbutier.

Thomas le regarda avec l'air réprobateur du vieux professeur qui voit s'enferrer son meilleur élève.

« Tu avais deux raisons de t'y rendre, mon cher Reg-

453

gie. D'abord, tout simplement pour rencontrer Christopher Howard.

— Comment aurais-je pu ? s'exclama-t-il. Je ne savais pas où il se trouvait ! »

Thomas eut un geste d'agacement.

« Ce n'était pas très difficile, tu me l'avoueras, pour un ancien diplomate, adepte des services secrets — ou alors, Reggie, ta réputation serait usurpée, ce que je ne peux croire —, que de se procurer les listes du génie maritime et de savoir où il avait été muté. Tu devais penser en effet obtenir par lui les nouvelles de ta nièce que tu savais ne pas pouvoir trouver dans nos messages pour des raisons évidentes. Tu t'y es donc rendu en utilisant probablement des papiers du Foreign Office marqués de ton nouveau nom — après tout la nouvelle de ta disparition de Delhi n'avait peut-être pas encore franchi les lourdes portes de l'Amirauté. Certes, tu prenais un gros risque, mais que n'aurais-tu pas fait pour ta petite Winnie, n'est-ce pas ? Et voilà que, parvenu à destination, t'attend la pire des déceptions : tu apprends de la bouche même de Christopher qu'il n'avait pas davantage de nouvelles que tu n'en avais toi-même. A cette occasion, comme tu me le disais, considérant que rien ne rapproche comme le sentiment commun d'avoir été trompé, tu fais taire ta vieille aversion à son égard... Mais envers *eux*, en revanche, il commence à te venir de fâcheuses idées de vengeance. Et c'est là qu'intervient la deuxième raison de ta présence à Rosyth. Je crois pouvoir dire à ta décharge qu'elle ne t'est venue que sur place.

— Tu affabules de façon extravagante, je t'assure ! s'exclama Reginald. Les circonstances ne seraient pas ce qu'elles sont, je te présenterais à la femme de mon successeur à Srinagar, la romancière Mary Greenshaw, l'auteur de *Behind the Bungalow,* célèbre pour ses gaffes, et qui cherchait toujours à rencontrer des êtres à l'imagination fertile... »

Thomas l'arrêta du geste.

« Écoute, Reggie, ne te fatigue pas. J'ai *lu* la lettre. »

Reginald ne put réprimer une mimique d'inquiétude.

« Quelle lettre ? demanda-t-il faiblement.

— Celle qu'a écrite Christopher à son épouse.

— Mais... c'est une plaisanterie, il n'avait pas plus son adresse que je ne l'avais !

— Il l'a écrite d'ici. D'un trottoir de Sackville Street, pour être plus précis.

— Ça ne change rien !

— Il avait tout de même plus de chance de trouver ici même quelqu'un qui ait des liens avec nous, qui comprenne à demi-mot ce qu'il voulait, et qui finisse par nous transmettre la missive en question ! Tu étais d'ailleurs d'autant plus conscient de cette éventualité que tu l'avais fortement dissuadé de faire le voyage, en lui disant qu'il y avait peu de chances qu'il puisse la voir ou même obtenir son adresse : Christopher n'aurait pas manqué de dire en effet à Winifred qu'il t'avait vu quelques jours avant son départ, et cela nous aurait mis la puce à l'oreille pour la suite. Eh bien, vois-tu, tu avais à la fois tort et raison : il a bien failli ne jamais parvenir à ses fins, mais enfin il y est parvenu et nous l'avons su aussitôt.

— Si je comprends, il a donc fini par lui faire acheminer cette lettre que tu as interceptée ?

— A partir du moment où il trouvait un ou une messagère, je ne pouvais pas ne pas l'intercepter.

— Pourquoi cela ? Ils auraient pu se voir sans te le dire... ou Christopher lui adresser ce mot directement...

— Je vois que tu n'es pas très au courant du cloisonnement de nos réseaux.

— Je ne comprends toujours pas. Tu dis que Winifred l'a finalement reçue. Donc tu la lui as donnée ?

— Bien sûr que non. C'était le type de longue épître qui peut faire tourner casaque à n'importe qui. Je ne tenais pas à prendre le risque.

— Alors, tu peux me la montrer ! » s'écria Reginald.

Thomas eut un geste las.

« Eh bien, non. Je l'aurais fait, remarque, ne serait-ce que pour exciter ta jalousie : c'était une façon comme une autre de te faire commencer à expier. Mais cette lettre, on me l'a subtilisée.

— Volée ! Et tu sais par qui ? »

Il soupira.

« Disons que j'ai de fortes présomptions.

— Quelqu'un qui voulait la lui apporter en main propre ?

— Très certainement.

— Mais ne peux-tu t'assurer toi-même qu'elle lui est bien parvenue ?

— Il est arrivé un certain nombre d'événements depuis que cette lettre m'a été remise, dit Thomas d'un ton subitement contraint. Mais le problème n'est pas là, et revenons à toi ! »

Il se leva, fit de nouveau quelques pas, s'immobilisa devant le soupirail et s'assura longuement qu'aucune lumière ne filtrait ; puis il revint lentement s'asseoir derrière son bureau provisoire.

« Je te disais que ce que tu avais fait ensuite à Rosyth avait dépendu de ce que t'avait dit Howard et que, tel que je te connais, tu ne l'aurais peut-être même pas envisagé quelques jours auparavant. Néanmoins, tu l'as *fait*, Reggie. »

Les lèvres crispées en une moue désabusée, Reginald ressemblait à un boxeur sonné qui attend l'estocade.

« Lorsque tu as appris, reprit Thomas, que Winifred n'avait pas plus de contacts avec son mari qu'elle n'en avait avec toi, il t'est devenu évident qu'elle filait le parfait amour avec l'homme que tu haïssais le plus. Tu le haïssais, tu l'as très bien dit toi-même, pour deux raisons : tu estimais qu'il t'avait volé Winifred au moins autant qu'à Christopher, et tu craignais d'autre part qu'il ne s'arroge la gloire d'armer le soulèvement. Et c'est cet homme, fous que nous sommes, que nous avons envoyé sur le même territoire que toi, comme un agneau dans l'antre d'un grizzly ! Si j'avais su tout cela, je n'aurais jamais appuyé le plan de Winifred... Ou alors, je t'aurais fait revenir auparavant.

— Parce que c'est elle qui avait eu cette idée ? releva vivement Reginald.

— Oui. Le bon usage, en quelque sorte, de tes lettres concernant la Cause. Et les événements devaient montrer en effet que cette filière était un peu plus efficace que la tienne ! Mais elle ne devait pas imaginer non plus que tu réagirais face à Carl de cette façon. Tes lettres d'autrefois aidant, elle avait dû penser que l'Irlande éternelle passerait avant tes vengeances personnelles... Quoi qu'il en soit, dit-il après une brève pause, cela n'a pas été le cas, et quelques instants ou quelques heures après avoir quitté Christopher, tu signais l'arrêt de mort de Carl. Et par là même tu perpétrais l'échec de l'insurrection prévue et la ruine de notre mouvement. »

Reginald se leva.

« Qu'est-ce qui te *permet* de dire une chose pareille ?

— Mais... ce registre », dit Thomas avec douceur.

Il poussa devant Reginald un petit cahier marqué : CONFIDENTIEL— DÉFENSE.

« Nous avons fait quelques progrès depuis l'époque berlinoise où tu fouillais avec opiniâtreté les corbeilles à papiers de l'ambassade. Il s'agit de la liste puisée à bonne source, c'est-à-dire au Home Office, des chiffres attribués aux personnalités politiques ou militaires pour ne pas divulguer leur nom dans certaines dépêches confidentielles ayant trait aux hostilités. Tu remarqueras que le roi lui-même possède son chiffre, le Premier ministre aussi, et ainsi de suite. Tiens, je t'ai marqué la page qui t'intéressera. »

Reginald ne tendit même pas la main pour saisir le registre. Thomas le poussa devant lui.

« Eh bien, ouvre-le ! Nous avons eu assez de mal à l'obtenir ! »

Les lèvres serrées, Reginald s'exécuta et commença l'énumération.

« MV 326   Lord Hirschfield M.P., K.C.B., D.S.O., K.C.V.O. »

« MV 327   Lord Aberconway, M.P., K.B.E., C.M.G. »

« MV 328   Sir Edward Gray, K.C.B., G.C.V.O., Secrétaire d'Etat au Foreign Office. »

Il leva les yeux.

« Ce n'est pas un registre secret, c'est un catalogue de décorations, remarqua-t-il.

— Cela ne concerne pas le suivant, en tout cas, dit Thomas d'un ton égal. Notre homme a de ces coquetteries. »

« MV 329, Vice-Amiral David Beatty, commandant la première escadre de croiseurs de bataille », lut Reginald.

Il leva les yeux au-dessus de la page ouverte.

« Et qu'en déduis-tu ? »

Il avait un ton presque détaché.

« Oh, c'est très simple, répondit Thomas. Tu as demandé à être reçu par l'amiral. Pour obtenir ce rendez-vous, tu as dû lui faire miroiter quelque chose de très important. Apparemment, il n'a pas été déçu.

— Je lui aurais divulgué l'endroit précis où devait débarquer l'*Elmshorn*, c'est cela ?

— Par exemple. Avec en prime la nature de la cargaison.

— Et j'aurais poussé la sottise jusqu'à être là en personne, uniquement pour assister à un désastre ! Écoute, je vais te dire le seul mot qui me vienne à l'esprit : c'est bouffon.

— Au contraire, c'était perfide, mais néanmoins bien jugé, ce qui ne me surprend pas de toi, d'ailleurs. A partir du moment où tu étais présent au large de Waterville, il était évident que l'on ne pouvait guère te soupçonner ; alors que tout, au contraire, laissait supposer que Carl avait trahi ! D'ailleurs, pourquoi n'a-t-il pas réapparu ? Peut-être craint-il en effet qu'on ne le pense ! Il ne sait que trop ce que serait dans ce cas la sanction... Mais il y a mieux : en laissant planer un doute, tu le déconsidères totalement aux yeux de Winifred, et c'est cela qui t'importe, bien évidemment. »

Il s'interrompit et laissa au lourd silence qui régnait dans la cave l'impression de la saturer jusqu'à l'étouffement.

« Tu m'accorderas tout de même, reprit-il, que ce bon Beatty, en te faisant renvoyer la reproduction du tableau, ne t'a pas fait une fleur. C'était en quelque sorte violer le secret de l'entretien, et montrer par la même occasion en quelle estime il te tenait. »

Semblant frappé d'une sorte de stupeur, Reginald ne réagit pas.

« Alors, qu'as-tu fait de Carl ? » lui demanda brusquement Thomas.

Reginald parut se réveiller et lui jeta un regard traqué comme une bête forcée.

« Je te le dirai lorsque tu m'auras toi-même indiqué où se trouve Winifred. Je veux la voir. Je veux la voir avant lui. »

Thomas parut soulagé.

« Avant lui ? Il est donc en vie ? »

L'expression de Reginald se durcit fugitivement.

« Je l'ignore.

— Eh bien, moi aussi pour ta nièce, je l'ignore, rétorqua Thomas.

— Tu abuses de la situation ! s'écria Reginald d'un air éperdu.

— Pas du tout. Je l'avais fait mettre au secret et elle m'a filé entre les doigts. »

Reginald parut ne pas comprendre.

« Au secret ?

— Elle a failli m'occire le Vice-Roi en personne, imagine-toi. A Belfast ! Et elle n'a pas raté en tout cas l'un des officiers qui l'accompagnait. Tout cela parce que je lui avais expliqué que je trouvais irréaliste dans l'immédiat une reconquête de l'Ulster.

— Mon Dieu, s'exclama Reginald. J'ai entendu parler de quelque chose de ce genre. On parlait à Berlin de flambée de terrorisme, et j'avais cru que c'était de l'intoxication. »

Il s'épongea.

« Je ne parviens pas à y croire.

— Les Anglais, si ! A cause de cela et de ce qu'ils subodorent derrière, les cinquante-neuvième et soixantième divisions, au lieu de partir pour la France, vont venir chez nous. Alors qu'auparavant je pensais déjà qu'un soulèvement en pleine guerre serait bien hasardeux... C'était pour cela qu'il fallait faire vite. Oh ! Reggie, quel malheur ! Quel malheur que tout cela soit arrivé ! Il nous *fallait* ces armes. »

Les yeux dans le vague, il parut exhaler longuement sa déception.

« Ma fureur était telle lorsque j'ai appris ce qu'elle avait fait, qu'à l'endroit même où tu te trouves je lui ai fait appliquer une fessée à coups de canne. »

Reginald sursauta.

« Quoi ! sous tes yeux !

— Oui, encore que cela m'ait été fort désagréable. Mais, crois-moi, elle n'en est pas morte. A l'heure qu'il est, elle court même Dieu sait où. »

Le vieux diplomate parut soulagé.

« Au moins, ce n'est pas avec ce garçon...

— Ce n'est pas mieux, répliqua Thomas avec vivacité. Avec sa maudite manie de traîner après elle les cœurs de tous âges et de tous bords, elle m'a enlevé ce jeune Français qui avait mes faveurs depuis près d'un an. Et ne me dis pas comme tout à l'heure que je vais en retrouver un en claquant du doigt.

— Je ne dis rien, Tom », soupira Reginald d'un air las.

Il s'interrompit et reprit :

« Que veux-tu ? dit-il d'un ton désenchanté. Nous avons eu ce que nous voulions. Nous savions pourtant depuis longtemps que mêler passions et conspirations ne pouvait mener qu'à la confusion des unes et des autres.

— Parnell était amoureux...

— D'abord, il n'était pas conspirateur... Ensuite, regarde où ça l'a mené. »

Il semblait avoir du mal à prononcer les mots désormais, comme s'il étouffait.

« Bon, eh bien, qu'est-ce que tu vas faire ? reprit-il d'une voix sourde.

— Tout annuler. Le soulèvement devait avoir lieu le jour de Pâques. Ce sera à la Trinité... ou jamais. Sans doute jamais.

— Et... en ce qui me concerne ? »

Thomas le regarda longuement.

« Tu avais raison tout à l'heure lorsque tu disais que tu es une figure de stature nationale, dit-il. C'est vrai que les Volontaires attendent beaucoup de toi... Nous ne pouvons pas nous offrir le luxe de faire de toi un traître. »

Tassé sur son fauteuil, Reginald attendait.

« En revanche, il y a des gens qui peuvent très bien supporter la nouvelle, poursuivit Thomas. Ce sont les Anglais. Au Home Office, ils sont moins naïfs qu'à l'Amirauté, et les noms de guerre y sont moins transparents. A moins que Beatty ne te serve de témoin de moralité, bien sûr...

— Tu es trop sibyllin pour mon état de fatigue.

— C'est simple, pourtant. La police métropolitaine va apprendre, et nous ne ferons rien pour qu'elle ne l'apprenne pas, que tu te promènes en ville. Que tu possèdes une petite... retraite à Wilton Terrace. Tu sais combien ces gens-là ont la corde près du bonnet, si je puis m'exprimer ainsi. »

Il regarda Reginald avec un semblant d'ironie.

« Tu feras pour nous un héros très présentable. Ta capture ira peut-être, ô dérision ! jusqu'à aider notre cause en créant un martyr — de toutes pièces, je dois avouer. »

Reginald eut un petit rire amer.

« Si je comprends bien, tel le chevalier de l'Arioste, je combattrai sans savoir que je suis mort.

460

« — Prends-le comme cela.

— Et... Je ne verrai donc pas Winifred ? » demanda-t-il d'une voix étranglée.

Thomas haussa les épaules.

« C'est la seule chose pour laquelle je ne peux sincèrement rien. Il est exact que je ne sais pas où elle se trouve. Ce sera peut-être là ta véritable punition. Permets-moi de te dire toutefois que je doute fort que ta nièce t'eût fait bonne figure si tu avais pu la rencontrer. »

Reginald ne répondit pas. Il y eut un bruit à l'extérieur, puis un petit signal rapide contre la porte, et une ombre s'introduisit dans la cave. C'était Tracy, son corps maigre engoncé dans une robe de chambre informe.

« Je venais vous proposer un peu de café, dit-elle.

— Tu ressembles à une sœur converse allant chanter matines, essaya de plaisanter Thomas.

— Et vous, vous voulez savoir à quoi vous ressemblez ? A deux vieux singes exténués.

— Oh, voyez-vous ça, comme c'est agréable à entendre », s'exclama Reginald d'une subite voix de fausset.

Thomas prit le bras de Tracy avec une sorte de brusquerie, comme s'il avait soudain besoin d'un appui.

— Que veux-tu, mon petit, nous sommes à une heure de la nuit où la terre est lasse, comme dit notre plus grand poète. Oui, pourquoi pas un peu de café. »

Tracy s'éloigna, et il la suivit des yeux.

« A la voir aussi menue, on ne croirait jamais qu'elle puisse être tellement... violente... » Il s'interrompit. « C'est tout à fait le genre qui, sensibilisé par une autre cause, aurait pu lacérer ton Velasquez. A ce propos... »

Ses doigts tapotèrent sur la table.

« Comment en étais-tu venu à montrer ce tableau à l'amiral ? Ce n'est pas si fréquent de parler art chez un homme de guerre. Cette fâcheuse confusion des genres aura causé ta perte. »

Reginald soupira.

« J'ai gardé de mes pérégrinations orientales l'habitude de ne pouvoir entrer immédiatement dans le vif du sujet, lui expliqua-t-il. Il fallait donc meubler le porto. Et justement, on en était venu à parler des suffragettes, phénomène social qui semblait l'intéresser. Je lui ai sorti de ma serviette cette gravure qui ne me quitte pas pour lui montrer leur dernière action d'éclat. Eh bien, vois-tu, voilà un homme de guerre, certes, mais intelligent, cultivé. Pas comme certains que nous connaissons, toi et moi... »

Il jeta autour de la cave un regard mélancolique.

« Le cabinet du philosophe..., marmonna-t-il avec une sourde ironie.

— Qu'est-ce que tu racontes ? demanda Duneggan.

— Revenons à l'amiral... Eh bien, vois-tu... qu'il y ait un Velasquez de moins sur nos cimaises, j'ai manifestement vu que cela ne lui faisait aucun effet. »

19

WINIFRED fut surprise du silence qui régnait dans la rue. Hormis quelques bicyclettes, la circulation était en effet presque nulle, et cela lui permit d'entendre devant la Rotonde le piaillement d'une mouette égarée qui paraissait toute surprise du ciel bleu — il y avait si longtemps, en effet. Elle traversa la chaussée. Cora était à son poste habituel au coin de Denmark Street, paraissant transie de froid derrière sa petite voiture, serrant sa bouillotte contre son sarrau blanc. Seule concession au lundi de Pâques et aux festivités de Fairyhouse, elle avait disposé à côté de son éventaire de fleurs et de légumes une pile de programmes des courses. Il n'y avait guère de clients ni pour les uns ni pour les autres.

« Eh, Win ! cria-t-elle d'aussi loin qu'elle la vit. Ça fait une paye que t'es pas venue ! C'est le beau temps qui te fait enfin sortir ?

— Ça se pourrait », répondit prudemment Winifred.

La vieille femme se pencha vers elle et dans ce mouvement fit jaillir en désordre des mèches grises de son petit chapeau noir. La sorcière de la lande, se dit Winifred.

« Ecoute-moi, lui chuchota-t-elle avec ce timbre un peu rauque qu'elle lui connaissait. Je te fais *Capdeville* à trois contre un dans l'Irish National. T'auras pas mieux en bas, mon petit. Tu racles tout et tu me files une guinée. Avec ça, dès demain matin tu peux t'acheter un deuxième vélo pour ton jules.

— Une guinée, mais t'es folle ! On n'a plus un penny d'avance, de toute façon. Et j'ai pas besoin de vélo. »

Elle se rapprocha d'elle.

« Et puis, Cora... Comme si j'avais la tête à ça. »

La vieille femme eut une petite moue furtive.

« Décidément, c'est pas le jour d'aujourd'hui qui va arranger mes affaires ! Pourtant d'habitude les congés je travaille assez bien. Mais ce matin la ville est morte. Tout le monde est à Sackville Street, il paraît. On dirait que les gens se doutent de quelque chose. Ils me font rire ! C'est passé, c'est passé, l'occasion ! La poisse, ça existe...

— Il n'y a donc rien eu hier, finalement ? » lui demanda Winifred pour s'assurer de ce qu'elle croyait déjà savoir par Kevin.

Cora eut un geste évasif.

« Duneggan et Mac Neill avaient tout décommandé samedi, ça tu sais ?

— Oui.

— Eh bien, y en a qui seraient pas d'accord et qui ont refusé le contrordre de Thomas. Si tu veux mon avis, ça m'a l'air d'être un fichu foutoir.

— Mais toi, qu'est-ce que tu as entendu raconter ? Il y aurait un défilé de Volontaires ? »

Cora allait répondre lorsqu'un couple s'approcha, choisit pour six pence de mimosas du Kerry, puis s'éloigna. Elle les suivit des yeux puis se pencha en travers de l'éventaire.

« Ce serait Pearse et Connolly qui auraient refusé le contrordre et organisé un soulèvement pour aujourd'hui avec ce qui leur reste sous la main, chuchota-t-elle. Je t'ai rien dit.

— De toute façon, les gens s'en moquent, soupira Winifred avec amertume.

— Ils s'en moquent pas, puisqu'ils sont là-bas à attendre ! Ce que je sais, moi, c'est qu'il aurait fallu que j'y installe ma charrette pour me rapprocher de la clientèle. Mais qu'est-ce que tu veux, c'est plus de mon âge. »

Winifred haussa les épaules.

« Tu le crois pas, toi, demanda Cora, qu'ils auraient acheté des fleurs pour leur lancer ?

« — Tu plaisantes ! Si ça se produit il n'y aura pas un encouragement, tu verras ! »

Cora hocha la tête.

« Je vais te dire ce que je pense, Win : Connolly, il me plaît pas, c'est un extrémiste. On a jamais fait gagner un cheval rien qu'avec la cravache. *Capdeville*, lui, y vient tout seul. »

Winifred ne put s'empêcher de rire.

« Tu es une obstinée, Cora. C'est pour ça que l'avenir t'appartient. Allez, à tout à l'heure.

— Préviens-moi avant midi si tu changeais d'avis pour mon tuyau. Et méfie-toi, mon petit. Y a que des mauvais coups à prendre dans ce genre de bousculade. »

Elle s'éloignait déjà lorsque Cora la rappela.

« Win ! J'oubliais... »

Elle revint sur ses pas. La vieille marchande prit un air mystérieux.

« Un gars m'a montré un jour ta photo en me demandant si par hasard j'te connaissais pas.

— Ah bon, fit-elle. Quand ?

— Oh... une quinzaine... Un grand gaillard pas mal de sa personne d'ailleurs. J'ai rien dit, bien sûr, ajouta-t-elle en clignant de l'œil. Il te faut pas de tentations, en ce moment. »

Winifred resta un instant songeuse, le regard dans le vague, essayant un instant d'imaginer Christopher errant sur le trottoir de Dominick Street et se dirigeant soudain vers la vieille marchande, lui qui n'avait jamais acheté une fleur de sa vie.

« J'ai bien fait ? » demanda Cora soudain inquiète.

Un fugace sourire effleura le visage de la jeune femme.

« Oui, dit-elle. Oui. »

« Tu as été longue, lui reprocha-t-il.

— Cora est un petit réseau à elle toute seule, dit-elle. Mais elle est comme les boutiquiers du bazar de Srinagar, il faut la faire parler de tout et de rien avant...

Pour ce qui est du pouls de la ville, d'ordinaire elle est assez bien renseignée. Sauf pour les chevaux, malheureusement. »

Elle vit que Carl avait dû s'assoupir sur le banc du square en l'attendant, sa casquette sur les yeux. Derrière lui, le vieux bâtiment de la Rotonde avait ce matin une gaieté inhabituelle due à l'éclat satiné des briques sous le soleil.

« Et qu'as-tu appris de ton informatrice que nous ne sachions déjà ? demanda-t-il d'un ton las.

— Il semble avoir régné une grande confusion lorsque la nouvelle du sabordage est parvenue ici...

— On s'en serait douté !

— Toujours est-il que Pearse et Connolly auraient refusé hier le contrordre imposé par Thomas samedi, et qu'ils joueraient ce matin leur va-tout. Kevin était d'ailleurs revenu hier de son tour après le dîner en laissant prévoir quelque chose de ce genre. »

Carl eut un mouvement d'humeur.

« Leur va-tout ! s'écria-t-il. Sans troupes et sans armes !

— N'oublie pas qu'il doit y avoir tout de même deux mille fusils en ville. Et que si tu prends l'Armée des Citoyens de Connolly et les quelques corps de Volontaires que Pearse aura pu rattraper, il y a bien de quoi mettre un homme derrière chaque gâchette...

— C'est de la folie ! Avec l'armée qui est en place autour de la ville, ne serait-ce qu'au Curragh, il en faudrait dix fois plus pour pouvoir espérer tenir plus de deux jours ! Au moins Thomas avait compris cela. Pearse prend une énorme responsabilité...

— Tu sais que je me demande si ce n'est pas, plus encore que Pearse et Connolly, l'ensemble des membres les plus jeunes du Conseil suprême qui ont pris cette décision.

— *Quelle* décision ?

— Mais... celle de refuser que la date du soulèvement soit reportée *sine die* !

— Se lancer là-dedans sans même un espoir raisonnable de victoire ! s'exclama Carl. Je retrouve en Pearse quelque chose des mystiques hindous. Fascination de l'échec. Rédemption par le sang. Voilà ce qu'il cherche.

— Pourquoi pas les graines de cardamome ! s'écriat-elle avec une soudaine irritation.

« — Je me demande même s'il ne se prend pas pour le Christ, renchérit Carl. Il lui faut sans doute son Golgotha, avec quatre jours de retard sur le Vendredi saint ! »

Elle regarda autour d'elle. Le square s'était peuplé de jeunes mères qui faisaient jouer leurs enfants tout enivrés de cette première douceur de printemps.

« Crie moins fort, lui dit-elle. Tu as l'air bien plus exalté que ne doit l'être Pearse en ce moment, et tu risques d'effaroucher tous les marmots du quartier.

— Qu'est-ce que tu veux, je n'arrive pas à..., grommela-t-il sans qu'elle pût comprendre le reste de sa phrase.

— Tu penses bien, ils ne doivent plus agir en termes de victoire ou d'échec, lui fit-elle remarquer. Ils ont sans doute estimé que l'occasion ne se reproduirait plus et que s'il y avait quelque chose à tenter coûte que coûte, c'était aujourd'hui ou jamais. A la suite de l'affaire de l'*Elmshorn*, le gouvernement va forcément dissoudre et désarmer les Volontaires...

— Ce n'est pas si sûr. Il peut laisser pourrir le mouvement de lui-même en constatant qu'il n'est pas suivi par la population. »

Elle le regarda.

« Raison de plus pour aller voir ce qui se passe », ajouta-t-elle d'un ton résolu.

Il releva vivement la tête.

« Il n'en est pas question, Winifred ! Tu voulais juste prendre l'air pour tâter le pouls de la ville, eh bien voilà, c'est fait. C'était déjà suffisamment risqué pour quelqu'un qui peut être reconnu à tout moment et par ses ennemis, et par ses ex-amis ! Allez, nous retournons à Swords. Tu ne seras jamais mieux dans les jours qui viennent qu'entre les quatre murs d'une chambre. D'ailleurs, je me moque bien de ce qui peut se produire ici désormais. Etre des pantins comme les autres... Après ce qu'on a fait... Des spectateurs comme les autres... Merci bien. Je préfère déserter le champ de bataille. »

Il se levait déjà.

« Carl, supplia-t-elle. Qu'on puisse au moins se dire plus tard : on a *vu* ce qui s'était passé. Nos aspirations et nos espoirs sont encore à défendre, à protéger comme des fleurs sauvages... Et puis de toute façon nous avons les nerfs à bout, ajouta-t-elle sur un ton plus prosaïque, et cela ne nous apportera rien de bon d'être enfermés chez Kevin.

— Si, dit-il : la sécurité. Se promener dehors aujourd'hui n'est pas raisonnable. Et cela aussi tu le sais très bien.

— Je descendrai le plus possible mon chapeau sur mes sourcils. Je peux même aller emprunter la petite voiture de Cora, si tu veux, et son tablier et sa vieille toque. Alors nous ne nous reconnaîtrons même pas nous-mêmes, car moi, je t'avoue, avec ta casquette et ta barbe, il y a des moments où c'est tout juste !

— Tout le monde avait une barbe sur l'*Elmshorn,* dit-il. Il fallait faire norvégien. Oh, mon Dieu, quand je pense...

— Justement, ne pense pas, dit-elle avec un mélange de douceur et de fatalisme. Ou alors pense simplement qu'on s'est retrouvés.

— A l'heure qu'il est, reprit-il d'un ton amer, avec l'arsenal que j'apportais nous serions déjà les maîtres de la ville. Bien implantés sur quatre ou cinq points stratégiques et prêts à les défendre de longues journées en attendant les camarades de province... »

Elle mit tendrement ses mains sur ses lèvres pour lui imposer silence.

« Oh, Winnie, je ne m'y fais pas, je ne m'y fais pas. D'autant qu'ils doivent me mettre tout sur le dos... »

Elle se redressa et le regarda avec une sorte d'étonnement amusé.

« Ah bon, parce que tu m'appelles Winnie, maintenant ? »

Il eut presque l'air pris en faute.

« Je sais que ton mari t'appelait comme cela, et c'est pourquoi j'évitais de le faire... mais j'ai pensé à toi avec tant de douceur pendant ces semaines loin de ta présence... C'est comme cela que je t'appelais en pensée. »

Elle le regarda fixement, puis se pencha vers lui avec un brusque élan.

« Va pour Winnie, dit-elle. C'est si bon de s'être retrouvés. J'ai eu tellement peur toute la journée de samedi, lorsque je ne te voyais pas revenir... Je craignais que notre petit relais de Henrietta Street ait été éventé et que tu ne saches où me rejoindre.

— J'ai perdu beaucoup de temps, tu sais, là-bas. Je ne t'ai pas dit pourquoi je me suis fait conduire à Cork au

lieu de prendre tout simplement le train à Killarney ?
Je craignais de rencontrer ton cher oncle. Je ne voulais
pas qu'il sache que j'en avais réchappé. Il sera toujours
temps de le lui faire savoir. »

Il se tourna vers Winifred.

« Il a *vraiment* voulu ma mort, tu sais, lui dit-il avec
un accent d'incrédulité. Tu imagines ? Il m'a précipité à
la mer en me frappant avec un aviron. Tout habillé
dans l'eau glaciale ! Et il m'empêchait de m'accrocher
au bateau ! Un vrai miracle que je m'en sois tiré. Heureusement que la côte était toute proche !

— Je n'aurais jamais imaginé qu'il puisse, non seulement te détester à ce point, mais être capable d'une
chose pareille, murmura Winifred.

— Si ce n'était que moi ! Mais c'est tout un mouvement, c'est l'avenir d'un peuple tout entier qui sont
tombés à l'eau avec moi, sacrifiés à sa jalousie ! s'écria-
t-il avec emportement. Voilà la vérité, Winnie. Et je
suis sûr que cette vérité, il ne va avoir de cesse que de
la travestir ! Et de tout mettre sur mon dos, bien
entendu, c'est-à-dire de faire de moi un traître qui
aurait prévenu les Anglais du lieu de débarquement...
Tu vois, ajouta-t-il d'un ton désabusé, je ne devrais pas
plus que toi me promener dans les rues de Dublin,
malgré ma barbe. Et si je déteste ce qu'ils t'ont fait, je
déteste aussi ce que les Volontaires doivent penser de
moi en ce moment.

— Ce qu'il faut, c'est que tu fasses vite un rapport
sur ce qui s'est passé, que nous ferons parvenir à tous
les membres du Comité militaire et du Conseil supérieur de la Fraternité. Il ne faut surtout pas qu'ils aient
uniquement le point de vue de Reginald. Tu ne dois pas
oublier que certains étaient opposés à ce que tu retournes à Berlin et qu'ils seront ravis de faire de toi le bouc
émissaire...

— Alors que tout s'était si bien passé, soupira Carl.
Presque trop bien. Mon escale de septembre 14 avait
fait son effet, ainsi que les messages envoyés d'ici. L'appui du Kronprinz m'avait ouvert toutes grandes les
portes de la Chancellerie et, ce qui est plus important,
celles de l'arsenal de Hambourg.

— L'or du Clan na Gaël n'y était peut-être pas étranger !

« — Ton oncle en disposait autant que moi », rétorqua-t-il.

Elle secoua la tête.

« Je ne pardonnerai jamais à Reginald. Et crois-moi, comme je le disais à cette sale petite Tracy, il y a des comptes qui se régleront et que je n'oublierai pas, je t'en réponds. »

Au nom de Tracy, les traits de Carl se durcirent.

« Et moi non plus je ne leur pardonnerai jamais ce qu'ils t'ont fait, dit-il comme en écho. Au moment même où je faisais tout pour les aider ! »

Ils se regardèrent.

« Dis donc, reprit-il après un silence, on dirait qu'on est en train d'accumuler pas mal de rancœur... »

Comme pour lui donner tort, elle eut un rire soudain rempli de gaieté et lui entoura l'épaule avec un geste tendre.

« Rejetés par tous les autres, on est quand même rendus l'un à l'autre. C'est l'essentiel, non ? »

Il la regarda sans sourire.

« Winnie, dit-il brusquement. Je voudrais tout de même te dire quelque chose...

— Je *sais* ce que tu vas me dire, murmura-t-elle avec réticence.

— Tant pis. Mais si j'étais resté ici, tu ne serais pas allée là-bas.

— Évidemment ! Je n'aurais même probablement pas eu l'idée ! Sans doute ai-je voulu avoir l'impression d'être à tes côtés, de courir un danger pendant ou parce que tu en courais toi-même... d'agir en lointaine... oui, c'est cela..., complicité avec toi... »

Elle s'emmêlait dans ses mots, semblant chercher une idée qui la fuyait.

« Je ne pouvais simplement pas rester en place quand tu n'étais pas là, reprit-elle. J'aurais eu mes missions à bicyclette, encore... Mais depuis l'histoire des lettres Thomas m'avait interdit de courir la campagne. »

Il demeura silencieux.

« C'est tout de même étrange, dit-il soudain, cet homme que tu retrouves à trois journées essentielles de ta vie depuis que je te connais.

— Qui ça ? demanda-t-elle avec brusquerie.

— Mais... ce Partridge. »

470

Elle parut réveillée par un choc violent.

« Ne me parle pas de lui ! répliqua-t-elle sur un ton soudain aigu qu'il ne lui avait jamais entendu. Ne prononce jamais plus son nom, c'est compris ? Est-ce que je t'en parle, moi, de tes deux gurkhas ? »

Il tressaillit puis ouvrit la bouche sans pouvoir dire un mot.

« Pardonne-moi, dit-elle aussitôt. Mais tu m'as rendue aussi nerveuse que toi. »

Elle se leva et fit quelques pas sur l'allée d'une démarche saccadée, les yeux à terre et les poings crispés, paraissant lutter contre une véritable tempête intérieure. Puis, sans mot dire, elle se dirigea vers sa bicyclette. A contrecœur il se leva, ajusta sa casquette et la suivit.

Sur les marches de la cathédrale provisoire Sainte-Marie, un vieil homme était assis et, paraissant heureux de cette matinée printanière, jouait de l'accordéon avec une discrète allégresse. Sans se préoccuper de Carl, elle mit un instant pied à terre et l'écouta. Elle avait toujours adoré les musiciens des rues, mais elle eut l'impression que la comptine que celui-ci fredonnait d'une voix nasillarde prenait cette fois une résonance diffuse et lointaine dont elle sentit qu'elle l'apaisait à chaque note davantage.

> *Daddy wouldn't buy me a bow wow,*
> *bow wow*

chantait le vieillard. Elle se remit en selle, et à Talbot Street elle l'entendait encore, ou plutôt, s'aperçut-elle, sa mémoire avait pris le relais.

> *I've got a little cat, I am very found of*
> *that*
> *But I'd rather have a bow wow wow*
> *wow*

Mais oui, cela lui revenait, c'était ce que lui chantait Angela lorsqu'elle l'emmenait jadis se promener à St Stephen's Green. Au même moment, elle remarqua que le policeman qui se trouvait d'ordinaire au carrefour de Talbot Street et de Marlborough Street n'était pas à son poste. Au même titre que la complainte d'Angela, sa silhouette s'était pourtant inscrite dans l'un de ses tout premiers souvenirs de la ville. Elle pouvait avoir quatre ans et avait observé dans la devanture du tabac Kennedy son casque à pointe se reflétant tour à tour de face et de profil comme une sorte de toupie à l'envers. Qu'il ne fût pas à son poste pour la première fois depuis des lustres fut pour elle le premier signe digne de foi qu'il se passait en ville quelque chose d'insolite.

Elle en eut vite la confirmation. En tournant à droite vers Sackville Street, elle vit qu'une foule silencieuse stationnait déjà. Elle se retourna vers Carl, et ils décidèrent d'un commun accord de laisser leurs bicyclettes sous un porche et de continuer à pied.

Il y avait pourtant moins de monde que ce à quoi elle s'attendait après ce que lui avait dit Cora. Les gens semblaient écrasés par une morne apathie que l'éclat inattendu du soleil sur les étoffes exténuées rendait plus apparente encore. Elle n'osa pas s'enquérir de ce qu'ils attendaient, même auprès des émules de Cora qui circulaient en proposant elles aussi des fleurs et le programme des courses. Mieux habillé était un groupe qui stationnait devant l'entrée de l'hôtel Métropole et dans lequel elle crut reconnaître un grand nombre de militaires en civil. Sautillant au milieu de la foule, un gamin pieds nus qui ressemblait à celui de Ballycannon hurlait avec un débit de mélopée plaintive les nouvelles de tête de l'*Irish News* : « GERMAN TROOPS TEN MILES FROM VERDUN FAIRYHOUSE IRISH NATIONAL ALL SORTS FAVOURITE AT THREE TO ONE GERMAN TROOPS... »

« Il me semble que je vois de l'animation, là-bas », dit Carl.

Au coin d'Abbey Street, des gosses juchés sur le monument O'Connell regardaient dans la direction du pont. Elle chercha à gagner des rangs dans la foule pour mieux voir.

« Ne te mets pas au premier rang », lui recommanda-t-il en s'efforçant de la suivre.

Presque aussitôt se fit entendre le son martial et guilleret d'une fanfare de *bagpipes* qui jouaient *Molly Malone*, et derrière celle-ci, comme une vision qu'elle n'espérait plus, débouchant du pont en rangs par huit, apparut un corps de Volontaires.

Impeccablement sanglés dans leurs uniformes vert

foncé et leurs baudriers immaculés, portant de grands chapeaux relevés d'un côté à la manière boer, ils défilaient au pas cadencé. Winifred reconnut en tête Pearse et Connolly, qui semblaient frères avec leurs grands fronts bombés, et Mac Diamarda à sa légère boiterie. Tous les âges semblaient représentés.

« Au moins ils sont armés de mausers », constata Carl avec satisfaction.

La foule les regardait passer, étrangement indifférente, et Winifred se demandait si c'était de la stupeur ou de l'hostilité, lorsqu'une voix de stentor retentit à côté d'elle.

« Patriotes ! Vous me faites rigoler ! Les vrais patriotes irlandais, c'est sur le front qu'on les trouve ! »

Elle regarda qui avait crié. Elle aurait aimé le haïr, mais c'était un vieil homme à la redingote élimée, au visage usé, rasé de la veille. La voyant pâlir, Carl lui prit hâtivement la main et la serra. Les gens autour d'eux paraissaient s'accommoder parfaitement de cette façon de voir les choses.

« Ça me fout en pétard, moi, de voir ces dégonflards défiler dans un moment comme celui-là ! renchérit d'une voix vindicative une femme entre deux âges.

— Ça finira comme en 93, bougonna quelqu'un. La répression, vous savez pas ce que c'est, vous les jeunes ! »

Carl se pencha sur Winifred.

« Ne perds pas ton calme, hein, surtout. »

Elle se retourna, furieuse.

« C'est *toi* qui vas finir par me le faire perdre. »

Le son des cornemuses allait diminuant, et si les Volontaires continuaient à défiler devant eux, ils n'étaient plus désormais armés que de mousquetons et habillés de pièces d'uniforme fort disparates. A mesure qu'ils passaient — le pas cadencé n'était plus qu'un souvenir —, Winifred s'irritait de ne reconnaître personne dans leurs rangs. « Comme si c'était une légion étrangère », se dit-elle avec tristesse. Pourtant tous ceux qui défilaient soutenaient la même cause qu'elle, puisque Connolly était parmi ceux qui revendiquaient l'indépendance de l'ensemble de l'île ! Comment se faisait-il qu'elle ne les avait jamais vus, jamais rencontrés ?... Certains auraient sans doute apprécié et soutenu son action de Belfast ! Elle eut pour la première fois l'impression que c'était là le résultat du cloisonnement excessif auquel tenait tant Thomas et qui, selon lui, garantissait la sécurité de toute l'organisation. « On peut nous démanteler une filière ou un réseau local, disait-il, mais cela n'ira pas plus loin, car on se heurtera tout de suite à une cloison étanche. »

« Dégonflés ! Traîtres ! cria de nouveau quelqu'un non loin d'elle. Si vous voulez jouer aux petits soldats, que ce soit au moins contre les Boches ! »

Elle se retourna pour voir qui avait crié. C'était cette fois un officier en tenue qui portait sur sa vareuse l'écusson des Connaught Rangers de Redmond. Elle ne put se contenir et, malgré la pression renouvelée de la main de Carl, se retourna vers le protestataire.

« Et alors, s'écria-t-elle brusquement. Ça ne vous vient pas à l'idée, major, que l'Irlande n'est pas en guerre avec l'Allemagne ? Et que l'adversaire de l'Angleterre n'est pas forcément celui de l'Irlande ? »

L'officier la toisa au-dessus des quatre ou cinq personnes qui les séparaient.

« Encore une de ces harpies de la Fraternité, dit-il distinctement d'un ton méprisant. Ça devrait recevoir les étrivières en place publique...

— C'est déjà fait, connard », lui lança-t-elle en retour.

L'officier blêmit, puis préféra se retirer et disparut dans la foule, sans qu'au sein de celle-ci personne eût paru prêter un semblant d'attention à l'échange d'aménités qui venait de se produire.

« C'est malin, chuchota Carl. Tu l'avais pourtant promis de ne pas te faire remarquer.

— Enfin, *qui* a été agressé ? protesta-t-elle. Veux-tu me le dire ? »

Ceux qui défilaient maintenant étaient en civil et n'étaient même plus armés. Certains étaient très jeunes et semblaient à vrai dire avoir été racolés l'instant d'avant sur le quai. Derrière le dernier rang, la foule se referma. Carl eut l'impression que deux ou trois personnes suivaient Winifred des yeux et il préféra l'entraîner à l'écart.

« Pas un applaudissement, tu te rends compte ! s'écria-t-elle avec indignation. On savait qu'on était les rois de la ville, mais à ce point ! Combien étaient-ils, à ton avis ?

— J'ai essayé de compter, dit Carl. Huit à neuf cents. Là-dessus, la moitié seulement sont aptes à combattre.

— Si vous savez compter, alors vous venez avec moi », dit une voix derrière eux.

Carl tressauta et se retourna. C'était un vieux bookmaker qui ressemblait au premier protestataire.

« Dans le National, je vous donne *All Sorts* à quatre et demi. Ça, c'est des choses sérieuses. Un vrai cadeau, en fait.

— Merci, j'ai ma *book* à moi, protesta Winifred.

— Mais enfin, elles ont pas le droit ! s'exclama le vieux. Et qu'est-ce qu'elle te propose, mignonne ? Pas mieux, sûrement pas. »

Winifred chercha dans sa mémoire.

« Elle me conseille *Capdeville* à trois contre un, je crois me souvenir. »

Le vieux s'étrangla.

« Elle se fout de toi, dis donc. Personne lui voit l'ombre d'une chance, à ce tocard.

— Bon, je lui dirai », fit Winifred impatientée alors qu'il se perdait déjà dans la foule.

Indécise de ce qu'elle devait faire, elle se retourna. Il semblait régner plus haut une grande confusion. La foule, qui avait regardé bouche bée le défilé, s'était égaillée sur la chaussée en une vaste bousculade sans joie sur laquelle planait une vague anxiété. Au-delà de la colonne Nelson, elle entendait les cloches de trams immobilisés sonner à la volée pour requérir le passage. Elle saisit soudain nerveusement la main de Carl.

« J'ai tant rêvé à cette idée de foule, lui dit-elle. Mais pas comme cela. Pas isolée dedans, comme pouvait l'être Thomas à Cragaivon — et nous aujourd'hui. Portée par elle... Oui, par une foule en liesse, j'avais rêvé, pas par cette masse amorphe. Je ne connaîtrai pas ça.

— Tu n'as pas entendu des coups de feu ? » l'interrompit-il soudain avec inquiétude.

Des remous, qui semblaient être nés plus haut et se propageaient comme des ondes concentriques, les firent refluer contre leur gré vers le pont. Ils tentèrent de remonter la vaste artère à contre-courant mais cela se révéla impossible. Presque aussitôt il y eut de nouvelles salves de coups de feu et les bousculades autour d'eux se firent plus violentes.

« Ils ont attaqué la Grande Poste, s'écria quelqu'un.

— Et la police qui ne lève pas le petit doigt ! s'exclama à son côté une religieuse avec consternation.

Prenons Middle Abbey Street, lui dit brusquement Winifred. Je connais une série de cours qui permettent de rejoindre Prince's Street qui est en cul-de-sac. Comme cela, on pourrait mieux comprendre ce qui se passe. »

Dès qu'ils eurent échappé à la cohue, ils s'arrêtèrent, surpris du calme qui régnait à quelques dizaines de yards du théâtre des opérations. Les coups de feu avaient cessé. Elle eut plus encore que précédemment l'impression que toute la ville s'était précipitée au même endroit dans un réflexe grégaire et qu'elle restait stupéfaite de ce qui se passait sous ses yeux, comme une mère atterrée qui n'aurait plus reconnu les jeux de ses enfants. Dès qu'ils se retrouvèrent dans la petite impasse, la rumeur de la foule, un instant masquée par les murs des cours, leur parvint avec une intensité qui leur parut accrue.

« Viens, viens vite, l'entraîna-t-elle en courant tout au long de l'énorme bâtiment. Oh, regarde ! »

Elle s'était arrêtée net. Au-dessus de la Grande Poste flottait un double pavillon. A celui, vert-blanc-orange, de la République était accolé la harpe d'or sur champ vert de la *Citizen Army*.

« Connolly n'avait pas à hisser son propre drapeau ! » protesta Carl.

Winifred les regardait intensément. Ils flottaient côte à côte, pimpants et gais, dans le bleu libre du ciel. Elle sentit que des larmes lui montaient aux yeux et fut heureuse de savourer ce moment à l'écart des bousculades hostiles. Elle se précipita dans les bras de Carl.

« Tout de même, ça fait bigrement plaisir ! s'écria-t-elle.

— Oui, c'est vrai », concéda-t-il.

Saisie par son manque de conviction, elle le regarda avec reproche.

« Mais, Carl ! s'écria-t-elle. Ils ont quand même occupé la Grande Poste ! Ils l'ont *fait*, Carl. C'est un symbole ! Cela existera désormais dans l'histoire de la nation... Et puis, ils tiennent le nœud de communication le plus important du pays !

— La Grande Poste, dit-il. Mais, Winifred, il suffit de couper les câbles et... »

Il eut l'impression qu'elle lui en voulait de lui gâcher sa joie et il s'interrompit aussitôt. Au loin, il vit qu'une multitude continuait à stationner devant le bâtiment.

« Rapprochons-nous au moins, s'écria-t-elle. Ne soyons pas mauvais joueurs...

— Si on se perd, rendez-vous aux bicyclettes », lui recommanda-t-il.

Massée jusqu'au coin de Prince's Street, la foule semblait lire avec stupeur une proclamation qui avait été placardée au pied de chacune des six colonnes du vaste fronton néo-grec. Suivie de Carl, elle se rapprocha de l'une d'elles, fascinée par ce petit rectangle blanc qui augmentait dans son champ visuel à mesure qu'elle s'en approchait, et dont elle savait d'avance qu'il n'y aurait pas un terme qui y serait inscrit auquel elle ne pourrait souscrire et qu'elle n'aurait pas choisi, à l'image de Shoogam soupesant et calibrant chacun des éléments de ses ouvrages avant de les faire mettre en place. Semblant sous le coup d'une émotion violente, une petite dame sans âge parlait toute seule au pied de la colonne. Comme si elle avait remarqué que Winifred et Carl formaient un auditoire d'une qualité particulière, elle reprit sans se faire prier un récit qu'elle avait déjà dû faire dix fois à la cantonade.

« Ils sont venus sous le portique à six ou sept, expliqua-t-elle. Ils ont tiré une salve à blanc, je crois bien, et puis un petit maigre a lu ce papier... »

Elle désignait d'un doigt réprobateur la proclamation. Winifred se tourna vers Carl.

« Avoir raté ça ! dit-elle avec un ton de regret.

— Nous étions trop loin pour voir quelque chose, de toute façon...

— Ah, parce que vous êtes d'accord avec eux ! s'exclama la dame soudain furieuse.

— Il n'y a pas que du mauvais », bredouilla Carl.

Elle lui avait déjà tourné le dos.

« Beaucoup trop d'indulgence de la part de la police, maugréait un homme d'âge mûr en s'épongeant sous sa casquette. J'espère que maintenant on va pouvoir sévir enfin contre ces farfelus. Il y a occupation de bâtiments publics, si je ne m'abuse ! Insulte à des fonctionnaires en activité !

— Et sur ce poulet, renchérit son voisin, juste ce

477

qu'il faut pour nous faire passer pour des traîtres vis-à-vis du monde entier. Regardez-moi ça, madame. »

Il désignait à Winifred l'un des paragraphes d'un index péremptoire. « Je sais lire », lui rétorqua-t-elle vivement.

« Oui, monsieur a raison ! s'écria à côté de Winifred une femme qui semblait hors d'elle. Qu'est-ce qu'ils vont penser de ça, nos gars dans les tranchées ? Qu'on leur fait un enfant dans le dos ? J'ai mon fils, moi, là-bas, bande d'irresponsables ! cria-t-elle en brandissant le poing vers le bâtiment. Et c'est sûrement pas pour des illuminés comme vous qu'il se gèle les roupettes dans la boue glacée ! »

Carl jeta à Winifred un coup d'œil suppliant, et elle se retint de lui répondre. Il lui fallait d'ailleurs maintenant lire ce texte, le fixer à jamais dans sa mémoire, s'imprégner du spectacle de ce rectangle de papier qui paraissait irradier sous le soleil et que le vent ou quelque protestataire n'allait pourtant pas — c'était certain — tarder à arracher. La densité de la foule semblait pourtant avoir diminué, comme si les gens après avoir pris la mesure de la proclamation s'en retournaient, la plupart sans réaction, déconcertés, incrédules, certains grommelant tout haut.

« POBLACHT NA H'EIREANN, lut-elle. Le gouvernement provisoire de la République irlandaise au peuple irlandais !

« Irlandais, Irlandaises !

« Au nom de Dieu et des générations passées qui ont su conserver à l'Irlande ses vieilles traditions nationales, cet appel convie par notre voix à se ranger sous son drapeau et à combattre sous sa liberté. La nation qui par son organisation secrète révolutionnaire, la Fraternité républicaine irlandaise, et par ses organisations militaires ouvertes, les Volontaires et l'Armée des Citoyens, a organisé et entraîné des hommes, complété sa structure avec patience et dévouement, et attendu résolument que le moment fût venu d'entrer dans la lutte avec une pleine confiance en sa victoire, aidée par ses enfants émigrés en Amérique et par de puissants alliés européens... »

Carl poussa Winifred du coude.

« " De puissants alliés européens ", répéta-t-il. C'est à pleurer quand je pense que c'était vrai. »

Elle se pencha à son oreille.

« Cesse de faire cette tête ! Les choses n'arrivent pas toujours comme on croit ! Lis ! Et regarde, aussi ! C'est *là*. Cela aura existé. Et pas dans une obscure banlieue ! Placardé au milieu de Sackville Street, à quelques pas de la colonne de Nelson. Ecoute : " ... aidée par de puissants alliés européens, mais soutenue avant tout par le sentiment de sa propre force. " Il faut y *croire*, Carl.

— Mais enfin, tu as vu tous ces bancroches ! Tu les as vus. Il n'y en avait pas trois cents de valides. Et tu ne t'imagines tout de même pas qu'avec cela... ?

— " Nous proclamons, l'interrompit-elle en lisant tout haut, le droit du peuple irlandais à la possession de l'Irlande, à la direction sans contrainte de ses destinées, à sa souveraineté et à son intégrité. " " Son INTÉGRITÉ. Oh, Carl. C'est là toute la question. Rien qu'à cause de ce mot, je devrais me trouver à l'intérieur de cette fichue poste. C'est stupide qu'on n'y soit pas. J'ai l'impression d'avoir répété une pièce pendant des années et de ne pas être conviée à la jouer au dernier moment.

— Ne dis pas de bêtises ! Il y a sûrement des amis de Thomas à l'intérieur ! Tu te trouverais embarquée pour l'Amérique sans que je puisse rien faire, et quant à moi tu sais bien ce qu'ils doivent penser de...

— Je leur dirai ce qu'il en est ! s'exclama-t-elle. Je le leur dirai, ce qu'a fait Reginald. On verra s'ils osent le punir, lui ! »

Carl pâlit.

« Tu ne vas pas y aller, supplia-t-il. Tu ne vas pas me quitter... »

Elle lui prit la main.

« Non, je ne me séparerai pas de toi, dit-elle. Mais avoue que c'est un peu une frustration de passer à côté de cela...

— Pour moi, non. Je pense trop à la façon dont ils se sont conduits avec toi.

— Je me disais tout à l'heure qu'on avait été victimes du cloisonnement imposé par Thomas. Parce qu'il y a sûrement des camarades qui auraient partagé mes vues ! Attends, laisse-moi finir de lire : " ... cette souveraineté et cette intégrité, une longue période d'usurpation par une nation étrangère ne parviendra jamais à les éteindre, à moins que ce ne soit par l'anéantissement du peuple irlandais lui-même. " »

Sept noms figuraient au bas de la proclamation. Elle en suivit la liste du doigt, les prononçant à mi-voix à tour de rôle en une longue litanie fervente : Pearse, Connolly, Clarke, Plunkett, Mac Donagh, Ceannt, Mac Diamarda. Parmi ceux-ci, elle n'avait jamais rencontré que Clarke, le vieux fenian, dans l'arrière-boutique de son tabac de Parnell Street le jour où elle avait prêté serment à la Fraternité (Thomas étant présent) et aussi Plunkett, à l'occasion d'une réunion sur la situation du recrutement dans le comté de Kildare.

« Six de la Fraternité pour un seul du Sinn Fein, remarqua Carl. Ça montre vraiment que c'est la jeune classe qui a tenté son coup de poker !

— Ni Mac Neill. Ni Thomas, évidemment. Ni Mac Dermott. Ni Reginald.

— Il n'aurait plus manqué que ça ! » ricana-t-il.

Des salves de coups de feu se firent de nouveau entendre. Cela avait l'air de provenir de la gare de Amiens Street. Carl regarda l'heure à sa montre : midi quinze.

« Je crains que la nation étrangère dont il est question ne commence à se réveiller », murmura-t-il.

Il y eut des réactions d'inquiétude dans la foule qui stationnait au pied des colonnes, et des cris s'en échappèrent dont elle ne sut s'ils étaient d'hostilité vis-à-vis des insurgés ou de panique devant la fusillade pourtant lointaine. Elle avait l'impression que la situation évoluait brusquement après une lente phase d'incubation. A l'intérieur du bâtiment, une fébrile activité semblait régner, comme si on avait entrepris de s'organiser en prévision d'un éventuel assaut. Des silhouettes allaient et venaient dans les étages et jusqu'au pied des statues du fronton. Bien que les coups de feu à l'est de la ville eussent brusquement cessé, toutes les fenêtres avaient été ouvertes et l'on y empilait hâtivement des montagnes de sacs de courrier. Le répit fut d'ailleurs fort bref, car s'éleva presque aussitôt derrière eux un concert de cris et de vociférations. Carl se leva sur la pointe des pieds pour tenter de voir ce qui se passait. Cela provenait du carrefour d'Abbey Street.

« Je me demande si ce ne sont pas des pillards », lui dit-il.

Elle le regarda.

« Hé ! Il ne s'agirait pas qu'on nous embarque nos bicyclettes ! »

Il parut s'en préoccuper soudain.

« Tu as raison. Je vais aller les cacher dans une cour. Mais ne bouge pas d'ici, surtout, on ne se retrouverait plus, et tu ne saurais même plus où elles se trouvent.

— Je ne bouge pas : je suis la vestale de ce temple, dit-elle d'un air enjoué en montrant les colonnes.

— Ça, pour le feu sacré, ils trouveront pas mieux », marmonna-t-il en la quittant.

Elle le regarda disparaître au milieu de la cohue, puis se retourna vers la poste.

« Louis ! » appela-t-elle soudain.

Elle venait de l'apercevoir sous le portique et lui fit de grands gestes. Il la vit et se dirigea aussitôt vers elle. Son visage semblait défait, ses cheveux en désordre et ses vêtements plus chiffonnés et poussiéreux encore qu'à l'ordinaire, comme s'il sortait d'une longue course dans la campagne.

« Ils veulent pas me laisser entrer », dit-il.

Sa déception semblait si vive et si visible qu'elle se demanda s'il ne réprimait pas un sanglot.

« Mais pourquoi ? demanda-t-elle.

— Tu devines pas ? Ils en veulent à Duneggan. Ils disent que s'ils sont si peu, c'est à cause de lui et de son fichu contrordre de samedi. Ils ont décidé que le mouvement aurait lieu quand même, simplement remis d'un jour, bien qu'ils sachent qu'ils sont trop faibles.

— Tu ne leur as pas expliqué que tu avais rompu avec Thomas ?

— Ça ne compte pas pour eux, tellement ils lui en veulent. Ils disent que je ne suis parti qu'il y a quatre ou cinq jours. Là-dedans, c'est plein de jeunes... Comment Thomas les appelait, déjà, les gars de la *Citizen Army* ?

— Je ne sais plus. Peut-être des fanatiques. Mais Thomas, tu sais...

— C'est plein de jeunes fanatiques. Va essayer de discuter avec ça... C'est impossible.

— Une poignée d'hommes, et ils ne te veulent pas !

— Ils m'ont dit : " *Froggy*, retourne chez ton... " »

Il s'interrompit net. « Je m'en fiche, je m'en fiche, murmura-t-il d'un ton soudain buté. Je la trouverai ailleurs, l'aventure. Y en a d'autres qui sauront me la donner... »

Elle regarda ses vêtements défraîchis.

« Tu n'es pas rentré à Swords cette nuit, lui dit-elle sur un ton de reproche. On était inquiets.

— J'ai rencontré des gens de la *Navy* », lui dit-il après une hésitation.

Elle ouvrit de grands yeux.

« Ne me fais pas ce genre de plaisanterie, écoute !

— C'est pourtant vrai, dit-il sans sourire. Ils ont amené une canonnière sur la rivière. Je l'ai vue. Ils l'ont amarrée en aval de Custom House. C'était pour ça que j'étais venu à la poste. Pour les prévenir... Ils ont même pas voulu *m'entendre*. Tu te rends compte...

— Quoi, tu as vraiment rencontré des marins anglais ? demanda-t-elle avec stupeur.

— C'était la nuit, tu sais. Moi, je vadrouillais sur les quais. Partout où je suis, je vais toujours sur les quais... J'ai su que c'était de vrais marins parce qu'ils m'ont dit qu'ils retournaient en Ecosse après cette mission. J'ai oompris qu'ils laissaient la canonnière à un autre équipage... Y m'ont dit qu'ils s'en foutaient, de leur coque de noix, parce qu'ils étaient sur le rôle du plus grand bateau de guerre du monde... Tu imagines ça... Le plus grand ! »

Il semblait beaucoup plus prolixe et avait un débit encore plus saccadé qu'à l'ordinaire.

« Le croiseur *Queen Mary*. Ils me l'ont dit, Winifred. Ils m'ont même... »

Il s'interrompit net. Elle le regarda avec inquiétude.

« Ils disent qu'ils peuvent m'emmener comme mousse engagé, reprit-il tout de go, et que je pourrais vite être matelot à bord...

— Qu'est-ce que tu racontes ? cria-t-elle.

— Ben, m'engager... Ils veulent que je reparte avec eux. Ils disent que personne y verra rien, qu'il y a des milliers d'hommes à bord, que les Français sont nos alliés...

— A seize ans, ils ne peuvent pas t'engager ! Ils n'ont pas le droit ! Tu n'es pas allé à bord de la canonnière, au moins ? Tu n'es tout de même pas allé sur un bateau qui peut nous tirer dessus...

— Je sais pas, Winifred, répondit-il avec embarras. Je sais plus, c'était la nuit, je... j'avais...

— Ils t'ont pas fait boire, au moins ? »

Il resta silencieux.

« Je crois que si... J'ai bu un peu avec eux, au début.

— Louis, insista-t-elle fiévreusement. Tu n'as rien signé, au moins ? Essaie de te souvenir. Tu n'as pas vu de sergent recruteur ? Tu ne leur as pas donné ton nom ? »

Il secoua la tête avec un air éperdu.

« Personne ne veut plus de moi, tu sais... Je peux pas revenir chez Thomas. Et d'ailleurs, pour ce que j'ai fait depuis un an ! Et même à la poste, au moment où j'aurais pu servir à quelque chose, ils veulent pas de moi...

— Tu m'oublies, Louis ! s'écria-t-elle. Sans toi, je serais encore là-bas la proie de cette petite canaille de Tracy !....

— Oh, celle-là, si tu la vois, dis-lui... Oh pis non, rien, tu la reverras pas de toute façon, c'était trop vachard...

— Ne pense plus à elle. Toi non plus tu ne la reverras pas. Je m'occuperai de toi. On aura tout le temps à Swords pour penser à ce qu'on va faire. »

Il eut un bref sourire extasié en la regardant — comme la première fois à Mount Street, se dit-elle. Puis son visage d'adolescent précoce, hâve et creusé, se ferma.

« J'aimais être avec vous quand vous étiez toute seule, dit-il. Les deux premiers jours à Swords... Mais on ne le sera jamais plus, avec... » Il hésita, puis reprit très vite : « J'avais pas compris, pour Carl et toi. Enfin pas comme ça. Et puis... ton mari... c'est vrai qu'il te cherche... Qu'est-ce que tu veux que je fasse, moi, là-dedans... »

Elle le regarda.

« Toi, tu as lu sa lettre, dit-elle.

— Il fallait bien que je sache si c'était pour toi, dit-il. Mais juste le début. Après, c'était trop long. »

Indifférent à la foule, il restait à se balancer d'une jambe sur l'autre.

« Louis, insista-t-elle, dis-moi la vérité. Tu n'as pas de rendez-vous avec les gars de la canonnière ?

— Non, dit-il.

— Tu n'irais pas te battre avec nos ennemis, quand même ! »

Il eut un geste évasif.

« Ce serait pas en Irlande... Et puis ce serait la mer... Elle pourrait toujours s'aligner, cette salope, avec son thé. »

Elle lui mit sa main dans la sienne.

« Écoute-moi, lui dit-elle de son ton le plus persuasif. Tu reviendras à Swords avec nous ce soir. Tous ensemble, nous parlerons de ce que tu vas pouvoir faire. De ton avenir. Oui ?

— Je sais que je ne veux plus être mousse, dit-il d'un ton buté. Plus revenir à Fécamp. " Mousse fais ci, mousse fais ça... " J'peux plus.

— Tu ne retourneras pas. Mais tu restes avec nous en attendant. Tu n'as pas rencontré Kevin, par hasard ? Il est parti après nous de Swords...

— Je te l'aurais dit...

— Si on se perd, on se retrouve à la maison ce soir, insista-t-elle. Promis ?

— Oui », fit-il.

Elle vit qu'autour d'eux des prêtres avaient difficilement entrepris de canaliser la foule en faisant la chaîne au débouché de Prince's Street. Les boules noires de leurs chapeaux semblaient prises dans les bousculades comme des flotteurs de filets de pêcheurs dans les tourbillons de la marée. La voix de Carl retentit derrière elle.

« C'est bien ce que je craignais, dit-il. Des pillards. Ils ont saccagé une boutique de spiritueux en bas. J'ai mis les vélos un peu à l'écart dans Marlborough Street. Le porche en face du sellier, dans la cour. Tu te rappelleras ?

— Il ne faut pas que Louis voie cela, lui chuchota-t-elle. Ça lui retirerait le peu d'illusions qui lui restent. Allez, filons vers Parnell Square. »

Elle se retourna.

« Louis ! » appela-t-elle.

Elle ne le vit plus.

« Mais il était là il n'y a pas trois secondes ! s'exclama-t-elle en le cherchant des yeux.

— J'ai dû lui faire peur, dit Carl. Et puis, il n'a pas beaucoup l'air de m'apprécier. »

Winifred soupira.

« J'ai bien peur qu'il ait fait une bêtise », murmura-t-elle.

Elle se félicita de lui avoir demandé de revenir le soir même. Carl l'entraînait déjà dans la direction de la Rotonde. Il y avait maintenant des coups de feu un peu partout. « Pourvu que Cora soit partie », se dit-elle.

Au coin de Talbot Street, c'était un magasin d'habillement qui était mis en coupe réglée au milieu d'une foule grise et avide, dans une ambiance morne et industrieuse. De pauvres hères ressortaient des pièces lambrissées du magasin avec des macfarlanes trop grands pour eux, aux manches desquels pendaient encore les prix.

« Pas un policeman en vue ! s'exclama Winifred indignée. Pour une fois qu'on avait besoin d'eux ! Je me demande si ce n'est pas de propos délibéré. »

Elle avisa une maigre femme sans âge qui vacillait sous une énorme pile de draps et se planta sur son chemin.

« Dans ce bâtiment », s'écria-t-elle en désignant la poste surmontée des deux drapeaux qui flottaient côte à côte, « une poignée de garçons essaient de sauver votre honneur. Et vous, à cent pas de là, voilà ce que vous en profitez pour faire !

— Va te faire enculer », répondit la femme d'un ton traînant.

Winifred resta un instant interdite sous l'injure.

« Salope, voleuse ! lui cria-t-elle.

— Allez, viens, à quoi ça sert, l'entraîna Carl en la tirant par la manche. Je te ramène aux bicyclettes, mais on aura pour revenir plus de monde qu'à l'aller. »

Des gens couraient en effet tout au long de Talbot Street, et parmi eux figuraient même des Volontaires en uniforme, comme si la Grande Poste envoyait des éclaireurs en position avancée vers Amiens Street. Elle n'entendait plus de coups de feu depuis quelques instants, mais sentait pour la première fois que ceux qui les entouraient dans cette longue artère (et dont plusieurs semblaient être dans un état de grande excitation) étaient des sympathisants et non plus des témoins indifférents.

« Il se passe sûrement quelque chose à la gare », dit-elle.

Carl voulut prendre les devants.

« Ta sécurité, bon Dieu, on ne va pas y revenir encore ! Tu m'as promis de ne pas t'exposer !

— Je t'ai promis de ne pas prendre d'arme !

— Alors, à quoi veux-tu servir ? Tu as lu et vu la proclamation. Ça suffit peut-être, non ?

— Tu commences à m'agacer », dit-elle en continuant à marcher vers l'est d'un pas résolu.

Une jeune fille la dépassa à bicyclette. Comment n'aurait-elle pas reconnu entre mille cet air à la fois désinvolte et affairé de la messagère ? Elle se mit à courir à son côté.

« Qui tire, et sur quoi ?

— Je sais pas..., dit la fille.

— Qu'est-ce qu'il se passe là-bas ? Ça, tu sais, sans doute...

— Une barricade à Amiens Street. Il faut empêcher les renforts d'arriver ! Il s'agit pas qu'ils viennent attaquer la poste centrale et le Palais de Justice !

— Parce qu'on tient les *Four Courts* aussi ?

— Oui... Et l'hôtel Impérial...

— Et quoi, ils arrivent ?

— Plutôt ! Il paraît que Wimborne se démène et... »

La petite semblait pressée, et elle la laissa partir sans attendre la suite. « Wimborne, pensa-t-elle. C'est le bouquet. » Le mot barricade sonnait pourtant bien à son oreille et lui semblait correspondre à tout ce qu'elle attendait encore de cette journée. « Mais non, tout n'est pas perdu », se dit-elle. Légèrement haletante de sa course, elle revint vers Carl qui s'avançait à son pas.

« On a pris le Palais de Justice, lui annonça-t-elle triomphalement.

— Tu sais, s'il n'y a personne devant moi pour défendre, moi je peux aussi bien prendre Buckingham Palace », répliqua-t-il d'un ton morose.

Elle haussa les épaules.

« Si tu veux mon avis, il y aura du monde devant toi, et dans pas longtemps », répondit-elle.

20

EVIDEMMENT, il n'y avait pas mieux pour barrer la rue que le contenu de l'entrepôt de meubles de Earle Street. Cela faisait pourtant un drôle d'effet tous les petits canapés de chintz et ces vaisseliers à même le pavé et cette muraille irrégulière de lits d'enfants recouverts de leurs édredons d'étamine pâle au milieu desquels une vingtaine de Volontaires en uniforme avaient pris position le fusil à la main. Elle s'immobilisa, saisie. On aurait dit une chambre de jeune fille envahie par les soudards.

Allant et venant entre l'entrepôt et la rue avec la régularité d'un cordon de fourmis, une file ininterrompue de porteurs chargés comme des portefaix s'attachait dans une ambiance de joyeuse excitation à consolider la barricade. Ceux-ci étaient assez jeunes dans l'ensemble et ne portaient pas l'uniforme vert. A quelques bribes de conversation entendues, Winifred eut l'impression qu'ils venaient pour la plupart du quartier des Liberties.

« Je peux toujours aller aider, dit Carl sans guère de conviction.

— Je vais avec toi. »

A la suite des autres, ils se dirigèrent vers Earle Street. Le mobilier d'une école du voisinage semblait avoir été mis à son tour à contribution, car ils croisèrent de lourdes tables d'étude portées à plusieurs. Elle en fit la remarque à Carl.

« Cela me paraît toujours plus efficace que la literie ! » dit-elle.

« Winifred », s'entendit-elle appeler.

Elle se retourna et reconnut Kevin vacillant sous le poids d'un lourd pupitre. Ils l'aidèrent à poser à terre son imposant fardeau.

« Quelle chance de vous rencontrer ! » s'exclama-t-il avec un accent de soulagement si vif qu'elle le regarda avec surprise.

« Tu me dis cela comme si on ne s'était pas vus depuis des jours !

— J'avais peur que vous ne soyez déjà remontés à Swords. J'avais d'ailleurs l'intention en partant d'ici d'aller déposer un message à Henrietta Street pour vous dire de ne pas le faire dans l'immédiat. »

Elle le regarda avec surprise. Il n'y avait pas de plus ferme partisan que lui de la garder enfermée quelques jours, et il ne l'avait laissée partir ce matin qu'après de multiples recommandations.

« Mais qu'est-ce qu'il se passe ? demanda Carl d'un ton anxieux.

— Il se passe qu'un régiment de marche a débarqué à l'aube à la gare de Malahide venant de Belfast. Ils ont investi le village comme s'ils étaient en pays conquis. Ils campent place de l'Eglise, dans la grand-rue, partout. Ils ont l'air d'attendre des ordres. »

Carl le regarda sans mot dire. Cela contrariait au pire moment son désir d'arracher Winifred à l'insurrection.

« Tu vois qu'on est plus en sécurité ici ! s'exclama-t-elle en lui plaquant une bourrade dans le dos.

— Cela m'étonnerait qu'ils restent à Swords bien longtemps, marmonna Carl. Tu penses que tout ce qui se passe ici et en particulier cette barricade va agir sur eux comme un chiffon rouge devant un taureau. Ils ne vont surement pas tarder à se mettre en route.

— Ça, si tu les voyais sur le pied de guerre avec leurs bonnes trognes d'unionistes ! Et prêts à en découdre, je te prie de le croire ! Si tu avais entendu leurs conversations ! En attendant, n'allez pas vous mettre dans la gueule du loup avant d'être sûrs qu'ils aient quitté le village...

— Ils n'étaient pas là quand nous avons quitté la maison, en tout cas !

— Ils sont arrivés à onze heures, précisa Kevin. Je le sais, car j'allais moi-même partir quand je les ai vus déboucher sur la route de Malahide. Je suis resté pour voir ce qui se passait. Si j'avais su que je ratais la proclamation de Pearse ! J'en suis malade.

— Je ne dis pas ça pour te consoler, mais nous non plus on n'a rien vu, du moins sur le moment, lui dit Winifred. On était englués au milieu d'une foule qui hésitait entre l'apathie et l'hostilité...

— ... et l'inquiétude, ajouta Carl. A propos, tu as eu des nouvelles d'autres troupes convergeant sur la ville ?

— A la Grande Poste, j'ai entendu parler d'une colonne mobile qui ferait route en ce moment même depuis le Curragh. On m'a dit ailleurs que le quatrième bataillon des Dublin Fusiliers avait quitté Templemore...

— Il y a aussi une canonnière sur la Liffey, ajouta Winifred à mi-voix.

— Tout cela prouve bien qu'ils attendaient le coup pour hier ! Ils n'auraient jamais réagi aussi vite ! »

Kevin hocha la tête dubitativement.

« Le fait est pourtant que la situation n'est pas si mauvaise que ça à l'heure qu'il est... Et on aurait pu avoir une position inattaquable si seulement on avait été plus nombreux. La surprise aidant... le fait que la plupart des officiers se soient trouvés aux courses... Cela permet de tenir avec quelques poignées d'hommes tout le centre de la ville. St Stephen's Green, Broadstone, la gare de Westland Row... L'hôtel Impérial... Les Four Courts... Les usines Boland et Jacob...

— J'avais toujours prétendu qu'on pouvait se soulever avec deux mille fusils si on savait se cantonner dans le centre de la ville, dit Winifred.

— Tu oublies le Château ! s'écria Carl. Un bel os à ronger, car il est plutôt défendu ! S'il y avait un endroit dont il fallait plutôt s'occuper, c'était celui-là !

— Plunkett avait d'ailleurs mis au point un plan d'attaque, dit Kevin. Seulement voilà, il fallait au moins deux mitrailleuses pour tenter l'aventure. L'une prenait le pont en enfilade, l'autre...

— J'en avais douze, murmura Carl.

— Arrête de parler comme un épicier qui ne peut

plus satisfaire sa clientèle ! l'interrompit Winifred avec impatience. Ce n'est plus la peine d'épiloguer.

— Et puis de toute façon on n'est plus dans le jeu, dit Carl.

— Vous n'êtes pas les seuls, dit Kevin. Il paraît qu'à cause de la scission de l'état-major, c'est à peine si mille hommes se sont présentés au lieu des trois mille prévus. Bon, moi je vais tâcher quand même de me trouver une arme. »

Elle se retourna vers la barricade. Les Volontaires étaient en train de dresser verticalement des bancs de classe les uns à côté des autres, ce qui lui donnait désormais un vague aspect de fortification romaine.

« En attendant, je crois que voilà notre abri pour la journée », dit-elle.

L'édification de la barricade ne s'interrompit que lorsque toutes les sources de matériaux alentour eurent été pillées. Vers cinq heures de l'après-midi, tous ceux qui avaient contribué à aménager l'impressionnant dispositif se rassemblèrent pour le couronner de l'oriflamme tricolore, dans une atmosphère fiévreuse où régnait une fierté mêlée d'inquiétude et d'incrédulité. Il n'y eut pas de chants mais un grand silence lorsque le drapeau républicain s'éleva en haut du jeune bouleau qui venait d'être arraché dans le jardin de Custom House pour servir de hampe.

« Et s'ils ont le mauvais goût de prendre une rue parallèle ? » demanda tout haut Winifred.

Carl se mit à rire. C'était bien la première fois de la journée.

« Ne t'inquiète pas ! Dans toutes les langues, y compris l'anglaise, barricade signifie insurrection avec un grand I. Ils ne peuvent laisser un tel symbole derrière eux ! Il faudra bien qu'ils la réduisent. Et de toute façon, quoi qu'ils fassent, nous ne serons pas là pour les empêcher, je t'en réponds.

— Et pourquoi pas ? Puisqu'on ne peut pas revenir à Swords ?

— On ira passer la nuit ailleurs, tiens. Pourquoi pas chez Cora ? suggéra-t-il.

— Quelle idée ! Je ne sais même pas si elle a une maison !...

— Enfin, s'impatienta-t-il, tu as entendu Kevin ! Toutes ces troupes qui font marche vers nous ! Tu imagines le déferlement auquel nous allons avoir droit ! Eh bien, ces charmantes délégations que l'armée britannique ne va pas manquer de nous envoyer, je ne tiens aucunement à ce que...

— Tiens, en voilà déjà une en attendant, l'interrompit Winifred sur un ton enjoué.

— Ce doit être le retour des courses », ironisa l'un des Volontaires.

Trois automobiles à la file venaient de déboucher un peu plus haut de Buckingham Street. Voyant la barricade surgir soudain devant eux, les conducteurs des deux premières stoppèrent et paraissant pris de panique rebroussèrent aussitôt chemin. Faisant preuve de davantage de témérité ou de curiosité, le troisième conducteur s'approcha, lui, à une trentaine de yards puis stoppa à son tour.

Winifred remarqua qu'à l'intérieur une jeune femme en capeline comme elle n'en avait plus vu depuis le jour de sa fuite de Gulmarg lui parlait avec animation. Il parut hésiter puis ouvrit brusquement la portière et s'extirpa avec peine de la carrosserie exiguë. C'était un officier de haute stature, en tenue des Dublin Fusiliers. Il sembla découvrir avec stupeur ce qu'était devenue Amiens Street au cours de son bref après-midi de congé. Laissant sa compagne dans l'habitacle, il s'approcha et longea la barricade comme pour se convaincre de la réalité de ce qu'il voyait. Passant devant le drapeau tricolore, il afficha un demi-sourire méprisant, et cette attitude provocante déclencha aussitôt des huées et des sifflets.

« Hé, captain ! lança d'un ton goguenard l'un des insurgés au moment où il s'en retournait, qu'est-ce qu'il a fait *All Sorts* dans l'Irish National ? »

L'officier s'arrêta, chercha du regard celui qui l'avait apostrophé et dévisagea sans répondre la face grêlée de taches de rousseur et coiffée d'un vieux chapeau de brousse qui émergeait de l'une des lourdes tables.

« Qu'est-ce qu'il a fait *All Sorts*, par saint Brendan ? réitéra l'homme.

— Je ne vois pas ce que ça peut vous faire, répliqua l'officier d'un ton glacé, alors que vous ne serez plus là demain pour toucher vos enjeux au cas où vous auriez gagné ! »

Le turfiste se retourna vers ses voisins.

« Oh, mais y m'revient pas, c't'homme-là, dit-il d'une voix traînante.

— Moi par contre sa bagnole elle me reviendrait assez, remarqua son interlocuteur.

— C'est ce qui est à l'intérieur qui t'plaît, vieux saligaud !

— Tiens, tu me donnes une idée, Fergus. »

Du geste l'homme au chapeau rassembla autour de lui une petite escouade que Winifred vit surgir à mesure des profondeurs de la barricade comme des termites d'une vieille souche. Passant sans paraître s'en préoccuper devant l'officier médusé, ils s'approchèrent de l'automobile et l'entourèrent. Le turfiste ouvrit la portière et souleva son chapeau de brousse avec une courtoisie narquoise.

« Si vous voulez bien descendre, ma'âm... Terminus Amiens Street, pour aujourd'hui.

— Mais, Jerry ! s'écria-t-elle soudain, folle de terreur. Je te disais bien ! Jerry ! »

Jerry n'en pouvait mais. Trois hommes l'avaient entouré et fusil en joue le maintenaient immobilisé. La jeune femme à la capeline sortit, et Winifred la devina si éperdue qu'elle en éprouva une vague commisération. « Ça t'apprendra à passer ton après-midi avec un imbécile », pensa-t-elle. L'auto fut alors poussée contre la barricade puis, avec un grand « ho ! » d'élan collectif, renversée sur le toit, les roues en l'air, de façon que le châssis incliné puisse éventuellement servir de glacis protecteur. La jeune femme avait assisté à cela en mettant sa main devant sa bouche dans une attitude de stupeur. Les Volontaires relâchèrent aussitôt l'officier. Tout s'était passé très vite.

« Vous allez payer cela cher, hurla celui-ci hors de lui.

— Et maintenant, on se dépêche de partir en emmenant son petit trottin », pressa l'homme au chapeau avec un soudain accent de menace.

L'officier se retourna et, empourpré, faillit répondre

puis, sans un regard pour son véhicule en fâcheuse posture, prit la jeune femme par le bras et sous des lazzis moqueurs se dirigea vers la gare.

« Une jolie p'tite Wolseley, c'est tout de même dommage », ne put s'empêcher de murmurer un très jeune homme à côté de Winifred.

Une voix retentit alors avec une force inusitée. Elle paraissait provenir d'une position qui les dominait.

« Pas mal, les gars, pas mal, mais préparez-vous, ils vont considérer ça comme une offense personnelle et réagir avant peu de temps. »

Winifred leva les yeux vers les maisons qui entouraient la barricade mais ne put voir d'où provenait cette mise en garde descendue du ciel. Cinq minutes ne s'étaient pas passées qu'elle se voyait pourtant justifiée. Dans un grand bruit de cavalcade, deux pelotons de lanciers débouchèrent à leur tour au trot de Buckingham Street, à croire qu'ils se trouvaient à l'affût derrière la gare en prévision du premier incident qui se produirait. Il ne leur fallut pas une minute pour arriver devant la barricade. A quelques pas, le lieutenant qui commandait le premier peloton cria : « Halte ! » et s'avança au-devant des insurgés. La voix se fit alors de nouveau entendre depuis son invisible position.

« Depuis quand les lanciers s'intéressent-ils au sort des fusiliers, lieutenant ? » lui fut-il demandé d'un ton goguenard.

Perplexe, l'officier chercha à son tour à situer son interlocuteur.

« Bien qu'Ecossais je n'ai pas l'habitude de dialoguer avec les fantômes, lança-t-il. Où êtes-vous ?

— Peu importe, lieutenant, lui fut-il répondu, car je n'ai qu'une chose à vous dire : écartez-vous, vous et vos hommes, ou bien dans peu de temps c'est vous qui serez réduits à l'état de fantômes. »

Le jeune lancier se dressa sur ses étriers dans une attitude de bravade.

« Je suis chargé de faire dégager la voie publique, s'écria-t-il en réponse. Ceci a valeur de sommation ! »

D'en haut provint un ricanement sarcastique qui lui parut artificiellement amplifié aux dimensions de la scène.

« Voie publique, mon œil ! C'est une voie royale que vos renforts voudraient trouver devant eux, lieutenant !

Vous souhaiteriez sans doute que Carson puisse entrer à Dublin comme le Christ était entré à Jérusalem ! Pas de chance, mon cher : c'est passé, les Rameaux. Nous sommes le lundi de Pâques. Retirez-vous, cette fois, vous et vos troupes. »

Le ton était devenu comminatoire. L'officier, qui semblait avoir davantage de sang-froid que son prédécesseur motorisé, obtempéra et se replia au petit trot avec ses lanciers, repoussant du geste le second peloton dans la direction de la gare. Mais cet apparent répit ne sembla pas devoir tromper leur mystérieux meneur de jeu.

« Chargez les fusils ! » entendit-on tomber du ciel.

« Oh, mais ça se corserait ? » s'interrogea Carl d'un ton incrédule.

D'une brusque poussée, il obligea Winifred à se coucher à terre. Elle se retrouva allongée contre le mur d'une des maisons attenantes, la joue contre la terre battue du trottoir, le front dans un matelas sordide.

« Il me rappelle le *dâk-bungalow* de..., chuchota-t-elle. C'était où, déjà ? »

Il lui pressa la main sans répondre.

« Il était donc écrit qu'on y aurait droit », dit-elle.

Sa réflexion parut l'agacer.

« Écrit ! Evidemment, tu apportes le papier et l'encre ! Mais droit à quoi, je me le demande ! Sans armes, tu imagines à quoi on peut servir ! Tu as déjà trouvé le moyen de nous faire coincer ici...

— Je ne demande pas mieux, moi, que d'en avoir une.

— Non, *non*. Rappelle-toi ta promesse.

— Et si c'est pour me défendre ?

— Ne m'oblige pas à te répéter qu'après Belfast, si on te prend l'arme à la main, ton compte est bon. Tandis que là tu peux toujours affirmer que tu es une passante prise dans l'affaire par erreur...

— C'est ça, et expliquer par la même occasion que je suis une grande étourdie ! fit-elle en riant. Cela dit, j'aurais bien aimé savoir qui la dirige.

— Qui dirige quoi ?

— Eh bien, l'affaire !... »

Il lui désigna du doigt une petite fenêtre grande ouverte au second étage de la maison au pied de laquelle ils se trouvaient. Elle vit qu'un porte-voix en dépassait ainsi que le haut d'un fauteuil de paralytique en acier. Un bref instant, un profil apparut dont elle devina le menton proéminent et le grand nez.

Elle se retourna brusquement vers Carl.

« Mais je sais qui c'est ! s'exclama-t-elle. C'est Mac Albee ! Un vieux fenian ami de Clarke. Je l'avais vu à Parnell Street le jour où j'avais prêté serment. Il n'a plus l'usage de ses jambes. Je crois qu'il a été blessé dans la brigade irlandaise qui combattait avec Krüger...

— Tu m'avoueras qu'il fallait y penser, de faire venir la barricade au pied de son lit puisqu'il ne pouvait pas venir à elle !

— On ne va pas tarder à voir si elle est plus solide que lui », dit-elle avec entrain.

Elle eut l'impression que toute la barricade faisait le gros dos comme un hérisson sentant survenir le roulement de la charrette. Le nez dans son matelas, elle ne voyait que les énormes godillots du garçon qui était devant elle. En un éclair, elle se demanda ce que ces semelles faisaient là à occuper la totalité de son champ de vision — et ce qu'elle faisait là elle-même, allongée sur le sol, dans la position même où les Marathes devaient attendre l'enfant-roi une fois le pont achevé. Peut-être cherchait-elle aussi à être effleurée du pied par elle ne savait trop quelle ineffaçable empreinte. Se trouver au contact même du vieux sol profond qu'elle sentait vibrer contre elle à cette seconde comme jadis les poutrelles de Danyarbani était-il donc le seul moyen dont elle disposait pour manifester son attachement viscéral à cette terre ?... Pourquoi, sinon ? Pourquoi se déclarer aussi ostensiblement prête à être piétinée... S'agissait-il de maculer le trop neuf et trop éclatant placard des colonnes de la poste et de baptiser de sueur et de sang la radieuse proclamation de Pearse ? De la souiller de la boue des chemins du Kildare, cette boue des soirées pluvieuses de l'hiver, alors qu'un soleil comme celui d'aujourd'hui n'était plus depuis des semaines qu'un lointain souvenir ? Elle se morigéna. Cesse d'être aussi théâtrale. Tu n'es *pas* Pearse. Tu n'es pas même Reggie. Tu es simplement quelqu'un d'un peu ridicule à l'heure qu'il est, allongée aux pieds non pas d'un dieu-enfant mais d'un paralytique sénile qui veut jouer une dernière fois au petit soldat.

« En joue ! » cria le vieux au-dessus d'elle.

En joue. Tu peux le dire. Ce n'est pas une crosse que j'ai contre mon visage mais, sans intermédiaire aucun, le sol même de l'Irlande. Le tuf primordial. Ils peuvent rigoler ceux qui pillent en ce moment même des vêtements trop grands pour eux. Nous, nous n'aurons pas pillé ! Nous aurons emprunté des lits dans lesquels les gosses feront à l'avenir des rêves tumultueux et grandioses. Des tables sur lesquelles... ils graveront...

Elle tourna la tête. Que faisait donc cet imbécile de Louis ? Au moment précis où il avait enfin une petite chance d'assister à quelque chose, il avait disparu. Alors que le bruit du galop de charge emplissait soudain toute l'atmosphère, elle eut la même sensation que lorsqu'elle avait dégoupillé la grenade et que le temps s'était arrêté autour d'elle comme si elle flottait dans un monde soudain cristallisé. Elle n'éprouvait pas d'appréhension. Rien de commun avec ce qu'elle ressentait en s'approchant d'un cottage inconnu lorsqu'elle venait tenter d'arracher au jeune au zèle des sergents recruteurs. Au fond, c'était aussi simple et évident d'être ici que cela l'avait été de se tenir debout face au Nanga.

« Feu ! » entendit-elle.

Elle se boucha les oreilles mais resta néanmoins tout étourdie de la violence de la fusillade qui lui sembla se prolonger pendant de longues secondes, se réverbérant comme au fond d'une caverne.

« Halte au feu ! » cria-t-on.

Une âcre fumée l'enveloppait maintenant, comme si quelque chose brûlait. Elle sursauta. Au-dessus d'elle venait de surgir la tête d'un cheval blanc qui hennissait face au ciel, les yeux exorbités. Comme dix jours plus tôt l'étrave de l'*Oceanic* lui était apparue indépendante de la coque dont elle faisait partie, cette tête de cheval libre d'entraves et de brides lui semblait, était-ce la densité de la fumée, détachée du corps qui aurait dû la soutenir. Puis elle disparut, et soudain la sécheresse d'un craquement de bois et un bruit flasque tout proche lui firent craindre que la masse invisible de la bête ne s'effondrât sur elle brusquement. Dans un vif réflexe, elle se recula et s'aperçut alors qu'un petit lancier projeté à terre était venu se disloquer contre l'arête d'une table de classe. Sa tête vint rebondir dans le creux d'un canapé de salon à la lourde armature d'acajou. Il expira à moins de dix pas d'elle, son profil perdu dans l'étoffe fleurie.

« Ils se replient », lui dit Carl.

Sa robe couverte de poussière et de boue séchée, elle se releva et eut un geste machinal pour ramener en avant ses cheveux qui partaient dans tous les sens avant de chercher son chapeau qui était tombé à quelques pas. Elle se sentait étourdie et eut le sentiment que la barricade tout entière s'ébrouait autour d'elle comme un animal après un orage.

« Bravo, les gars ! s'écria Mac Albee. Maintenant, traînez les cadavres des chevaux à côté de l'automobile de ces salopards. Essayez d'éteindre ce qui brûle, que j'y voie quelque chose. Resserrez les meubles. Sortez les piques. Mais faites vite, car on va avoir droit au second service. »

Carl se tourna vers elle.

« Bon, viens, dit-il avec impatience. Tu as entendu ? On ne sert à rien de toute façon. »

Elle hésita.

« Ce n'est pas la question de tirer. C'est d'être là. C'est... »

Il s'était levé et l'avait prise vigoureusement par le bras.

« Viens, je te dis, la pressa-t-il. On ne va pas risquer nos vies pour des gens qui nous rejettent ! »

Elle se laissait faire, cette fois, et sortait du renfoncement où elle avait subi la première charge. Ce fut lui qui changea d'expression.

« Plus le temps », fit-il en la faisant une fois encore plonger à terre.

De nouveau, mais semblant plus violent, plus précipité encore que tout à l'heure, le grondement des lanciers chargeant à plein galop. Ce devait être le second peloton qui avait relayé le premier. Alors qu'elle se plaquait au sol, elle eut cette fois l'impression d'être vulnérable à la peur, comme si elle avait le pressentiment qu'elle ne pouvait désormais *pas* ne pas être atteinte. Tout sembla dès lors se passer beaucoup plus vite que lors de la première charge. « Feu ! » entendit-elle de nouveau commander au-dessus d'elle, mais déjà, dans le fracas des salves, les chevaux étaient sur eux. Elle les vit surgir de partout dans la fumée, plus grands que nature, les yeux fous, éventrant les meubles et les matelas, ruant et se cabrant au milieu de ce capharnaüm dans lequel ils se trouvaient soudain piégés, leurs tendons à la merci des poignards, leurs cavaliers tombés à leur pieds, dans un tohu-bohu extravagant d'ordres, de cris, de gémissements, de hennissements et de coups de feu tirés à bout portant qui entouraient d'une cacophonie insupportable le paisible visage du jeune lancier. Terrifiée, le dos contre le mur, elle hurla avec les autres. Puis il y eut un précaire intermède, et elle entendit un bruit lancinant au-dessus d'elle. Quelque chose battait contre la maçonnerie. Elle leva la tête. C'était le porte-voix qui pendait par la fenêtre et oscillait au bout de sa courroie.

« Carl ! » appela-t-elle d'un ton angoissé.

Elle n'obtint pas de réponse. Ce silence en elle, soudain, et cette sueur l'inondant. Elle eut un sursaut pour se redresser.

« Carl !

— Je suis là, murmura-t-il. J'ai ce type... qui m'étouffe... »

Elle arriva à la rescousse. Le capitaine des fusiliers avait eu raison tout à l'heure. Le pauvre garçon ne saurait jamais s'il serait rentré dans son argent avec *All Sorts*. Il s'était effondré sur Carl en agrippant le pupitre sur lequel il devait s'appuyer. Surmontant sa répugnance, elle le prit à bras-le-corps et le fit malaisément glisser dans un fauteuil voisin. Son vieux chapeau de brousse avait volé à plusieurs pas. Elle le ramassa et le lui remit sur la tête comme elle l'aurait fait s'il avait été vivant.

Carl se releva péniblement. Il était livide.

« Coup de baïonnette en plein cœur, souffla-t-il. Ç'aurait pu aussi bien être moi.

— Ça fait deux morts tout près de nous, en attendant », souffla-t-elle d'une voix étranglée.

La barricade ressemblait désormais à un bateau faisant eau de toutes parts. Elle vit que des chevaux l'avaient franchie et que plusieurs erraient sans cavalier devant l'impressionnante façade de Custom House, comme s'ils avaient vagabondé en liberté dans le parc d'un palais de légende. Les salves avaient repris de l'autre côté de la rue, sans qu'elle comprît ce qui se passait.

« Prends le fusil du gars », dit-elle nerveusement à Carl.

L'homme avait la main crispée sur son arme, et il eut du mal à la lui retirer. Elle tendit sa main comme pour recevoir le fusil.

« Tu es folle ou quoi ?

— Juste le tenir », implora-t-elle.

Il haussa les épaules et le lui donna.

« Bon Dieu, vous êtes encore là ! dit une voix haletante. Je pensais que vous étiez partis depuis longtemps ! »

C'était Kevin qui venait de faire irruption. Il regarda médusé Winifred l'arme à la main.

« A qui le dis-tu ! fit Carl avec un geste d'impuissance.

— On dirait que ça a bardé, en attendant !

— Et toi qui disparais au moment où tout commence, lui dit-elle avec reproche.

— Je ne pensais pas qu'il se passerait quoi que ce soit ici avant ce soir ! Et puis, tu sais, je reviens de la poste, ça tiraillait pas mal aussi contre les fusiliers... Enfin, moi je ne servais qu'aux messages entre les étages, dit-il en regardant l'arme d'un air d'envie. En plus, il y a des renforts de chez nous qui arrivent pour aider à tenir la position ici, ajouta-t-il.

— Mais c'est bon, ça ! » s'écria-t-elle.

Il semblait soudain embarrassé.

« Oui et non... Car je suis venu un peu avant eux... Carl... c'est que j'ai appris... Il vaut mieux que tu saches... Il y a des gars de chez Connolly qui veulent te faire un mauvais sort. Tu penses que j'avais les oreilles qui traînaient jusqu'à terre ! Ils recherchent ce qu'ils appellent le traître allemand... Celui qui a tout fait rater, ils disent. Quelqu'un a dû faire savoir que tu étais par ici... »

Carl avait pâli.

« Je te le disais, souffla-t-il à Winifred.

— Ils remontent à plusieurs dizaines pour renforcer la barricade, car le cinquième lanciers arrive, paraît-il, précisa Kevin. Mais je me demande si ce n'est pas... » Il s'interrompit puis reprit d'un ton plus pressant : « Il faut que vous partiez, il faut que vous partiez... Vous pouvez remonter, d'ailleurs, j'ai appris aussi que le régiment de marche qui était à Swords ce matin avait quitté le village. »

Winifred resta un instant silencieuse, considéra pensivement son fusil puis d'un geste brusque le tendit à Kevin.

« Tiens, dit-elle. Tu te souviens, chez Martin O'Donnoghue, le jour où je t'ai recruté ? Je t'avais dit qu'on ferait tout ce qui était en notre possible pour vous armer. Au moins, j'aurai réussi en ce qui te concerne !

— Tu auras réussi avec moi tout du long », dit-il.

Ils se regardèrent, puis Kevin se détourna. Il examina son arme.

« Un beau mauser, murmura-t-il. Un sacrément beau. »

Carl hocha la tête.

« Un trente-millième de ce que j'apportais, grommela-t-il.

— Ne va pas te faire descendre avec, je t'en supplie ! » dit Winifred à Kevin.

Elle regarda la perspective dévastée d'Amiens Street. Les morts des deux camps avaient été placés côte à côte par les Volontaires au coin de Earle Street. Il y en avait bien une dizaine. Aidés depuis peu par des jeunes qui semblaient être venus de Gardiner Street, les Volontaires redoublaient d'activité pour tenter de colmater les brèches béantes de la barricade. Elle eut l'impression que comme après l'attentat manqué elle désertait contre son gré le champ de bataille.

« Bon, on se sauve », dit-elle d'un ton détaché, comme s'il s'agissait de quitter une réunion mondaine.

Carl paraissait accablé.

« J'en étais sûr, murmura-t-il. Tout était fait pour qu'ils pensent cela...

— Filez ! les pressa Kevin. Les autres vont arriver. Après tout, vous aurez eu votre part, et plus que cela ! Je vous raconterai la suite...

— La liaison reste à Henrietta Street, n'oublie pas », lui rappela-t-elle.

Celui-ci la regarda comme si elle lui rappelait soudain quelque chose.

« A propos de ça... J'allais oublier ! Il y a une heure j'ai rencontré Louis, près de la colonne Nelson. Il semblait un peu déboussolé. Il m'a dit qu'il te laisserait peut-être un message là-bas. »

500

Winifred esquissa une moue de contrariété.

« Oh, oui, j'espère qu'il n'a pas fait une bêtise, celui-là », dit-elle à nouveau.

Elle contempla déçue les marches désertes de la Cathédrale provisoire.

« Il n'est plus là, murmura-t-elle.

— Qu'est-ce que tu racontes ? » demanda Carl en la rejoignant.

Elle avait mis pied à terre et soudain fatiguée s'était assise au pied de la grille. Le soleil avait quitté depuis longtemps l'étroit parvis. Des coups de feu se faisaient entendre encore çà et là, et parfois un bref accrochage s'interrompait brusquement après quelques secondes, comme si on décidait déjà d'économiser les munitions. Vide sur toute sa longueur, Marlborough Street ressemblait à un *no man's land* entre les deux zones de troubles dans lesquelles ils s'étaient trouvés successivement impliqués, la Grande Poste et les abords de la gare d'Amiens Street.

Daddy wouldn't buy me a bow wow bow wow

fredonna-t-elle.

« Tu veux passer par où ? lui demanda-t-il. Il ne faudrait pas trop traîner, tu sais.

— Frederick Street pour voir si Cora est encore là, ensuite un saut à Henrietta Street et puis on rentre. »

Il protesta faiblement.

« Louis n'aura pas eu le temps de déposer une lettre, tu penses bien... Pour écrire deux lignes, il lui faut deux jours... »

Elle eut un geste de mécontentement.

« Ça, c'est vraiment gratuit ! Et qu'en sais-tu ? De toute façon, s'il n'y a rien, j'aurai au moins l'esprit en repos. »

Ils se remirent en selle et pédalèrent lentement dans la direction de Parnell Square. Carl semblait avoir du mal à suivre même cette allure modeste. Elle repensa à ses émotions, à sa grande marche de l'avant-veille, et se laissa glisser à sa hauteur. Il leva sur elle un visage défait.

« C'était sûr qu'ils réagiraient comme ça, les gars de Connolly, répéta-t-il comme une antienne. Tu imagines ce que ton oncle a dû raconter pour arriver à ce résultat...

— Ne t'inquiète pas. J'y réfléchis depuis tout à l'heure. Je vais essayer de contacter le conseil, ou du moins ce qu'il en reste. Demain, ils sauront qu'il a essayé de te tuer.

— Et tu sais à quoi je pense, moi, depuis tout à l'heure ? Suppose qu'il ait été voir l'amiral commandant la base après avoir rendu visite à ton mari... »

Elle freina et s'arrêta net.

« Tu te rends compte de ce que tu dis ? »

Sa voix était montée d'un ton.

« Ce patrouilleur juste à cet endroit, marmonna Carl. Je ne peux pas parvenir à croire que ce soit l'effet du hasard. »

Elle secoua la tête en répétant.

« Ce serait trop..., murmura-t-elle en repartant. Oh, je ne trouve pas le mot.

— Va prouver ça, de toute façon ! s'écria-t-il. Tu penses bien que c'est impossible. »

Ils pédalèrent en silence.

« Je vais faire plus qu'envoyer une lettre, dit-elle soudain. Je vais aller voir Thomas, dès demain. Je veux en avoir le cœur net.

— Ah non, merci ! s'écria-t-il. Il serait capable de te faire enfermer à nouveau ! On ne va pas risquer la seule chose positive de cette journée, qui est de l'avoir vécue ensemble !

— Tu n'étais pas chaud, c'est le moins qu'on puisse dire... »

Il hocha la tête sans répondre.

« Même hors jeu, reprit-elle, je suis contente d'avoir vécu cela. Vu cela. Les trois couleurs flottant sur Sackville Street.

— Moi, je m'en fiche bien, désormais, de l'Irlande », dit-il avec un profond ton d'amertume.

Le calme qui régnait autour d'eux au moment où ils arrivaient au croisement de Denmark Street fut soudain rompu par un petit groupe qui semblait venir du centre de la ville et se diriger vers la Rotonde. On les distinguait mal à quelque distance, mais Winifred eut l'impression qu'ils scandaient « Fu-si-liers, Fu-si-liers ».

« Ils ont l'air d'avoir bu », dit Carl.

Ils s'arrêtèrent le long du trottoir pour observer. Il semblait y avoir une agitation confuse dans le square où ils se trouvaient le matin même.

« Je ne comprends pas, dit-elle. Ils ont l'air de se rassembler autour de l'hôpital. J'espère qu'ils ne vont pas embêter Cora. Elle perd son calme facilement...

— Tu penses bien qu'elle n'est plus là ! J'aime autant, d'ailleurs, car je me sens hors d'état de la défendre, même contre le plus flageolant des ivrognes. »

Au coin de Frederick Street, la charrette de Cora était en effet bâchée comme un petit tumulus verdâtre. De l'autre côté de la chaussée stationnait devant le portail nord de la Rotonde un attroupement dont semblait émaner une sourde hostilité.

« Quoi, ils attendraient l'un de leurs blessés ?... se dit Carl.

— Tu as déjà vu attendre un blessé en levant le poing ? »

Se sentant protégés par la pénombre du crépuscule, ils s'approchèrent du dernier rang.

« Qu'est-ce qu'il se passe ? demanda Winifred en avisant devant elle un petit homme à casquette. Qui est-ce qu'on attend ? »

L'homme se retourna et lui répondit d'une voix hargneuse :

« Les fusiliers ont trouvé l'animal au gîte, ma'âm. Fait comme un des renards qu'ce *gentleman* a dû chasser toute sa vie ! »

Elle n'osa se faire préciser l'identité de celui qu'on avait retrouvé et revint vers Carl avec agitation.

« Reste là, lui recommanda-t-elle. Ne te montre pas, ce n'est vraiment pas le moment.

— Allons bon, tu inverses les rôles !

— Je veux savoir qui c'est. »

Il eut un brusque désir de la retenir et ne put qu'effleurer ses mains.

« Je ne bouge certainement pas, dit-il. Je suis vidé, et me montrerais-tu ton oncle en personne que je n'aurais même plus la force de lever la main sur lui. »

L'attroupement semblait grossir de minute en

503

minute et, d'après ce qu'elle entendit autour d'elle, le petit noyau vociférant de tout à l'heure était maintenant submergé par des badauds venus des quartiers périphériques du nord comme Drumcondra ou Phibsborough, qui n'avaient appris qu'assez tard dans la journée (ou au retour des courses) qu'il se passait de graves événements en ville et étaient venus anxieusement aux nouvelles. On n'entendait plus de coups de feu isolés comme c'était encore le cas quelques minutes auparavant, et la trêve vespérale qui venait de s'établir semblait mettre enfin la journée au diapason de la douceur si inhabituelle de l'air en cette soirée de printemps. Elle parvint à s'infiltrer et à gagner les premiers rangs. Bien qu'il fît encore grand jour, une lanterne à gaz au-dessus de l'entrée éclairait déjà un cordon de Dublin Fusiliers qui l'arme au pied protégeait des bousculades une énorme limousine stationnant devant l'édifice. Figé derrière son volant, le chauffeur paraissait inquiet des conditions dans lesquelles il allait devoir démarrer.

Peu après le grand battant de la porte qui lui était masqué par l'automobile s'ouvrit, et elle entendit des cris et des huées s'élever de la foule. « Traître », criait-on, « A Gallipoli ! », « En Flandre ! », et soudain, tout à côté d'elle : « A mort le Boche. » Elle tressaillit. Sous les ordres confus d'un sous-officier débordé, les fusiliers se portèrent en avant pour tenter d'ouvrir au milieu des imprécations un passage au véhicule. Profitant des remous, elle put gagner encore quelques pouces de terrain puis d'un brusque élan s'arracha à la cohue et frappa fébrilement sur la vitre de la portière arrière.

L'homme dont elle devinait la silhouette dut y pressentir la première des manifestations d'hostilité qu'il craignait, car elle remarqua qu'il ne pouvait maîtriser un brusque mouvement de recul. Alors qu'elle insistait avec la nervosité de l'urgence, il tourna la tête et demeura les yeux écarquillés comme si une apparition inconcevable avait surgi devant lui. Elle lui fit signe d'ouvrir la vitre.

Les fusiliers étaient parvenus à faire dégager l'avant de la limousine, et déjà le chauffeur embrayait. Paraissant sortir de sa stupeur, il actionna la manivelle, et son visage lui apparut, bouffi et lunaire sous la lumière blafarde. Elle éprouva un choc. Bien que Carl, qui ne le connaissait pas auparavant, l'eût trouvé d'allure majestueuse, il lui donna l'impression qu'il avait vieilli de dix ans depuis Srinagar.

« Reggie, s'écria-t-elle. Pourquoi ? Pourquoi avoir fait cela ? »

Il la dévisagea d'un air abasourdi. Elle vit que son menton tremblait et qu'il ne pouvait pas prononcer une parole. Elle tenta de prendre appui sur le marchepied, mais l'un des fusiliers la surprit et la tira en arrière avec brutalité. Reginald regardait tout cela avec une stupeur visible.

« Ne va pas... prendre un mauvais coup », balbutia-t-il.

Elle fut prise d'un accès de rage froide.

« Ça c'est la meilleure ! s'écria-t-elle d'une voix perçante. A qui... A qui en avez-vous donc donné, des coups, récemment ? Non ? Vous ne voyez pas ? Pourquoi ? Pourquoi avoir fait cela ? »

Elle ne savait même pas ce qu'elle voulait dire par *cela*. Tout. Tout ce pour quoi il lui écrivait jadis et qui ne se produirait pas. Tout cet immense gâchis. Lui ne se méprit pas.

« Il est mort ? demanda-t-il d'une petite voix de fausset avec une sorte d'incrédulité sur le visage. Vraiment il est mort ?... »

Elle eut envie de trépigner contre la portière et un ricanement presque sardonique lui échappa.

« Non, ça aussi vous l'avez raté, heureusement pour moi ! Car je vivrai pour lui, désormais, et avec lui ! Sachez cela, qu'il vous... »

Elle fut arrachée à la portière. L'automobile avança lentement sous les huées. « En Flandre », « Traître », entendait-on à nouveau.

« ... survivra », cria-t-elle.

Un homme était monté à côté de Reginald et lui faisait signe de fermer la vitre. Avant d'obtempérer, elle vit qu'il tentait de se retourner vers elle.

« Ma petite fille », crut-elle lire sur ses lèvres.

Les soldats intervinrent alors vigoureusement pour faire reculer la foule. La limousine parvint à s'éloigner et une nouvelle bousculade la lui cacha.

« T'as bien raison, lui dit sa voisine. Si tu veux mon

avis, un homme comme ça, c'est à pendre haut et court. »

Elle la regarda, puis ferma les yeux, sans plus rien sentir autour d'elle, si ce n'est cette affreuse détresse qui la laissait pétrifiée sous le porche.

« C'était lui, n'est-ce pas », demanda Carl.

Il n'y avait même pas d'accent interrogatif dans sa question.

« Oui, dit-elle d'une voix sans timbre.

— J'ai entendu dire qu'on l'a surpris chez lui, chuchota-t-il. Les gens parlaient entre eux. Il paraît que l'on regroupe les suspects ici, puis qu'on emmène les plus importants au Château. Je pense que c'est là où on...

— D'après ce que tu me dis, crois-tu vraiment que l'entrée de la Rotonde soit l'endroit idéal pour parler de cela ? » l'interrompit-elle.

Elle se sentait comme engourdie. Il dut l'aider à monter sur sa bicyclette et ne la quitta pas des yeux pendant les premiers tours de roue.

« Winnie », lui dit-il brusquement alors qu'ils quittaient Parnell Square dont l'habituelle tranquillité était encore perturbée par l'attroupement, « s'il a été pris de cette façon, c'est que Duneggan l'a lâché. Et si Duneggan l'a lâché, c'est qu'il a dû apprendre ce qui s'était passé. Winnie, tu m'entends ? »

Il lui avait parlé sur un ton véhément et saccadé.

« Oh, c'est trop triste, c'est trop triste tout ça », bredouilla-t-elle.

Elle se pencha sur lui à la limite de faire un écart, et il s'aperçut qu'elle pleurait.

« Mais Winnie, insista-t-il fébrilement, cela veut dire que pour eux je ne suis plus un traître, tu comprends.

— Qu'en as-tu à faire de l'opinion des autres, dit-elle. Puisque *moi* je savais.

— J'en étais malade qu'ils puissent le croire...

— Tu dis qu'ils l'emmenaient au Château, murmura-t-elle. Oh, tu ne peux pas te rendre compte, tu ne l'avais pas vu avant, mais tu n'imagines pas ce qu'il a vieilli...

— Je ne comprends pas ce qui a pu se passer. Peut-être après tout a-t-il eu des remords et leur a-t-il tout raconté... »

Elle haussa les épaules.

« Cela lui ressemblerait si peu. »

Le long de Dorset Street, quelques rares bicyclettes allaient et venaient. Elle vit à une horloge qu'il était sept heures du soir. Il ne semblait pas y avoir de couvre-feu, ni de traces visibles de l'armée ou de la police métropolitaine. Ils ne se parlèrent pas jusqu'à ce que s'ouvrît sur leur droite la belle ordonnance de Henrietta Street dont le crépuscule effaçait la décrépitude et qui prenait dans la lumière rose du couchant l'aspect d'une théâtrale perspective vers le dôme pâle de King's Inns. Il prit les devants et risqua un coup d'œil inquiet vers le cul-de-sac. Tout était désert. Au numéro 14, un petit édicule s'adossait malencontreusement à une belle façade géorgienne. Ils en poussèrent la porte et s'avancèrent dans le couloir abandonné qu'ils connaissaient bien.

« Tu ne peux pas savoir le soulagement que j'ai éprouvé en trouvant à mon retour le mot de Kevin disant que vous étiez à Swords », dit-il en tâtonnant pour chercher la boîte.

— Heureusement qu'on s'était organisés pour que tu ne passes pas à Usher's Quay ! Ils t'auraient peut-être emprisonné et en tout cas ne t'auraient jamais dit où j'étais. »

Il ouvrit. Il y avait un message écrit.

« C'est bien de Louis, dit-il. J'aurais mieux fait de la fermer tout à l'heure. Mais j'étais effondré, tu sais. Je me sens tellement mieux maintenant.

— Donne, dit-elle.

— On pourrait peut-être attendre d'être à la maison ? suggéra-t-il.

— Suppose qu'il y ait à intervenir tout de suite...

— Tu ne trouves pas que cette journée a suffisamment duré ? »

Il s'accroupit néanmoins et actionna son briquet. C'était écrit d'une grosse écriture maladroite, au dos d'une facture d'épicerie qu'il avait dû ramasser par terre.

« Chère Winifred,

« Cette boîte est vraiment commode. Il faudra toujours la garder ! Même quand je reviendrai, peut-être vieux ! C'est là où je mettrai mes nouvelles !

« Je n'osais pas te le dire en face. Mais avec les

marins anglais de la canonnière, j'avais signé. Oui, un papier. Il y avait une sorte de *midship* qui m'a dit qu'à partir d'aujourd'hui ma mère était anglaise et que j'avais dix-huit ans — si on demande, forcément.

« Tu comprends, hein, pourquoi je fais ça. J'aimais bien quand t'étais seule.

« T'inquiète pas sur la *Queen* comme ils l'appellent je combattrai pas d'Irlandais. La relève est demain je sais pas bien comment ni où.

« Dis à Carl que si un jour il retourne lui dans la marine allemande (il m'avait dit qu'il avait fait son service là), je tâcherai de pas lui tirer dessus avec mes gros canons !!! Et pourtant je lui en veux un peu.

« Tu trouveras caché sous mon matelas le livre de Thomas. C'était pour toi. Avant que Carl arrive je voulais apprendre un autre poème, enfin le début.

« *Allez, bonne chance, et merci pour tout.*

« SOUCHELEAU LOUIS. »

La dernière phrase était en français. Winifred tourna et retourna le papier. Elle avait l'étrange impression que depuis quelques jours plusieurs des trajectoires de ceux qu'elle avait connus et aimés s'entêtaient à venir la frôler avant de s'éloigner ou de retomber ailleurs comme des oiseaux exténués foudroyés en vol. Christopher. Branjee. Reginald. Et maintenant Louis.

« La situation ne serait pas ce qu'elle est, j'aurais bel et bien été le rechercher, sur cette fichue canonnière », murmura-t-elle.

« J'avais d'abord cru que c'était la Polka, dit-elle. Amelia m'avait dit : viens, on va longer la Polka. J'avais cru qu'on allait danser toutes les deux ! J'étais très déçue quand elle m'a dit : mais non, grosse bête, c'est la Tolka ! La petite rivière qui borde le jardin botanique.

— Avec un T, comme Tracy.

— Ou comme Thomas. »

Ils se mirent à rire. Ils étaient à demi allongés dans l'herbe devant l'eau miroitante, leurs bicyclettes en contrebas de la route appuyées contre les piles du petit pont. Ils étaient à peine sortis de la ville, mais l'endroit était déjà champêtre. Devant les infimes remous qui agitaient la surface, elle eut un instant la vision des martins-pêcheurs qui rasaient l'eau du lac Dal le dernier soir avec Reginald, mais elle la chassa aussitôt. A côté d'elle, Carl s'étira et poussa enfin un grand soupir de soulagement, comme si pour lui la journée arrivait enfin à un terme satisfaisant.

« Tu ne peux pas savoir combien je me sens ragaillardi, lui dit-il. J'avais tout le poids de cette journée ratée sur moi, tu comprends.

— Elle n'est pas si ratée, quand je la revois...

— C'est l'échec, tu sais. Il n'y a pas à s'y méprendre. Tu n'imagines pas ce qui va déferler maintenant...

— Peut-être, mais il restera sûrement des traces de ce qui s'est passé. Même parmi la population... »

Il eut une moue dubitative.

« Quoi qu'il en soit, l'important pour moi est que la Fraternité sache ce qui s'est passé et qui est responsable de cet échec. Et c'est sûrement le cas, car jamais, jamais sans cela ils n'auraient laissé ton oncle aussi exposé. Ayant découvert sa trahison, et je ne parviens d'ailleurs pas à comprendre comment, ils ne pouvaient pas bien entendu la faire connaître aux Volontaires pour ne pas affecter leur moral à la veille d'un jour aussi important. Le seul moyen de le châtier était donc de le laisser se faire prendre tout seul, car Thomas est assez machiavélique pour avoir vu là l'occasion d'un premier martyr... Oui, c'est cela. Reginald est le premier faux martyr de l'histoire de l'Irlande libre...

— Oh tais-toi, tais-toi ! s'écria-t-elle. Tu ne peux pas savoir l'impression que tout cela me produit. C'est comme si toute la partie de ma vie que j'avais vécue sous son emprise et son influence était remise en cause... et même niée... Comme si l'ascendant qu'il avait pris sur moi adolescente était déjà une traîtrise à mon égard...

— Ce n'est pas à moi de le défendre, Seigneur ! Mais ce n'est pas une traîtrise à *ton* égard. Tout cela est arrivé au contraire parce qu'il t'aimait trop. »

Elle resta songeuse.

« Que cela ne t'empêche tout de même pas d'envoyer ton rapport à Thomas, dit-elle. Et aussi de te préoccuper du prochain rendez-vous de Clontarf, car il faut prévenir d'urgence Zimmermann à Berlin...

— Pour ce qui est de Thomas, lui expliquer ce qui est arrivé va être une chose tellement plus facile désormais... Quant à mon message à Zimmermann, j'ai bien l'intention de lui marquer mon mécontentement, car si lui, Von Jagow et les autres n'avaient pas joué double jeu et cru bon d'envoyer un sous-marin avec passager en supplément au programme, rien de tout cela ne serait arrivé. Je suis sûr que le prince Wilhelm n'était pas au courant. Mais les autres l'étaient à la Chancellerie, et avant même que j'embarque sur l'*Elmshorn,* sans doute !

— Attention, que ton rapport ne soit pas trop virulent ! Je ne veux pas... Je ne veux pas qu'ils te rappellent, dit-elle avec un brusque élan. Je ne veux pas que tu me quittes de nouveau.

— Ne t'inquiète pas, dit-il. D'abord cela m'étonnerait qu'ils se privent de leur antenne, et puis ils sont de toute façon obligés de me garder ici au moins pour quelque temps à cause de la mission Tara.

— Tara ? Pourquoi Tara ? s'exclama-t-elle d'un air surpris et vaguement inquiet. Qu'est-ce que c'est que ça encore ?

— Un groupe de jeunes officiers choisis par Zimmermann et qui sont entrés clandestinement en Irlande depuis quelques jours en prévision de l'insurrection. On m'avait donné leur liste à Berlin en code. Je devais prendre contact avec eux en cas de réussite du soulèvement pour qu'ils viennent m'aider à maintenir une liaison permanente avec la Chancellerie. Je ne sais trop ce qui va en être maintenant. Il faudra sans doute s'occuper de les faire réembarquer individuellement. »

Elle se rapprocha de lui.

« Après tout. Tu avais réussi, *toi,* ajouta-t-elle. Tout ce qui dépendait de toi avait marché comme sur des roulettes...

— *Nous* avions réussi tous les deux, Winnie. Tu te souviens de la route de Ningle Nallah, quand tu m'avais rattrapé ? Eh bien, en revenant sur l'*Elmshorn,* je m'étais dit : c'était son idée depuis le début, tout est bien. »

Un clapotis d'animal aquatique se fit entendre dans la nuit silencieuse.

« Polka, murmura-t-il. C'est vrai, peut-être qu'on pourra danser, un jour...

— Oh, il y a pas mal de choses que je voudrais faire, après tout ça, dit-elle d'un ton soudain impatient.

— Je sais. Prendre un bain au Métropole et te sécher dans un peignoir de soie, ou quelque chose de ce genre. »

Elle se mit à rire.

« Me couper et me coudre une ou deux robes. Apprendre une poésie de Victor Hugo dans sa langue et la réciter plus tard à ce brave Louis. Me raser sous les bras. Monter avec toi au Carrantuohill pour y déposer le bracelet sous une pierre. »

Il passa sa main sur la fragile cordelette.

« Quoi ! Mais il n'en est pas question !

— C'est une sorte de vœu, dit-elle avec une soudaine réserve. Remarque, il me manquera. Je n'arrête pas de le triturer comme Branjee le faisait de son sceau de stéatite.

— Tant qu'à faire, j'ai un autre endroit où aller avec toi, dit-il. Le Vieux Cap de Kinsale. Ce pauvre Geissler avait si peur de le franchir et de s'écarter de son droit chemin...

— Il avait plutôt raison !

— C'est vrai que c'est quand nous avons passé le Vieux Cap que le destin a basculé. Cela prouve bien qu'il y a des frontières qu'il ne faut jamais traverser...

— Alors, pourquoi le faire, nous ? demanda-t-elle.

— Mais parce que ce serait nous, justement ! Exorciser tout cela ! Ton bracelet relierait ainsi la verticale absolue du Nanga, avec toute l'Inde qui nous poussait dans le vent, à l'horizontale infinie du Vieux Cap, avec la mer devant et l'Irlande derrière, cette fois...

— L'Irlande nous poussant à l'eau ! Quelle image... »

Ils se mirent à rire et dans le même élan s'embrassèrent. Puis elle posa sa tête sur son épaule.

« Ce sera encore un endroit pour danser, murmura-t-elle.

— Moi j'aimerais bien aussi visiter la maison natale de Mummery à Douvres, dit-il.

— Écoute, on a vu son tombeau, ça suffit peut-être...

— Peut-être, admit-il.

— Ou alors dans plusieurs années... quand tout cela sera effacé depuis longtemps et que nous pourrons

511

enfin nous rendre en Angleterre la tête haute... Tu mettras le beau costume que tu avais quand tu étais venu me voir à Gulmarg ! dit-elle en pouffant.

— Si tu crois que je l'ai emporté ! Mais j'étais sûr que je jetais mes roupies à l'eau, avec ce brave tailleur. Je ne me souviens plus de son nom... Dehnu, je crois.

— Je te vois encore, dit-elle en continuant à rire.

— Ne te moque pas de moi, j'aurais peut-être fini par grossir suffisamment pour le remplir...

— Merci bien ! »

Il l'embrassa à nouveau.

« Carl, lui demanda-t-elle à brûle-pourpoint, est-ce que tu as l'impression, comme ton grand homme... qu'on s'est... comment te dire... accomplis ? »

Il ne répondit pas, et elle sentit qu'il l'attirait en arrière pour l'étendre sur le sol. « Avec plus de douceur que tout à l'heure », se dit-elle en souriant à la nuit. Elle se laissa faire. Il souleva son jersey, déboutonna son corsage et sa brassière, et laissa ses seins nus face au ciel. Son corps apparaissait comme une longue coulée claire menant à la rivière. Les grains de beauté qui le parsemaient semblaient le ponctuer comme dans les vieux atlas célestes les étoiles matérialisent la silhouette des mythologiques créatures qui personnifient les constellations. Il la caressa de sa main intacte comme il le faisait toujours — il avait une réticence à faire autrement bien qu'elle l'eût souvent encouragé à les utiliser toutes les deux — puis il l'embrassa doucement avant de découvrir sa toison et de se pencher sur elle.

« Tu vas finir par embrasser l'herbe, tu ne verras pas la différence, dit-elle.

— Cela montrerait que tu es la seule terre d'Irlande qui demeure pour moi. Mon éternelle terre d'Irlande. Mon éternelle Winnie. »

Elle se redressa.

« Bigrement humide, la vieille terre d'Irlande, dit-elle en frissonnant.

— Il ne s'agirait pas que tu prennes froid sous prétexte que c'est la première douceur du printemps, dit-il. On poursuivra à Swords.

— Oh oui, dit-elle avec élan. En attendant, je vais réparer le désordre de ma toilette, comme on dit dans *Behind the Bungalow.* »

Il lui sourit dans l'ombre.

« Cela aura quand même été une belle journée, dit-il. Tu vois, plus tard, ma nature est ainsi faite que c'est de cela que je me souviendrai. De ce baiser au bord de la rivière et non pas de l'échec prévisible du soulèvement. J'ai eu plus peur de te perdre sur la barricade que de voir les lanciers passer.

— *Que Troie soit emportée plutôt que Cressida,* murmura-t-elle.

— Oh », fit-il d'un ton changé.

Sa joie s'enfuyait à tire-d'aile.

« Je la reconnais cette phrase ! Elle est tirée de la lettre de ton mari !

— Non, répondit-elle avec le plus grand sérieux. De *Troïlus.* »

Il exhala un soupir.

« Satané Louis ! reprit-il. Gentil de me dire qu'il ne me tirera pas dessus. C'est vrai qu'il me regardait un peu de travers ces deux jours-ci. Mais moi aussi j'aurais pu lui en vouloir après tout de t'avoir rapporté la lettre de Christopher !...

— Et pourquoi lui en aurais-tu voulu ? » demanda-t-elle vivement.

Il parut un instant pris de court.

« Eh bien, d'abord... de m'avoir appris la mort de Branjee. Tu ne peux pas savoir l'effet que cela me fait...

— Peu de gens m'ont donné l'impression de t'aimer autant, murmura-t-elle. Je me souviens encore du portrait qu'il me faisait de toi dans son *doolee,* lorsque je montais au camp et que j'allais te connaître. Et je me souviens aussi, ça je t'en réponds, de sa réaction lorsqu'il a appris ta tentative... Vraiment la passion déçue... J'en tremblais pour toi...

— Il s'est senti trahi, n'est-ce pas, dit-il sur un ton soudain de lassitude. Oh, mon Dieu... Qui n'a pas trahi quelqu'un pendant ces derniers mois. Mais quel sillage laissons-nous donc derrière nous, Winnie... Oui, combien de trahisons, de haines inexpiables et de morts... Nous avions pourtant de si nobles aspirations. Nous poursuivions de si belles chimères...

— Hé, tu dérailles ! Tu ne vas tout de même pas nous mettre sa mort à lui aussi sur le dos ! »

Il hocha la tête pensivement.

« Je me demande si je n'en suis pas responsable,

dit-il. Il y a en effet un épisode que je ne t'avais jamais raconté. Lorsque Angdawa et moi, lors de notre fameuse équipée à tous trois, nous avions fini par localiser Christopher, j'avais eu le net sentiment que, le considérant comme un demi-dieu, les Marathes ne nous le rendraient pas facilement. Je savais d'autre part qu'il était blessé, qu'il y avait urgence, et je n'avais donc guère le choix. J'ai alors pris le parti de négocier son retour avec le chef de la communauté pour la somme de cent annas d'argent. Le prétexte était de faire édifier un temple lorsque le pont serait reconstruit. Mais le Diwân n'avait jamais accepté ce qu'il avait appelé cette « transaction honteuse ». Il était même entré dans une violente colère lorsque je lui en avais parlé, et nos relations s'étaient depuis lors dégradées. Peut-être même ne serais-je pas allé au Nanga s'il n'avait pas eu un peu de temps avant à mon égard des mots désobligeants qui m'avaient blessé et m'avaient délié de beaucoup de mes engagements. Sans doute cela était-il dû en partie à l'influence de Dhakki Singh qui était devenue prépondérante dans la période qui avait suivi le sinistre, et qui, envieux de ma position, ne perdait pas une occasion pour chercher à me nuire...

— Mais pourquoi ne m'avais-tu jamais mis au courant de cela ! J'aurais pu moi-même en parler à Chris !

— Justement, je n'y tenais pas. Peut-être n'aurait-il pas accepté d'avoir été l'objet à son insu d'une telle transaction et aurait-il encouragé Branjee à ne pas payer. Et voilà... les Marathes ont sûrement voulu se venger... »

Winifred vit soudain se mêler sous ses yeux les eaux calmes de la petite Tolka et celles déchaînées de la Kishenganga à son paroxysme.

« C'est parti de Christopher, et cela nous revient par Christopher », murmura-t-elle après quelques instants.

Carl se retourna vers elle.

« A travers une lettre plutôt émouvante... non ? Tu ne trouves pas ? Ce long message d'amour les pieds dans les flaques... Cela ne te produit aucun effet ?... »

Elle s'écarta de lui et le regarda avec une sérénité telle qu'il eut l'impression de retrouver le visage de sa petite princesse maourya chevauchant sur les hautes terres.

« J'ai choisi, non ? »

Il la fixa brusquement.

« Quand ? » demanda-t-il.

Elle le dévisagea sans comprendre.

« Il y avait longtemps que je voulais te poser cette question, lui précisa-t-il. Quand as-tu choisi ? A quel instant exactement as-tu décidé de me rejoindre, le jour de la course de chevaux ? Non, il faudrait plutôt poser la question comme cela : avais-tu *déjà* décidé de me rejoindre quand tu es montée en selle ? »

Un demi-sourire qu'il ne put voir effleura les lèvres de Winifred.

« J'ai tout de suite eu l'impression que la pouliche marchait bien, dit-elle d'un ton détaché. Cette chère *Ooty girl*... Je pense que la petite Bowers s'en sera occupée. Elle savait ce que c'était qu'un cheval...

— Tu vois comme tu es ! Tu réponds à côté. »

Elle eut un petit rire.

« Tu sais ce que je me suis dit, souvent ? Il faudra que je rende un jour sa guinée au vieux colonel qui m'avait jouée gagnante. »

Ils retrouvaient maintenant l'endroit où étaient les bicyclettes. Il lui mit le bras autour de la taille.

« Pourquoi ça ? Tu as gagné, ce jour-là », lui dit-il.

Se suivant l'un l'autre, ils allaient entrer dans Dardistown lorsqu'ils virent les phares d'une automobile qui les avait dépassés quelques minutes auparavant revenir vers eux et s'arrêter à leur hauteur. Le conducteur baissa la vitre.

« Il y a un barrage des Munster Fusiliers à l'entrée du village, les prévint-il. Le couvre-feu a été décrété il y a moins d'une heure. Je crois qu'ils arrêtent toute circulation sur la route. »

Winifred s'approcha.

« Est-ce que... Est-ce que vous savez si le régiment de marche a quitté Swords ?

— Oui, celui-là on l'a vu passer », répondit le conducteur.

Déjà l'automobile repartait en direction de Santry.

Winifred revint vers Carl. Il actionna son briquet pour regarder sa montre. Il était neuf heures.

« Je n'aime pas ça. Je n'aime pas ça du tout », murmura-t-il.

Sans perdre son calme, elle resta quelques instants à réfléchir, appuyée contre son guidon dans une attitude familière, son menton dans sa main. Brusquement, elle se redressa.

« Le mieux est de se séparer, dit-elle. Tu n'as qu'à retourner en direction de Santry et de là rejoindre Feltrim par la petite route qui suit la mer de loin. Moi je vais prendre les raccourcis. Les chemins sont mauvais, mais je les connais par cœur.

— Alors je vais les prendre avec toi ! » s'écria-t-il.

Elle secoua la tête.

« C'est mieux qu'on ne soit pas ensemble s'il y a des contrôles. Ils ne nous cherchent sans doute pas, mais il suffira qu'ils voient deux phares pour qu'ils nous remarquent et regardent sur les listes de suspects. Nos deux noms sont sûrement accolés sur ces listes, avec les moyens de nous identifier. Rappelle-toi nos missions. Rappelle-toi les gars du P.P. sur la route de Clane. Et les lettres que recevait Thomas... »

Il secoua la tête.

« C'est l'idée de me séparer de toi qui ne me sourit vraiment pas », dit-il.

Elle eut vers lui un petit geste allègre.

« Séparés une heure, alors que tu viens de l'être pendant un mois ! Allez, le premier arrivé à Swords allume le fourneau », dit-elle.

Il voyait déjà son feu rouge disparaître dans l'obscurité lorsqu'elle revint vers lui. Elle s'approcha de lui et lui mit sa main sur le bras.

« N'oublie pas que si tu rencontres quelqu'un, dit-elle, tu ne retires pas tes gants. »

A Santry, il prit la petite route de Coolock. Le village semblait déjà endormi, et il le dépassa sans y déceler lumière ou âme qui vive. Il avait calculé mentalement qu'il y avait bien huit ou dix miles de différence entre leurs deux itinéraires et appuya sur les pédales pour essayer de limiter son retard. Mais à mesure qu'il s'approchait de la mer le vent se levait dans son nez et il avait l'impression qu'il n'avançait plus. Pendant cinq miles il essaya de se concentrer sur cette lutte contre le vent dans la nuit noire, ce qui avait l'avantage de l'empêcher de réfléchir. Le phare éclairait à peine une chaussée étroite, caillouteuse et pleine d'ornières. « Qu'est-ce que ça doit être ses chemins à elle », pensa-t-il. Enfin, il parvint à Feltrim qui se révéla aussi désert que le village précédent. Cela le rassura, d'autant que Winifred devait à l'heure qu'il était être parvenue à destination. Lui aurait au moins une demi-heure de retard, mais elle n'était pas du genre à s'inquiéter pour si peu.

Alors qu'il s'apprêtait à la sortie de Feltrim à prendre la route de Swords, il vit soudain la nuit se piqueter devant lui d'une myriade de petites taches scintillantes et indécises comme des feux follets sur la lande. Elles semblaient suivre tout le littoral, de Malahide jusqu'à Swords. Il prit la précaution d'éteindre son phare et continua à pédaler plus lentement dans une totale obscurité. Soudain il comprit de quoi il retournait. C'était des feux de bivouac. Plusieurs corps de troupe campaient entre le littoral et la route, et il entrevit soudain devant lui des théories de fourgons arrêtés sur le bas-côté. Au-delà se devinaient dans de grands dévers herbeux qui descendaient vers la baie les taches claires des tentes alignées. De temps à autre retentissait une exclamation ou un rire étouffé, mais il trouva qu'eu égard au nombre d'hommes qui paraissaient rassemblés en ce lieu régnait un étonnant silence — semblable à la lourde atmosphère d'attente qui, s'imaginait-il, assourdissait les voix et les couleurs à la veille des grandes batailles d'autrefois. « Mille fusils contre tout ça », soupira-t-il. Plus que jamais le sort du soulèvement lui parut scellé.

Il n'était pas question d'aller regarder les convois sous le nez. Il rebroussa donc chemin et laissa sa bicyclette le long d'une petite ferme à l'entrée de Feltrim. Il se proposait de continuer à pied et de suivre la route de loin sans toutefois la perdre de vue. Il serait toujours temps de la rejoindre lorsqu'elle lui semblerait dégagée.

Depuis qu'il avait vu les villages déserts, il ne se sentait au demeurant pas inquiet. Les troupes étaient visibles de loin et ne semblaient aucunement chercher à quitter leur cantonnement. Sans doute représentaient-elles une masse de manœuvre que l'on gardait en réserve en attendant de voir comment les événements allaient tourner. Bientôt il revint sur la route, regrettant finalement de ne pas avoir gardé sa bicyclette. Il aurait pu la porter sur son dos, et maintenant il l'aurait à nouveau avec lui pour les deux derniers miles, sans avoir en plus à demander à Kevin, le moins « marqué » de leur petit groupe, de se dévouer le lendemain pour aller la rechercher.

Il vit bientôt le massif donjon se découper vaguement sur le ciel. Alors qu'il entrait dans le village lui vint l'idée qu'elle pouvait tout de même s'être inquiétée de son retard et il se mit presque à courir. Dans la nuit noire il eut du mal à retrouver la petite ruelle, mais finit par y parvenir en s'orientant sur l'église. Quant à la maison, c'était facile : elle était la seule à être éclairée. On discernait la lueur confuse des lampes à pétrole derrière les deux fenêtres de la façade. Il remarqua avec surprise que la bicyclette avait été laissée à l'extérieur. Fébrilement il racla la boue de ses chaussures contre un angle du mur et s'apprêtait à tourner la poignée de la porte, lorsqu'il entendit une voix masculine provenant semblait-il de la chambre du fond — celle qu'occupaient Kevin et Louis depuis leur arrivée. « Quoi, Kevin serait déjà revenu ? » se demanda-t-il un instant avec incrédulité. Il prêta l'oreille. La voix, de nouveau, presque imperceptible. Mais non, ce n'était pas lui. Il sentit son cœur battre à tout rompre, hésita, puis se décida à faire le tour par la porte de la cuisine.

Celle-ci était vide. Les reliefs du petit déjeuner étaient encore dans l'évier. Il toucha le fourneau, qui était froid. Presque aussitôt une voix lui parvint de l'autre côté du couloir. « Qu'il soit gardé à vue, en tout cas, entendit-il distinctement. Tout cela est désormais du domaine de la justice militaire. » Puis une autre voix intervint, et il reconnut celle qu'il avait entendue au-dehors, une voix monocorde de greffier lisant un procès-verbal.

« Il est formel, formel. Il s'est trouvé nez à nez avec elle lorsqu'elle est sortie de l'entrepôt. Nez à nez. Il l'a juste aperçue ce matin au moment où elle partait à bicyclette. Le coup d'œil de trop, il répète ça sans cesse. Le coup d'œil de trop. A cause de cela, lorsque le régiment de marche a quitté le village à trois heures de l'après-midi, lui sans prévenir ses chefs est resté sur place et l'a attendue... » A une question indistincte, la voix répondit : « Il répète toujours les mêmes choses depuis ; c'est un simple, vous savez, il ne faut pas lui en demander trop. Il dit qu'il était son ordonnance et qu'il l'admirait — c'est cela, qu'il l'admirait et qu'il fallait le venger et que — »

Autour de Carl tout s'était brouillé. S'agrippant au chambranle de la porte il parvint jusqu'au seuil du living-room. La lampe charbonnait près du canapé. C'est là qu'elle était étendue. Le livre qu'elle devait être en train de lire en l'attendant — un petit livre, sûrement celui de Louis — était tombé à terre. Sa tête avait un peu glissé du coussin comme si elle avait voulu le ramasser. Un mince filet de sang coulait de son oreille, jusque dans son col qui n'était plus qu'une éponge écarlate. Elle avait le regard fixe de sa photo de fiançailles à Gulmarg, et le souvenir lui revint en un éclair du moment où il avait pris le cadre sur le guéridon dans le salon du chalet alors qu'il entendait ses pas aller et venir au-dessus de lui. Elle semblait avoir encore une parole sur ses lèvres et son visage était comme étonné. Elle tenait son bracelet tout contre elle ; peut-être avait-elle voulu se protéger. Il n'y toucha pas.

Ses yeux furent attirés par le bois de la table ; le napperon qui le recouvrait d'ordinaire avait été jeté en boule sur le sol et à sa place une ligne était grossièrement inscrite à la craie : RAPPELLE-TOI PARTRIDGE PUTAIN PAPISTE. C'était ces mots-là qui la veillaient. Il voulut les effacer rageusement mais se dit qu'il ne fallait pas que c'était la pièce à conviction, que ce qu'elle avait voulu ce pour quoi elle avait lutté naîtrait peut-être un jour de toute cette boue et il la regarda elle une dernière fois mais déjà autour de lui la réalité n'avait plus de couleur plus de son plus de pesanteur de l'autre côté du couloir la voix blanche s'était remise à parler comme si elle dictait quelque chose c'était la preuve que c'était trop tard bien trop tard il était encore sur la route quand tout cela était arrivé

Il traversa la cuisine à reculons et se retrouva à l'extérieur de la maison sans avoir eu l'impression d'ouvrir la porte. Dehors la nuit la nuit calme. Hébété il fit quelques pas en titubant comme un ivrogne devant lui à nouveau les prés — quelque chose m'a toujours rattrapé avant l'irréparable jusqu'ici, pourquoi là pourquoi maintenant. On bavardait près de la rivière

Il sentit sa gorge serrée jusqu'à l'étouffement s'agenouilla voulut vomir sangloter mais pas de larmes rien à — même voix même bouche pour gémir pour vomir — ils ont —

— ils ont tué ma Winnie

IV

... Et nous voguerons
vers d'autres eaux

« Je crois que nous ne nous racon-
tons jamais les choses comme elles
furent, mais comme nous nous figu-
rons qu'elles seraient si nous devions
les revivre. »

Max FRISCH.

21

DAVID Beatty donnait toujours à Christopher l'impression de n'aimer diriger son escadre que depuis la passerelle des signaux du *Lion*. Peut-être parce qu'elle était ouverte à tous les vents et que tout ce qui se passait autour de l'immense château de proue à dix milles à la ronde lui était immédiatement perceptible, sans intermédiaire, sans message et sans T.S.F. Il le regarda du coin de l'œil. L'amiral avait son air fringant et quelque peu bravache des bons jours ; avec sa casquette inclinée de façon canaille et sa silhouette juvénile de cadet de Dartmouth bien prise dans sa célèbre vareuse à six boutons (dont ce flagorneur de Hawthorne, en bas, comparait la renommée à la redingote du petit caporal), il donnait l'impression que toute l'escadre des croiseurs de bataille n'était sortie que pour le divertir. Et cela semblait presque être le cas en cette matinée de printemps où la dizaine de grands bâtiments naviguait dans une gaieté cristalline toute mouchetée de pavillons et d'étamines multicolores, comme si elle avait été un peu enivrée de sa propre force.

Christopher avait appris à sentir quand il fallait le laisser seul. Il se tenait donc à l'autre bout de la passerelle, discrètement adossé à la rambarde sans paraître s'y appuyer : Beatty paraissait toujours agacé que ses officiers éprouvassent le besoin de s'agripper à quelque chose. Lui-même, dans les pires coups de chien, semblait toujours se mouvoir comme un funambule. Heureusement, ce matin, il faisait beau et presque doux. De si haut la mer prenait des reflets d'un vert sombre sur laquelle l'écume tressait un lacis fugace et scintillant. Christopher s'était toujours imaginé que rien d'imprévu ne pouvait se produire par temps calme. Ce soir encore, ils reviendraient vers leur base du Firth of Forth comme de l'une de ces promenades à cheval que Beatty affectionnait tant dans les Ochill Hills. Juste oxygéner la bête par un bon galop et puis quoi..., de nouveau l'écurie ? L'attente d'une nouvelle sortie devant les tables de whist de Rosyth ? Tiens, il devait cinq guinées à Whitney depuis la soirée précédente, ne pas oublier de les lui rendre. Il fixa son regard sur le sillage que laissait à cinq milles devant eux le petit *Yarmouth* qui taillait allègrement sa route et que l'on devinait tout jubilant de précéder une telle force. Quelle différence avec les massives progressions du *New Zealand* et de l'*Indefatigable* qui les flanquaient sur bâbord, dans l'axe exact de l'énorme tourelle milieu du *Lion*. Il se retourna. Leur matelot arrière, la *Princess Royal,* les suivait comme si elle était reliée à leur poupe par un invisible lien. Il se dit qu'il aurait presque pu voir l'enseigne Whitney sur sa propre passerelle et lui faire signe que, pour ce qui était du whist, il était temps d'arrêter les dégâts. Plus loin se succédaient sur la même ligne les deux autres grands croiseurs de la 1re escadre, la *Queen Mary* et le *Tiger* qui fermait la marche. Ceux-là, c'était la famille, les quatre frères et sœurs qui ne se séparaient jamais, et cela faisait des semaines qu'il voulait demander à Beatty comment et pourquoi ce mélange apparemment disparate de félins et d'altesses était devenu à ce point indissociable. Il y avait des moments où David semblait souhaiter et même susciter des questions de ce genre — les plus idiotes possibles. Il se retourna soudain vers Christopher.

« Quelle heure, Mr. Howard ?

— Treize heures cinquante-deux en ce 31 mai 1916, sir.

— J'oublie toujours que j'ai embarqué l'être le plus précis de toute l'Amirauté ! Mr. Carby ? demanda-t-il en s'adressant à un jeune enseigne qui profitait du soleil pour faire le point.

— Oui, amiral.

« — Faites monter un peu de thé, mon vieux, on se les gèle. »

Presque aussitôt, un matelot s'approcha avec l'étrange thermos matelassée qui ne quittait plus l'amiral depuis le Dogger Bank. Il but avec un plaisir évident, gardant le liquide dans sa bouche avant de l'avaler avec une mimique de satisfaction comme si c'était un vieux sherry.

« On ne voit plus les gros, dit-il soudain en se tournant vers l'arrière. Ils sont à la rame ou quoi ? »

C'était une de ses plaisanteries favorites, et Christopher était bien placé pour savoir qu'il en changeait encore moins souvent que Shoogam jadis.

Il prit dans le champ de sa binoculaire les géants de la 5e escadre de ligne qu'on leur avait adjoints pour la sortie. Mais eux n'étaient pas de la famille et paraissaient suivre comme de gros parvenus qui montraient leur puissance par des panaches plus fournis que nécessaire.

« Ils sont bien là, amiral, et ils dégagent même une sacrée fumée pour des galères. »

Beatty reposa sa tasse et se mit à rire.

« Si notre cher Hipper ne nous voit pas de Heligoland avec des panaches pareils, c'est vraiment qu'il a enfoncé sa casquette au ras de son bouc », dit-il.

Ça aussi, ce n'était pas neuf, pensa Christopher. Beatty regarda droit devant lui l'horizon vide et lumineux.

« Enfin, j'ai l'impression que nous ne rencontrerons pas notre homme aujourd'hui », ajouta-t-il sur un ton de déception.

Il soupira et s'accorda un vaste regard panoramique sur l'escadre renforcée, du petit *Yarmouth* droit devant à la silhouette massive du *Malaya* loin là-bas dans l'ouest, en serre-file.

« Dommage, murmura-t-il. On était bien, aujourd'hui. Vraiment bien.

— Ce n'est pas encore tout à fait le moment, amiral », dit Christopher.

C'était à quatorze heures précises que l'escadre devait remonter au nord pour aller à la rencontre de la Grande Flotte.

« Bon Dieu, reprit Beatty comme pour lui-même, c'est trop bête ! La salle quarante nous avait pourtant prévenus qu'ils appareillaient ce matin. Pour une fois qu'ils nous donnaient spontanément une observation... »

Jumelles vissées aux yeux, les dents serrées, il scruta une fois de plus l'horizon vers l'est. Vide, désespérément vide. Christopher sentit qu'il hésitait pourtant à donner l'ordre de virer de bord. L'heure prévue pour le changement de cap était maintenant passée, et sans dévier d'un pouce les dix énormes bâtiments et leur armada d'accompagnateurs continuaient à filer plein est à vingt-deux nœuds. La houle semblait s'être un peu creusée, et d'énormes paquets de mer jaillissaient jusqu'à hauteur du gaillard d'avant.

« Quatorze heures dix », fit-il à mi-voix, comme pour le rappeler à la réalité.

Beatty parut en effet sortir d'une rêverie.

« Bien, soupira-t-il. Je crois qu'on va pouvoir y aller. »

Il se tourna vers son capitaine de pavillon.

« Mr. Simmons, commanda-t-il. A venir sur bâbord. Envoyez ! »

Même dans l'allégresse diffuse qui régnait tout à l'heure sur la passerelle, Simmons avait gardé son habituelle expression sévère. Impassible, il traduisit rapidement l'ordre en lettres et en chiffres et le transmit au vieux maître timonier Mac Elroy qui plongea aussitôt dans ses fanions. Quelques instants après le signal montait à la drisse. Christopher le regarda claquant au vent sur le fond brouillé du ciel et pour la première fois se sentit quelque peu déçu. « Cela m'aurait bien changé les idées », pensa-t-il.

« Vous me direz tout ce que vous voudrez, commenta Beatty, mais ces signaux valent bien ces saloperies de T.S.F., et c'est tout de même plus agréable à regarder que les chiffons de papier des dépêches ! »

C'était une vieille histoire. L'amiral était persuadé que l'on ne pouvait pas se fier à la T.S.F., surtout au combat, et malgré les impondérables des fumées et des brumes gardait une nette préférence pour les pavillons lors de manœuvres à vue.

« Halez bas le signal ! » commanda Simmons que l'aspect esthétique des transmissions optiques ne semblait guère préoccuper.

Christopher sentit que le bâtiment venait sur bâbord et presque au même moment vit que le *Yarmouth* au lieu de rester parallèle à eux avait quitté sa ligne. Il se retourna vivement.

« Le *Yarmouth* vient est-sud-est, à ce qu'il semble », fit-il remarquer.

Beatty regardait depuis quelques instants, les sourcils froncés, le petit croiseur d'éclairage qui s'éloignait d'eux comme un bambin qui prend subitement son indépendance. Un matelot du poste de radiotélégraphie se présenta alors devant Simmons, un message à la main.

« Sir, transmit celui-ci à Beatty, c'est le *New Zealand* qui communique par T.S.F. : " *Galatea* continue est-sud-est. " »

Christopher essaya de retrouver la *Galatea* sur l'horizon mais elle était déjà hors de vue. C'était la sœur du *Yarmouth* — c'est ainsi qu'ils en parlaient entre eux —, plus indépendante encore que lui avec cette habitude qu'elle avait de caracoler sur son aile à cinq sur six milles de l'escadre et de flairer ses pistes comme un fox sur un terreau à renards. Il n'y avait que le *Southampton* du commodore Goodenough pour faire mieux.

Beatty serra les lèvres puis haussa les épaules.

« Ce brave Sinclair aura encore vu un troupeau de dauphins, lâcha-t-il d'un ton sarcastique.

— On continue plein nord, amiral ?

— Jusqu'à plus ample informé, oui. »

Il se tourna vers Christopher.

« Descendons tout de même sur la passerelle », dit-il.

Le fait d'être enfermé dans un espace clos, même vitré, donnait toujours l'impression à Christopher d'être moins en prise sur les événements et moins à même d'y réagir éventuellement avec rapidité. Il comprenait donc la prédilection de l'amiral pour la passerelle signaux mais fut néanmoins content de se retrouver dans un relatif confort — et surtout à l'abri du vent.

Carby était déjà redescendu et suivait à la binoculaire la marche du *Yarmouth* qui disparaissait sur leur arrière à la suite de la *Galatea*. Presque aussitôt un sous-officier radio fit irruption sur la passerelle, son étui de laiton encore à la main. Il alla directement à la rencontre de l'amiral.

« Un message T.S.F. de la *Galatea,* sir. »

Il sembla à Christopher que la voix du jeune homme trahissait quelque émoi. Beatty déplia néanmoins le papier sans hâte excessive.

« Urgent Priorité, lut-il tout haut. Deux croiseurs probablement ennemis est-sud-est. »

Il réfléchit un instant, posa le feuillet mais, gardant un petit sourire crispant de celui à qui on ne la fait pas, ne modifia pas son axe de marche. Christopher attendit en vain une décision de changement de cap et s'en retourna déçu vers la table des cartes. Et voilà, quelque chose d'insolite s'était produit et on n'avait même pas la curiosité élémentaire d'y aller voir. Non seulement cela, mais on s'en éloignait à vive allure. Il avait entendu dire à Rosyth que Beatty n'appréciait que modérément le commodore Sinclair, mais il l'aurait cru, au moins sur le terrain, au-dessus de ces médiocres contingences... Et soudain, alors que chacun sur la passerelle ruminait son désappointement, retentit distinctement le bruit d'une salve. Christopher sursauta comme si elle avait eu lieu tout à côté de lui.

« J'ai la gerbe dans mon champ de vision ! s'écria l'enseigne Carby regardant vers tribord arrière. Ça ne peut venir que de la *Galatea.* »

Presque aussitôt un nouveau message fut apporté. Beatty le lut silencieusement puis s'adressa à Simmons :

« Envoyez : sud-sud-est vingt-deux nœuds ! »

Il sembla à Christopher que tout venait de changer de nature, à commencer par le climat sur la passerelle qu'une sourde excitation avait subitement gagnée. A mesure que le *Lion* changeait de cap, il s'aperçut que la visibilité dans le sud-est, contrairement à celle qu'ils trouvaient devant eux auparavant, était très brouillée et n'excédait pas trois milles. A l'extrême horizon pourtant, la mer se fondait en une étroite bande diaphane d'un vert presque translucide qui paraissait s'infiltrer dans la brume comme un passage occulte. Il ressentit un brusque soulagement — à l'égal lui sembla-t-il de celui qu'éprouvaient tous ceux qui l'entouraient — à l'idée pour le moins de *s'y rendre.*

Il porta son regard vers l'arrière. Dans sa hâte à suivre la manœuvre, la *Princess Royal* les talonnait maintenant de si près qu'il eut envie de demander au *lieutenant-commander* Simmons s'il existait un pavillon « Ne nous collez pas au train ». Quelque chose en revanche lui parut suffisamment anormal pour qu'il s'en ouvrît aussitôt à Beatty.

« Sir, la cinquième escadre de ligne continue sa route au nord. Ils n'ont pas dû voir le signal. »

Beatty bondit devant la vitre d'observation arrière et regarda à son tour. Dans le sillage du *Tiger,* il n'y avait plus trace des quatre géants d'Evan Thomas.

« By George ! s'écria-t-il en perdant pour la première fois de la journée son calme. Qu'est-ce qui m'a foutu un commandant d'escadre de cet acabit !

— Ils n'ont pas dû voir le signal, amiral. La fumée de la cheminée cache la drisse.

— Est-ce qu'on a répété le signal par projecteur au *Barham* ? »

Christopher alla s'enquérir au poste de transmissions et revint.

« Non, sir. »

Beatty explosa.

« Si au premier changement de cap on perd la moitié de nos bâtiments, qu'est-ce que ça va être quand on sera au contact !

— Ils ne sont pas habitués à travailler avec nous, fit remarquer Simmons de son habituel ton flegmatique.

— Ils ne peuvent pas ne pas voir qu'on n'est plus devant eux ! » s'écria Beatty.

La portion du ciel vers laquelle, affaiblis de la moitié de leurs forces, ils se dirigeaient désormais à grande vitesse, semblait s'être encore assombrie depuis tout à l'heure. On devinait juste sous l'horizon de grands rouleaux déferlants, comme s'il y avait eu là un écueil invisible. Un nouveau message radio fut apporté à Christopher. « Vous voyez que ça ne marche pas si mal », eut-il envie de dire à Beatty en lui tendant le papier. Celui-ci ne put dissimuler une moue de perplexité.

« La *Galatea* voit des " grosses fumées comme celles d'une flotte " dans l'est-nord-est. Je ne comprends pas. Comment cela, une flotte ? Sinclair a trop poussé sur le whisky ! La salle quarante nous a prévenus que la Flotte de Haute Mer n'avait pas quitté la Jade ! Ce ne peut donc être que Hipper et ses croiseurs de bataille... Une escadre, pas une flotte !

— Ce peut être un piège, suggéra Simmons. Hipper

529

ne viendrait en avant que pour vous attirer vers Scheer, et c'est le gros de la flotte que le commodore aurait entrevu... »

Beatty hocha la tête d'un air peu convaincu, puis réfléchit.

« Ecoutez. Il faut en avoir le cœur net. Mr. Carby ? »

Le jeune enseigne abandonna les binoculaires et se redressa.

« Que l'*Engadine* fasse explorer la zone par son hydravion. Après tout, on a des jouets, autant s'en servir ! Bien. Cela dit, il ne faudrait pas arriver là-dessus trop démunis. Où en sont nos gros-culs ?

— Le *Barham* est venu sud-sud-est à l'instant même, répondit Christopher.

— Huit minutes pour réagir ! Et cet amiral de mes deux a perdu combien dans cette affaire ? »

Christopher se pencha sur son pupitre et calcula rapidement.

« Dix milles, sir.

— Pourvu qu'on n'ait pas à le regretter, marmonna Beatty. Ah ! voilà de nouveau mon bon Sinclair, plaisanta-t-il en voyant arriver un nouveau message. Qu'est-ce qu'il voit dans son collimateur cette fois-ci : l'Invincible Armada ?

— Ça y ressemble, sir », dit le radio.

Tous les officiers se groupèrent autour du feuillet.

14.45 GALATEA. FUMÉES SEMBLENT APPARTENIR SEPT GRANDS BÂTIMENTS ROUTE AU NORD.

Ils se redressèrent d'un seul élan.

« C'est Hipper ! s'écria Beatty. Ah, il avait des fourmis dans les jambes, le chenapan !

— Ça, il aime faire sortir ses bateaux, s'exclama en écho l'officier de transmission, le *commander* Hawthorne.

— Si quelque chose se passe, on est légers, légers, entendit-il murmurer Beatty sur un ton de regret. Mr. Hawthorne ? Où en sont les superdreadnoughts ?

— Ils sont à vingt-huit nœuds, amiral. Ils ne peuvent pas faire mieux. Ils sont désolés. Ils n'ont pas vu la drisse à cause de la fumée. Il faut dire qu'on dégage.

— Distance, Mr. Howard ? » demanda encore l'amiral, l'œil fixé sur sa rose de compas magnétique.

Christopher se pencha sur le télémètre.

« Dix-huit mille yards, sir. »

Beatty soupira.

« On va s'engager, mais on est juste, juste. Enfin... »

Il se retourna vers les hommes autour de lui.

« On va lui faire payer Scarborough à cet animal », dit-il en pinçant les lèvres.

Une brusque tension avait gagné la passerelle. Christopher aurait aimé s'y intégrer, se laisser emporter par l'onde d'excitation qu'il sentait autour de lui. Mais, comme à l'ordinaire, bien qu'il essayât de donner le change, il se sentait étrangement absent, comme si le voile de brume qui masquait l'horizon s'était insinué en lui jusqu'à dissoudre ses forces vives.

« Où est Jellicoe ? demanda Beatty.

— L'*Iron Duke* est à cinquante milles au nord, répondit Hawthorne. La Grande Flotte fait route à dix-huit nœuds sud-est-quart-sud.

— Autant dire qu'on est tout seuls », murmura l'amiral.

Il eut un petit rire de satisfaction, comme si la situation avait été loin de lui déplaire.

« Nouvelles de l'hydravion, Mr. Howard ?

— Néant, sir. »

Dissimulant mal une impatience fébrile, Beatty s'approcha des vitres avant. Le *Lion* traversait de grandes plaques de brouillard qui paraissaient posées sur la mer comme des icebergs. Entre elles s'ouvraient de vastes perspectives obliques qui laissaient parfois découvrir un coin de ciel bleu mais qui disparaissait l'instant d'après, comme si le croiseur s'enfonçait à chaque tour d'hélice davantage vers un royaume d'apparences indécises et brouillées qui pouvaient à tout moment se refermer sur l'escadre trop curieuse.

« Mr. Simmons ? appela brusquement Beatty. On est en train de les perdre. Il faut redresser. Cap à l'est-nord-est.

— Est-nord-est, sir.

— Silence réseau ?

— Total. Ah, donnez. »

De nouveau, un radio. Beatty arrachait déjà le papier des mains de son capitaine de pavillon : « NEW ZEALAND 15.24. CINQ COLONNES DE FUMÉE E.-N.-E., lut-il. Bon Dieu, mais où est-ce qu'ils peuvent être ! C'est pire qu'à colin-maillard !

« — D'autant qu'eux nous voient sûrement mieux dans l'ouest et que... Dieu ! »

Tous venaient de découvrir la même chose. La brume s'était déchirée brusquement, et dans l'extrême lointain, à peine visibles, des silhouettes pâles de grands bâtiments de combat venaient d'apparaître. Leur couleur gris clair se fondait dans la brume, et la première réaction de Christopher fut de penser qu'eux-mêmes en revanche, avec leurs silhouettes gris foncé, devaient se détacher dans la lumière de l'ouest avec une inquiétante précision. « Dans le tribord avant, murmura Beatty. Je les voyais beaucoup plus dans notre axe de marche. Timonier ! Distance ?

— Vingt-deux mille yards, sir.

— Mr. Simmons, dit Beatty en élevant la voix, demandez aux flottilles de destroyers de se regrouper ! On dirait une volée de moineaux par grand vent ! Regroupons, by George ! »

Il se tourna vers Christopher qui surveillait les chiffres qu'inscrivait à mesure le télémétreur.

« Vingt et un mille cinq cents, annonça ce dernier. Ça augmente.

— Hors de portée pour l'instant, constata Hawthorne.

— Mr. Simmons, dit Beatty, les destroyers aux postes de combat !

— Destroyers aux postes de combat ! »

Jumelles vissées aux yeux, Beatty scrutait l'horizon vers le levant.

« On va remonter un peu. Dites à Evan Thomas d'être au maximum.

— Il est à sept milles, amiral, précisa Hawthorne.

— Vingt-deux mille yards, annonça le télémétreur.

— Mr. Hawthorne ? commanda Beatty. A venir sur la contremarche au cent !

— A venir sur la contremarche au cent ! »

La distance ne semblait pas décroître.

« Vingt-deux mille trois cents, annonça la timonerie. Vingt-deux mille cinq cents.

— Murray ! Ne prenez pas une voix de commissaire-priseur, mon vieux. Ce n'est pas une vente aux enchères.

— Vingt-deux mille huit cents !

— Je n'y comprends rien, dit Hawthorne.

532

— Je me demande vraiment s'ils ne nous entraînent pas vers Scheer.

— Mais il n'y a *pas* de Scheer ! s'écria Beatty, et son irritation lui faisait prendre une voix nasale. Si ces enfoirés de la quarante ont raison, il est resté ancré dans la Jade. Enfin, on ne va pas se faire manœuvrer longtemps comme ça. »

Carby, à la binoculaire, se retourna vivement.

« Amiral. Ils abattent vers nous apparemment. Cap au sud-est. »

Beatty prit le relais.

« Oui, ils abattent un quart vers nous », précisa-t-il.

Il se redressa.

« Evan Thomas ?

— Six milles, répondit Christopher.

— Vingt mille cinq cents yards, intervint le télémétreur. Je prends le navire de tête. Vingt mille deux cents. Vingt mille. Dix-neuf mille cinq cents.

— Ils vont attaquer avant nous, prévint Hawthorne. La visibilité est parfaite pour eux.

— C'est le *Lützow*, s'écria Beatty en relevant brusquement ses jumelles. C'est bien Hipper. Ah-Ah ! »

L'espace d'un instant, une sorte de jubilation enfantine venait d'éclairer son visage. Christopher regarda vers l'arrière. Le *New Zealand* s'était mis dans le sillage du *Tiger*. Les six grands vaisseaux étaient maintenant en ligne.

« Prévenez Jellicoe avec *votre* T.S.F., dit Beatty à Hawthorne. Dites-lui que dans la mesure où je le pourrai, je vais essayer d'amener le paquet vers lui. Qu'il crache ses poumons à nous rejoindre, et on les coince.

— Dix-neuf mille yards, continuait à égrener le télémétreur d'une voix monocorde. Dix-huit mille huit cents. Dix-huit mille cinq cents...

— Il gouverne sur nous », dit Simmons.

On distinguait bien maintenant l'escadre ennemie. Cinq grands navires qui se présentaient sous un angle oblique par bâbord avant.

« Sinclair n'avait pas *complètement* vu double », admit Beatty.

La monotone litanie des indications de distances continuait en bruit de fond. Comme une marche impavide et délimitée avec précision vers... « Vers quoi, justement ? se demanda Christopher. Je devrais ressentir quelque chose ! Après tout, quand j'attendais dans la nuit à côté de Shoogam et que le barrage de boue pouvait céder à tout moment, je n'éprouvais pas ce détachement... »

Il se dit en levant les yeux qu'il devait être le seul, bien qu'il n'en laissât rien paraître, à réagir ainsi. Sur la passerelle tous les visages étaient tendus, y compris celui de l'amiral.

« Dix-sept mille... Seize mille huit cents... Seize mille cinq cents...

— Mr. Simmons, dit Beatty d'une voix calme, envoyez à la *Princess Royal* : on attaque sur le *Lützow* ensemble. Que Hipper en avale son bouc. Ensuite : unité contre unité. Mr. Hawthorne : Faites sonner le branlebas ! »

Les clairons se firent entendre dans tout le bâtiment pendant que la grande flamme de combat montait lentement à la drisse du *Lion.* C'était la première fois que Christopher les entendait (au Dogger Bank, il y avait eu une poursuite plus qu'un engagement), et les hautes notes allègres lui firent l'effet d'une sonnerie de trompettes avant un tournoi. Lorsque les clairons se turent, une dérisoire sonnerie prit le relais, grelottant le long des coursives. Beatty se tenait silencieux à côté de lui, regardant le *Lützow* qui grandissait dans ses jumelles sous un ciel devenu crépusculaire.

« On y est, mon petit vieux, lui dit-il à mi-voix. Voilà pour quel but vous planchiez depuis tant de mois comme ingénieur. Observez bien tout ce qui va se passer. L'engagement peut ne pas durer des heures, mais vos observations, elles, seront utiles jusqu'à la fin de la guerre... »

C'était bien la stimulante démesure dont il faisait preuve parfois. A peine avait-il parlé d'ailleurs que le terrain d'observation de Christopher se découvrit avec bruit et fureur : une double lueur rouge-orange venait d'illuminer le lointain crasseux. Le *Lützow* venait d'attaquer, et il commença à compter mentalement les secondes qui le séparaient de l'impact de la bordée. C'était justement cette question de secondes qui faisait qu'il n'avait jamais connu de moment où temps et danger fussent à ce point suspendus au même fil invisible. Mais, bien qu'il en sentît l'intensité au point d'en être presque pétrifié, il restait en proie à la curiosité étrange qui le poussait à se demander jusqu'à quand et jusqu'où il pourrait ainsi se dédoubler et se regarder vivre, agir et trembler depuis son inconsolable exil intérieur. « Qui est le crétin qui a dit que l'action était le grand dérivatif ? pensa-t-il avec agacement. Et de combien de bordées faudra-t-il hacher la surface de l'eau pour qu'elle ne me renvoie plus son visage ? »

« Deux gerbes sur bâbord à cinq encablures, grésilla la voix de la vigie dans le mégaphone.

— Trop court, murmura le petit Carby près de lui.

— Dix-sept mille yards, annonça le télémétreur.

— A nous ! » s'écria Hawthorne comme s'il allait pointer lui-même.

Le plancher de la passerelle vibra lorsque les deux tourelles doubles de 343 entrèrent au même moment en action. « C'est dans la qualité de la vibration qu'on reconnaît celle de l'ouvrage », avait coutume de décréter Shoogam avec une expression gourmande de vieil amateur. Contrairement à la salve du *Lützow*, les gerbes apparurent bien au-delà des navires ennemis. « A se demander pourquoi on n'a pas commencé, nous, les premiers », se dit Christopher.

« Trop long, bon Dieu, beaucoup trop long ! » s'exclama Beatty.

De toute façon, commencé ou non à temps, leur tir s'avérait d'une précision fort médiocre. Ils le constataient depuis la passerelle avec la même déception que l'on éprouve des tribunes lorsque son équipe est outrageusement dominée. Quarante pieds plus bas, les destroyers continuaient au ras de l'eau leur ronde de moucherons qui paraissait ne tenir aucun compte du duel d'artillerie des gros.

« En plus, ils gênent les télémétreurs avec leurs fumées, murmura Simmons.

— La *Princess Royal* n'a pas l'air de mieux réussir que nous, risqua Hawthorne.

— Ce n'est pas une consolation », dit Beatty les dents serrées.

Ce qui était certain, c'est qu'à vingt mille yards sur tribord le grand bâtiment de l'amiral Von Hipper continuait à passer un après-midi confortable. De plus, le *Lützow* semblait de salve en salve régler son tir. Les gerbes se rapprochaient désormais à une distance si préoccupante que lorsque Christopher voyait s'allumer le double éclair rougeâtre, sa main se crispait sur le rebord de la table pendant les vingt secondes de la trajectoire avec une nervosité telle qu'il n'avait qu'une crainte, c'est que celle-ci fût perceptible. Heureusement, ils avaient autre chose à faire qu'à s'observer les uns les autres.

« Ils en veulent, sacré nom », marmonna Simmons comme pour lui-même.

Le *Lion* taillait désormais sa route au milieu de gerbes de cent pieds de haut auxquelles l'acide picrique donnait une désagréable couleur jaune évocatrice d'exhalaisons putrides et toxiques. Parfois le *Lützow* tirait trop long et les obus passaient alors au-dessus d'eux en faisant entendre une sorte de bourdonnement qui lui rappela étrangement le piqué des grosses mouches bleues du Cachemire qui vous fonçaient dessus, elles aussi par deux, il n'avait jamais compris pourquoi.

« En plus ils nous encadrent, constata Beatty. Il faudrait les dérégler un peu, et même essayer de leur couper la route. Mr. Simmons. Sud-est.

— Sud-est, sir. »

« Il faudrait surtout qu'on tire mieux », pensa Christopher, mais il se dit qu'il aurait fallu un certain courage pour énoncer une vérité aussi évidente, et que ce n'était pas le moment d'énerver l'amiral. La confusion avec laquelle l'escadre abattit d'un quart ne fut d'ailleurs pas pour lui rendre confiance. Leur vulnérabilité à cet instant lui parut telle qu'il ressentit sans surprise sous ses pieds la trépidation brève et violente qu'il connaissait depuis les coups qu'ils avaient pris venant du *Seydlitz* et du *Moltke* à la fin de leur poursuite du Dogger Bank, il y avait seize mois de cela. En même temps, une sourde détonation se fit entendre.

« Ça y est, on déguste », murmura très pâle le petit Carby.

Hawthorne alla voir ce qui se passait et réapparut tout aussitôt.

« Un coup de trois cent cinq à l'arrière dans une embarcation, sir. Rien de trop grave à ce qu'il semble. »

Le petit *commander* au visage poupin en paraissait presque réjoui. Toujours à l'affût de ce qui pouvait remonter le moral de son *boss*, ses affirmations étaient souvent hâtives ou prématurées, ce qui lui avait valu dans le passé de commettre quelques impairs que l'on se colportait au carré avec délices dès que l'amiral ou lui avaient le dos tourné. Christopher, qui ne l'estimait guère, se retourna pour vérifier, mais l'on ne pouvait rien voir d'ici.

« Ce qu'il y a de certain, reprit Hawthorne, c'est que la *Queen* se déchaîne. »

Là, il avait vu juste, et c'était une véritable occasion de se réjouir — il n'y en avait pas tellement depuis le début de l'engagement. Au milieu d'une mer maintenant hachée de dizaines de geysers simultanés, dans le fracas permanent des salves, en partie masquée à leur vue par la *Princess Royal* beaucoup plus économe de ses moyens, la *Queen Mary* semblait faire preuve d'une agitation frénétique. Vu ainsi en enfilade, le grand croiseur de bataille semblait tirer deux fois plus vite à lui tout seul que toute la 1re escadre réunie. D'immenses flammes se succédaient à la bouche des 343 aussitôt suivies de torrents de fumées qui tombaient à la mer comme des cascades noirâtres.

« Et elle a mis au but ! » s'écria Simmons qui l'avait rejoint.

La voix du capitaine de pavillon avait grimpé d'un octave, ce qui surprit Christopher à l'égal d'un éclat chez n'importe qui d'autre, Simmons ne se départissant jamais d'ordinaire de son ton impassible.

Tous les regards se portèrent vers l'escadre ennemie. Elle était maintenant à moins de douze mille yards, et l'on pouvait désormais déceler à l'œil nu les dommages causés. C'était le *Seydlitz* qui était atteint. Christopher vit distinctement une fumée blanche sortir de sa tourelle avant, sans que rien se produisît d'autre. Beatty se borna à hocher la tête. Presque aussitôt ce fut à eux de mettre au but sur le gaillard d'avant du *Lützow*, alors même que leur cible leur était complètement cachée par une autre salve trop courte venue de la *Princess Royal*. Des tréfonds même du *Lion* s'éleva une immense ovation, comme si les mille hommes de l'équipage voulaient autant exprimer leur soulagement que leur satisfaction. Les pointeurs, c'était comme les ailiers dans une équipe de rugby ! C'était eux qui mettaient le boulet dans l'en-but adverse ! Eux aussi en avaient des bons à bord du *Lion* !

Le ah ! de satisfaction fut en revanche d'autant plus retenu sur la passerelle que la réaction du *Lützow* ne se fit pas attendre. Comme un serpent qui attaque avec d'autant plus de fureur qu'il se sent débusqué, il cracha aussitôt son venin. Ce fut un quadruple éclair qui jaillit cette fois des murailles d'eau des gerbes du *Lion* et de la *Princess Royal,* les irisant de toutes les couleurs du spectre en un arc-en-ciel éclatant et fugace.

« Les deux tourelles avant à la fois, s'exclama quelqu'un. Ça ne se fait pas ! »

Christopher eut cette fois une prémonition d'une netteté absolue. « On y a droit en plein », pensa-t-il. Autour de lui le silence s'était fait, comme si toute la passerelle partageait son pressentiment. Les mouches bleues leur fonçaient dessus. Il se raidit et n'eut pas même le courage de compter.

Le coup fut bien pour eux, mais il lui parut moins fort qu'il ne l'avait prévu. Il avait en fait l'impression qu'un seul obus avait atteint la coque alors que le reste de la salve passait un peu au-dessus d'eux en tournoyant dans un miaulement de bout de course, et encore n'était-il pas sûr que cet obus ait explosé. La structure vibra pourtant sous lui de façon plus prononcée que la fois précédente, et il eut un instant l'impression que le bâtiment prenait quelques degrés de gîte sur tribord. Sans doute était-ce son émotion, car cette sensation disparut tout aussitôt.

« Notre vieux *Lion* ne va tout de même pas prendre les mêmes coups qu'au Dogger Bank ! s'exclama Beatty d'une voix étranglée.

— Juste comme on avait mis nous-mêmes au but, dit Simmons en hochant la tête d'un air offusqué.

— Je ne pense pas que ce soit plus grave que tout à l'heure, sir, décréta hâtivement Hawthorne de sa voix de fausset.

— Si c'est vous qui le dites », persifla Beatty.

Presque aussitôt la porte de la passerelle s'ouvrit doucement, et un homme entra qui dut s'appuyer aussitôt à la table des cartes comme s'il craignait de s'affaisser. Son visage était couvert de sang qui s'égouttait sur sa barrette de sous-officier. Christopher reconnut l'uniforme des Royal Marines. Beatty parut frappé par cette saisissante irruption dans le saint des saints.

« Que se passe-t-il ? » demanda Simmons.

L'homme cligna des yeux devant la luminosité qui régnait sur la passerelle et resta un instant silencieux à vaciller sur place. L'enseigne Carby accourut pour le soutenir.

« La tourelle milieu, sir », dit-il d'une voix à peine distincte.

Puis il s'effondra dans les bras du jeune officier qui, avec l'aide d'un matelot, le prit par le bras et l'emmena.

« Mr. Howard, dit Beatty. Allez voir ce qui se passe. »

Dès que Christopher fut parvenu au pied de la cheminée centrale, il vit qu'une large fissure s'était produite dans le blindage de la tourelle et qu'une épaisse fumée jaune s'en échappait. Des hommes s'enfuyaient en tout sens. Il eut l'impression que la brume se levait sur une forêt pétrifiée. Les deux énormes canons avaient été arrachés et oscillaient à chaque mouvement de roulis en menaçant de défoncer le bastingage. L'un des fûts avait été fendu sur toute la longueur comme un arbre frappé par la foudre. Près du renfort de cheminée de l'autre fût, un pan de la paroi d'acier avait été soufflé et le capot d'observation pendait sur le côté en vibrant et tintinnabulant comme une cloche. Il saisit au passage un chiffon de graissage et l'appliqua sur son visage avant de s'introduire par la brèche à l'intérieur du cylindre de la tourelle désormais ouvert sur le ciel, comme une casemate démantelée. Il vit en se penchant dans le cratère que vingt pieds plus bas de la poudre provenant certainement de gargousses éventrées s'était répandue sur le sol et brûlait à proximité de la cage du monte-charge. « Bon Dieu, mais ça va sauter », se dit-il. Il chercha comment descendre. Heureusement, l'émission de fumée se faisait moins dense, et il put voir que la grue de chargement des projectiles de secours s'était affaissée et qu'elle formait une sorte de plan incliné qui s'était coincé contre le siège du chargeur. Il la toucha et poussa un juron. C'était brûlant. S'entourant les mains avec des lambeaux de chiffon, il parvint pourtant en s'aidant de l'armature d'acier à se laisser glisser vers le sol. Lorsqu'il se reçut en bas il aperçut quelques silhouettes fantomatiques qui se faisaient la courte échelle pour tenter de sortir du piège.

« Garçons ! cria-t-il. La grue ! La grue de chargement donne sur la brèche ! Entourez vos mains... »

Ils étaient trois ou quatre au plus, leur visage recouvert de poudre noire. Il avisa le plus proche de lui.

« Et les autres..., demanda-t-il. Les autres servants des pièces ! »

Le jeune canonnier leva vers lui un visage hagard.

« On était en train de charger..., bredouilla-t-il. Après, je me rappelle plus. Quand je me suis réveillé, les gargousses brûlaient... »

Christopher lui mit la main sur l'épaule.

« Vous n'êtes pas resté trop longtemps endormi. Mais les autres ?

— Les autres..., répéta l'homme d'un ton hébété. Y a plus d'autres...

— Et le major Harvey ? »

Il n'obtint pas de réponse. Affolé par une nouvelle progression des flammes, le gosse avait bousculé celui qui était devant pour s'échapper plus vite. Suffoquant à moitié malgré son masque improvisé, Christopher regarda autour de lui. Partout la couche de poudre brûlait en éclairant des morts ensanglantés comme s'il s'était trouvé au fond d'une mine après un coup de grisou. Heureusement, et bien que ce fût encore insupportable, la chaleur et la fumée remontaient vers la brèche. Les éclats du blindage fracassé avaient dû agir comme autant de glaives et de couperets. Et maintenant, après le sang, c'était le feu. Il lui sembla que les flammes se rapprochaient des portes blindées des soutes. « Si elles les atteignent, on est perdus », se dit-il. Une pensée lui vint. « Voilà, ça se sera donc terminé ici... Je ne l'aurai pas revue... »

Presque inconsciemment, il avait compté les corps à terre. Plus de trente.

« Commandant..., appela-t-il. Commandant Harvey... »

Il n'y eut pas de réponse. Il sentit l'affolement le gagner.

« Il faut que je remonte... prévenir... prévenir l'amiral... Est-ce qu'il y aura le temps... »

« Ici, mon petit », fit soudain une voix affaiblie.

Il s'approcha et reconnut le chef de tourelle assis par terre contre le siège du servant de culasse. Une longue traînée de sang montrait qu'il avait tenté de s'approcher du téléphone intérieur. Sur son visage, la sueur avait creusé de grandes rigoles dans la poudre noire.

« Vous êtes blessé, major ?

— Les jambes..., murmura-t-il.

— Je vais essayer de vous ramener, major... Essayez de tenir quelques instants... Je reviens avec du monde...

— Qui... êtes... ?

— Enseigne Howard, sir.

— Howard, suffoqua-t-il. Pour moi c'est fini. Broyées. Pour vous... guère de temps. Vite. Le quartier-maître Blakeway. Essayez de l'appeler. Il... il sait. »

Lutter contre la panique, se dit-il. Ça, au moins, le présent lui apportait enfin de quoi lutter contre les miasmes du passé. Il se sentait néanmoins gagné par une sorte de fatalisme. Faire ce qu'il pourrait. Après... Eh bien si ça sautait, libéré. Libéré de sa douleur à jamais. A moins que... peut-être toute cette violence lui était-elle apportée pour qu'elle en trouve, elle, un peu moins sur sa route. A cette pensée, il se sentit un peu rasséréné.

« Blakeway ! » appela-t-il.

Des hommes se rassemblaient en haut.

« Besoin d'aide ?... entendit-il. Que se passe... ?

— Il se passe que ça va sauter ! hurla-t-il. Filez ! »

Il se retourna. Les flammes crépitaient maintenant près du berceau de chargement et se rapprochaient des trappes blindées des soutes et des casiers où étaient entreposées les gargousses. Dans un instant, elles allaient se propager dans la cage du monte-charge. Il se retourna vers le chef de tourelle qui paraissait inconscient.

« Sir... MR. HARVEY !! Qu'est-ce qu'il faut faire ?... Faut-il faire sonner aux postes d'abandon ?... »

Harvey parut sortir de sa prostration. Christopher vit qu'il souffrait horriblement et il s'efforça avec son chiffon d'étancher un peu sa sueur sur son visage. Son sang coulait et se mélangeait à mesure à l'épaisse couche de poudre qui recouvrait le sol. Il paraissait lutter contre l'évanouissement et se mit à prononcer fiévreusement une série de phrases que Christopher crut d'abord sans suite.

« J'avais toujours dit... qu'il fallait... deux sacs de soie... l'un sur l'autre... »

Christopher se rendit compte alors qu'il parlait des sacs entourant la poudre qui manquaient toujours d'étanchéité aux yeux des canonniers. Et ils avaient raison, bon Dieu, les événements le prouvaient assez. Il le secoua.

« Major... Je sais, mais la question n'est plus là... »

Harvey parut se réveiller.

« BLAKEWAY ! ! ! cria-t-il avec ses dernières forces. Suis sûr... L'ai vu... »

Comme si la voix familière du chef de tourelle avait été la seule qui pût l'obliger à se relever, une silhouette s'approcha en titubant. Christopher vint à sa rencontre pour le soutenir.

« Tous morts, sir, tous morts, les potes de la tourelle Q..., gémit-il.

— Blakeway, vite ! murmura Harvey. Sauver le bâtiment, c'est ce qui... Tout est dans vos mains, mon petit. Noyez les soutes.

— Mais... commandant... On va prendre de la gîte...

— Vite, Blakeway !

— Prenez ça, dit Christopher en lui tendant les chiffons. Avez-vous besoin de moi ?

— Non, sir. Pour sortir, oui... »

Il vit le quartier-maître s'approcher de sa démarche incertaine du panneau d'ouverture des vannes des canalisations hydrauliques et soudain, son énergie retrouvée, ses mains entourées de chiffons, tourner en grimaçant les roues les unes après les autres dans un ordre précis.

« Ça brûle, crénom ! » s'exclama-t-il.

A mesure qu'il le regardait faire, une sorte d'apaisement semblait détendre le visage du commandant Harvey.

« Dès qu'il a fini, sir, on vous emmène. »

Il secoua la tête.

« Cette saloperie de tourelle, murmura-t-il. On tirait trop long...

— Un coup au but quand même, commandant !

— Ah, vous avez vu... Et à peine poussé notre cri de joie... voilà qu'ils nous crucifient... Leur trois cent cinq en pleine poire... Tous morts, vous avez entendu... Sauf peut-être quatre ou cinq... On était quarante dans la tourelle, Mr. Howard... Oh, j'entends leur *hoch !* de victoire... »

La silhouette de Blakeway surgit, zigzaguant entre les cadavres.

« Vannes ouvertes, commandant. »

Il y eut un bruit de cataracte qui parut venir du sol.

« Bon, et maintenant avec le quartier-maître on va vous remonter, dit Christopher. Hein, Blakeway ? On peut y arriver. On va appeler. »

Harvey secoua la tête.

« Inutile, mon petit. Mes jambes... c'est fini. Dites-moi... Approchez-vous... »

Après avoir consumé la couche de poudre répandue par l'explosion, les flammes se résorbaient peu à peu, et le visage du commandant ne lui était parfois plus visible. Il voyait dans l'ombre le grand volant de culasse le dominer comme un dais protecteur et fabuleux d'or terni.

« Mr. Howard, dit Harvey d'une voix épuisée. Vous qui fréquentez les dieux, là-haut, je veux dire... le dieu. Nous, dans l'ombre, les canonniers, les machinistes, on ne nous écoute pas... Il y en a que pour le pont... Dites-leur... de ma part... bon Dieu qu'on ne nous foute plus cette satanée poudre... dans des caisses de bois. Il nous faut de la tôle zinguée... comme ils ont en face... et deux sacs de soie... A chaque coup sans ça on risque de se retrouver sur un volcan en éruption...

— C'est bien mon avis, Mr. Harvey. Je le dirai à l'amiral. Vous avez ma parole. »

Le vieux canonnier lui prit le bras et s'y agrippa convulsivement. On entendait plus bas les flammes s'éteindre dans le conduit du monte-charge avec un grésillement d'acier surchauffé. Christopher eut l'impression que Harvey suivait le bruit de l'eau qui montait avec une expression d'apaisement, comme si celui-ci effaçait un peu la douleur. Il tenta même de redresser son buste, et Christopher essaya de l'aider.

« Vous vous souviendrez..., reprit-il d'un ton presque inaudible. On sauve le bâtiment de justesse, vous savez... On aurait eu bonne mine... le bâtiment ami-ral... »

Il se tut. Christopher le regarda, puis reposa douce-ment son bras.

Il fut surpris lorsqu'il revint sur la passerelle de constater qu'il était seize heures dix à la pendule de bord. Quoi, il n'aurait passé que dix minutes dans cet enfer ? Il remarqua tout aussitôt que Beatty n'était pas là. Simmons se dirigea vers lui.

« Mon pauvre ami, dit-il simplement en le regardant. Ça n'a pas été la fête.

— On peut pas dire, murmura Christopher.

— Tenez, fit-il. Les petits gestes valent à mon sens tous les discours. Je vous ai fait préparer une cuvette d'eau chaude, un linge et un verre de brandy. »

Christopher se nettoya rapidement le visage, but cul sec et se sentit un peu ragaillardi.

« Merci, mon vieux, dit-il avec une brusque cordialité, sans trop savoir si la reconnaissance qu'il sentait sourdre en lui s'adressait à l'esprit pratique de l'officier ou au flot de lumière qui l'entourait sur la passerelle. Voyez-vous..., reprit-il. On le sait, pourtant... mais je n'avais jamais compris à ce point le privilège des officiers et des hommes de pont sur ceux des machines et des tourelles. En bas, le moindre coup au but en fait des emmurés vivants promis à l'ébouillantement dans l'obscurité la plus complète...

— C'est ce qui vient d'arriver à ceux de l'*Indefatigable,* dit Simmons d'un ton haché. Mais là, pont ou machine, il n'y a guère eu de différence. Il vient de sauter. C'est incroyable. Ça n'a pas duré dix secondes. On n'a rien vu. C'est le *New Zealand* qui vient de nous prévenir. L'amiral est sur la passerelle signaux.

— Ce n'est vraiment pas notre jour », murmura Christopher.

Simmons resta un instant silencieux, puis reprit d'une voix plus précipitée qu'à l'ordinaire, comme s'il fallait qu'il profitât de l'absence de Beatty pour se confier.

« Mille hommes d'un coup. C'était le bâtiment sur lequel j'avais le plus de camarades. Il paraît qu'il s'est déporté sur la droite comme s'il n'en pouvait plus. C'est le *Von der Tann* qui a fait ça. Il va le payer cher. Mais le *Tiger* aussi en prend plein la gueule. Jamais je n'ai senti la première escadre si vulnérable...

— Vous ne croyez pas si bien dire, Andrew, dit Christopher. On n'est pas passé loin nous non plus. Harvey est mort. Avant de mourir, il a donné l'ordre de noyer les soutes de la tourelle milieu. Sans quoi, on y avait bel et bien droit. »

Il vit que Simmons avait brusquement changé d'expression et repris cet air un peu taciturne qu'il avait dans le service.

« Harvey », dit Beatty d'une voix sans expression.

Christopher se retourna.

« Oui, amiral. Mais il a eu le temps de sauver le bâtiment.

— Oui, j'entendais... Combien de morts à la tourelle Q ?

— Plus d'une trentaine, je pense... »

Le dos voûté, Beatty s'approcha lentement de la vitre avant. Il semblait avoir perdu toute sa superbe. Christopher le suivit.

« Il faudra que je vous parle un jour de ces problèmes de charge explosive, sir, si vous me le permettez. Car cela peut se reproduire. L'éclair de cordite risque à chaque fois de mettre le feu à la soute par le puits central des tourelles. C'est ce qui a dû se passer pour l'*Indefatigable*. C'est aussi ce qui a failli se passer pour nous. Si j'ai un petit rôle à jouer au cours de cette journée comme vous le souhaitiez, c'est peut-être d'attirer votre attention sur ce point capital. Si le major Harvey n'avait pas eu ce discernement et ce courage... nous ne serions plus là ni vous ni moi pour en parler... Ce n'est pas imaginable que l'on puisse perdre un croiseur de bataille et tout son équipage en quelques secondes...

— Amiral ! s'écria une voix derrière eux.

— Si je peux me permettre de témoigner, ajouta hâtivement Christopher. Le quartier-maître Blakeway, qui a ouvert les vannes... Conduite de premier ordre...

— Vous me ferez un rapport, dit Beatty. Je peux le proposer pour le D.S.O.

— Amiral... »

Ils se retournèrent. C'était Hawthorne.

« Ah, voilà notre Jean-qui-rit, dit Beatty. Arriverait-il enfin quelque chose de propice à notre malheureuse escadre, Mr. Hawthorne ? »

Il sembla à Christopher que son ironie masquait mal une sourde angoisse.

« Les superdreadnoughts ont recollé ! s'écria Hawthorne. Ils attaquent à une distance incroyable. C'est le

Von der Tann qui en fait les frais et c'est bien la moindre des choses ! »

Le fracas des deux escadres enfin réunies était tel qu'ils furent obligés de forcer la voix. L'amiral alla observer vers l'arrière ce qui se passait.

« C'est le *Barham*, dit Beatty avec soulagement. Ah, enfin, ce n'est pas trop tôt ! Evan se rachète une conduite. »

Il était certain que le spectacle des quatre géants d'Evan Thomas attaquant à dix-sept mille yards avec leurs bordées de 380 avait quelque chose de si démesuré que Christopher en resta un instant sidéré, jusqu'à oublier ce qu'il venait de vivre.

« Et nous ? demanda soudain Beatty. Je nous trouve bien silencieux depuis quelques instants...

— On s'est laissé un peu déborder, sir, dit Hawthorne. Seule la cinquième escadre est encore à distance, ainsi que le *New Zealand.* Ceux-là, je comprends qu'ils aient envie de mordre pour venger leur compagnon de route... »

Christopher eut à ce moment l'impression que Beatty ne cherchait à venger personne et qu'il était comme un boxeur soûlé de coups qui cherche à reprendre ses esprits. Il lui semblait qu'un Beatty digne de sa pugnacité habituelle aurait commandé de venir d'un quart sur bâbord, mais rien de tel ne se produisait. Il avait pourtant envie de lui transmettre son envie soudaine de se battre, de venger Harvey, de ne pas laisser l'escadre de Hipper s'enfuir dans l'horizon brumeux une fois ses attaques portées... Comme s'il avait ressenti ce qu'il pensait, Beatty parut soudain décidé à riposter.

« On va profiter de ce qu'on a un peu de champ pour attaquer à la torpille, dit-il à Simmons. Prévenez Farie. Que la quatrième flottille s'y mette ! »

Simmons fit préparer et envoyer les signaux. Vissé à la binoculaire, Christopher attendit une minute puis prévint l'amiral.

« Ils ne bougent pas, sir.

— Tout le monde est donc sourd et aveugle, aujourd'hui ! s'écria Beatty avec humeur. Sauf l'ennemi, malheureusement ! Mr. Simmons, faites de nouveau envoyer l'ordre par la *Princess Royal.* Elle dégage moins de fumée que nous. Après quoi on va se remettre à la tâche. »

Il s'approcha de la timonerie.

« A venir au sud-est-est. Ce bon Hipper ne va tout de même pas se défiler ! Nous avons un croiseur à lui faire payer.

— Le *Von der Tann* semble réduit au silence, remarqua Hawthorne.

— Il n'est pas coulé, que je sache ! Ah, enfin, Farie a compris. »

Les destroyers venaient de se mettre en action, aussitôt imités, comme s'ils n'attendaient que cela, par les torpilleurs allemands. Cela apparut aux yeux de Christopher comme un spectacle fort singulier. Sur la mer calme, ils se lançaient dans les trajectoires les plus imprévues à près de trente nœuds, essayant de torpiller dans toutes les directions. Sur le *Lion*, plusieurs hommes furent désignés sur bâbord pour prévenir à temps si les sillages mortels s'approchaient trop près du vaisseau. Mais les deux flottilles semblaient pour l'instant beaucoup plus désireuses de se neutraliser l'une l'autre dans une confusion complète que de s'attaquer aux grands bâtiments. On eût dit deux meutes de roquets rageurs et désordonnés acharnés à se prendre mutuellement au collet. Ils donnèrent soudain à la bataille une dimension de hargne et de fureur, presque de combat de rue, que les matraquages de salves à douze milles de distance ne lui avaient pas encore apportée malgré les fracas et les terribles dommages ainsi causés. C'était comme si les hostilités se passaient désormais sur deux étages qui n'avaient plus de liens entre eux : au ras de l'eau avec frénésie, et à longue distance avec une puissance et une régularité qui ne se démentait pas, surtout chez les superdreadnoughts ; car en ce qui les concernait, le *Lion* depuis la destruction de sa tourelle milieu semblait avoir beaucoup perdu en densité de feu. Seule de la 1re escadre, la *Queen Mary* continuait à son rythme hallucinant. « Ce qu'auront fait ses canonniers, pensa Christopher avec admiration, doit entrer dans l'histoire d'une façon ou d'une autre. » Il avait à peine pensé à cela qu'il lui sembla qu'ils avaient en effet gain de cause. Le *Seydlitz* sur lequel elle se déchaînait depuis de longues minutes venait enfin de sortir de sa ligne.

« Je crois bien qu'elle a eu le *Seydlitz* », dit-il à mi-voix.

A l'exemple de Simmons il n'avait pris aucun accent triomphal, car il savait combien les bâtiments alle-mands sous pression pouvaient être dangereux, et il fit bien. A peine avait-il prononcé cette phrase qu'un éclair gigantesque se produisait à leur arrière. Etait-ce le vent portant, mais on entendit distinctement le claquement sec des salves au but. Christopher les ressentit doulou-reusement, comme si c'était son propre corps qui en était atteint. Une lueur d'un rouge sombre embrasa l'horizon de façon telle que sur la passerelle tous les visages parurent soudain recouverts d'un suaire sangui-nolent.

« Ça vient du *Derfflinger* à treize mille yards, dit Simmons d'une voix brève. Je crois bien que c'est la *Queen* qui a pris. »

Il y eut sur la passerelle un grand silence.

« Je vais voir ce qu'il en est », dit Christopher.

Il bondit sur la passerelle ouverte. La fumée avait été entraînée vers l'ouest, et, au-delà de l'enfilade des trois cheminées de leur matelot arrière *Princess Royal,* on pouvait parfaitement voir ce qui se passait. Le grand croiseur paraissait intact et on ne décelait âme qui vive sur sa plage avant. De ses tourelles tournées à quatre-vingt-dix degrés par rapport à l'axe de marche s'échap-pait encore la fumée de la salve précédente. Des deux premières cheminées émergeait un immense panache d'un noir de charbon auquel s'opposait presque carica-turalement une petite fumée blanche en spirale prove-nant de la tourelle milieu ; pourtant il eut tout de suite le sentiment que, à l'instar de ces minces rigoles de sang apparemment peu impressionnantes qui coulent de l'oreille d'un grand blessé, il s'agissait d'une volute mortelle. Les vibrations de la coque étaient visibles à l'œil nu. Son incursion tout à l'heure dans la tourelle lui permit de mieux imaginer ce que pouvaient ressen-tir le millier d'hommes enfermés à bord voyant sou-dain les blindages qui les entouraient de toutes parts se mettre à frémir comme des toiles d'araignée dans la brise. Puis ce fut l'explosion. Une flamme énorme fut suivie d'un grondement si terrifiant qu'il crut un ins-tant que c'était le *Lion* lui-même qui sautait et qu'il se retrouva agrippé à la rambarde, du grésil plein les yeux, à trembler de tous ses membres. « Heureusement que je suis seul », pensa-t-il en se ressaisissant. Un immense nuage de fumée avait jailli du navire éventré dans lequel il vit flotter tels des poissons dans un aquarium les objets les plus hétéroclites ; il reconnut des chaises intactes, une chaloupe entière, une roue, un canon de petit calibre formant à sept ou huit cents pieds de haut un ballet tournoyant sur le fond noir de la fumée. Au-dessous la passerelle se disloqua comme un édifice qui s'effondre, puis l'énorme coque chavira sur tribord, dévoilant sur son flanc une immense déchirure oblongue avant de disparaître dans l'eau. Il devina que derrière elle le *Tiger* et le *New Zealand,* dont il discernait les silhouettes dans la crasse, cherchaient à l'aveuglette à éviter le site du désastre et abattaient en catastrophe l'un sur tribord l'autre sur bâbord comme pour une ultime garde funèbre. Brusquement, au milieu de la zone de mer calme entre les deux bâtiments où rôdaient de longues écharpes de fumée, la poupe surgit à nouveau complètement renversée, et Christopher remarqua que les hélices tournaient encore. Des nuages de papiers blancs s'échappaient d'une écoutille. Il s'imagina qu'il y avait peut-être là de ces longues missives qui s'écrivent dans le silence des carrés et des couchettes après l'extinction des feux et qu'emportées par des vents capricieux elles trouveraient peut-être un jour leurs destinataires. Il pensa un instant à la lettre qu'il avait adressée, lui aussi, à des vents fantasques. L'avait-elle reçue, l'avait-elle reçue, il s'était si souvent posé la question. Si c'était le cas, peut-être pourrait-il un jour la reconquérir. Oh, je saurai le faire je saurai ma très douce. J'en aurai tant vu mais tu seras au bout de cette longue route. Son regard revint vers l'épave. Aux parois s'étaient accrochés quelques hommes qu'il vit un à un glisser dans l'eau froide parmi les nappes de pétrole. La poupe se redressa alors à la verticale comme un squale monstrueux dans un dernier spasme, et il put clairement lire les deux mots QUEEN MARY. Puis il y eut une dernière explosion, plus sourde ; la partie émergée parut frissonner, et une nuée rampante vint la masquer à sa vue. L'instant d'après, lorsque celle-ci se dissipa, la mer avait tout englouti. Il regarda sa montre : il était seize heures vingt-huit. Il y avait vingt minutes que l'*Indefatigable* avait sauté.

A peine redescendu sur la passerelle, il se dirigea vers Beatty. Celui-ci l'arrêta d'un geste.

« J'ai vu, dit-il d'une voix sourde. On dirait qu'il y a quelque chose qui ne colle pas avec nos sacrés bateaux, aujourd'hui. »

Simmons paraissait livide.

« Notre vieux quatuor de la première escadre, murmura-t-il. Cela faisait deux ans qu'on n'arrêtait pas de se suivre... J'apprenais ça à mes gosses, moi, comme une comptine : *Lion-Princess Royal-Queen Mary-Tiger*... C'était la première chose qu'ils avaient su prononcer...

— Il va nous le payer, reprit Beatty, les dents serrées. Mr. Simmons, faites venir de deux quarts sur bâbord. »

Voilà qui l'avait réveillé, pensa Christopher. C'était se diriger droit sur Hipper. Cela allait finir par une canonnade à bout portant. Cela ne lui faisait pas peur. Depuis le spectacle de la tourelle dévastée et surtout la perte du *Queen Mary*, il en venait à haïr cette escadre qu'il voyait grandir dans le champ de la binoculaire.

« Leurs torpilleurs s'agitent à nouveau, prévint Hawthorne. J'ai l'impression qu'il s'agit de leur neuvième flottille.

— Mr. Simmons. Transmettez à Bingham d'engager la treizième flottille », dit Beatty.

La mêlée qui reprit presque instantanément eut au moins pour avantage de secouer la torpeur consternée qui était tombée sur la passerelle comme une chape de plomb. Pourtant, Christopher pensa une fois de plus qu'il n'appréciait guère ces « combats de moucherons ». Il avait certes l'impression que les flottilles apportaient dans l'engagement une pugnacité et un acharnement presque incroyables, mais qu'elles étaient aussi un élément de confusion, voire d'anarchie, au milieu de laquelle les timoniers, obligés de faire des prodiges pour les éviter, eux et leurs projectiles, ne pouvaient plus respecter aucun ordre de bataille cohérent. C'en était comique de voir dans les deux camps ces mastodontes faire des écarts de danseuse avec des grâces d'éléphant afin d'éviter les sillages mortels. Mais il était certain que les voir manœuvrer était captivant au point qu'il en oublia un instant la perte de leurs plus importantes unités en moins de vingt minutes ainsi que leur propre avarie.

Beatty se retourna.

« Mr. Howard. Demandez l'artillerie secondaire sur les classes G allemands. Ils sont plus lents, il faut essayer d'en profiter. »

Christopher fut tenté de lui faire remarquer que dans un tel tourbillon leurs propres destroyers risquaient d'en recevoir plus que leur part, mais Beatty paraissait tendu et il préféra s'abstenir.

« Ils abattent sud-est, dit brusquement Hawthorne en se redressant.

— Alors là je n'y comprends plus rien, avoua l'amiral.

— Ils vont s'amuser ceux qui tenteront plus tard de reconstituer le plan de la bataille, remarqua Hawthorne *mezzo voce*.

— Ça cache quelque chose, murmura Simmons. Ils nous entraîneraient dans un piège que ça ne m'étonnerait pas. »

Un radio arriva presque aussitôt et tendit son papier à Christopher.

« Du *Southampton* en scott, sir. »

Le petit croiseur marchait trois milles devant le *Lion*. Il l'avait aperçu tout à l'heure abattant en catastrophe devant le sillage d'une torpille et l'avait même cru un court instant en difficulté.

« 16.33 BATIMENTS DE LIGNE GISEMENT S.S.E. », lut l'amiral.

Il se retourna vers son état-major. L'expression découragée qu'il avait sur le visage depuis le naufrage de la *Queen* et qui le rendait presque méconnaissable s'était soudain effacée. Ce n'était pas encore la juvénile jubilation qui l'éclairait parfois, mais on lisait dans son regard l'espoir de prendre sa revanche.

« Je me demande si vous n'aviez pas raison, Mr. Simmons », dit-il.

Le ballet des porteurs de message se poursuivait,

comme si quelque part un invisible metteur en scène avait décidé d'un changement de rythme général.

« Même origine ?

— Oui, amiral. Radio, cette fois.

— Donnez, voyons : " Urgent. 16 h 38. Ai reconnu Flotte de Haute Mer au S.S.E. faisant route au nord. Ma position 56^0 34' N. 6^0 20' E. " »

Il posa le feuillet.

« On n'a même pas besoin de ça », dit Christopher en désignant les vitres d'un geste large.

A la suite d'une levée de brume, l'horizon s'était empli d'un seul coup. Il y avait des bateaux à l'horizon sur près de 145^0. Il y eut sur la passerelle un instant de surprise que rompit Simmons.

« Ils sont sur vingt milles au moins », dit-il.

— Le loup est sorti de la bergerie, grommela Beatty. Mr. Hawthorne, vous veillerez à ce qu'on félicite la salle quarante une fois de plus. C'est le seul centre de renseignements au monde pour lequel une flotte de cinquante vaisseaux puisse être à la fois dans sa rade de mouillage et en position d'attaque à deux cent cinquante milles plus au nord. Regardez-moi ça. Mais regardez-moi ça. »

Il scrutait l'horizon, comme fasciné, l'air presque soulagé, comme si c'était l'un des plus beaux moments de sa vie. Christopher en conçut une vague irritation. « A-t-il donc oublié qu'il a perdu plus de deux mille hommes en moins d'une heure ? » se demanda-t-il.

Beatty se retourna.

« Cela m'étonnait aussi que Hipper se promène sans couverture, dit-il. Mais je ne m'attendais pas à ce qu'il y ait toute la traîne... »

Une jeune vigie fit irruption.

« Amiral, dit-il d'une voix vibrante, la *Hochseeflotte* à douze milles dans le sud-est.

— Redis-moi ça, petit ? » répondit Beatty d'un ton vaguement goguenard.

Le gosse rougit et bafouilla.

« La flotte de Haute Mer à douze...

— Merci, l'interrompit Beatty. Et compliment pour ton allemand. »

Il s'approcha de Christopher.

« Mr. Howard. Donnez-moi la position de l'amiral Hood.

— Cinquante milles plein nord, sir. Ils sont à vingt-cinq nœuds. La Grande Flotte suit à dix milles derrière. Il faudrait les garder au contact une grande heure.

— Pas évident. Surtout si on veut les attirer sur eux...

— La radio a donné l'explication au sujet de l'erreur de la salle quarante, intervint Hawthorne. C'est une ruse de Speer qui avait permuté son indicatif avec celui d'une base côtière.

— Ce qui est reposant avec la quarante, grommela Beatty, c'est que ruse ou pas, le résultat est toujours le même. »

Il scruta à nouveau la flotte ennemie. La visibilité avait changé, et c'était maintenant elle qui se détachait parfaitement sur l'horizon.

« Prévenez Jellicoe, dit-il. Il faudrait que le Vieux en mette un coup. Ça vaut tout de même la peine de pousser les feux. Ici, on va essayer de les tenir. »

Christopher suivait à la jumelle le *Southampton*. Il se retourna.

« Il s'avance beaucoup, amiral.

— C'est Goodenough, qu'est-ce que vous voulez, on ne le changera pas. Il faut toujours qu'il aille flairer l'ennemi. On ne va pas lui retirer ses petits plaisirs. C'est la même chose à terre. Au tennis, il est toujours au filet. Qu'est-ce que vous avez, Mr. Howard ? demanda-t-il surpris.

— Mais rien... rien, amiral.

— Vous sembliez tout pâle. Ah, et avec ça, toujours affligé de transmittite aiguë, ce brave commodore, dit-il en voyant arriver de nouveau le jeune radio. Donne...

" URGENT 16.41. FLOTTE ENNEMIE FAIT ROUTE AU NORD EN LIGNE DE FILE. CUIRASSÉS CLASSE KAISER EN AVANT-GARDE. "

— C'est déjà périmé, dit Simmons, ils abattent de deux quarts sur nous.

Beatty se tourna vers le jeune radio avec un petit sourire.

« Regarde bien, petit. Tu pourras raconter à tes petits-fils que tu as vu la *Hochseeflotte,* dont tu prononces si bien le nom, dans le blanc des yeux. »

Le jeune homme se mit au garde-à-vous, pétrifié. Il y avait bien cinquante vaisseaux devant eux.

« Timonier ?

— Dix-huit mille yards sur navire de tête, sir. »

Beatty eut un sourire indéchiffrable.

« Bon. On va se faire un peu désirer. Mr. Simmons, faites faire demi-tour en venant sur tribord. Ils vont croire qu'on s'enfuit et en fait on les rapproche de Jellicoe. »

La manœuvre fut rondement menée par ce qui restait de la 1re escadre. L'instant d'après, ils croisaient les lourds cuirassés de la 5e. A sa stupeur, Christopher vit qu'elle n'exécutait pas le mouvement. Au même moment, la brume recouvrit à nouveau la flotte allemande.

« Amiral ! s'écria-t-il. La cinquième s'enfonce dans le sud.

— Simmons ! hurla Beatty. Envoyez par pavillons à ce bon Dieu de mes deux d'imbécile : FAITES DEMI-TOUR EN VENANT SUR TRIBORD. »

Le capitaine de pavillon gagna aussitôt la passerelle signaux. Christopher suivit des yeux les poupes des superdreadnoughts qui diminuaient vers le sud. Enfin, c'était incroyable ! Il jouait au whist cet amiral Evan Thomas ou quoi ? Il vit un marin traverser tranquillement la plage arrière du *Malaya*. Il n'y avait donc personne pour leur dire vers *quoi* ils allaient ?

« Ah, non, fit Beatty. Cet animal ne va tout de même pas me faire le coup deux fois, by George ! »

Christopher grimpa à son tour dans la passerelle signaux. Simmons regardait vers l'arrière d'un air inquiet.

« J'en connais un qui n'a pas gagné sa deuxième sardine aujourd'hui », murmura-t-il.

Christopher fut pris d'une sorte de fou rire qui parut surprendre Simmons.

« Il a peut-être simplement envie de se colleter personnellement avec Hipper », dit-il.

A se trouver à nouveau à l'air libre il se sentait pris d'une ivresse légère, mais celle-ci s'évanouit dès qu'il vit la file des bâtiments qui les suivaient, si réduite désormais. Il n'y avait plus derrière eux que la *Princess Royal*, le *Tiger* et un peu plus loin le *New Zealand* qui semblait un peu à la traîne, comme sonné d'avoir vu deux drames successifs se produire l'un sous son étrave et l'autre sous sa poupe. Simmons s'escrimait à essayer de joindre le *Barham* avec tout ce qu'il avait à sa disposition, signaux, messages radio directs ou par relais de leur matelot arrière. Enfin les quatre super-dreadnoughts perçurent les messages et commencèrent aussitôt leur giration. Combien de temps de nouveau avait-il été perdu ? Il ressentit néanmoins une impression de soulagement. En bas, très en dessous d'eux, les destroyers avaient repris leurs courses folles, plus impressionnantes encore d'être observées de si haut, car ils apparaissaient et disparaissaient tour à tour dans la brume avec une soudaineté quasi magique.

« Bon Dieu, fit Simmons, je n'aimerais pas commander ces coques de noix. J'espère bien y échapper. Et pourtant, Dieu sait s'ils peuvent changer la face d'une bataille ! Ce n'est pas à un ingénieur maritime que je devrais dire cela, Chris. Mais l'avenir est là. Là et dans la sous-marinerie, ajouta-t-il avec un ton de léger dédain. Ceux-là, j'aime mieux ne pas vous dire ce que j'en pense !

— En ce qui concerne nos destroyers, j'ai eu l'impression cet après-midi qu'ils mettaient surtout la pagaille dans nos propres rangs ! s'exclama Christopher.

— Et avec cela ils se rapprochent trop de la gueule du loup, regardez-moi ça ! Un miracle qu'on n'en ait pas encore perdu un seul...

— Ne parlez pas trop vite, s'écria Christopher. Il y en a un qui semble avoir quelques ennuis. »

Parmi tant de trajectoires vrombissantes aux voltes et aux embardées imprévisibles, l'un d'eux se remarquait par sa progression rectiligne comme s'il cherchait à se rapprocher d'un élément protecteur en venant droit sur eux. Simmons le prit dans le champ de ses jumelles.

« C'est vrai, il a l'air touché. Sa passerelle ressemble à la cabane du poulailler de ma grand-mère. »

L'enseigne Carby fit irruption à ce moment précis.

« Mr. Howard. L'amiral vous demande », dit-il.

Christopher échangea avec Simmons un regard perplexe et suivit le jeune homme. Beatty se tenait de dos, penché sur la rose magnétique. Christopher attendit un instant qu'il eût terminé son orientation.

« Sir », toussota-t-il.

L'amiral se retourna.

« Ah, vous voilà, mon vieux, dit-il d'un ton préoccupé.

Ecoutez, voilà ce qui se passe. Le destroyer *Lyphard* de la douzième flottille nous annonce qu'il a reçu deux impacts de quatre-vingt-dix de la neuvième ennemie. A force de s'amuser entre eux, c'était forcé que ça arrive. Tout l'état-major du bâtiment, son commandant, mon camarade de promotion le lieutenant-commander Trelawney, son second et son chef de machines ont été tués sur la passerelle. Il y aurait plus de vingt morts à bord. C'est donc un bateau non seulement sans état-major mais à l'équipage réduit et choqué. En plus, ses chaudières ont été atteintes et il ne dépasse plus les vingt-cinq nœuds. Ils ont l'air de s'affoler un peu. »

Il s'arrêta puis le regarda.

« Vous allez me prendre le commandement de ce grand malade, mon vieux. Sans quoi, la nuit aidant, ils sont capables de se retrouver chez l'ennemi. Je préviens Bingham. »

Christopher se sentit changer de couleur.

« Mais... amiral... je... je n'ai jamais commandé à la mer, ne fût-ce qu'une barge...

— Il faut un commencement à tout et un commandant à ce *Lyphard,* Mr. Howard. J'ai pu constater tout à l'heure lorsque vous avez été secourir le major Harvey que vous aviez de la vaillance. Je ne vous aurais pas proposé cette mission si je n'avais pu ainsi juger de votre sang-froid. »

Christopher se redressa.

« Je n'ai rien fait pour ce pauvre major, amiral. Absolument rien. Je me suis borné à le voir mourir, et en héros, si vous me permettez de donner un témoignage. Mais quant à moi...

— Ecoutez, Mr. Howard. D'abord, à l'intérieur de cette tourelle, vous y êtes allé. Ensuite, sachez que je peux me passer d'aide de camp pendant quelques heures, mais qu'eux ne peuvent pas se passer d'un commandant de bord.

— Bien, amiral », dit-il.

Il jeta un coup d'œil sur tribord. Le destroyer était à moins d'un mille mais semblait avoir du mal à les remonter. « Eh bien, quand Simmons va apprendre ça », pensa-t-il. Enfin, le moment ne lui parut pas trop mal choisi pour le délicat passage d'un bord à l'autre. Le vaste engagement semblait en effet connaître une sorte de répit. Il se demanda même si le gros de l'affrontement n'était pas maintenant derrière eux et si Speer, inquiet de rencontrer Jellicoe, n'allait pas se dérober en profitant de la brume. Un relatif silence était retombé sur la mer. Seul, le *Malaya* en serre-file esayait de rattraper le temps perdu en pilonnant on ne savait trop quoi dans l'est.

« Il n'y aurait pas eu ces bâtiments coulés, reprit Beatty, que nous aurions dignement fêté à terre votre premier commandement, et foi d'Irlandais ça n'aurait pas été triste. Mais là, vraiment, à moins d'un miracle... Même Fleet Street ne pourra pas faire de cette bataille une journée de victoire, dit-il sur un ton soudain d'amertume.

— J'avais oublié que vous étiez irlandais, sir.

— Oui, ma famille était du Munster.

— Ma femme l'est également », dit-il.

Il l'avait à peine dit qu'il le regretta. Jamais jusque-là il n'avait eu avec l'amiral la moindre velléité de conversation personnelle. Ce devait être l'émotion de cette prise de commandement inopinée...

— Je n'ai pas le plaisir de connaître Mrs. Howard, dit Beatty en reprenant soudain le ton mondain qu'il prenait parfois à Rosyth et qui exaspérait tant la cohorte innombrable de ses ennemis. Elle est restée à Londres, sans doute...

— A Dublin, sir.

— Ah, Dieu, à Dublin. J'espère qu'elle n'a pas été prise dans ces histoires, le mois dernier... »

Christopher regarda du coin de l'œil où en était le *Lyphard*. 25 nœuds, sûrement pas ! Il remontait avec une lenteur de vieux cuirassé.

« Je vais aller passer un ciré, amiral.

— Vous avez encore le temps, dit Beatty. Il n'y a rien de mieux que quelques secondes de conversation pour relâcher la tension nerveuse au cours d'un engagement. Et puisque Mr. Hawthorne nous en laisse le loisir momentané... je voulais revenir un instant sur cette affaire irlandaise qui me touche pour les raisons familiales que je vous ai dites... Car je crains que nous, autorités britanniques, n'ayons été bien fautives en l'occurrence. Peut-être les insurgés étaient-ils en effet de parfaits irresponsables, mais était-il nécessaire d'imposer cette impitoyable répression... Il est évident que cette population qui nous était acquise va être retournée en leur faveur. Et pourtant, à quelles étranges mains les insurgés n'avaient-ils pas confié leur sort ! Ce Nettlecombe qu'on a fusillé le 3 mai, par exemple, en même temps que Pearse, Connolly et consorts... Ce Nettlecombe dont, comme les autres, ils vont faire un martyr ! Confier le sort d'un soulèvement à quelqu'un d'aussi peu digne de confiance, c'était... — il hésita — plus hasardeux, et c'est un marin qui vous le dit mon cher, que de se risquer sur l'un de ces vieux cercueils flottants dont lord Fisher nous a si heureusement débarrassés... Curieux personnage au demeurant... Figurez-vous que je l'avais reçu à Rosyth...

— Vous l'avez reçu ! s'exclama Christopher. Quoi, au... tout début avril ? »

Beatty le regarda.

« Comment le savez-vous ? »

Christopher se troubla.

« Je disais cela comme cela...

— Il m'avait demandé un entretien en tant que membre du Foreign Office. Je n'ai appris qu'après qu'il ne l'était plus. Il venait s'enquérir de l'état de la Flotte, figurez-vous.

— De l'état de la Flotte, répéta Christopher, en essayant de ne pas manifester sa stupeur.

— Je pensais qu'il faisait partie d'une de ces innombrables commissions d'enquêtes parlementaires... Ou encore avait-il envie de boire un porto à Admiralty House... Mais le choisir comme chef d'une insurrection, c'était trouvé ! Et là je me place du point de vue irlandais... »

L'amiral parut rester songeur. Christopher le regarda à la dérobée. Il y avait une chose certaine, c'est que Reginald avait produit une fort mauvaise impression. D'autre part, s'il avait parlé de lui, Beatty le lui aurait certainement déjà dit. Tout à la crainte de mettre en danger la sécurité de Winifred, et certainement persuadé après sa visite à Christopher qu'elle était entrée à la Fraternité, il avait dû rester muet en ce qui les concernait. Mais alors pourquoi sa visite à l'amiral ? se demanda-t-il. Peut-être Beatty avait-il raison. Profitant de sa visite à Rosyth, la simple gloriole, malgré le risque, d'échanger quelques mots avec un personnage célèbre... C'était bien de lui. Il se demanda si Winifred savait que Reginald avait été condamné à mort et exécuté, et comment elle avait réagi. Lui l'avait appris par les journaux, et sans réelle émotion, il devait se l'avouer.

Beatty jeta un coup d'œil en arrière. Le *Lyphard* était à un quart de mille.

« Bien, préparez-vous, mon vieux. Vous devez ressentir un peu ce que j'éprouvais moi-même lorsque l'amiral Colville, il y a seize ans de cela, m'envoyait délivrer avec une centaine de fusiliers marins la légation de Tien-Tsin assiégée... Je devais avoir votre âge... A ce propos... Juste une question pour me rajeunir... Car je me souviens encore avec précision de mon état d'esprit à ce moment-là... Que ressentez-vous vous-même ? A quoi pensez-vous... »

Christopher resta coi. Dieu sait si Beatty pouvait être bavard, mais d'ordinaire sa conversation ne concernait que lui, ses exploits, sa carrière, ses bateaux, le yacht de sa richissime épouse ou l'amertume de ses camarades devant son avancement ultra-rapide (amertume qu'il évoquait avec force désinvolture). Il ne se souvenait pas qu'elle ait jamais eu pour pôle d'intérêt son interlocuteur.

« A quoi je pense..., répéta Christopher.

— Oui... Après tout, il n'y a pas eu un tel affrontement depuis Trafalgar : deux flottes allant à la rencontre l'une de l'autre, plus de deux cents vaisseaux rassemblés sur moins de cent milles carrés, et jouant néanmoins à cache-cache... Et vous qui, à l'approche d'un soir comme celui-ci dont peut dépendre le sort de la guerre, à l'approche d'un soir du monde comme il y en aura sans doute peu dans votre vie... allez tenter cette expérience nouvelle... Je vous envie, mon petit.

— Je comprends, sir. Je peux vous dire à quoi je pense dans un moment tel que celui-là. A un court de tennis. »

Beatty le regarda avec surprise.

« Un court de tennis ! Mais... mais ne vous inquiétez donc pas, mon vieux, vous rejouerez ! »

Christopher se ressaisit.

« C'était une boutade, amiral. J'évoquais ce que vous racontiez tout à l'heure... Le commodore Goodenough au filet... A vrai dire, je ne pense à rien.

— Pensez tout de même à ne pas vous ficher à l'eau en embarquant sur le *Lyphard*, dit Beatty en souriant.

Cela a failli m'arriver au Dogger Bank lorsqu'un destroyer est venu me déposer sur la *Princess Royal* pour faire reprendre la poursuite... Vous vous souvenez... Nos drisses et nos signaux en lambeaux...

— Je crois que cela sera la partie la plus difficile de ma mission, sir.

— Envoyez une petite flamme à Simmons dans une dizaine de minutes pour dire que tout va bien. Et bornez-vous à nous suivre. »

« Une vraie nounou », pensa Christopher avec une soudaine et vague irritation.

« Destroyer à une encablure sur tribord arrière », vint annoncer la vigie.

22

Ce ne fut en effet pas facile de monter à bord. Le niveau de la proue du destroyer était à trois bons pieds au-dessous de la poupe du *Lion*, et malgré les énormes défenses les deux coques tossaient durement l'une contre l'autre. Ayant enjambé la rambarde, il profita d'un bref moment où il y avait moins d'un yard de vide entre les deux bâtiments pour empoigner les mains d'un matelot du *Lyphard* pendant qu'un autre rattrapait in extremis ses jumelles. Alors qu'il se retournait vers Hawthorne qui l'avait accompagné, il mit sa main à la poche de sa vareuse.

« Dieu ! s'exclama-t-il. J'ai oublié ma montre sur la table des cartes.

— Prenez la mienne, cria Hawthorne en réponse, et qu'elle vous porte chance, mon vieux. »

Il la lui lança aussitôt et Christopher l'attrapa au vol. Touché par ce geste, il ne put manifester sa gratitude au lieutenant-commander qui s'en retournait déjà vers la passerelle à grandes enjambées. « Fort fréquentable, ce garçon, finalement, pensa-t-il. Supérieur à sa réputation, en tout cas. »

Un jeune *midship* se présentait déjà à lui.

« Aspirant Price, sir. J'ai eu la chance de me trouver près de la pièce du milieu quand c'est arrivé.

— Heureux pour vous, Mr. Price. Nous allons continuer à faire du bon travail, j'en suis certain.

— C'est malheureusement eux qui ont fait du bon travail sur nous, sir.

— Vous allez me montrer cela. »

Déjà le *Lion* s'éloignait, et il eut l'impression que hors de la présence tutélaire du grand bâtiment les vagues se montraient soudain énormes et hostiles autour d'eux. La stabilité du destroyer s'en ressentait nettement, et Christopher eut même l'impression qu'il gîtait de façon anormale. « Voilà ce que c'est que d'avoir huit cents tonnes sous les pieds au lieu de vingt-six mille », pensa-t-il. D'un pas incertain il suivit le midship le long du petit gaillard d'avant en direction de la passerelle dévastée.

Celle-ci paraissait placée de guingois par rapport à l'axe du bâtiment comme une cabane suspendue au-dessus du vide. Tel était d'ailleurs le cas. Une brèche béante s'ouvrait en bas de son panneau latéral bâbord, et en essayant de s'introduire entre l'échelle et les bords déchiquetés de la cavité, ils butèrent contre le corps ensanglanté du commandant Trelawney qui était tombé à travers le plancher démembré et avait entraîné dans sa chute la rose de compas à laquelle il était resté agrippé comme à une bouée salvatrice. Heureusement à quelques pouces près, le poste de timonerie n'avait pas été touché mais le corps de l'officier en second était resté coincé derrière la table des cartes. Christopher s'aperçut qu'il avait été proprement scalpé, sans doute par un éclat d'obus ; si vite qu'il eût détourné les yeux, cela lui donna néanmoins la nausée.

« Il faudra les sortir de là tous les deux, Mr. Price », dit-il d'une voix blanche comme ils regagnaient le pont.

— Tous les trois, sir. Je sais que le chef mécanicien était aussi monté à la passerelle peu avant. »

Déjà il l'entraînait, mais Christopher se sentit soudain incapable de poursuivre sa funèbre tournée.

« Midship », appela-t-il.

Le jeune aspirant se retourna. Livide, Christopher s'était appuyé contre l'affût de la petite pièce du milieu.

« Mr. Price, il faudra... il faudra me faire gréer un porte-voix avec la timonerie et un autre avec les machines depuis l'affût de la pièce avant. C'est là où je me tiendrai. Sans quoi on ne verra même pas où l'on va.

— Je le ferai, commandant. »

Commandant. Il s'efforça de ne pas ciller. Winnie, pensa-t-il, Winnie j'aurai même fait cela.

« Quant aux consignes... je vous les donne dès maintenant, Mr. Price, on ne sait jamais ce qui peut arriver. C'est fort simple : vous suivez le couple *Lion - Princess Royal* en restant à portée de signaux, comme si vous étiez un bébé de vingt mois suivant papa-maman.

— Vingt mois. C'est précisément l'âge du *Lyphard,* commandant. »

Il dut se forcer pour esquisser un bref sourire.

« Bon, soupira-t-il. Conduisez-moi à l'arrière.

— Je les ai fait mettre les uns à côté des autres, sous une toile, le prévint Price. Plus pour le moral des gars qu'autre chose... »

Il hésita à demander : combien, sous cette bâche. C'était une question qui lui semblait presque déplacée.

« Il n'y a pas une heure qu'on recevait ces fichus obus de quatre-vingt-dix du *V 31* », expliqua Price comme s'il avait perçu son hésitation à s'enquérir des détails de ce qui s'était passé. « On a été encadrés comme une volée de perdreaux, sir. Les premiers coups au but de la bataille pour nous, c'est quand même pas de chance ! La pièce arrière était prête à tirer avec tous ses servants, et il y avait plein de monde autour du tripode. Dix-neuf cadavres, plus sept qui ont été précipités à l'eau sans leur gilet de sauvetage. Autant dire que... »

Christopher compta mentalement. Dix-neuf, plus sept, plus les trois officiers. Un tiers de l'équipage.

« Et trois blessés, pas trop grièvement heureusement, ajouta Price d'un ton presque confus de devoir en rajouter encore. Mais nous avons un infirmier, Stubbs, qui s'en occupe. »

Des hommes d'équipage étaient venus soudain les entourer en une bousculade désordonnée où plus rien ne subsistait de la stricte hiérarchie qui régnait à bord du *Lion.* Plusieurs paraissaient encore hébétés de ce qui s'était produit, et le besoin de les réconforter lui fit monter aux lèvres des mots qu'il se serait senti incapable de prononcer quelques instants auparavant.

« Marins du *Lyphard,* vous avez été durement éprouvés, s'écria-t-il. Mais la bataille n'est pas terminée et vous vengerez vos camarades ! Vous n'êtes pour la plupart ni blessés, ni enfermés dans des tourelles et des machines. Vous avez le ciel au-dessus de vous et sous vos pieds un bâtiment encore sain qui n'a pas fini de jouer son rôle ! Pour quelqu'un qui se trouvait il n'y a pas une heure dans une tourelle du *Lion* complètement dévastée, je vous promets que c'est quasiment le paradis !

— Mais oui, on va leur faire payer ça, renchérit Price. Il nous reste deux pièces et deux torpilles, et Pritchard dit qu'on peut encore tenir nos vingt nœuds !

— On va pas rester en laisse tout le temps de la bataille... Faut qu'on se montre, faut qu'on les venge...

— Bien, Hodgwood ! dit Price. En attendant, gréemoi donc un porte-voix pour le commandant depuis le gaillard ! »

Christopher les regarda tous autour de lui. Il avait l'impression que ses mots avaient porté et s'en trouva secrètement ragaillardi. Il se sentait maintenant capable d'affronter la plage arrière, et il se dirigea lentement vers la poupe du bâtiment. Les hommes parurent hésiter, puis le laissèrent continuer accompagné du seul Price.

C'était encore pire que ce qu'il avait craint. Prenant le pont dans le sens de la longueur, l'obus y avait ouvert une véritable tranchée comme dans l'écorce d'un fruit mûr, avant d'exploser au niveau du tripode dont il ne restait plus que l'embrase tordue et noircie. Serrés les uns contre les autres, les cadavres étaient dissimulés sous une vaste bâche de toile bise placée contre le bordage de poupe. Christopher s'immobilisa et salua gauchement. Qu'allait-il falloir en faire, pensat-il. Il n'était pas dans la tradition de la *Navy* de garder les morts à bord des bâtiments, et les commandants préféraient les confier à la mer avant de rentrer. Mais il ne se sentait pas encore mûr pour un tel ordre. On verrait à l'aube.

« Ce qui est quand même curieux, remarqua Price, c'est que c'est finalement un obus allemand qui aura tué ses propres compatriotes. »

Christopher se tourna vers lui.

« Quoi, il y a des Allemands là-dessous ? demanda-t-il avec stupeur.

— On avait repêché deux hommes dans l'eau après que le *Petard* eut coulé le *V 23*, sir. Un enseigne et un marin. Ils auront eu droit à dix minutes de sursis. Ce que c'est que le destin, hein, sir. »

Il souleva une extrémité de la toile.

« Vous remarquerez que je ne les ai quand même pas mis au milieu des copains », lui dit-il.

Surmontant sa répugnance, Christopher s'approcha et se pencha. Leurs visages émergeaient des masses informes de leurs brassières de sauvetage comme des momies de leurs bandelettes. Le matelot pouvait avoir vingt ans et avait une bonne tête placide et carrée de paysan du Nord. Etendu contre lui, le jeune officier était plus difficilement identifiable. Il vit qu'un débris acéré lui avait tranché la carotide et que son visage exsangue était déjà cireux comme s'il était mort depuis de longues heures. Sous sa brassière de sécurité, le feutre de sa vareuse était encore trempé du séjour dans l'eau qui avait précédé son court répit à bord du *Lyphard*. Il remarqua d'autre part qu'il portait en bandoulière un sachet également en caoutchouc qui paraissait contenir un document. Il se retourna.

« Mr. Price, procurez-moi donc un couteau, demanda-t-il. Ce doit être sa carte d'immatriculation. »

La bretelle tranchée il retira le sachet, l'ouvrit et en retira un petit carton rectangulaire que l'étoffe étanche avait parfaitement protégé.

« Oui, c'est bien cela. Enseigne de vaisseau SCHILDAUER Helmut, lut-il. Né le 13 août 1887 à Leipzig. Affectations : 30.6.1914. Flotte de Haute Mer, IXe flottille de torpilleurs (*V 26*). 14.4.1916 : Mission Tara. 1.5.1916 : IXe flottille de torpilleurs (*V 23*). »

Il se retourna alors vers Price.

« Qu'est-ce que c'est que cette mission Tara, midship ? »

Le jeune aspirant secoua la tête.

« Je l'ignore, sir. »

Christopher resta un instant perplexe.

« Regardez si le marin peut aussi être identifié », demanda-t-il soudain, ajoutant comme s'il devait se justifier d'une indiscrétion : « Cela peut toujours intéresser les services compétents. »

Price se pencha à nouveau.

« Celui-ci ne porte rien à son cou, commandant », dit-il en se redressant.

Christopher se sentit soulagé d'en avoir terminé et

revint vers les lance-torpilles pendant que l'aspirant remettait la bâche en place.

« Mr. Price, demanda-t-il quand ce dernier l'eut rejoint, appelez-moi le responsable des tubes.

— Cartwright ! » appela Price.

Un grand garçon arriva, bien découplé, qui lui rappela vaguement l'enseigne Whitney, son partenaire de whist.

« Quartier-maître Cartwright, se présenta-t-il.

— Bonsoir, Cartwright. Les tubes sont en état ?

— Le tube milieu, j'en suis sûr, commandant. Nous pouvons y lancer les deux torpilles qui nous restent.

— Le treuil ?

— J'ai vérifié, sir.

— Sur quoi avez-vous tiré jusqu'ici, Cartwright ?

— On en a envoyé une sur le *V 23*, mais c'est le *Petard* qui l'a eue, sir ; c'est comme à la chasse, s'agit pas de prendre le gibier du copain. Et puis on en a envoyé une sur le *Von der Tann*, histoire de voir bouger son gros cul après ce qu'il a fait à la *Queen*. Mais c'était limite comme portée et il l'a évitée, le salopard. »

Christopher le regarda avec curiosité.

« Qu'est-ce qui sort de votre poche, Cartwright ? Cela me semble peu réglementaire... »

Le jeune quartier-maître rougit, hésita, puis lui montra. C'était une petite plaque ovale en émail représentant le *Lusitania*.

« Je pense à cela quand je donne l'ordre de mise à feu, sir. Je penserai aussi maintenant à Brinsley. C'était le servant de culasse du cent deux arrière. C'était mon pote, sir. On se suivait depuis Aberdeen. Il est là-dessous, maintenant, dit-il en désignant la bâche sans la regarder. J'voudrais le venger, sir. J'peux encore gueuler Feu ! deux fois. Il a raison, Hodgwood. On a encore notre rôle à jouer... Il peut servir ce foutu tube... », dit-il en caressant le volant de pointage.

Christopher hocha la tête.

« C'est de plus en plus mon avis, Cartwright ! » lui dit-il alors qu'un homme de vigie venait les rejoindre à grands pas.

« Commandant ! Le *Lion* communique par pavillons à toute l'escadre : CROISEURS DE BATAILLE ENNEMIS DANS LE SUD-EST.

« D'ailleurs on les voit, sir », ajouta Price.

Les cinq grands croiseurs à la file se détachaient en effet sur l'extrême horizon. Ils devaient être plus proches qu'ils ne le paraissaient, car Christopher estimait à cinq milles environ la perte de visibilité par rapport à la passerelle du *Lion,* et plus menaçants aussi, car on avait l'impression qu'ils pouvaient venir aborder impunément leur petite coque déjà éprouvée.

« *Lützow, Derfflinger, Seydlitz, Moltke, Von der Tann* », énuméra à mi-voix l'homme de vigie qui était venu le prévenir des signaux du *Lion.*

Christopher se tourna vers lui avec quelque surprise. « Hé, vous les connaissez tous comme ça ? »

Le jeune matelot rougit et balbutia quelques mots inintelligibles. Ce fut Price qui intervint.

« Matthews, sir ? Il les connaît tous, et aussi bien les nôtres que les leurs. Il a étudié leurs silhouettes dans le *Jane's Fighting Ships.* Il les reconnaît à de petits détails, un canon, un mât, une antenne par-ci par-là, et c'est pas croyable si vous voyez le résultat. C'est comme les lignes de la main, il y a ceux qui savent leurs noms et d'autres pas. Tu te rappelles le coup du Dogger Bank, Matthews ?

— Oui, dit le jeune marin, mais est-ce que vous croyez que... ?

— Dans la brume, le commandant avait pris le *Seydlitz* pour le *Tiger,* expliqua Price. Ça peut arriver aux meilleurs, la preuve. Il faut dire qu'avec les panaches et le brouillard on pouvait même pas voir les cheminées. Du coup, on s'était approché bien trop près. Heureusement, grâce à Matthews on a corrigé à temps, et en s'enfuyant on a même envoyé un pruneau dans leur projecteur en faisant mouche à trois mille yards !

— Le *Lion* abat sur tribord nord-nord-est ! » annonça Matthews apparemment enchanté de trouver une diversion.

Presque aussitôt ils virent l'éclair des tourelles avant et arrière du *Lion* et de la *Princess Royal.* Les deux croiseurs de tête avaient donc décidé d'attaquer ensemble. De nouveau les gerbes lui parurent s'élever au-delà de la ligne des vaisseaux ennemis. « Mais qu'est-ce qu'on a à tirer si long », se demanda-t-il avec irritation. Il s'imagina un instant les réactions amères de Beatty, Simmons, Hawthorne et Carby derrière leurs télémètres et leurs binoculaires. Il y avait pourtant des hommes de la qualité de Harvey dans les tourelles. « Il faudra revoir tous les mécanismes de télépointage », se dit-il. Il eut également l'impression que dix milles en avant, et comme en écho de l'affrontement des croiseurs de bataille, il entendait d'autres déflagrations et voyait sous le ciel noir d'autres éclairs de canon. Il se demanda si ce n'était pas Hood ou même Jellicoe qui arrivaient déjà au contact, et pourquoi dans ce cas Hipper s'était-il tellement attardé dans le sud ? Il chercha à déceler avec ses jumelles si les salves suivantes du *Lion* étaient plus courtes. Mais il avait suffi que la mer se creuse un peu pour que le *Lützow* et sa suite disparaissent à sa vue. Il eut à ce moment l'impression qu'une dimension de la bataille lui échappait désormais — celle où, profitant de la hauteur et de la puissance du bâtiment amiral, il pouvait comme sur un échiquier suivre à tout moment la position des pièces et prévoir les plans adverses. Tout cela c'était fini — pour quelque temps. Maintenant, c'était les obscures besognes et les giclées d'embruns. Il n'en était pas mécontent, finalement. Il avait le sentiment de s'être approprié désormais l'espace meurtri et exigu du destroyer et de s'être enfoui au cœur même du combat. « Je le dirai à mon rugbyman de Simmons, pensa-t-il. J'étais à la présidence du Club, et je me retrouve au talonnage. »

« Surveillez bien les signaux du *Lion*, je descends aux machines », dit-il à Price.

Il s'introduisit dans l'écoutille et emprunta l'échelle qui conduisait à l'étroite salle. La lumière précaire d'une lampe tempête isolait de la pénombre les cadrans livides des manomètres. Il se dit que tout devait être réduit au cinquième environ par rapport aux dimensions intérieures du *Lion*.

Une silhouette à contre-jour s'avança vers lui.

« Quartier-maître Pritchard, sir. Je remplace le commander Holmes.

— Je suis sûr que vous serez digne de lui, Pritchard... » Il s'interrompit net. « Ça sent drôlement le mazout, dites-moi.

— J'ai pris un éclat dans les canalisations de la quatrième chaudière, sir. Regardez le cadran. On est bien loin de vos trente-cinq nœuds !

— Vous pouvez nous donner combien, Pritchard, en cas d'urgence ?

— Guère plus que maintenant, sir. On est au maximum, vingt-trois, vingt-quatre. Et vous sentez comme ça vibre... Il ne faudrait pas que le *Lion* se sente des ailes... »

Christopher saisit le porte-voix.

« Ici le commandant », dit-il.

Une voix un peu déformée lui provint du tuyau.

« Matelot Hodgwood à l'affût avant, sir.

— Parfait, Hodgwood. C'était un essai.

— J'ai aussi gréé avec la timonerie, sir. C'est du bricolage, mais puisqu'on s'entend...

— Je vous commanderai mon installation de téléphone à terre, Hodgwood. Terminé. »

Le quartier-maître parut satisfait de l'expérience.

« On se sentira moins seul, commandant. Si je pouvais seulement localiser cette fichue fuite...

— Dites-vous qu'on a épuisé notre part de poisse, Pritchard. Je redescendrai vous voir. »

Il lui sembla que les sourdes déflagrations des 340 s'étaient arrêtées. Il remontait juste lorsqu'il vit Price conduire le petit détachement qui amenait les corps des trois officiers à l'arrière. Ils étaient déjà placés sous des couvertures. Les marins soulevèrent la bâche et les déposèrent à côté de leur équipage, puis se reculèrent d'un pas.

« *Attention !* » commanda Price dans le grand silence subitement revenu sur la mer. Les six hommes qui portaient les corps se figèrent, puis s'en retournèrent, toujours précédés par le midship. Christopher pensa qu'en partie grâce à l'autorité naturelle de ce garçon, il n'était pas mécontent de sa première heure passée à bord. A certaines attitudes des hommes il lui semblait que l'équipage endeuillé avait maintenant surmonté son choc et repris quelque confiance en lui malgré la vision du sinistre petit tumulus bâché qui, tressautant à chaque embardée de la poupe, semblait prêt à tout moment à s'immerger dans leur sillage.

Avant de s'en détourner lui-même pour regagner le gaillard d'avant, il regarda pensivement l'emplacement qu'occupait sous la bâche le corps du jeune enseigne. Depuis qu'il avait ouvert tout à l'heure le sachet de caoutchouc qu'il portait, ce nom de Tara lui trottait

dans la tête. Ces deux syllabes ne lui étaient pas incon-
nues. Mais qui les avait prononcées devant lui et
quand, voilà ce dont il ne parvenait plus à se souvenir.
Profitant de ce qu'un léger répit lui semblait donné, il
s'accorda quelques instants pour étudier à nouveau la
carte d'immatriculation du jeune Allemand. S'appuyant à l'affût de la pièce milieu, il chercha dans sa
vareuse le sachet de caoutchouc, le rouvrit et en sortit
la carte d'immatriculation militaire, mais ce faisant
laissa échapper un autre feuillet qu'il rattrapa de justesse avant qu'il ne s'envole. C'était une lettre manuscrite, recouverte de l'une de ces écritures cursives derrière lesquelles on imagine toujours le crissement de la
plume dans le silence d'un salon familial. Ces lettres
faisaient souvent irruption dans leur univers comme
des éléments discordants et nostalgiques. Il pensa à
tous ces feuillets qui s'échappaient de l'écoutille de la
Queen Mary.« *Ich werde Dir nie sagen können, wie
sehr ich mich über Deine Nachricht gefreut habe...* Je
ne saurai jamais assez te dire combien ton mot m'a fait
plaisir », traduisit-il à mi-voix.

Il se refusa d'abord à aller plus loin, à fouiller ainsi
dans la vie privée d'un jeune mort, mais reprit néanmoins sa lecture en cherchant si elle ne comportait pas
par extraordinaire le nom de Tara. Non, c'était l'éternel
dialogue de l'exilé et de la maison. Heidi avait eu seize
ans. Son trouble s'accrut, et il essaya un instant de
s'imaginer la jeune fille attendant désormais en vain
des nouvelles de cet Helmut. Son frère ? Son cousin ?
« Je ne parviendrai donc jamais à haïr vraiment ceux
d'en face, se dit-il avec une sorte d'incrédulité. Je ne
ferai donc jamais un homme de guerre simplement
acceptable ? » Ce n'était d'ailleurs pas parce qu'il était
allemand qu'il en voulait tant à Carl (malgré tout ce
qu'elle pouvait penser à ce sujet), mais parce que... By
George ! Voilà. C'était Winnie, bien sûr, qui lui avait
parlé de Tara. Tout lui revint à la fois. Ce site sur lequel
son oncle et elle s'étaient rendus en pèlerinage, peu
avant leur départ pour le Cachemire, parce que
O'Connell y avait prononcé son premier grand discours... *La capitale de l'Irlande primitive*, lui avait-elle
dit lorsque quelques années après elle lui avait raconté
cette petite fugue. La formule lui revenait maintenant.
Fébrilement, il secoua la fragile enveloppe. Il ne s'en

échappa aucun autre feuillet, mais il découvrit néanmoins que l'humidité avait collé contre la paroi de caoutchouc un autre document qui paraissait de même format et de même origine que la carte d'immatriculation militaire.

« Mission Tara, lut-il. Mise à disposition Flotte de Haute Mer dans cas de figure 31-43.

Affectations a/c 1.5.16.

SCHILDAUER Helmut	IXe flottille (*V 23*).
WERTHNER Andreas	*Derfflinger.*
PRENZLER Frank	*Friedrich der Grosse*
BURGSMÜLLER Carl	*Pommern.*
BRUGGMANN Berndt	*Grosser Kurfürst.* »

Il eut l'impression qu'un grand silence se faisait en lui. Puis, s'efforçant de ne pas trembler, il reprit la carte et vérifia la date de début de la mission. Bon. Essaie de réfléchir. Cette mission justement. Tara, nom symbolique, compréhensible et même souhaitable pour baptiser une action ayant pour but d'aider l'Irlande à se soulever en pleine guerre. Le jeune Schildauer était donc arrivé en Irlande le 14 avril pour en repartir le 1er mai. Était-ce le cas de Carl ? C'était impossible, puisque Reginald lui avait dit à Rosyth qu'il avait appris de source allemande que Carl se trouvait à Dublin depuis plusieurs mois au moins, ce qu'il pressentait d'ailleurs depuis qu'ils avaient fui clandestinement le Cachemire. Cela signifiait-il donc que le jeune enseigne et ses camarades étaient venus en Irlande pour aider Carl à maintenir des contacts étroits entre Berlin et Dublin dans l'hypothèse d'un succès de l'insurrection ? En l'occurrence cela n'avait pas été le cas, il le savait par les journaux, et sans doute était-ce la raison pour laquelle ils avaient tous été rapatriés le même jour pour rejoindre vraisemblablement leur arme d'origine, la marine. L'idée lui vint soudain que Carl était peut-être là, à quelques milles de lui, à bord de l'un de ces innombrables vaisseaux ennemis qui se rapprochaient d'eux, mais il la chassa comme un mauvais rêve.

Il y avait tout de même une chose certaine : ils avaient été séparés. Il ne parvint pas à s'en réjouir, car c'était certainement le fait de circonstances, non celui de leur propre choix. Il ne parvint pas davantage à se féliciter de l'échec du soulèvement. Que l'Allemagne aidât ou non l'Irlande, que l'insurrection réussisse ou non, qu'en avait-il à faire ? Tout cela aurait été le cadet de ses soucis si Winifred n'avait pas été entraînée là-dedans. C'était cela qui importait, et plus que jamais — la retrouver, l'arracher à toute cette folie, tenter de la reconquérir. Certes, la voie était plus libre désormais maintenant qu'elle était seule, encore que... ils allaient certainement trouver le moyen de s'écrire... de s'attendre... A l'idée de l'insurrection étouffée, et même réprimée durement (disait David), une angoisse lui vint. J'espère que tu n'auras pas été trop t'exposer au cours de ces journées... Mon Dieu, ce jeune Schildauer aurait pu me dire, lui, ce qui s'était passé. Peut-être même l'avait-il..., l'avait-il *vue*. A cette idée il maîtrisa un frémissement.

« Un destroyer sur notre bâbord avant, sir. Il semble en difficulté. » Il sursauta. C'était le jeune Matthews. Il rangea soigneusement les divers documents dans sa poche intérieure et s'avança sur le gaillard.

L'avant du petit bâtiment qui progressait lentement et très bas sur l'eau à moins d'un demi-mille était en effet complètement éventré. L'équipage s'était massé sur la plage arrière après avoir envoyé le pavillon JE NE SUIS PLUS MAÎTRE DE MA MANŒUVRE. Les yeux fixés sur le *Lion* qui s'éloignait, Christopher fit abattre d'un quart pour le rejoindre, et le *Lyphard* s'approcha à moins de cinquante yards.

« On n'est pas très brillants, cria-t-il au mégaphone, mais on peut essayer de vous prendre en remorque !

— Pas nécessaire, on essaie de réparer, merci, lui fut-il répondu sans autre commentaire.

— Qui êtes-vous ? Qui vous a fait cela ? » insista-t-il.

Du bâtiment sinistré on répondit quelque chose de confus qu'ils ne comprirent pas. Très vite il disparut sur leur arrière, et Christopher se reprocha de ne pas avoir insisté. Il eut beau se dire qu'ils ne semblaient avoir aucune envie qu'on s'occupât d'eux et que lui-même était insuffisamment certain de ses chaudières, il dut admettre *in petto* qu'il n'avait qu'une crainte, c'était de perdre le sillage du *Lion*. Heureusement, le croiseur amiral avait réduit sa vitesse, et il put revenir sur lui. Il pensa que c'était parce que le rendez-vous avec la Grande Flotte était maintenant proche. La drisse s'animait d'ailleurs. Il y eut d'abord un évasif ssw en réponse vraisemblablement à une question que lui posait Jellicoe, puis un autre signal à l'intention de la 1re escadre, demandant d'abattre de trois quarts sur tribord, ordre qu'il s'empressa de faire exécuter par le timonier du *Lyphard*. Sans doute Beatty tenait-il à reprendre la tête du dispositif en direction du sud-ouest. Mais devant la précipitation de la manœuvre, Christopher ne put se défaire de l'idée qu'en fait les flottes ennemies s'étaient perdues et qu'elles se cherchaient à l'aveuglette comme deux géants masqués lançant tour à tour leurs poings dans le vide.

L'apparition des cuirassés de Jellicoe sur leur travers bâbord fut encore plus impressionnante que ne l'avait été deux heures auparavant celle de la Flotte de Haute Mer. Ils s'avançaient avec une majesté et une sérénité impavides de revue navale, et leur file était si démesurément longue qu'elle en devenait une démonstration d'arrogance un peu vaine — du moins fût-ce l'impression qu'il en ressentit. On aurait dit que seules la fin des temps et la limite des océans pouvaient entraver la progression d'un tel convoi, que ni l'*Indefatigable* ni la *Queen Mary* n'avaient sauté, et que le major Harvey était encore en vie.

« *King George V, Ajax, Centurion,* commença à énumérer le jeune Matthews d'un air extasié. *Erin, Orion, Monarch, Conqueror, Thunderer, Iron Duke, Royal Oak, Superb, Benbow, Bellerophon, Colossus...*

— Et tout ça pour ne même pas savoir où est l'ennemi, l'interrompit Price.

— L'ennemi, Mr. Price, il a dû comprendre », dit Matthews d'un ton offusqué.

Christopher ne prit pas parti, mais il partageait tellement en son for intérieur la conviction du jeune marin que Scheer avait dû se dérober qu'il n'en crut pas ses yeux lorsque à un bref éclair de canon sur l'horizon succéda la lointaine flamme rouge d'un bâtiment qui sautait à nouveau. Quel pointeur impudent avait tenté de s'opposer à ce gigantesque carrousel ? Comme s'il s'était agi non pas d'un coup isolé mais d'un coup de semonce, tout le sud et l'ouest s'embrasèrent. Pendant que les 1re et 5e escadres restaient silencieuses et que Beatty, pensa-t-il, devait ronger son frein, l'arrière de la file des cuirassés sembla répondre coup pour coup, et le grondement lointain des salves parut ricocher vers eux d'escadre en escadre.

« Ce serait Scheer ? demanda Price.

— Il fallait bien qu'il soit quelque part... », dit Christopher d'un ton perplexe.

Dans le sud-ouest un grand croiseur brûlait, dégageant une telle fumée que tout l'horizon en était obscurci et que même Matthews ne put dire son nom. La visibilité était tombée à moins de deux milles, et il s'aperçut l'instant d'après qu'il avait perdu la 1re escadre de vue. Les nuages bas, les innombrables panaches des deux flottes et la pénombre descendante avaient fini par former une voûte opaque au-dessus d'eux, et il eut l'impression, sur cette mer plombée, agitée d'une lourde houle épaisse de banquise en formation et parcourue de nappes de mazout, d'être aussi perdu et mal à l'aise que Tom Pouce dans sa forêt. Où était le *Lion*, bon sang. Il n'était rien, sans le *Lion*. Et pas un destroyer autour d'eux. Il empoigna son porte-voix.

« Timonier ! Toujours sud-sud-ouest. Machines ! Réduisez à dix nœuds. »

La voix du quartier-maître Pritchard émergea en retour, rendue aussi caverneuse par le porte-voix de Hodgwood que si elle provenait des machines d'un superdreadnought.

« Dix nœuds, commandant.

— Mr. Price. Doublez les vigies. »

Elles n'étaient pas plutôt en place que Christopher eut la peur de sa vie. Trois énormes vaisseaux venaient de surgir à moins d'un demi-mille sur tribord, à un endroit où il n'attendait personne. Deux cheminées entre les mâts et une troisième tout contre le mât tripode avant. Trompé par la brume, il hésita un instant puis s'écria :

« Mais... ! »

Il allait commander d'abattre en catastrophe lorsque Matthews apaisa son inquiétude.

« Le plus proche de nous, ça j'en suis sûr, c'est l'*In-*

vincible, sir. Ce doit être la troisième escadre de croiseurs de bataille. »

Il haussa les épaules avec l'air de s'en prendre à lui-même avec agacement.

« Bien sûr, Matthews, vous avez raison ! D'autant que l'amiral Hood précède la Grande Flotte. Faut-il que je sois aveugle.

— C'est la brume qui les rend gris clair, sir. Tout à fait *leur* couleur. »

Brave garçon ! C'était vrai. Mais tout de même... Avoir pris l'*Invincible,* le navire amiral de Hood, l'un des croiseurs les plus célèbres de la marine anglaise depuis la campagne de Sturdee aux Falkland, pour l'un des cuirassés de la classe *König,* ça il n'irait pas s'en vanter au carré ! A se demander si, depuis qu'il avait lu la liste du jeune enseigne, il était encore en esprit sur le champ de bataille. Il avait l'impression qu'avec ce document une clef lui avait été fournie mais qu'il ignorait où était la serrure, et que de toute façon il était arrivé trop tard pour l'apprendre. Malgré son détachement, il se demanda ce qu'il convenait de faire. Il n'allait tout de même pas s'attacher à l'*Invincible* comme au *Lion* ! Non. Il lui fallait coûte que coûte retrouver Beatty, mais, sur ce plan d'eau trompeur dont les vagues semblaient contrariées par l'action conjuguée de plus de deux cents vaisseaux, cela n'allait pas être facile. Il se demandait s'il n'allait pas appuyer un peu vers l'ouest et empoignait de nouveau son porte-voix pour en donner l'ordre lorsqu'une énorme détonation se produisit et que le *Lyphard* lui apparut tout illuminé d'une immense lueur rouge, comme s'il entrait tout armé dans quelque ultime crépuscule — peut-être était-ce cela, le soir du monde annoncé par Beatty —, et l'instant d'après fut entouré par un tourbillon si violent que Christopher eût sûrement été projeté à terre s'il n'avait pu saisir à temps un barreau de l'échelle de passerelle. Tout autour de lui une série de nouvelles explosions faisait vibrer l'air jusqu'à lui crever les tympans, et il vit devant lui, en une de ces visions fragmentaires et hallucinées comme il n'en avait connues qu'au moment où la vague arrivait sur son ouvrage à Danyarbani, que Price était retenu par un matelot au moment où il allait passer par-dessus bord. Un gigantesque geyser de fumée noire vint alors les recouvrir en retombant, les ensevelissant complètement sous un voile de suie.

Dès qu'il eut repris son sang-froid il bondit sur le porte-voix.

« Pritchard ! Vous n'avez rien ? »

Il y eut un court silence.

« J'ai pris le volant de régulation dans les reins, grésilla la voix du quartier-maître. J'ai un homme qui s'est blessé en tombant. Rien de grave, il semble.

— Bien. Stoppez les machines. Non, gardez-nous quatre nœuds, qu'on puisse gouverner. Nous n'avons pas cinquante pieds de visibilité. Timonier ! Abattez un quart sur tribord. »

Price fit irruption à ses côtés.

« C'est sûrement l'*Invincible*, sir.

— Je ne vois guère ce que ça pourrait être d'autre, Mr. Price. Timonier ? La barre dix degrés à droite.

— La barre est dix à droite, commandant. »

La fumée continuait à retomber sur eux comme un grésil insinuant qui saupoudrait tout le bâtiment d'une poussière noirâtre. La visibilité n'excédait pas la longueur du destroyer.

« Lente, Pritchard. La barre comme ça. Vigie ?

— Rien en vue, commandant. »

Il allait faire donner la corne de brume malgré les risques que cela comportait, lorsqu'un souffle d'air éloigna le nuage pulvérulent. A moins de cent yards d'eux la proue et la poupe du grand bâtiment restaient fichées dans l'eau à la verticale, séparées par l'exacte longueur qu'avait encore l'*Invincible* moins d'une minute auparavant. Contrairement à ce qui s'était passé pour la *Queen Mary*, les deux tronçons ne coulaient pas mais restaient immobiles comme deux gigantesques poteaux de brume. L'eau était incroyablement calme et ressemblait à celle d'un étang boueux. Yard après yard ils en scrutèrent la surface. Il n'y avait aucun débris. A côté de Christopher, le petit Matthews en avait les yeux hagards à force d'essayer de trouver quelque chose. Comment un gosse comme lui, se dit-il, pouvait-il imaginer une seconde qu'un millier d'hommes, là, juste sous eux, étaient en train de descendre lentement vers les abysses.

A l'*Indomitable*, qui venait à petite vitesse à leur rencontre, comme s'il ne réalisait pas encore le brutal anéantissement de son chef de file, ils ne purent qu'envoyer à leur drisse de fortune le pavillon : PAS DE SURVIVANTS.

Un instant saisie par l'explosion du grand croiseur, la Grande Flotte parut se déchaîner en représailles dans un grondement de salves comme il n'en avait jamais entendu. L'horizon n'était plus qu'une ligne de feu mouvante qui s'avançait comme s'il s'était agi d'une gigantesque charge de cavalerie. Manifestement, pendant leur propre manœuvre, tous les bâtiments avaient abattu sur tribord avec la flotte de Scheer en ligne de mire. Il consulta la montre de Hawthorne : il était dix-huit heures trente.

« S'ils doivent les prendre au collet, s'écria Price, c'est maintenant, avant la nuit, en profitant de leur effet de masse. C'en est fini pour les autres de se dérober !

— A vrai dire, ils ne se dérobent pas tellement », murmura Christopher.

Les croiseurs de Hipper avaient en effet réapparu sous la lumière rasante et semblaient tenir le choc avec une mobilité et une pugnacité impressionnantes. Il se demanda même si, d'après leur position, ce n'était pas l'un d'eux qui avait coulé l'*Invincible.* Et puis tout soudain ils appuyèrent sur tribord avec un ensemble parfait et disparurent plein sud. La ligne des cuirassés en resta muette de surprise, comme après un tour de prestidigitation.

« Les destroyers vont leur sauver la mise », pensa-t-il.

Au même instant, la nuée des petits bâtiments prit possession de la mer. Après l'escamotage réussi des prestidigitateurs, c'était maintenant l'entrée en scène des clowns cabriolants multipliant culbutes et pirouettes. Les cuirassés de Scheer contre-attaquèrent aussitôt, mais cela semblait un jeu pour les flottilles d'éviter les impacts et de se couler entre les gerbes avant de parvenir, à coup de voltes ultra-rapides, à placer en position de lancement leurs diaboliques engins.

« Nous aussi il nous en reste », risqua Price.

Christopher le regarda.

« C'est vrai qu'il ne serait pas désagréable de participer à cette farandole et de se montrer un peu, murmura-t-il. Après tout, on a perdu notre tuteur... »

Il avait en fait le sentiment très vif que c'était l'unique fois de sa vie où il pouvait s'offrir une fantaisie de cet ordre.

« Ça nous permettrait au moins de nous nettoyer, remarqua Price.

— Et de nous changer les idées, ce qui ne serait pas davantage un luxe », ajouta Christopher.

Il réfléchit, puis se rapprocha du porte-voix.

« Pritchard, demanda-t-il. *Vraiment,* pas plus de vingt-trois nœuds ?

— Je crois que nous ne pourrons même plus arriver à vingt-deux, sir », répondit le quartier-maître d'un ton morose.

Christopher fit la grimace.

« Autant courir le Derby avec une vieille mule », marmonna-t-il.

L'une des vigies le rejoignit alors.

« Commandant, nous avons des signaux du *Fearless* sur l'arrière de notre travers bâbord... Il conduit la première flottille... Il relaie le *Lion* en optique. »

Il se rapprocha de l'arrière. Le petit conducteur était encore à deux milles mais à grande vitesse. Cinq minutes après, il était à portée de voix. Christopher saisit son mégaphone et se posta en bas de la passerelle démantelée.

« *Lyphard,* lui fut-il demandé d'un air goguenard, mais où étiez-vous donc ? »

Cette question. Il allait l'entendre, Simmons. Pour toute réponse, il se borna à hausser les épaules, ce qui manquait peut-être un peu d'amplitude pour se faire comprendre.

« Vous avez déjà votre camouflage de nuit ? » continua à persifler l'homme au porte-voix en désignant d'un geste large leur coque recouverte de suie et de poussière.

« A se tordre de rire ! répliqua-t-il.

— Malgré vos apparences, pouvez-vous tenir dix-huit nœuds ? On pourrait même vous en demander vingt si vous êtes bien sages... »

La moutarde monta au nez de Christopher.

« Dites-moi, lança-t-il, mais c'est la gaieté la plus *franche,* on dirait, sur le *Fearless* ! Vous ne savez peut-être pas ce qui se passe ? Que l'on vient de perdre encore un croiseur, et pas n'importe lequel ? Et qu'accessoirement il a failli nous entraîner par le fond ? Que ce n'est peut-être pas précisément notre jour ? Ni celui de la flotte d'ailleurs, à ce qu'il semble.

— Mais si, fit le transmetteur du *Fearless* d'un ton encourageant. On va les coincer, vous verrez, ils n'arrêtent pas de se défiler. Bon, trêve de plaisanterie. Ce n'est plus moi qui parle, c'est l'amiral. Vous devez remonter vers le nord pour renforcer la quatrième flottille démunie et assurer la couverture de la deuxième escadre de cuirassés. Votre conducteur sera le *Tipperary*. Terminé. »

Là-dessus, il posa son mégaphone et se retira à l'intérieur.

« Ces gars qui ont des passerelles comme neuves, moi ils finissent par me sortir par les pores », grommela Christopher.

Certes un peu déçu d'être ramené à la raison au moment où malgré son manque de puissance il se sentait prêt à rejoindre la fantasia des autres flottilles, mais aussi vaguement satisfait qu'on lui alloue enfin une place précise sur l'échiquier, Christopher vira de bord sans demander son reste. La nuit tombait, et il fallait profiter des dernières minutes de jour pour gagner sa place à l'arrière de la flotte. Celle-ci venait d'adopter sa formation de nuit, en dents de peigne, et il eut l'impression de remonter sur son flanc gauche un immense rouleau compresseur. Au passage, le petit *Chester* leur adressa par pavillon le signal : VOUS VOUS TROMPEZ DE DIRECTION, auquel, contrairement aux fines plaisanteries du *Fearless*, ils ne répondirent pas. Puis très vite ils trouvèrent sur leur avant bâbord les géants de la 2e escadre de cuirassés avec à leur tête le *King George V* portant la marque du vice-amiral Jerram. Dans la pénombre descendante, les huit superdreadnoughts descendaient placidement vers le sud et vers la nuit dans un ordre impeccable, sur deux rangs à dix-huit nœuds. Il avait toujours l'impression que les navires de Jerram, l'*Ajax* le *Centurion*, le *Monarch* et consorts, étaient encore plus briqués et pimpants que les autres comme si, affrontement ou pas, ils partaient toujours pour une revue navale dans le Solent. Il revit un instant la fille de l'amiral Jerram qu'il avait rencontrée un mois auparavant à une réception à Admiralty House. Elle était à l'image des bâtiments de son père, un peu hautaine, merveilleusement bien habillée, lisse et rassurante... Il avait l'impression que c'était la première fois depuis vingt et un mois qu'il avait regardé une femme. Puis il fut agacé qu'un autre visage que celui de Winifred puisse venir s'immiscer en lui en ce moment et il chassa l'intruse de sa pensée. Il y fut aidé par un petit malin qui de la poupe du *Thunderer* leur envoya en optique : HÉ, LE SUD, C'EST DE L'AUTRE CÔTÉ.

« Qu'est-ce qu'on répond, commandant ! demanda Hodgwood. Je ne sais pas ce qu'ils nous veulent tous... »

Christopher haussa les épaules. Il était surtout ennuyé de ne voir aucune trace de destroyers dans le sillage du *Thunderer*. C'était pourtant là, d'après le message, qu'aurait dû se trouver la 4ᵉ flottille. Elle devait pourtant bien comporter une dizaine de bâtiments ! Il se sentit soudain très isolé, à la merci d'une avarie de machines qui le laisserait à l'arrière-garde de la flotte sans que personne se préoccupe de lui, et ce n'était pas le petit plaisantin au projecteur qui ferait sans doute grand-chose.

Christopher fit virer de bord avec l'intention de suivre la 2ᵉ escadre à moins d'un mille. Au moins, il ne se perdrait pas. Et encore. La nuit tombait, et il ne serait bientôt plus possible de repérer les cuirassés autrement qu'à leur minuscule lumignon arrière au ras de l'eau.

« On ne sort pas du sillage du *Thunderer*, dit-il à Price. Plein sud. Dix-huit nœuds. »

Il n'avait pas suivi l'escadre pendant une demi-heure qu'il ne pouvait déjà plus la déceler qu'à l'immense sillage qu'elle laissait derrière elle et qui lui rappelait tout à la fois le cours d'un fleuve agité par les rapides et la phosphorescence des champs de safran sous la lune, au Cachemire. Soudain, une forme indécise vint les longer à moins de cinquante yards sur bâbord. La nuit était si obscure désormais qu'il ne put reconnaître et hésita à allumer son feu de reconnaissance. L'autre le fit. Mis en confiance, Christopher saisit son mégaphone.

« Ici, *Lyphard* de la douzième flottille, appelé à renforcer la quatrième sur les arrières de la deuxième escadre. Qui êtes-vous ?

— *Tipperary*, quatrième flottille.

— Heureux de vous entendre. Nous avons l'ordre de vous rejoindre.

— Tout va bien à bord ?

— Un tiers de l'équipage disparu. Armement réduit aux pièces avant et milieu. Deux torpilles. Machines aux deux tiers.

— Désolé pour les dégâts. Néanmoins, heureux de vous accueillir. Restez avec nous. »

Tous feux éteints, l'aimable *Tipperary* s'éloigna et le silence retomba. Il ne distinguait même plus maintenant le sillage des superdreadnoughts et décida de continuer à marcher plein sud à vitesse constante. Pour s'avancer avec cette placidité, Jellicoe devait être sûr de son fait, pensa-t-il, et il serait de toute façon prévenu de toute nouvelle arrivée au contact par les salves des cuirassés. Une silhouette surgit à côté de lui.

« Ward, sir, en position de vigie. Il me semble voir des bâtiments sur notre tribord arrière.

— Quoi, qui viendraient donc du nord-ouest ? chuchota-t-il. Mais ce n'est pas possible... »

Il scruta la nuit à son tour et crut déceler en effet sur la gauche du *Tipperary* (dont il ne voyait plus que le sillage) l'écume régulière de deux étraves qui se suivaient comme deux minces filaments gardant un intervalle régulier. Il tenta de réfléchir. Il y avait longtemps qu'il avait renoncé à comprendre quoi que ce fût dans cette bataille, mais tout de même il ne devait pas y avoir de bateaux *derrière* eux, si ce n'est d'autres flottilles de destroyers, et alors sur bâbord ! De toute façon, ni la 2e escadre ni le *Tipperary* ne semblaient s'inquiéter. Leur conducteur de flottille semblait même se diriger vers les bâtiments en question.

« Regardez, commandant, le prévint Ward. Il allume son feu de reconnaissance. »

Christopher eut la sensation très nette d'une imprudence. Et la réponse ne fut pas longue à venir. Un faisceau de rayons aveuglants rayant la nuit avec une précision parfaite convergèrent sur le petit bâtiment qui se trouva pris comme une mouette dans un filet. L'instant d'après ils virent les éclairs rouges de salves, et Christopher sentit presque physiquement sa coque tressauter sous les impacts. Il fut stupéfait de la puissance de la canonnade.

« Ce sont des pièces lourdes, sir », lui fit remarquer Ward.

Quoi ! Il y aurait donc des cuirassés ou des croiseurs allemands dans la direction exactement opposée à celle vers laquelle ils progressaient avec une si impavide détermination ? Il ne cherchait plus à s'étonner de rien, mais enfin, c'était inconcevable !

« Est-ce que l'on peut obtenir le *Thunderer* par la T.S.F. ? demanda-t-il à Price.

— Elle ne fonctionne plus, sir. »

Il songea un instant à rattraper le cuirassé pour le prévenir. En donnant toute la puissance qui lui restait, il y parviendrait certainement. Il y renonça toutefois lorsqu'il vit que, demeuré sous le faisceau du projecteur du bâtiment inconnu, le *Tipperary* était maintenant en flammes. Cela lui fit l'effet d'un regard indécent suivant une agonie.

« Mr. Price, dit Christopher, on va commencer par leur filer un coup de cent deux dans leur foutu phare avec la pièce avant. Timonier ! Paré à virer de bord ! Aussitôt après, on se défile.

— Forbes ! appela Price à mi-voix. Brown ! Mac Kinney ! Pièce avant. Pensez à ce pauvre Brinsley. »

Le *Lyphard* manœuvra pendant que les servants entouraient la pièce en silence. « Mille huit cents », dit le télémétreur. Le pointeur ne regarda pas longtemps, et l'aboiement bref et intense du 102 se fit presque aussitôt entendre. Maître coup, comme on n'en réussit en général qu'à l'exercice, pensa Christopher. La nuit retomba, seulement éclairée désormais par les flammes du *Tipperary*. Un début d'acclamation fut étouffé dans l'œuf par Price. « Mac Kinney ! dit-il en tapant sur l'épaule de son pointeur, tu es bon pour le D.S.O.

— Machine en avant, lente, commanda Christopher. La barre à dix degrés à droite.

— La barre est dix à droite, commandant.

— Droite comme ça. »

Ils virent que tout l'équipage du *Tipperary* s'était massé à l'arrière. « C'est nous qu'on arrive, le saint-bernard des mers », chantonna Hodgwood.

« Est-ce qu'on leur allume un fanal, sir ? demanda Price. Il faudrait qu'ils sachent qu'on est sur les lieux. Ils peuvent peut-être mettre un canot à la mer...

— Préparez-vous à vous serrer, les gars, dit une voix.

« — En attendant, ils dérivent », constata Christopher.

Malgré leur approche, il lui semblait en effet que le *Tipperary* s'était éloigné d'eux. Il s'était placé à l'extrême avant — la partie la plus élevée du bâtiment désormais —, son mégaphone à la main, essayant de scruter la mer devant lui comme tout à l'heure lorsqu'il s'était approché de l'épave de l'*Invincible,* et cela dans le cas improbable où des hommes les voyant arriver se seraient jetés à l'eau avec leur gilet de sauvetage pour les rejoindre. Hormis l'incendie à la proue du *Tipperary,* la nuit était complètement noire. Il sentait sous ses pieds que le destroyer remontait doucement à la lame, et il se dit qu'il n'allait pas tarder à crier au bâtiment sinistré qu'il arrivait — cela devait faire du bien dans ces moments-là de savoir que quelqu'un s'occupait de vous. Il embouchait déjà son mégaphone, lorsqu'il entendit cette vibration à la limite de l'audible et qui semblait pourtant prendre possession d'un immense périmètre à mesure qu'elle s'approchait — quoi, toujours la résurgence de ce désastre ancien ? C'était pourtant cela, à l'oreille... cette sorte de friselis qu'avait la masse d'eau et de boue dévalant vers les gorges avant qu'il n'en perçoive le grondement... Il regarda sur sa droite et resta un instant pétrifié. Un monstre gigantesque, plus noir que la nuit, plus haut que n'avaient jamais été les falaises de Danyarbani... et cette chose était déjà sur eux. Il bondit en arrière et embouchant le mégaphone hurla : « A gauche, toute ! Machines en avant, toutes ! Dégagez le gaillard ! »

Poussant les hommes de la voix et du geste, il reflua en courant sur la passerelle mais n'eut pas le temps d'y parvenir. Il entendit un énorme craquement, sentit qu'il était projeté en avant, et sans qu'il sût trop ce qui lui était arrivé se retrouva à demi groggy étendu sur le panneau du carré, avec contre lui un homme qui jurait. Le pont s'inclinait à tel point qu'il crut qu'il allait chavirer. Après avoir atteint près de quarante-cinq degrés, la coque repartit dans l'autre sens dans un grincement de fin du monde, comme si elle rebondissait sur une muraille. Il entendit alors des ordres hurlés en allemand au-dessus de lui, et cela lui fit reprendre complètement ses esprits. Il sentit à cet instant que du sang coulait de sa jambe, mais cela ne lui faisait pas mal.

L'important dans l'affaire était qu'il n'avait pas perdu son mégaphone.

« Ici le commandant ! hurla-t-il. Nous avons été abordés par l'avant. Rassemblement de l'équipage à l'arrière !

— On y est déjà, commandant », cria une voix dans laquelle il crut reconnaître celle du quartier-maître Cartwright. « On ne sait même plus ici qui sont les vivants et qui sont les macchabs ! »

Il regarda au-dessus de lui. Il voyait vaguement leur château d'avant le dominer comme un immeuble de huit étages. Il semblait hérissé de canons, il n'avait jamais vu autant de pièces à bord d'un bâtiment. C'était sûrement un cuirassé. L'instant d'après, le pinceau de leur projecteur vint les frapper de plein fouet.

« Il ne manquait plus que ça, jura-t-il. Mac Kinney ! Vous ne pourriez pas refaire votre coup de tout à l'heure ?

— La pièce avant est volatilisée, sir. Peut-être avec la pièce milieu... Je vais essayer... »

Le reste se perdit dans une série de nouveaux ordres aboyés en allemand au-dessus d'eux. C'était étrange, ces ordres descendant du ciel dans la nuit. Le projecteur s'éteignit sans qu'ils y fussent pour rien.

« Il gîte sur tribord ! cria une voix affolée. Il va nous chavirer dessus ! »

Dans un bruit de machines et de vibrations à la limite du supportable, et un concert de craquements tel qu'il pensa que des tonnes d'acier étaient en train d'être pliées et froissées comme dans un gigantesque accouplement, Christopher sentit que l'énorme coque essayait de se dégager. Une sorte de rire nerveux le secoua.

« Toute la Grande Flotte cherche l'ennemi, pensa-t-il, et moi je le touche ! »

De nouveau, à cet instant, retentit une détonation et les entoura un tourbillon semblable à ce qu'ils avaient ressenti tout à l'heure près de l'*Invincible*.

« Ça y est, eut-il le temps de penser. Il saute et nous avec, cette fois. Ça va les faire rigoler à bord du *Fearless*. »

Il vit vaguement qu'il y avait un début de panique à la poupe du *Lyphard* et que Price et Cartwright empêchaient les marins de sauter à l'eau. S'accrochant à la rambarde, il se dirigea vers l'arrière en claudiquant. Il rencontra le midship près de la cheminée arrière. Pour la première fois il semblait avoir perdu son calme.

« Mais qu'est-ce qu'il se passe, sir... Les hommes sont...

— Regardez, Price. »

L'aspirant leva les yeux et vit que de la fumée sortait des canons de la tourelle avant du géant, qui avaient été inclinés au maximum vers le bas.

« Ils nous tirent dessus avec leur grosse artillerie, et comme on est bord à bord on passe sous leurs salves ! Celle-là a dû passer à quelques pieds au-dessus de nous.

— Ils sont fous ! s'exclama Price. Ils nous auraient fait bien plus de mal avec leurs *pom-poms* de nuit ! »

Ils devaient avoir d'autres préoccupations, car presque aussitôt le bruit des machines rugit à nouveau, et dans un ultime grincement le cuirassé parvint à se déhaler, en arrachant tout sur son passage. La coque défila devant leur étrave, et il put discerner sur la poupe le nom de leur abordeur. C'était bien un de leurs géants, le *Nassau*. Il constata avec plaisir qu'il avait près de dix degrés de gîte alors qu'il disparaissait dans la nuit.

« Price ! appela-t-il. Nous qui voulions nous débarrasser de nos torpilles ! C'est peut-être le moment... »

L'aspirant fut tout de suite à ses côtés.

« Il semble y avoir quelque chose au gouvernail, sir, dit-il avec inquiétude. Je ne sais pas si on va pouvoir se mettre en position. Et Pritchard en bas ne répond pas. »

De toute façon, l'énorme poupe avait disparu dans la nuit avec une soudaineté telle que, sans sa blessure, il aurait eu l'impression d'avoir été la proie de quelque vision néfaste et fumeuse.

« Et le *Tipperary*, avec tout ça... », s'inquiéta-t-il aussitôt.

L'épave du petit conducteur avait maintenant dérivé à près d'un mille, à moins que ce ne fût eux. Elle brûlait toujours, et il ne pouvait voir d'ici si l'équipage avait abandonné le bâtiment. Mais on entendait distinctement un chien hurler à la mort.

« Les mascottes, c'est toujours assommant quand il y a des pépins. Sur le *Turbulent*, il paraît que...

« — Tâchez de me trouver quelque chose qui ressemble à une canne, l'interrompit Christopher.

— Vous êtes blessé, sir ? s'exclama Price.

— J'ai dû prendre un morceau de fer dans le gras de la cuisse.

— Je vais chercher Stubbs, sir.

— Qu'il s'occupe d'abord de Pritchard. Avant tout, qu'on puisse manœuvrer. Vous-même, allez voir s'il n'y a pas de voie d'eau à l'avant. Cartwright ! Que se passe-t-il au gouvernail ? Il faudrait savoir si l'on peut tenter quelque chose pour le *Tipperary*... »

Des coups de marteau se firent entendre au même instant.

« Doucement, bon Dieu, ça s'entend à des milles ! s'écria le quartier-maître. Vous n'avez qu'à écouter ce malheureux clebs !

— On essaie de couper les ferrures retenant le safran, Cartwright, dit une voix qui semblait provenir de sous le bordé. Viens-y à la flotte avec nous si tu trouves mieux !

— Non, ça va, les gars, dit Cartwright en se penchant. On vous prépare du rhum, vous l'aurez plutôt mérité...

— Tout, mais pas tourner en rond dans ce fichu coin », dit Hodgwood.

Christopher s'était assis sur un rouleau de corde. Price fit à ce moment irruption.

« Et notre avant, midship ? » s'efforça-t-il de demander d'un ton désinvolte, comme si on n'en était plus à cela près.

« Un nez de boxeur, commandant. Pas de voie d'eau, apparemment. Mais alors..., si vous saviez... »

Il s'en étranglait de rire, le cher garçon.

« Eh bien, racontez, Mr. Price..., demanda Hodgwood de sa voix de *cockney*.

— Ils nous ont laissé un cadeau en partant ! Une pièce de cent cinquante qui est tombée de l'une de leurs tourelles sur le gaillard. Maintenant, les gars, on est à bord du destroyer le plus armé de toute la *Navy* !

— Et le plus mal en point, constata Cartwright.

— Je préfère être sur le *Lyphard* que sur le *Tipperary*, répliqua Hodgwood.

— Et Pritchard ? demanda Christopher.

— Brûlé au visage, sir. Stubbs lui fait un pansement, puis il remonte et s'occupe de votre jambe. »

Christopher sentait l'équipage heureux de se retrouver là, serrés tous ensemble dans l'obscurité, à la base de ce qui avait été le petit mât tripode.

« Distribution de thé en attendant la réparation du gouvernail », proposa-t-il.

« *Oh, my goodness*, ça recommence », s'écria Ward depuis la cheminée avant.

Un nouveau projecteur était venu rôder autour de l'épave en feu. Étrangement, le bâtiment ennemi s'acharna dessus, et les salves se succédèrent pendant une longue minute. Le chien cessa de hurler. Soudain, ils virent le rayon abandonner le *Tipperary* et balayer la mer. Christopher, à qui l'infirmier Stubbs venait de commencer à bander la cuisse, n'eut que le temps de crier :

« Tout le monde à plat ventre ! Personne ne bouge ! »

Ils plongèrent tous au sol et sentirent sur eux les projecteurs qui les prenaient dans leur faisceau, les abandonnaient, puis, apparemment surpris de l'étrange spectacle qu'ils devaient découvrir, revenaient vers eux et s'y attardaient. Resté à demi étendu dans la position où Stubbs l'avait soigné l'instant d'avant, Christopher eut l'impression, à voir ainsi sur la plage arrière les vrais et les faux cadavres côte à côte pareillement fouillés par les insistants faisceaux, d'être embarqué sur une nef des morts condamnée à dériver ainsi sans fin sous cette lumière blafarde qui ne leur laisserait ni espoir ni rémission. Enfin, le projecteur les abandonna. Il fouilla la mer encore quelques instants, puis s'éteignit, et le bâtiment disparut. L'un après l'autre, ils se relevèrent dans l'ombre, et les deux hommes du gouvernail purent remonter à bord, complètement transis.

« Ça y est, commandant, dit l'un d'eux en retirant son gilet de sauvetage. On peut gouverner, mais ça a été long la petite attente accroché à la coque.

— Un grog pour les braves ! commanda Christopher. Au moins, on pourra rentrer par nos propres moyens. »

Pritchard apparaissait justement sur le panneau du carré. Avec sa bande au sommet du crâne, il lui rappela vaguement Vijay et son *puggaree* immaculé durant la longue nuit qu'ils avaient passée au chevet de leur ouvrage menacé. « Et n'est-ce pas cela qui recommence encore et toujours », pensa-t-il.

« Comment ça va, mon vieux ?

— Un jet de vapeur sur le front et les cheveux, commandant, répondit Pritchard. Au pire, je resterai chauve, et il faudra bien que ma femme s'y fasse ! Ce qui est plus ennuyeux, c'est qu'on a pris des éclats de je ne sais quoi dans nos canalisations. Je n'ai plus qu'une chaudière sur quatre qui réponde au manomètre. On peut arriver à quatre, cinq nœuds... Juste assez pour gouverner, puisqu'on a libéré ce fichu safran...

— On ne voit plus le *Tipperary*, sir », vint lui dire Ward.

Leur dernière raison de demeurer sur le champ de bataille.

« Allez, on rentre chez nous, décida-t-il brusquement. On mettra le temps qu'il faudra. Cap à l'ouest, Mr. Price. On en a assez vu. »

De temps à autre, des éclairs de canon à l'horizon et des salves lointaines lui rappelaient que le champ devant eux était encore loin d'être libre. Au contraire il avait le sentiment que, la nuit aidant, la bataille avait éclaté en une multitude d'actions diverses et d'affrontements fortuits, au hasard des parcours des grands squales silencieux qui sillonnaient la mer en tous sens. A cinq nœuds de progression, il avait l'impression d'être le point fixe autour duquel se déroulait ce vaste, furtif et multiple remue-ménage nocturne parsemé d'incendies solitaires et de dérives sans espoir dans le froid et le mazout. Il ne pouvait se défaire de la sensation pénible que cette nuit aurait pu, aurait dû être tout autre et que la flotte avait vécu une journée de dupes. Price vint le rejoindre près du panneau du carré.

« C'était trop beau, sir. Nous avons finalement une déchirure à l'avant. On embarque deux cents gallons à la minute, et Pritchard a déjà les pieds dans l'eau. J'ai mis deux hommes à la pompe à main, c'est la seule qui reste en état.

— On se rendra mieux compte à l'aube de l'ampleur des dégâts, dit Christopher. Mais je crains qu'à mesure que les heures s'écouleront, on tienne de moins en moins du destroyer et de plus en plus du fer à repasser. »

La voix de la vigie retentit. C'était Ward, que Price avait placé juste en deçà de l'étrave éventrée.

« Bâtiment ami par le travers avant. Il a son feu de reconnaissance. Il abat vers nous.

— Aidez-moi à me lever, Price », dit-il au midship.

Ils devinèrent la silhouette d'un destroyer qui avait dû deviner leur état précaire à leur lenteur et qui manœuvrait pour venir à portée de voix.

« Ici le *Garland*, de la quatrième flottille. Qui êtesvous ?

— *Lyphard*, initialement douzième flottille », répondit Price.

Christopher le rejoignit et prit le mégaphone des mains du jeune aspirant.

« Dites-moi, *Garland*, est-ce que votre sans-fil fonctionne ?

— Couci-couça.

— *Garland*... J'ai le net sentiment... Il faudrait que vous essayiez de prévenir l'*Iron Duke* en Urgent-Priorité... que c'est toute la *Hochseeflotte* qui rentre tranquillement chez elle en passant sur nos arrières... J'ai déjà vu deux de leurs cuirassés dont l'un sous mon nez... Ils nous échappent, vous savez.

— Perçu, *Lyphard*, compris. Je suis de votre avis. Je passe le message au premier qui pourra prendre le relais. Besoin de nous ?

— Non, nous essayons de rentrer par nos propres moyens. Ça sera peut-être fait pour l'été.

— Ce n'est pas loin. Demain, c'est juin. »

Christopher consulta la montre de Hawthorne. Il était une heure trente.

« *Aujourd'hui*, c'est juin, *Garland*. A bientôt. »

Le destroyer s'était déjà évanoui dans l'obscurité. Christopher s'installa, le dos appuyé contre le pan tribord de la passerelle, le seul qui tenait encore à peu près. Bercé par le bruit lancinant des machines à bout de souffle, il resta un long moment sans penser à rien. Sa jambe le faisait souffrir par intermittence, mais après chaque coup de poignard qu'il ressentait, il parvenait à s'assoupir quelque peu. Pendant l'une de ces périodes de rémission, il eut l'impression que le visage de Winifred venait le regarder de tout près, comme si elle le dévisageait, et il eut la crainte soudaine que s'il ne la revoyait pas rapidement ses traits risquaient de devenir flous dans son souvenir. A cette seule idée il eut un violent sursaut qui le réveilla, comme si la douleur de sa jambe le mordait à nouveau. Il y avait une silhouette devant lui.

« Oui, fit-il en sursautant.

— Excusez-moi, sir. C'est cette fichue voie d'eau. On a du mal à colmater. C'est monté à trois cents gallons-minute. On n'en écluse plus que la moitié. »

C'était le visage enturbanné de Pritchard. Cela le réveilla complètement.

« Vous ne nous voyez pas gagner Aberdeen ?

— Ce sera juste, sir. Si on trouve un amateur, on pourrait peut-être essayer de se faire prendre en remorque... »

Tout ankylosé, il se leva en grimaçant. Une bande claire se levait à l'horizon. « Déjà l'aube... », murmura-t-il. Il vit qu'il était deux heures et demie. Quoi, il avait sommeillé près d'une heure ! Mécontent, il fit quelques pas en claudiquant le long de la rambarde tout en enjambant des hommes assoupis un peu partout, et il découvrit soudain avec stupeur l'extravagant entrelacs de tôles déchiquetées qu'était devenu l'avant du petit bâtiment. Il avait été loin d'imaginer cela dans l'obscurité, et moins encore l'effet cocasse produit par le fût de 150 oublié par le *Nassau* qui surgissait obliquement de la proue enfoncée comme un mât de beaupré à l'étrave d'un schooner. Il se rendit compte aussi qu'ils étaient beaucoup plus bas sur l'eau que lorsque le crépuscule était tombé. La mer était à moins de cinq pieds du niveau du pont. « J'ai eu bonne mine de parler de fer à repasser », pensa-t-il. Préoccupé, il rejoignit la vigie de proue. Vers l'ouest, c'était encore la nuit complète. La lumière rasante venant du levant leur permit pourtant de voir surgir à moins d'un mille sur leur avant bâbord une escadre de cuirassés.

Ils étaient cinq en ligne et filaient sud-est à quinze nœuds environ. Avec leurs trois tuyaux d'un autre âge, ils avaient une silhouette dépassée qui lui rappela celle des vieux cuirassés qu'il voyait ancrés en rade de Portsmouth pendant qu'il faisait son service à bord de l'*Un-*

daunted. Bien qu'ils fussent tout proches, ils n'avaient certainement pas vu le *Lyphard,* pour la double raison, pensa-t-il, que le destroyer se trouvait pour eux à contre-jour et qu'il ressemblait désormais à tout sauf à un bâtiment de guerre.

« Mr. Price », appela-t-il à mi-voix.

Le midship se trouvait à quelques pas, assis contre l'affût de ce qui avait été la pièce avant. Il se leva vivement et le rejoignit.

« Regardez-moi ça, Price, ces gens qui rentrent chez eux sans imaginer une seconde qu'une misérable chose comme nous peut les contempler tout à loisir. Est-ce que ce ne serait pas l'occasion rêvée... »

Il s'interrompit brusquement.

« Appelez Matthews, dit-il. Evitez les mouvements trop apparents.

— Il est en vigie arrière, sir. Matthews ! » héla-t-il en s'avançant le dos courbé.

Le jeune matelot s'avança à sa rencontre.

« Je les ai vus, sir. C'est leur deuxième escadre de cuirassés, lui dit-il dès qu'il fut rendu à l'avant. Des vieux rogatons. Je ne sais pas pourquoi ils se sont alourdis avec ça.

— Vous êtes certain, Matthews ? demanda Christopher avec une soudaine brusquerie.

— Il y a une demi-heure, j'aurais peut-être hésité, commandant. C'est des bateaux qui sortent pas beaucoup. Mais maintenant il y a juste assez de lumière... Leurs cheminées, leurs grues... Oui, c'est bien eux, sir. En général, ils se suivent dans l'ordre, *Deutschland, Pommern, Hannover, Schleswig-Holstein* et *Schlesien.* »

Christopher parut énumérer la liste à voix basse comme pour lui-même.

« Merci, Matthews. Eh bien, Mr. Price, dit-il. On ne va tout de même pas rentrer avec nos deux bijoux de famille... »

Price parut un peu interloqué de cet entrain imprévu.

« Oui, sir, répondit-il après un silence. Oui, pourquoi pas... Le seul problème est qu'on ne pourra pas s'enfuir. »

C'était la première fois, pensa Christopher, qu'il sentait une ombre de réticence dans l'intonation de son bouillant second. Il le regarda.

« Le treuil fonctionne toujours ?

— Oui, commandant. J'ai vérifié après l'abordage. »

Félicitations, Price, se dit-il. Le détail révélateur. De la graine d'amiral, ce gosse. J'en parlerai à qui de droit. Ce n'aura peut-être pas été la journée de l'amiral Evan Thomas ni celle de l'amiral Hood, mais ce sera peut-être celle du midship Price.

« Mr. Price, reprit Christopher, dans une demi-heure, je vous aurais dit : C'est peut-être risqué, en effet. Mais là l'occasion est vraiment trop belle, avec ce contre-jour et notre " camouflage ", comme diraient nos amis du *Fearless*... Allez, on le fait, Price.

— Bien sûr, sir. Cartwright ! appela-t-il. Mannings ! Mac Murdy ! Weddley ! Tube milieu. »

Christopher claudiqua jusqu'au bas du poste de timonerie et parvint à y accéder.

« La barre à dix degrés à gauche ! ordonna-t-il.

— La barre dix à gauche, sir. On peut toujours le dire, sir. En vrai, on n'a plus beaucoup de précision. On remonte plus du tout à la lame. »

L'œil fixé sur le compas de secours, Christopher eut un geste fataliste.

« On va faire comme si, timonier. Donnez-moi gauche à cent huit.

— Gauche à cent huit.

— Eh bien voilà, s'écria-t-il, il répond comme un grand ! »

En réalité, le destroyer semblait déraper sur l'eau plutôt que changer de cap.

« La barre à zéro.

— La barre est à zéro, commandant. »

Il tapa sur l'épaule du timonier.

« Gardez-le comme ça, c'est parfait.

— Je vais faire ce que je vais pouvoir, sir. »

Bien qu'il fût obligé de s'agripper à la rambarde, il se surprit à marcher vers les tubes avec plus de facilité que tout à l'heure. Il vit que le *Deutschland* les avait déjà dépassés, n'ayant apparemment rien remarqué, ou, s'il l'avait fait, se souciant d'eux comme d'une guigne. Il n'y avait d'ailleurs pas de pavillon à sa drisse signalant un quelconque danger à son escadre. Avant de parvenir au pas de tir, il entendit au grincement du treuil que la première torpille venait d'y être introduite. Déjà les servants faisaient glisser le lance-torpilles sur son rail circulaire pour le placer à quatre-vingt-dix degrés de leur axe de marche, alors que le *Pommern* se présentait à son tour sur leur travers. Les étroites cheminées de sa silhouette obsolète dégageaient un épais panache, comme s'il avait du mal à suivre les quinze nœuds du *Deutschland*. « Ils t'ont pas gâté, mon gars », murmura-t-il.

« Deux mille cinq cents », annonça le télémètreur.

Le pointeur manœuvra le volant en conséquence et fit signe qu'il était prêt.

« Feu ! » ordonna Cartwright.

Après un sifflement modulé de quelques secondes, il y eut une détonation sèche, et la torpille bondit dans l'eau. Christopher vit très nettement son sillage se diriger droit sur le cuirassé puis sa trajectoire s'infléchir légèrement et passer à deux cents yards environ devant son étrave. A ce moment, le *Pommern* parut sortir de sa ligne comme s'il prenait conscience du danger.

« Bon Dieu, ils nous ont vus, s'écria Cartwright.

— Ils abattent vers nous », dit Price.

Presque aussitôt, il y eut un éclair de canon. Christopher eut l'impression d'être cloué là face à eux, incapable de s'enfuir, fasciné comme devant un fauve. « Tu l'auras voulu », pensa-t-il. La gerbe s'éleva à moins de cent yards sur leur arrière.

« Deuxième torpille au pas de tir ! commanda-t-il, en s'efforçant de garder son calme. Faites vite ! »

A nouveau l'éclair. Ce n'était pas comme sur le *Lion* : il n'y avait pas longtemps à attendre. Ils sentirent la coque frémir jusqu'à ses tréfonds, plus encore que lors de l'abordage avec le *Nassau*. Et puis rien ne se passa.

« Bon Dieu ! s'écria Price. Il n'a pas explosé. »

La voix de Pritchard se fit entendre dans le porte-voix.

« Voie d'eau sur l'arrière, commandant. »

Christopher réprima une grimace de nervosité. La nouvelle torpille avait été placée sur le pas de tir. Il effleura le long fût argenté.

« Ma petite fille, murmura-t-il. Ma beauté. »

Il ne regardait même plus les opérations de chargement, comme si la suite ne dépendait plus de lui. Le *Pommern* s'était avancé, semblant chercher à discerner d'où venait le danger.

« Deux mille trois cents », annonça le télémètreur.

Le pointeur visa longuement.

« Pense au *Lusitania*, Mannings, dit Cartwright. Pense à Brindsley au poste de pointage de son cent deux. Pense au commandant Trelawney. »

Mannings se retourna avec vivacité.

« Écoute, Cartwright. Ou je pense, ou je pointe. »

Il se concentra à nouveau, manœuvra son volant, puis leva le bras.

« Feu ! » cria le quartier-maître.

Dans la lumière livide, Christopher eut l'impression qu'elle prenait la bonne direction.

« Elle y va ! » cria Price.

Tout l'équipage retenait son souffle. Christopher avait joint les mains.

« Va, va, va, ma jolie », l'encouragea-t-il à voix basse.

A trois cents yards du cuirassé, il dut reposer ses jumelles en tremblant. Elle allait droit dessus.

Cela faisait la troisième fois en quelques heures qu'il voyait de près cette haute flamme rougeâtre. Mais cette fois le bâtiment était ennemi, et c'était — c'était eux-mêmes qui avaient fait cela. Les mains crispées sur le télémètre, Christopher n'entendit même pas le hourra qui s'éleva du *Lyphard*, auquel succédèrent sans interruption dans les secondes qui suivirent les explosions qui éventrèrent les flancs du vieux vaisseau.

« Notre petit *Lyphard*, sir..., s'écria Price avec une soudaine excitation. Notre petit *Lyphard* qui n'a plus de forme, plus de couleur, plus de vitesse... C'est lui qui a fait ça, sir... C'est lui qui venge l'*Invincible,* la *Queen,* le... »

Christopher hocha la tête, et sa soudaine gravité parut surprendre le jeune homme. Mais il ne pouvait parvenir à ressentir un quelconque sentiment de joie. Qu'avait-il été commis là, se demanda-t-il. Un acte de guerre ? Un haut fait d'armes ? Non, il le savait bien, et ce n'était pas les acclamations, les louanges et les honneurs qui y changeraient quoi que ce soit : un acte de pure vengeance personnelle. Voilà ce qui venait de se produire dans l'aube maussade. Et tout aussitôt une pensée surgit en lui qui vint compléter la première : Winifred saura que c'est moi qui ai tiré sur le *Pommern*. Elle aura beau ignorer que je *savais* qu'il était à bord, elle ne me pardonnera pas. À cette minute je l'ai perdue, définitivement. Il ferma les yeux. Cette coque dont il surveillait l'agonie avec la même attention indécente que tout à l'heure le projecteur prenant dans son faisceau l'épave ardente du *Tipperary*, cette coque qui chavirait maintenant sur bâbord en montrant de façon presque obscène avant de disparaître l'immense blessure béante qui étoilait son flanc, cette coque à l'intérieur de laquelle l'homme qui avait bouleversé sa vie était sans doute enfermé, peut-être déjà mort, et si ce n'était pas le cas sans illusion sur le sort qui l'attendait, il aurait voulu soudain la redresser, lui faire poursuivre sa route à la suite du *Deutschland* qui disparaissait là-bas sans se soucier de son matelot arrière évanoui...

« Vous n'êtes pas bien, sir ? »

C'était Price qui le regardait soudain avec inquiétude.

Christopher grimaça un sourire.

« C'est ma jambe, midship. Ce n'est rien. Et puis c'est un beau coup. Bravo, Mannings. »

Le pointeur se retourna. Petit visage inexpressif. Mannings. C'était donc toi que Carl avait trouvé sur sa route.

« Vous avez vu ça, commandant, s'il est bon dès qu'on lui donne des conseils ! s'exclama Cartwright.

— Félicitations, les gars, dit dans le conduit la voix un peu gouailleuse de Pritchard. Ça valait la peine d'essayer de vous trouver cinq nœuds avec le peu qui nous reste en bas ! »

Des silhouettes étaient apparues sur le flanc de la coque chavirée. Elles essayaient de garder quelques instants leur équilibre et avec lui un dérisoire sursis, puis presque aussitôt glissaient dans l'eau glacée, bras et jambes écartés comme pour tenter de freiner leur chute. Les canons se dressaient verticalement face au ciel, et l'on eût dit qu'avant de sombrer ils cherchaient à atteindre l'oiseau de malheur qui avait fondu sur eux. Puis il y eut un bouillonnement et la coque sombra. L'horizon s'embrasa alors à nouveau, et des gerbes entourèrent les trois derniers cuirassés de l'escadre qui avaient abattu en catastrophe pour éviter le *Pommern*. Une flottille entière semblait lancée à leurs trousses. « Lents et mal protégés comme ils sont, murmura Price, ils auront de la chance s'ils en réchappent. » Paraissant essoufflés comme des cerfs aux abois, ils abandonnèrent le site du naufrage.

« Pritchard, dit Christopher, la machine en avant, à demi. Timonier, la barre dix degrés à droite. »

Un hoquètement étranglé provint du conduit machines.

« Sir, je me retrouve avec une demi-chaudière sur quatre et j'ai l'impression que ça peut s'arrêter à tout moment. Alors, prendre du monde... »

Christopher empoigna le porte-voix.

« Ce ne sera pas la foule, Pritchard. »

Ils se trouvaient maintenant à l'endroit où avait disparu le bâtiment. Le poussier de charbon, là aussi, semblait poudrer la mer comme si une algue noire et maligne s'était mise soudain à proliférer à sa surface. Quelques cadavres et des débris flottaient au milieu de nappes d'huile qui avaient dû fuir des moteurs annexes et qu'irisait la lumière rasante de l'aube. Ils virent soudain un petit groupe d'hommes engoncés dans leur gilet de sauvetage qui s'agrippaient à une table formant radeau. L'un d'eux fit un vague signe de la main.

« Hodgwood, demanda Christopher, bricolez-moi une échelle de coupée avec l'échelle de passerelle bâbord. Timonier, dit-il dans le porte-voix, légèrement sur votre droite. Vous les voyez ?

— Oui, commandant.

— Mr. Price. Qu'une équipe de cinq hommes se tienne prête à les hisser à bord tous les quatre. Je crois que nous n'en retrouverons pas davantage. »

Ils avaient tous sombré dans l'inconscience quand les matelots les déposèrent à l'abri du panneau du carré comme des gisants que leurs brassières de sauvetage rendaient informes. Sans trop savoir si c'était sa blessure ou son émotion qui le faisait tituber, Christopher s'approcha. Leurs visages et leurs cheveux étaient uniformément recouverts d'une couche noirâtre, gluante et malodorante, de mazout et de suie mélangés. L'infirmier Stubbs se pencha.

« Sir, dit-il en se redressant, il y en a deux de morts...

— Prenez leurs papiers, s'ils en ont », demanda Christopher.

L'un des deux seulement portait son sac de caoutchouc, mais le mazout avait pénétré sous l'enveloppe et maculé le document jusqu'à le rendre totalement indéchiffrable.

« Rejetez-les à la mer », commanda-t-il.

Les marins les firent glisser lentement le long de l'échelle improvisée au moment même où la canonnade recommençait au levant entre la deuxième escadre amputée du *Pommern* et les flottilles lancées à sa poursuite. Il se retourna alors vers les deux rescapés et allait demander que l'on relève aussi leur identité, lorsque l'un d'eux poussa une sorte de soupir et tenta de redresser sa tête. Christopher s'approcha, mais sous son masque tragique ne le reconnut pas plus que l'instant d'avant. L'homme entrouvrit les lèvres.

« Vous ressemblez à... », commença-t-il. Une quinte de toux l'interrompit et il dut s'interrompre, paraissant exténué.

Il avait prononcé ces trois mots en anglais. En tremblant, Christopher s'agenouilla et le dévisagea. Oh, Dieu ! Il n'entendait plus rien, soudain, autour de lui. C'était comme si cette rencontre devait avoir lieu de toute éternité et que cette longue bataille n'avait eu lieu que pour le mettre en présence l'un de l'autre.

« Carl, je... je ne vous reconnaissais pas. »

— J'ai le visage brûlé, murmura le blessé, d'une voix presque inaudible. Et puis... me reconnaître... vous ne m'aviez jamais vu...

— Des photos dans le *News*... dans le *News of*... que recevait... »

Il était si ému qu'il ne pouvait que bafouiller. Il sentit que Carl essayait de nouveau de se redresser un peu et il lui glissa sous la nuque la couverture de l'un des marins.

« Moi je vous ai déjà vu..., murmura Carl. Vous étiez dans la position où je suis maintenant... J'étais venu... pour vous retrouver. Et aujourd'hui, c'est vous qui m'avez retrouvé. La vie est... étrange... »

Il s'efforça de rire, mais cela le fit tousser et suffoquer encore davantage.

« J'ai avalé de cette saleté de mazout », souffla-t-il.

Il ferma les yeux, comme si l'effort de ces quelques phrases était trop grand. Conscients de ce qu'il se passait quelque chose d'inhabituel, les marins observaient un grand silence. Christopher parvint à se ressaisir.

« Professeur Burgsmüller... Vous avez de ses nouvelles ? »

Carl paraissait à nouveau sombrer dans l'inconscience. Christopher le secoua fébrilement. Il ouvrit les yeux, mais son regard semblait déjà voilé comme celui du major Harvey.

« Professeur... Winifred... Vous avez de ses nouvelles, n'est-ce pas... CARL ! »

Il le regarda fixement.

« Winifred..., murmura-t-il.

— Oui ! Winifred ! s'écria Christopher. Dites-moi comment elle va. Je suis son... son mari », ajouta-t-il très vite.

Christopher eut enfin l'impression qu'il le *reliait* à elle.

« J'ai vu... votre photo aussi », murmura Carl. A Gulmarg... »

Parler de Gulmarg, ici. Christopher se retourna. Le midship s'était reculé à quelque distance.

« Mr. Price, demanda-t-il ; aidez-moi à l'installer mieux. »

Ils parvinrent à l'adosser contre un panneau intact de la passerelle. Christopher le prit doucement par les épaules.

« Vous étiez avec elle..., reprit-il d'une voix suppliante. Vous avez sûrement de ses nouvelles... »

Carl resta muet, et Christopher eut l'impression qu'il lui filait entre les doigts.

« Mais il ne lui est rien arrivé, n'est-ce pas ? » demanda-t-il d'un ton angoissé.

Il crut déceler une onde de souffrance dans son regard.

« Je... je ne sais pas, dit Carl d'une voix à peine audible. J'ai... j'ai été rappelé. »

Il fut pris d'une nouvelle quinte de toux.

« Elle est donc là-bas, insista Christopher. N'est-ce pas ? Elle est restée là-bas... »

Carl le regarda fixement.

« Elle est restée là-bas », murmura-t-il.

Carl avait à nouveau fermé les yeux. Christopher le

regarda. Il ne savait trop si c'était la joie qui l'inondait ou une sorte de recueillement qui planait soudain sur toutes choses. Je la retrouverai. Peut-être même quelque part m'attend-elle. Je la retrouverai. Qui sait, même la fin du *Pommern* m'aidera peut-être à cela, contrairement à ce que je craignais tout à l'heure. Car elle voudra savoir ce qui s'est passé pour Carl. Je lui raconterai cette scène dans l'aube froide. Je lui dirai que j'ai essayé de le sauver en le prenant à mon bord. Et qu'il a prononcé ton nom. Oui, il a prononcé ton nom. Et je te pardonne. Et je t'aime. Mais oui, il peut rester dans ton souvenir. Il n'y aura personne pour te retirer cela.

« Si vous voulez mon avis, sir, ça ne peut plus durer très longtemps. »

Il se retourna vivement. C'était Pritchard, le pansement qu'il avait autour du front maculé de graisse. Christopher se redressa en grimaçant. Dieu, il avait oublié sa jambe. Plongé dans ses réflexions, il avait cru un instant qu'il parlait de Carl.

« L'eau monte en bas. Nous en avons au-dessus du genou. Ce qui reste des machines va s'éteindre, et nous allons commencer à dériver, commandant. »

Il eut devant l'évidence un refus rageur et presque enfantin.

« Bon Dieu, Pritchard, s'exclama-t-il, on ne va tout de même pas couler après avoir fait tout cela ! »

Le quartier-maître eut un geste d'impuissance.

« Même si j'arrive à garder la dernière chaudière avec les trois ou quatre nœuds qu'elle nous donne, commandant, le problème est qu'on s'enfonce lentement. »

Il se pencha. La surface de l'eau était à moins de trois pieds du niveau du pont. Il ne parvenait pourtant pas à prendre la décision d'abandonner le destroyer. Cela faisait dix heures environ qu'il en avait pris le commandement et il s'y sentait plus attaché encore qu'il ne l'était au *Lion*. Il eut envie de communiquer au *Lyphard* un peu de cette légèreté qu'il sentait en lui, mais il avait au contraire l'impression que, grise et opaque, la lumière de l'aube pesait sur le bâtiment sinistre au moins autant que l'eau qui l'alourdissait chaque minute davantage. Puis il eut une sorte de vibration

...ourde sous ses pieds qui lui fit penser que, non, le miracle n'aurait pas lieu.

« Mr. Price, appela-t-il, faites grouper l'équipage au pied des cheminées. Combien avons-nous d'hommes à bord ?

— Quarante-deux valides, sir. Cinq blessés. Plus les deux Allemands.

— Faites prévenir Pritchard de remonter avec son équipage. Hodgwood, allez me chercher la mallette des documents de bord dans la cabine du commandant.

— Bien, sir. »

L'équipage se rassemblait frileusement autour de la cheminée avant. C'était l'un des rares endroits du pont qui fût à peu près intact.

« Mannings, appela-t-il, vous avez pointé le tir au but. A vous l'honneur de hisser le pavillon. Par ce geste nous rendrons à la fois hommage au bateau et à ses morts. C'est tout un.

— Attention ! commanda Price. Envoyez ! »

Christopher et Price saluèrent pendant que la croix rouge marquée de l'Union Jack montait à la drisse de fortune.

L'instant d'après, ils mirent le premier canot à l'eau. La mer était si calme que, conduits par Cartwright, les vingt-cinq hommes purent descendre un à un par l'échelle de coupée et que Christopher, l'embarcation une fois remplie, décida de ne pas dénouer encore l'amarre, comme s'il répugnait à scinder l'équipage avant que ce ne fût complètement nécessaire.

« Vous rejoindrez ce premier canot dès que nous le larguerons, Mr. Price, et vous en prendrez le commandement. Nous resterons toujours bord à bord, si nous pouvons y parvenir.

— C'est bien le seul commandement que je souhaite prendre le plus tard possible, sir », murmura le midship.

Il sembla à Christopher que le faible bruit des machines venait de s'arrêter. « Ça y est, on va commencer à dériver », pensa-t-il.

« Où est Pritchard ? » demanda-t-il.

Le quartier-maître apparaissait justement à l'écoutille, le pantalon trempé jusqu'à la ceinture, traînant après lui une bobine de câble qu'il déroulait à mesure et une caisse étanche.

« Qu'est-ce que c'est que tout cet appareillage ? demanda Christopher.

— L'épave va dériver sud-ouest, sir. Et de la façon dont ça se passe en bas, elle risque de rester plusieurs heures à demi immergée et à peine visible. C'est ce qui s'était passé pour le *Pathfinder*, je crois bien, et peut représenter un gros danger pour tous ceux qui rentrent. Dans un cas comme cela, nous avons reçu la consigne de le faire sauter.

— Quoi, s'écria-t-il, vous croyez qu'il ne coulera pas de lui-même ?

— Ça risque d'être très long, sir.

— Mais alors, on aurait pu attendre de se faire prendre en remorque !

— L'ennui, commandant, c'est qu'on ne sait pas dans un cas comme ça ce qui peut se passer. La brèche peut s'élargir à tout moment, et alors on coule en quelques secondes en mettant en danger celui qui nous remorque. Sincèrement, c'est la consigne », répéta-t-il.

Sans trop savoir pourquoi, Christopher se sentit profondément contrarié.

« J'ai l'impression de pousser un vieillard infirme dans l'escalier », marmonna-t-il.

Il regarda Pritchard avec une irritation mal réprimée.

« Vous auriez pu m'en parler ! Cela peut être un danger pour l'équipage...

— Je venais justement le faire, commandant, mais puisque j'étais en bas, je me disais qu'il valait mieux mettre dès maintenant le dispositif en place. Il ne peut y avoir de danger avec ce nouveau matériel. C'est un dispositif de mise à feu avec retard, commandé par des câbles parfaitement étanches et qui peut fonctionner même lorsqu'il y a une voie d'eau, expliqua-t-il en montrant le tronçon qu'il venait de fixer à la caisse. On n'aura plus comme avant à souquer comme des perdus pour s'éloigner du bâtiment. »

Christopher fixa soudain le câble.

« Mais qu'est-ce..., qu'est-ce que c'est que ça ? s'écriat-il soudain.

— C'est ce que je vous disais, sir, répondit Pritchard avec patience. C'est le câble de mise à feu qui a été déroulé en différents points du bâtiment. Avant que nous ne touchions ce matériel, ce n'était jamais étanche si l'eau entrait par une déchirure de la coque, et le mécanisme ne fonctionnait que quand il voulait bien.

— Et quand avez-vous reçu ce nouveau matériel, Pritchard ? demanda-t-il avec une vivacité soudaine.

— Après le Dogger Bank, sir, en février de l'année dernière. Il y avait eu ces épaves qui étaient restées entre deux eaux et... Mais qu'est-ce qu'il se passe, commandant ?

— Attendez, murmura-t-il. Attendez un instant. »

Il s'était agenouillé et devant les yeux effarés du quartier-maître examinait le câble pouce après pouce. Cette couleur verte si particulière. Oh, il n'y avait pas à se tromper. C'était bien le câble que Carl avait trouvé sur la butte et dont il avait apporté un fragment à Gulmarg après l'enquête.

« Est-ce qu'il n'y aurait pas... quelque part... un numéro de référence... », demanda-t-il d'une voix étranglée.

Pritchard déroula quelques pieds supplémentaires. A un moment apparut, gravée en creux dans la gaine de caoutchouc, une longue inscription.

« 3168 6 K 2BBO », lut-il à mi-voix.

Il se redressa.

« Ce n'est pas possible », balbutia-t-il.

Price et Pritchard se regardèrent.

« Mais qu'est-ce qui n'est pas possible, sir ? » demanda Price avec une soudaine inquiétude.

Il parut ne pas entendre. Non ce n'était pas *concevable.* Il revit le visage de Greenshaw. Cette dernière conversation en tête-à-tête à la Résidence derrière laquelle semblait filtrer une sourde menace.

« Commandant, intervint Price, est-ce que je dois embarquer les Allemands dans le canot maintenant ? Il y en a un qui n'a pas l'air trop bien en point. »

Christopher se tourna à nouveau vers Pritchard.

« Coupez-moi donc un fragment de ce câble », lui demanda-t-il.

A contrecœur, comme s'il y avait vraiment autre chose à faire en ce moment, le quartier-maître sortit une pince de sa trousse et lui en coupa un tronçon de deux pieds de long. Christopher s'approcha alors hâtivement de l'endroit où Carl reposait derrière le panneau de passerelle. La tête un peu inclinée, il était dans la même position que tout à l'heure.

« Carl ! appela-t-il fiévreusement. Regardez ! N'était-ce pas ce câble que vous aviez trouvé. Essayez de vous souvenir, Carl ! C'est si important... »

Il ne bougea pas.

« Carl, l'appela-t-il encore. Essayez... C'est important... »

A le voir ainsi sans réaction, il eut la furieuse envie de le secouer avec brutalité.

« Et Winifred ? Vous êtes sûr ? Vous êtes sûr de ce que vous m'avez dit ? Carl ! S'ils ont fait cela pour le pont, alors ils sont capables de tout et peut-être aussi l'ont-ils tuée... Oh non, ce n'est pas possible, et puis vous me l'auriez dit... Mais elle détestait les Green-shaw, Partridge et consorts de la même façon qu'elle détestait Carson et ses unionistes... Oh, Carl, regardez si c'est bien le câble qui... Plutôt non, redites-moi que Winifred est saine et sauve... »

Sentant son discours devenir incohérent, il se pencha sur le visage méconnaissable de celui qui la lui avait arrachée. Mais c'était trop tard, comme toujours, c'était trop tard. Ses yeux s'étaient ouverts sur une autre saison. Il crut défaillir et sentit qu'on le prenait par les épaules.

« Vous êtes fatigué, sir, lui dit Price. C'est normal. Stubbs m'a dit que vous aviez perdu beaucoup de sang. Je crois qu'il faut abandonner, maintenant.

— Et puis cet Allemand est..., commença Stubbs.

— Je sais, l'interrompit Christopher. Mr. Price, faites-le déposer à côté de ses camarades. »

La partie de l'équipage qui n'avait pas encore embarqué paraissait le considérer d'un air vaguement réprobateur. Il reconnaissait certains de ceux qui l'accompagnaient dans la deuxième chaloupe et qu'il avait un peu côtoyés au cours de l'engagement : Ward, Hodgwood, le petit Mannings, le perspicace Matthews. Maintenant, le silence était retombé sur tout cela. Il ne les reverrait jamais, sans doute. La plupart devaient penser comme Price que le commandant d'un jour était bien fatigué et que les circonstances — ou sa blessure — avaient finalement eu raison du sang-froid qu'il avait pourtant montré pendant la plus grande partie de cette mémorable nuit. Lui les regardait désormais sans les voir. La voix de Winifred retentit soudain en lui. Oh, ce souvenir si précis qu'il avait de sa voix, c'était une véritable infirmité. « Comprendras-tu enfin un jour à quel point on t'a tiré dans le dos depuis là-haut », lui avait-elle dit un jour en lui montrant la Résidence. C'était dans la chambre, à Gulmarg. Avait-elle eu le pressentiment, à travers les inimitiés qu'elle percevait autour d'elle, que l'on pourrait s'en prendre à lui et à sa passe de l'Ouest ? Greenshaw s'était senti attaqué à travers son grand ouvrage, c'était un fait. Avait-elle donc eu raison de penser que, attaqués où qu'ils fussent, les Green-shaw et leurs semblables seraient capables de toutes les infamies pour se défendre ? Or qu'avait-elle fait en Irlande, si ce n'était les affronter à mains nues ?... Il essaya de se raisonner. Price avait raison, la fatigue, la douleur et la tension nerveuse devaient obscurcir sa vision des choses. Tout cela n'était que pressentiments et ce n'était quand même pas à partir d'un fragment de câble qu'il allait reconsidérer tout ce qui s'était passé depuis trois ou quatre ans. Qui pourrait jamais dire de toute façon si le pont avait été ou non saboté ? Mais s'il l'avait été, et s'il l'avait été sur les ordres de Greenshaw refusant de quitter le Cachemire sur une défaite, et au moyen d'un matériel qu'il était seul à pouvoir se procurer ?... Il secoua la tête avec désespoir. Bien sûr, on ne pourrait jamais le prouver, surtout maintenant que Branjee avait disparu... Le seul fait qu'il puisse l'envisager ébranlait toutes ses convictions et l'amenait à penser que Winifred avait peut-être eu raison de persévérer dans cette attitude de conflit (qu'il avait parfois mal comprise) avec ce qu'elle appelait de manière générale, depuis l'incident de la piste, les Partridge.

Il se demanda un instant ce qu'était devenu l'arrogant petit lieutenant de guides. Il repensa qu'elle l'avait rencontré — et dans quelles circonstances ! — ce jour funeste où elle avait vu Carl pour la première fois. Il devait être à son affaire, Partridge, avec une belle guerre à mener et des galons et des D.S.O. à gagner... Cela ferait bien, plus tard, dans le *Debrett's*. Voilà qu'il commençait à parler comme elle, remarqua-t-il. Avec la hargne qu'elle pouvait avoir quand elle était en colère. Il essaya de se raisonner. Il n'allait tout de même pas tomber dans les excès qu'avait fait commettre à Wini-fred le néfaste Reginald. Et pourtant il ne pouvait se départir de son angoisse. Malgré ce que lui avait laissé entendre Carl, elle lui parut soudain en danger mortel.

Mais cette fois il en aurait le cœur net, et très vite. Tout auréolé de son haut fait, il allait pouvoir en parler à Beatty dès le lendemain. L'amiral avait évoqué le sujet et lui avait exprimé son alarme devant une répression trop violente en Irlande. Il pourrait donc lui faire part de ses craintes. Et il repartirait pour Dublin. Et là, plus question de faire les rues comme un mendiant, et d'écrire des lettres sous les auvents des vitrines. Droit au fait, tout de suite, maintenant qu'il avait un appui. Oui, il la retrouverait. Il lui annoncerait avec précaution la mort de Carl. Il ne savait encore trop quel rôle il se donnerait — pas celui du héros en tout cas. Peut-être lui en voudrait-elle moins qu'il ne le craignait. Qui sait si, émue par sa longue missive de l'autre fois, elle ne chercherait pas à reconstruire à nouveau quelque chose avec lui, et à tout le moins lui dire, lorsqu'il lui parlerait de ses soupçons, qu'il se faisait des idées concernant Greenshaw. On pouvait toujours rêver.

Un peu rasséréné néanmoins à cette idée d'un nouveau départ pour l'Irlande, il parut se ressaisir. L'eau était maintenant à moins d'un pied du niveau du pont. Il s'avança en claudiquant vers l'aspirant.

« Pritchard a mis au point... son dispositif ? lui demanda-t-il.

— Oui, sir, répondit Price. Il vient de brancher la mise à feu. Nous avons un quart d'heure. »

Lui et Matthews l'aidèrent à franchir la rambarde. Le canot était déjà rempli, et les deux embarcations s'éloignèrent bord à bord.

« Vous restez avec moi, Price ? Je croyais que...

— Cartwright a finalement pris le commandement de l'autre chaloupe, sir. Pritchard est avec eux. Allez, Ward, on souque. »

En se retournant, Christopher vit que l'eau atteignait maintenant la bâche. L'instant d'après on ne voyait plus dépasser du destroyer que ses cheminées, ce qui restait de sa passerelle et l'étrave enfoncée surmontée de son canon disproportionné, sur lequel un marin facétieux avait accroché le pavillon qu'il avait vu la veille à la drisse du petit bâtiment inconnu : JE NE SUIS PLUS MAÎTRE DE MA MANŒUVRE.

Un quart d'heure après, ils n'entendirent même pas la détonation. Il sombra doucement, sans secousses ni convulsions. De l'autre embarcation s'éleva un hourra en son honneur. Eux n'en eurent pas le courage.

« Ce vieux *Lyphard*, commenta simplement Price. Il aura fait son petit boulot. »

Christopher regarda le jeune aspirant avec une sorte d'affection. « Et vous, vous avez fait du chemin depuis hier, midship, pensa-t-il, et cela se saura. » Etendu contre l'étrave, il se sentait gagné par un abattement que des ondes de douleur venaient traverser avec la brutalité du rayon de projecteur de cette nuit. Quelques moments plus tard — le soleil n'était pas levé encore — ils virent qu'un autre destroyer se dirigeait vers eux.

« Il nous envoie un message en optique, sir, s'écria Price. Attendez... Ah, voilà. C'est l'*Achates,* de la quatrième flottille. Il vous adresse les félicitations de l'amiral Beatty pour la destruction du *Pommern.* L'amiral demande...

— Je n'ai rien à en faire, midship, des félicitations. Vraiment rien », s'écria-t-il avec brusquerie.

Price le regarda avec une expression interloquée.

« Mais, sir... L'*amiral*... »

Christopher pensa soudain à son voyage à Dublin et soupira.

« Envoyez-leur un perçu avec ce que vous pourrez, dit-il. Oui, c'est cela, avec le projecteur de secours. Et puis dites-leur... »

Il s'interrompit, puis regarda l'endroit où avait disparu le *Lyphard.* Où avait disparu... La lanterne de signaux sur les genoux, Price attendait.

« Sir... Je suis prêt à transmettre. »

Christopher hocha lentement la tête. Il sentait revenir sa nausée de la veille. La mer était calme, pourtant. Si parfaitement inconsciente de tout ce qui s'était passé là depuis une dizaine d'heures. Il allait sans doute faire une belle journée. C'était juin, après tout. C'était juin.

Price le regarda avec un air interrogateur.

Christopher ébaucha un geste las vers la silhouette de l'*Achates* qui se rapprochait.

« Dites-leur qu'on souque vers eux », murmura-t-il.

Table

DU MÊME AUTEUR

LES RIVES DE L'IRRAWADDY, Fayard, 1975, réédition Stock, 1981.
L'ADIEU À LA FEMME SAUVAGE, Stock, 1979.
(Grand Prix du Roman de l'Académie française 1979
et Prix R.T.L. 1979.)

Composition réalisée en ordinateur par IOTA

IMPRIMÉ EN FRANCE PAR BRODARD ET TAUPIN
58, rue Jean Bleuzen - Vanves - Usine de La Flèche.
LIBRAIRIE GÉNÉRALE FRANÇAISE - 14, rue de l'Ancienne-Comédie - Paris.

ISBN : 2 - 253 - 03599 - 8   ◈ 30/6015/9